LES FILLES
STRAUSS

Titre original:

All for the love of Daddy
Ballantine books. New-York

© 1987 by Marcia Rose

Traduction © 1987 par
Les Éditions Flammarion ltée

ISBN 2-89077-033-8

Dépôt légal: 4ᵉ trimestre 1987

Imprimé au Québec

Couverture: photographies de
Quatre par Cinq inc.

Marcia Rose

LES FILLES STRAUSS

Traduit de l'américain
par J.R. SAUCYER

SUPER SELLERS

chapitre un

Le 28 novembre 1985,
jour de l'Action de grâce.

Deena Berman était d'avis qu'en ce jour de l'Action de grâce, la cuisine de sa mère aurait pu servir de décor pour une comédie musicale mettant en vedette une famille juive aisée de New-York. Les protagonistes féminines s'affairaient à préparer le repas traditionnel dans un immense et luxueux appartement donnant sur Central Park West. Tous les accessoires étaient en place: les casseroles sur le poêle, les bols de porcelaine sur le comptoir, les plateaux d'argent sur la desserte. La table pour dépecer la viande était couverte de chaudrons. Les corbeilles à fruits remisées dans le garde-manger étaient abondamment garnies. La table roulante croulait sous les desserts de toutes sortes. Sans oublier les corbeilles pleines de pains, de biscottes et de craquelins. On apercevait dans le four l'énorme dinde mise à rôtir. Tout semblait prêt pour le lever du rideau. Les femmes de la distribution étaient déjà en scène, affairées, attentives. Elles semblaient bien s'entendre et s'amuser. Les quatre filles Strauss, comme papa aimait les appeler. Deena passa les rôles en revue par ordre d'entrée en scène: la mère, Sylvia Weinreb-Strauss, âgée de soixante-neuf ans; Elaine Strauss-Barranger, l'aînée, âgée de quarante-cinq ans; le docteur Marilyn Strauss, la benjamine toujours célibataire malgré ses trente-six ans; la dernière -et non la moindre- elle-même, Deena Strauss-Berman, épouse, mère et cadette. Son âge? Ah! Et puis après… quarante-trois ans.

Sauf qu'il ne s'agissait pas d'une comédie musicale et qu'elles ne se trouvaient pas sur la scène d'un théâtre. Elles étaient réunies en famille dans la maison de leur enfance. La cuisine avait l'odeur de toujours en ce jour de l'Action de grâce: un mélange de beurre, de miel, d'orange, de sauge, de clou de girofle, de dinde, d'oignon, de tarte aux pommes à la cannelle et de tarte à la citrouille. Ce serait délicieux! Et rien n'avait changé depuis toutes ces années. Voilà qui émerveillait Deena. Elle s'arrêta sur place, au centre de la cuisine, un plateau de cristal taillé dans les mains, et huma les odeurs de cuisson avec satisfaction. Tout semblait si familier en ce jour, au royaume de sa mère, la cuisine. Sylvia détestait prendre son temps. Ainsi, elle avait assigné une place pour chaque chose et chaque chose se trouvait toujours à sa place. Et cette place était la même depuis les quarante-sept dernières années. Deena pouvait encore trouver son chemin dans la maison en pleine obscurité, prendre la boîte de biscuits sur le côté droit de la troisième tablette du garde-manger et retourner à sa chambre les yeux fermés sans rien bousculer sur son passage.

— Attention!, lança Elaine en riant.

Elle passa à ses côtés en soulevant un ravier de crudités.

— Excuse-moi, j'ai été désignée pour apporter les crudités.

Elle prononça le dernier mot à la française.

— Crudités?, répéta Deena. Te souviens-tu qu'on appelait ça des légumes crus?

— Dans le temps où la soupe au boeuf n'était pas encore un consommé!

Marilyn, la benjamine, venait de parler; elle préparait des croquettes à l'autre extrémité du comptoir, près des fours encastrés.

— Quand les verres sont devenus des gobelets, surenchérit Elaine.

— Et que le pudding au chocolat ne s'appelait pas encore une mousse…

— Mon Dieu! Vous en souvenez-vous?, demanda Deena en riant. La première fois que Sylvia nous a annoncé qu'on mangerait de la mousse. La panique dans les yeux de Marilyn… Hein? Elle ne savait plus où se mettre!

— On la connaît par coeur ton histoire, Deena. On l'a entendue au moins cinq mille fois, répondit Marilyn.

— Tu ne t'es pas vue… C'était tellement drôle! On pouvait lire dans tes pensées… Un grand plateau de mousse avec quelques fougères pour faire plus naturel!

— Comme toujours, t'as fait ta bonne petite fille en me disant de pas m'en faire, que maman avait enlevé les petits cailloux!

Elaine riait à son tour.

— C'est vrai que c'était drôle! Mais Moo, on t'a eue si facilement. Tu prends tout au pied de la lettre!

— Contrairement aux Joan Rivers qui peuplent ma nombreuse famille! Si vous saviez comme vous m'agaciez avec vos farces idiotes et vos jeux de mots faciles! Quelquefois, j'avais honte d'amener des amies à la maison. J'étais embarrassée d'avoir à vous présenter.

— Est-ce que ça a changé?, demanda Deena à la blague.

Lorsque Marilyn se retourna pour la foudroyer du regard, elle ajouta prestement:

— C'est juste une plaisanterie. On peut dire que t'en as mis du temps à amener ce garçon à la maison.

— Personne n'aime les trop futées, Deena!

La réplique ne s'était pas fait attendre.

— Les filles! Arrêtez tout de suite. Marilyn est médecin après tout.

La mère venait de parler.

— Oh! Sylvia. Ma fille le médecin. C'est ça que tu veux nous dire?

— Laissez tomber! Et puis cessez de harceler votre petite soeur.

Deena se pencha discrètement pour dévisager sa mère qui préparait la macédoine de fruits; elle était certaine de discerner un petit sourire aux commissures de ses lèvres. Pendant ce temps Marilyn faisait un bras d'honneur à ses soeurs, à l'insu de leur mère bien entendu. Sylvia Strauss appartenait à la vieille école. Elle se serait cru justifiée de les envoyer toutes en punition dans leurs chambres. Des chambres qu'elles avaient désertées quelque vingt années auparavant.

Rieuse, Deena souleva le plateau et passa la porte battante pour aller dans la salle à manger. Lors des grands dîners, la table était couverte de la nappe blanche de grand-maman Strauss; on utilisait la coutellerie de grand-maman Weinreb et une odeur de cire d'abeilles parfumait les boiseries. Earline, la femme de ménage, avait fait des heures supplémentaires la veille. Lorsque Deena était venue porter sa tarte à la citrouille, la grosse Earline, corsetée comme une dame, astiquait encore les poignées de porte en laiton malgré qu'il fût plus de six heures. Deena avait réprimandé la vieille domestique.

— Earline, le ciel ne nous tombera pas sur la tête même si tout ne reluit pas comme un sou neuf dans cet appartement! N'avez-vous rien à préparer pour fêter l'Action de grâce?

Earline avait continué de frotter en gloussant:

— J'y vais, j'y vais! Y'a rien qui presse. Ce sont mes petits-enfants qui cuisinent cette année. Ça promet d'être un dîner mémorable!

Elle n'aurait pu mieux dire. Quatre de ses sept petits-enfants étaient cuisiniers dans de grands restaurants.

— Que voulez-vous? Nous sommes une famille de gâte-sauce, avait ajouté Earline en souriant.

Deena pensait à présent que les Strauss formaient une famille de «ripailleurs». Il y aurait assez de nourriture sur cette table pour nourrir un régiment affamé. Chaque fois, il y avait trop à manger et trop à boire. S'il fallait trouver un défaut à sa mère, ce serait d'être excessive. Même sa vaisselle préférée était ornée à outrance: un motif à fleurs de lys et quatre bandes dorées soulignaient trois bandes marron encerclant un bouquet de roses bordeaux dont quelques pétales étaient dorés. Mais l'important pour Sylvia était qu'il s'agissait de porcelaine anglaise, la plus coûteuse de chez Altman, et qu'elle comportait de nombreuses décorations. Enfant, Deena avait adoré ce service de vaisselle et avait grandi pour le jour où sa mère le lui lèguerait. A présent, elle ne saurait qu'en faire. Le motif était surchargé, mais mignon tout de même. Semblable à tout ce que possédait sa mère. Qui plus est, si elle était arrivée chez ses parents pour trouver un autre service sur la table, aussi élégant fût-il, elle se serait sentie trahie. La table de cette salle à manger devait paraître chargée, lourde, opulente. Telle qu'elle était en ce moment. Même le centre de table ajoutait au baroque: une corne d'abondance en dorure tchèque débordante de fruits, de noix et de dragées.

Le monde extérieur pouvait changer et prendre des tournants que Deena n'appréciait pas, oui, le monde pouvait bien changer, pourvu que l'appartement de ses parents reste immuable. Elle jeta un autre coup d'oeil à la table. Les verres à eau étaient posés devant le couvert de chacun et tout était ravissant. Il ne lui restait plus qu'à apporter les verres à vin.

En retournant à la cuisine, elle aperçut son reflet imprécis dans l'un des miroirs couvrant les portes du garde-manger. Elle fut étonnée. Elle avait de l'allure! Sa nouvelle coiffure l'avantageait, les boucles courtes retombaient sur son front, et on voyait à présent à ses oreilles les diamants que son père lui avait offerts pour son quarantième anniversaire. Elle avait hérité des Weinreb les joues finement modelées; elle aurait cependant bien aimé avoir aussi leurs yeux bleus comme un ciel de mai. Mais non, il avait fallu qu'ils soient noisette! Tant pis, cela suffisait pour qu'une femme soit sexy! Elle rit en se voyant. Sexy! Jamais plus on ne la qualifierait ainsi. A quarante-trois ans, Deena Strauss-Berman était mère de quatre enfants, ménagère, conseillère en orientation, à temps partiel, à l'école Clayton et, depuis peu, étudiante à l'université.

Elle se regarda de nouveau avant de prendre les verres à vin dans l'armoire. Elle répétait souvent ce geste depuis quelque temps: vérifier son reflet dans une glace. Comme si elle pouvait changer d'un instant à l'autre. Il lui faudrait abandonner cette habitude. Car, enfin, qu'aurait-elle pu voir? Elle examina le reflet que lui renvoyait la surface convexe d'un verre ballon. Attirante. Elle s'accordait d'être encore attirante. Pas mal pour une femme de son âge. Pas de double menton, pas de cernes sous les yeux, pas de pattes d'oie. A bien y songer, elle paraissait plus jeune que Marilyn pourtant sa cadette de sept ans. Marilyn était en piteux état, pensait-elle; toute ridée, plissée, la peau tannée comme celles des vieilles montagnardes. Peut-être se montrait-elle injuste. Marilyn était une vraie blonde qui ne se maquillait pas et ne se préoccupait aucunement des modes. Elle se moquait éperdument de son apparence, un point c'est tout. Encore aujourd'hui, elle portait un vieux blue-jean et un pull pour homme trop grand pour elle. Pour le dîner de l'Action de grâce! Elle avait relevé ses cheveux blonds en chignon indiscipliné retenu par deux peignes. Pourquoi prenait-elle ainsi plaisir à ne pas paraître à son avantage? Elle n'avait certainement pas été élevée de la sorte. Cette simple suggestion fit sourire Deena. N'avaient-elles pas toutes été élevées selon les mêmes critères? Une dame ne doit pas s'esclaffer; une dame ne pose pas les coudes sur la table; une dame ne laisse pas un garçon la toucher là où il ne faut pas (et il ne fallait à aucun endroit); une dame porte toujours un soin particulier à son apparence.

C'était honteux de la part de Marilyn. Elle était peut-être médecin, mais elle ne semblait ni heureuse ni épanouie. Elle était plus petite, plus mince et plus blonde que ses soeurs. Petite fille, on croyait qu'elle était en or: une blonde parmi ces noiraudes. Chacun disait alors que Marilyn deviendrait une femme d'une grande beauté. Ce qui signifiait que Marilyn ressemblerait à une déesse du muet, à une Gentille, à une goy. La métamorphose ne se réalisa pas comme on l'entendait. Marilyn avait simplement l'air d'une blondinette épuisée.

Deena se surprit à rire. Car enfin Marilyn n'était pas si mal. S'il lui prenait l'envie d'ironiser, autant réserver ses pics à celle qui le méritait: Elaine. Elaine Barranger, la plus grande avec ses cinq pieds neuf pouces, la plus belle avec son nez aquilin et une ossature faciale sculptée par un maître italien, ses yeux de lapis lazuli et sa chevelure à la Dalila, rehaussée d'une mèche blanche créant un effet dramatique. La plus forte aussi. Elaine était une sorte de cariatide. Une statue avec quarante livres de trop, préférait-elle admettre. Cela n'importait guère; les hommes la suivaient encore dans la rue. Elaine s'en moquait bien; seules les affaires comptaient. Elaine était celle qui ressemblait le plus à Sylvia, bien que la mère fût modelée à une plus petite échelle et ne dégageât pas les mêmes impressions de pouvoir et d'éclat.

Et moi alors?, pensa Deena. Qu'est-ce qui se dégage de moi? Presque rien. Elle était l'exemple typique de la cadette: moyennement mince, moyennement intelligente, moyennement satisfaite, pas aussi belle qu'Elaine, pas aussi naturelle que Marilyn. Même ses cheveux n'étaient pas aussi bouclés que ceux de Marilyn, pas aussi éclatants que ceux de Sylvia, pas aussi noirs que ceux d'Elaine. Assez! Il lui fallait perdre cette mauvaise habitude de rêvasser à des moments et à des endroits impossibles. L'autre nuit elle s'était réveillée à trois heures pour songer à l'époque où ses enfants étaient bébés, et elle s'était fâchée contre Michael qui avait été absent au cours de ces années importantes. Dieu qu'elle était fatiguée de vivre cette vie! Fatiguée de s'occuper de quatre enfants qui étaient à présent en âge de prendre soin d'eux-mêmes. Sans parler d'un mari qui n'avait plus de temps à lui consacrer entre son cabinet d'avocat et ses activités de chasseur de nazis.

Elle se secoua, lasse de retourner ces mêmes pensées, et elle prit les verres à vin dans l'armoire. Ce genre de besogne l'apaisait, car ainsi elle se replongeait dans les souvenirs heureux de son enfance. Elle se souvint avec joie de l'année où on consentit à poser un verre à vin près de son couvert, plutôt que la tasse Shirley Temple qu'on lui réservait jusque-là. Elle se demanda où se trouvait cette tasse à présent. Etait-elle encore dans le petit placard à côté du réfrigérateur? Probablement. Sylvia n'était pas du genre à jeter quoi que ce soit. Au diable les souvenirs!, songea-t-elle. Elle emplit le plateau de verres, alla les poser sur la table et revint à la cuisine. Juste à temps car Sylvie criait:

— Deena, il est six heures neuf!

— Oui Sylvia, pas besoin de me le rappeler!

— Ma fille, il est grand temps! Plus que temps!

Deena savait ce que cela signifiait. L'horaire de la journée était affiché au mur au-dessus du poêle. Les haricots verts amandine étaient prévus pour six heures. Elle ricana intérieurement. Sa mère fonctionnait comme un horaire de chemins de fer. Alors qu'elle allait prendre les haricots, ses deux soeurs s'arrêtèrent, consultèrent leurs montres-bracelets et comptèrent les secondes à haute voix.

— Six heures dix, Sylvia!, s'exclama Elaine. Dix minutes de retard. Faut-il envoyer Deena au lit sans dîner?

Marilyn ajouta sur le même ton:

— Ainsi la sentence conviendrait au crime!

Elles pouffèrent toutes de rire. Gentiment, dos tourné Sylvia répondit:

— Vous savez quel est le problème dans cette maison? Tout le monde réplique à sa pauvre mère plutôt que de faire son travail.

Puis elle rit à son tour. Deena se plaça devant sa mère - droite comme une flèche, vêtue de cachemire rose acheté chez Saks - qui travaillait sans s'arrêter. Elle n'avait jamais cessé de faire sa besogne et l'avait toujours accomplie à temps. Mais elle pouvait se montrer casse-pied, surtout lorsqu'elle essayait d'imposer son horaire à ses filles. Papa était peut-être celui qui racontait les blagues, qui faisait rire la maisonnée, qui distribuait les dollars, la vedette de l'histoire -c'était son histoire- mais il n'aurait jamais pu faire quoi que ce soit sans Sylvia à ses côtés. Deena admirait sa mère pour ce qu'elle était. Où trouvait-elle toute cette énergie? Et malgré toute la besogne qu'elle devait abattre, elle trouvait moyen de plaisanter. Deena en vint à penser que sa mère prenait plaisir à tous ces chantiers, aux horaires réglés comme une minuterie, à ces manies qui rendaient ses filles folles de rage.

Dans un geste impulsif, elle se rendit à l'évier et posa ses mains sur les épaules de sa mère.

— Tootsie, je veux que tu saches combien je suis émerveillée par tes talents.

Elle se pencha pour l'embrasser mais Sylvia répondit:

— C'est gentil à toi ma chérie. Plus tard, plus tard. Vite les haricots!

Il n'aurait servi à rien de protester. Elle avait programmé les haricots pour six heures trente et rien n'y ferait. Il ne restait plus que onze minutes et trente secondes pour les faire cuire. Quelqu'un avait eu la gentillesse de sortir le plat de service. Lorsqu'elle le prit, elle s'aperçut qu'il contenait déjà quelque chose d'étrange. Quelque chose qui ressemblait à des champignons chinois mélangés à du tofu.

— Qui a préparé ce plat?
— Lequel?
— Celui qui ressemble à des champignons au tofu.
— Mais c'est du tofu aux champignons, répondit Marilyn. C'est à moi. Fais pas tes gros yeux Deena. J'ai enlevé les petits cailloux!

Elles riaient encore lorsque s'ouvrit la porte de la cuisine. Soudain la pièce sembla trop petite. Jack Strauss venait de faire son entrée, plein d'entrain et d'énergie, laissant la porte battante frapper le mur. Deena aimait la voix de son père, grave et râpeuse à cause des longues années passées à fumer des cigares cubains. Elle aimait son rire moqueur, ses gestes extravagants. S'était-il déjà faufilé dans une pièce sans se faire remarquer? Etait-il déjà entré simplement dans une pièce? Probablement pas. Jack Strauss aimait le théâtre.

— Les voici en plein à l'endroit où je m'attendais à les trouver: les huit plus belles jambes de New-York!

— Les huit jambes les plus fatiguées, tu veux dire!, rétorqua Marilyn. De toute façon papa, qu'est-ce que nos jambes ont à voir dans ce que nous faisons?

— Ma petite féministe!, répondit Jack en riant. Je suis désolé d'avoir remarqué que vous aviez toutes de fort jolies jambes. Alors fouettez-moi, je n'y peux rien. Je suis un homme à jambes. C'est pour ça que j'ai choisi votre mère. Elle était...

— On la connaît!, répondit sa femme. Le ferry de Staten-Island. Le vent. Ma jupe. Mes jambes. Ça suffit Jack!

Elle avait parlé en riant et ses joues rosissaient de plaisir. Deena enviait sa mère d'être ainsi intimidée par son mari après tant d'années.

— Et surtout ne me parle pas de jambes fatiguées, toi Marilyn! La skieuse, l'alpiniste. Combien de montagnes as-tu escaladées l'été dernier? Douze?, poursuivit Jack en coupant la parole à sa femme.

— Deux. Et c'est vrai, papa.

— Qui prétend le contraire? Je suis le détenteur de la vérité, comme un juge, un rabbin, un professeur...

Elles se tournèrent toutes sagement vers lui. Deena sourit. Il ne paraissait pas ses soixante-dix ans. Il apportait beaucoup de soin à sa personne, surveillait son poids, se rendait au gymnase deux fois par semaine, se couchait sous la lampe solaire, se rendait à pied au bureau. Il avait une mine superbe; pas de bedaine, pas de chair flasque, solide comme un roc, des jambes et un torse musclés, et une tête blanche qui commençait à peine à se dégarnir. Par coquetterie, toutes les deux semaines, il se rendait chez Sal, son coiffeur.

En voyant son père, le teint basané, avec ses beaux cheveux blancs, vêtu d'un pantalon de velours côtelé gris et d'un chandail de cachemire bourgogne, Deena estima que sa mère était une femme heureuse. Tous deux débordaient d'entrain, voyageaient beaucoup, s'amusaient ensemble et faisaient probablement encore l'amour. La plupart des amis de son père étaient des vieillards courbés, grincheux et ennuyeux. Oui, les filles Strauss s'estimaient heureuses!

— Qu'est-ce que tu veux Jack? Vite, nous avons du travail!

— D'abord un baiser des plus jolies filles qui se trouvent ici.

— Oh! papa...

Il s'agissait d'une vieille habitude. Il tendait la joue à chacune de ses filles et se laissait bécoter par elles, aussi bruyamment qu'elles le pouvaient.

— Je garde la plus belle pour la fin, disait-il chaque fois avant de se présenter à sa femme pour l'embrasser dans le cou.

— Oh! Jack...

Elle se dégagea.

— Pas quand je me sers du couteau! Sors d'ici, si tu n'as rien de mieux à faire.

— J'ai bien mieux à faire. En fait j'étais venu vous proposer mes services à titre de goûteur. Ça sent diablement bon ici!

En parlant, il rôdait dans la cuisine, soulevait le couvercle des casseroles, ouvrait la porte du four; il plongea le doigt dans la saucière contenant la gelée de canneberges et le lécha avec ravissement.

— Mon Dieu, qu'est-ce que c'est que ça?

Deena n'eut pas à se retourner pour savoir que son père venait de découvrir le plat apporté par Marilyn.

— Qu'est-ce que t'appelles *ça*, papa?, demanda cette dernière d'un ton qui aurait refroidi un Inuit.

— Cette chose-là, noire et blanche... Je ne sais pas ce que c'est, mais j'espère seulement que vous n'avez pas l'intention de mettre ça sur la table avec la nourriture.

Elles pouffèrent toutes de rire, toutes sauf Marilyn qui rougit avant d'ajouter:

— Ceux qui ne sont pas ancrés dans leurs goûts provinciaux considèrent ce plat comme un délice.

— Oh, Marilyn! s'exclama Deena tandis que Jack sourcillait.

Si elle ne désamorçait pas rapidement la situation, leur père serait blessé et c'en serait fait de la fête.

— C'était une plaisanterie, une simple plaisanterie. N'est-ce pas papa? Allons Moo, as-tu perdu ton sens de l'humour quelque part au Vermont?

Papa retrouva son sourire et donna l'accolade à Marilyn.

— Allons ma fille, oublie ça. C'est le jour d'Action de grâce. Remercions le Ciel de nous avoir donné le sens de l'humour et une couenne dure.

Marilyn murmura quelque chose d'inaudible; cela sembla suffire car le père prit une bouteille d'eau de Seltz dans le réfrigérateur et se dirigea vers la sortie.

— Sylvia, c'est le quatrième quart.

— Alors va le regarder!

— Tu crois que ça me fait plaisir, hein? Le football* n'est pas mon sport. Le soccer, ça c'est du sport. Même le basketball. Mais le football...! Bing, bang, fonce, rentre dedans, c'est pas du sport!

Marilyn rétorqua:

— Dans ce cas, pourquoi regardes-tu le match à la télé?

— Pourquoi, pensez-vous? Parce que votre mère m'y oblige. Elle a commencé à me faire regarder le football à la télé quand Elaine avait deux ans pour que je ne sois pas dans ses jupes.

— Menteur!, dit Sylvia en riant. Va-t-en, veux-tu? Tu sais que tu regardes le football parce que c'est ce que font les hommes le jour de l'Action de grâce.

Il haussa les épaules en disant:

— Alors? Le dîner, dans vingt minutes.

— Quand tu voudras Jack.

— Bien.

Sur ce, il sortit.

— Pourquoi, «quand tu voudras Jack»?, demanda Marilyn à voix basse aussitôt que son père eut disparu.

— C'est le chef de famille, répondit Sylvia étonnée. Tu le sais bien.

---

* Il s'agit ici de football américain, le soccer correspondant au football européen.

— Ce serait plus logique si celles qui se tapent tout le travail décidaient de l'heure à laquelle le dîner sera prêt!

— Marilyn chérie, ce commentaire est indigne de toi. Depuis trente ans que je prépare le dîner de l'Action de grâce, chaque année il vient dans la cuisine à la mi-temps du quatrième quart pour m'annoncer qu'il a faim et pour se plaindre qu'il n'aime pas le football, et chaque année je lui réponds: «Quand tu voudras Jack», et depuis trente ans, Marilyn chérie, j'ai toujours servi le dîner au moment qui me convenait. Et ça, ma chère enfant, c'est ce que vous appelez un mariage... euh pardon, une relation qui marche!

Il fallait qu'elle laisse sous-entendre: «Tu n'es pas mariée, Marilyn chérie, tu ne sais donc pas ce que c'est». Deena avait envie d'applaudir la façon subtile dont Sylvia triomphait toujours; mais ni Marilyn ni sa mère n'apprécierait. En y pensant bien, Elaine avait raison au sujet de Marilyn. La plus jeune prenait tout au pied de la lettre. Il fallait toujours soupeser les blagues qu'on lui adressait. De plus, elle s'en prenait toujours à papa. Elles savaient que Sylvia passait à leur père tous ses caprices, mais cela ne changeait strictement rien. Alors pourquoi ne pas rire en chœur avec ses soeurs?

Deena avait du mal à comprendre Marilyn. Celle-ci avait sept ans de moins que sa soeur. Au moment où Marilyn était parvenue à l'adolescence, ses deux aînées étaient mariées depuis longtemps. Elle avait reçu toute l'attention de papa, ce que Deena avait désiré plus que tout lorsqu'elle était enfant. Elle avait été élevée comme une enfant unique. On avait cru qu'elle serait plus proche de son père, mais elle lui cherchait toujours noise. Il était espiègle et coquin, mais existait-il un autre homme qui fût aussi bon et généreux que Jack Strauss?

D'autant plus que les goûts de Marilyn étaient discutables lorsqu'il s'agissait des hommes. Les trois soupirants qu'elle lui avait présentés n'étaient pas des phénix. Pas plus que le chérubin actuel qui partageait sa vie au Vermont: John LaSalle, grand, barbu, les cheveux longs attachés sur la nuque, et plutôt peu loquace si on veut être poli. En ce moment, il buvait la meilleure bouteille de scotch de leur père en regardant avec les autres hommes de la famille le match de football, dans la salle de séjour. Il n'ajoutait sûrement rien à la conversation, sinon un grognement occasionnel ou un commentaire monosyllabique. Il avait cependant belle allure; Deena et Elaine avaient tout compris ce matin en le rencontrant pour la première fois. Qu'est-ce que ces deux-là avaient pu découvrir l'un chez l'autre? «Les imagines-tu dans un lit?», avait demandé Elaine en pouffant de rire. Deena n'avait rien dit mais elle s'était souvent imaginée Elaine et son mari Howard dans un lit. Howard était un homme mince et plutôt bien fait, tandis qu'Elaine pesait au moins vingt livres de plus que lui. Mais cela ne la regardait pas.

— J'aurais pu vous dire, poursuivait Sylvia, que votre père n'accepterait pas l'idée de goûter quelque chose de nouveau comme du tofu le jour de l'Action de grâce.

— Mon père n'a pas à en manger s'il ne veut pas, dit Marilyn en serrant les lèvres. Mais il pourrait apprendre à se taire.

— Marilyn!

— Ce serait une bonne chose Sylvia, et tu le sais mieux que moi. Il a été extrêmement désagréable à mon égard.

— Mais drôle, ajouta Deena.

— Voilà comment naissent les problèmes avec des gens comme vous!, lança Marilyn. Vous vous imaginez que si c'est drôle, c'est permis.

— Ton père, dit Sylvia avec beaucoup de patience, est un homme de traditions. Crois-tu que je n'aimerais pas varier le menu de temps en temps? J'essaierais bien une nouvelle recette de farce pour la dinde, par exemple.

— Oserais-tu?, demanda Elaine en riant. C'est la recette de grand-maman Strauss.

Sylvia joua de la prunelle pour faire rire ses filles.

— Pensez-vous que je l'ignore? Il a fallu des années avant qu'elle consente à me révéler son ingrédient secret. Vous n'avez pas idée...

— Oh si! Sylvia... On l'entend chaque année.

— Dis-nous de quoi il s'agit, Sylvia, demanda Deena.

— Vous imaginez-vous que je vais vous le dire?

Le sourire de leur mère semblait si suffisant que les trois soeurs croulèrent de rire.

— Très drôle, mais ça l'était moins en ce temps-là. Vous n'avez pas idée...

Les trois soeurs achevèrent la phrase de leur mère:

— ... combien cette femme était insupportable!

De nouveau, les trois soeurs pleuraient de rire.

— Laissez-moi vous faire une confidence. Cette femme était plus qu'insupportable; elle méritait des coups de pieds au cul!

— Sylvia!

Deena voyait les regards de ses soeurs refléter sa propre stupeur. Leur mère qui n'employait jamais le moindre juron, qui estimait que traiter quelqu'un de goujat était blasphémer, venait de dire ces mots-là!

— Jamais je ne t'ai entendue parler ainsi, avoua Deena.

Douce comme de la crème, Sylvia expliqua:

— Je n'avais jamais prononcé le mot «cul» avant aujourd'hui mais depuis que je fais partie du groupe...

— De quoi?

— Pas maintenant...

Sylvia consulta rapidement sa montre.

— Il faut s'occuper des mandarines confites.

— Sylvia, tu ne peux pas nous laisser en haleine comme ça!

— Depuis que je fais partie de ce groupe, je peux. Je blague, mais il faut vraiment s'occuper tout de suite des mandarines confites avant qu'il ne soit trop tard. Deena, j'ai horreur de ça quand tu me regardes avec tes airs de biche blessée.

Quelle chose affreuse à dire, songea l'interpellée. Primo, je n'ai pas l'air d'une biche blessée; secondo, je ne la regarde pas ainsi parce que je ne me sens pas blessée; tertio, on ne devrait jamais avoir horreur de quoi que ce soit provenant de sa propre chair. Mais elle se contenta de le penser sans rien dire, comme toujours. Elle inspira profondément et fit semblant d'aller chercher quelque chose à la salle à manger.

Elle désirait un peu de solitude. Elle se tenait près de la table, fixant le vide et clignant des paupières. Elle ne devait pas pleurer. Il ne fallait pas qu'elle pleure. Elle avait trop pleuré depuis quelque temps. Qu'est-ce qui n'allait pas? Elle ne devait pas pleurer. Si Sylvia arrivait à l'improviste et la surprenait à pleurer, elle lui ferait tout un discours sur les menstruations et sur sa nature sensible.

De toute façon, quelle raison avait-elle de pleurer? Sa mère avait passé un commentaire désobligeant? Ce n'était pas la première fois. La franchise de Sylvia était légendaire. Il fallait s'y faire ou périr sur le champ.

Ne s'était-il pas passé la même chose lors de leur dernière rencontre seule à seule? Elles s'étaient rencontrées chez Altman's pour déjeuner au Charleston Gardens; elles avaient ensuite fait des emplettes car Deena devait acheter une robe pour assister à un mariage. Deena avait horreur du shopping mais elle n'avait pas vu sa mère depuis deux semaines et elle aimait déjeuner à cet endroit, peut-être parce qu'il n'était pas le préféré de Sylvia. Elle s'était fait à l'idée de déjeuner en tête à tête avec sa mère, pleine de joie et de bonne volonté. En l'apercevant, Sylvia l'embrassa rapidement, la dévisagea des pieds à la tête et lui dit sèchement:

— Le taupe ne te convient pas, ma chérie!

Deena décida de prendre la remarque à la blague, comme d'habitude, et avait répliqué:

— Toujours le mot pour mettre quelqu'un à l'aise, Sylvia chérie!

— Ecoute, le chandail est magnifique et il te va très bien. Il manque une touche de couleur, voilà tout.

En moins de deux, elles s'étaient dirigées vers le comptoir des écharpes au rez-de-chaussée et Deena s'était trouvée pourvue d'un carré de soie turquoise signé Hermès. Voilà quelle femme était Sylvia! Deena disait souvent à son sujet:

— Lorsque ma mère prend mon visage entre ses mains, je ne sais jamais si c'est par affection ou parce qu'elle veut passer mes défauts en revue!

Il était donc vain de se chagriner au sujet des ses dernières remarques. Elle approcha de la fenêtre pour regarder Central-Park. Elle s'enroula dans les lourdes draperies de shantoung comme s'il s'agissait d'une couverture chaude et protectrice, et elle posa son front sur la vitre froide. Enfant, c'était ici qu'elle cherchait refuge lorsqu'elle avait besoin de réconfort et de consolation. Cette fenêtre donnait sur une allée de feuillus qui touchaient le ciel nébuleux. Fillette, elle avait imaginé l'East-Side à l'autre bout du monde. Son père lui avait souvent répété que le parc était son jardin personnel. «Tu vois le parc? Je l'ai fait aménager spécialement pour toi et tes soeurs», plaisantait-il. «Je leur ai dit: aucun immeuble; mes petites ont besoin d'espace et de verdure.» Et il riait plus encore, en la balançant dans les airs.

Soudain elle se remémora avec précision ce matin gris - combien de temps cela faisait-il? probablement quarante ans- lorsque papa était entré sur la pointe des pieds dans la chambre qu'elle partageait avec Elaine, l'index posé sur les lèvres, les yeux pétillants. Elle sentait encore la cire citronnée et l'odeur âcre des eucalyptus dans un vase... Hé! ce vase avait été brisé depuis longtemps, et par elle, lorsqu'elle apprenait à conduire sa nouvelle bicyclette à trois vitesses dans l'appartement.

Il l'avait prise dans ses bras pour l'amener à la fenêtre où le spectacle lui avait coupé le souffle. Mickey Mouse se dandinait, grandeur nature, dans la lumière matinale. Elle s'était écrié d'une voix perçante:

— Regarde papa, c'est Mickey!

Elle se souvenait encore de sa barbe piquante.

— Eh oui, papa lui a demandé de venir exprès pour toi!

Plusieurs années plus tard, alors qu'elle racontait ce souvenir à sa soeur Elaine, cette dernière s'était rebellée:

— Pas pour toi! Il m'a dit qu'il l'avait fait venir pour moi.

Elles s'étaient ensuite étouffées de rires et de larmes.

— Deena?

Michael se trouvait à l'entrée de la pièce.

— C'est toi qui te caches ainsi?

Elle se dégagea de la draperie pour qu'il puisse la voir.

— J'ai toujours aimé cette vue sur le parc, dit-elle. Viens voir, Michael. La nuit tombe déjà sur l'East-Side, mais il fait encore soleil ici.

Il répondit sèchement:

— C'est un ennuagement.

Elle se retourna pour lui parler:

— Je le sais bien... Ce n'est plus la même chose sans les ballons. Mes soeurs et moi aimons toujours cette parade idiote. On ne la manquerait pour rien au monde... J'imagine que c'est à cause de papa qui nous a convaincues qu'elle nous était destinée.

Michael gloussa.

— Pour quelle raison ne l'aurais-je pas cru? Il ne m'a jamais menti!

— Qu'est-ce que tu sous-entends, au juste?

— Rien. Je ne sous-entends rien du tout.

Deena jeta un bref regard à son mari. Le beau Michael, toujours aussi séduisant à cinquante ans avec ses longues jambes, ses larges épaules, sa mâchoire volontaire et ses traits réguliers. Ses cheveux ondulés, soigneusement coiffés, étaient à présent poivre et sel. Ils étaient noir jais quand elle l'avait vu la première fois. Les rides de chaque côté de sa bouche n'étaient alors que des fossettes qui se creusaient chaque fois qu'il souriait. A présent elle lui souriait mais pas lui. Pourquoi n'était-il plus capable de lui sourire? Surtout en ce jour, alors qu'il était entouré de sa famille- Michael adorait sa famille- pourquoi ne tentait-il pas un semblant de sourire?

— Deena, je préférerais que tu ne m'engueules plus à propos de tout et de rien.

Elle poussa un long soupir.

— Faisons la paix Michael, tu veux bien?

— Pourquoi?

— Oh! Michael…

— Deena fais-moi une faveur: cesse de tout dramatiser!

— Michael, fais-moi une faveur et cesse de me dire que je dramatise chaque fois que j'essaie de te parler.

Il l'envoya promener d'un geste de la main; elle sentit son coeur se serrer et les larmes lui monter aux yeux. Michael lui jeta un regard froid.

— Encore des larmes! Je ne sais pas si tu crois m'intimider mais franchement, je préfère encore le football.

— C'est pour cela que nous avons des problèmes.

A sa grande horreur, des larmes roulaient sur ses joues.

— Sais-tu ce que je donnerais, Deena, pour passer une journée, ne serait-ce qu'une journée, sans que tu fasses une scène?

— Michael ne me fais pas cela, ne nous fais pas cela.

— On en reparlera plus tard.

— C'est toujours ce que tu dis. Mais on n'en parle jamais. Tu n'es jamais là.

— Pour l'amour de Dieu Deena, ce n'est pas le moment. C'est l'Action de grâce.

— Je n'ai pas envie que tu me dictes mon comportement, gémit-elle.

Mais elle parlait à un mur. Il avait quitté la pièce. Voilà ce qui arrivait lorsqu'une jolie fille de dix-neuf ans épousait un homme de vingt-six ans. Au début de la relation elle était la petite chérie un peu sotte et aucun homme au monde ne lui aurait permis d'échapper à ce rôle. Elle se retrouvait vingt-quatre années et quatre grossesses plus tard essayant encore de convaincre son mari qu'elle était une adulte responsable et que quelquefois elle pouvait ne pas avoir tort.

Deena redressa les épaules et prit une profonde inspiration. Soudain des rires fusèrent dans le vestibule. Les enfants arrivaient enfin. La parade de Macy's leur semblait trop puérile et cela l'attristait. Elle ne l'était certes pas pour elle ni pour son père. Elle avait espéré qu'ils ne s'en désintéresseraient pas; c'était un souvenir d'enfance. Elle expira doucement. Elle n'était pas calmée. Elle aurait bien aimé savoir ce qui n'allait pas. Et puis après! c'était l'Action de grâce, ils étaient tous réunis. Elle entendait à présent le grondement des voix masculines. Les hommes avaient donc délaissé le téléviseur. Elle entendit ensuite la voix de Sylvia qui accueillait les enfants.

— Bonjour mes chéris! Vous arrivez juste à temps pour grignoter une bouchée! Ne me prends pas au mot, Noël.

Les rires redoublèrent et on entendit: «Vas-y Noël!» Sylvia s'amusait chaque année à les inviter à grignoter pour célébrer l'Action de grâce. Elle faisait en cela preuve de bravoure car dix-sept ans auparavant, l'année de ses cinq ans, Noël Barranger avait pris sa grand-mère au mot et lui avait croqué le lobe de l'oreille. Deena n'oublierait jamais ce moment parce que sa mère avait laissé tomber l'enfant en disant: «Mon petit gredin!» Noël s'était mis à rire comme un fou, écroulé sur le plancher.

A présent Sylvia plaisantait en riant:

— L'un de ces jours, je me vengerai et Noël implorera mon pardon!

— Essaie grand-maman et c'est moi qui te laisserai tomber sur le plancher!, répondit Noël.

On entendit ensuite les embrassades et les mots de bienvenue habituels. Heureux enfants auprès d'une grand-mère qui a le sens de l'humour! Heureuse famille car, quoi qu'il advienne, ils seraient toujours ensemble, unis à jamais.

Michael jeta un coup d'oeil satisfait dans le viseur de la caméra de l'appareil vidéo. Il venait de cadrer son beau-père, le type même du patriarche, qui reculait sa chaise en repoussant son assiette vide à l'exception d'un pilon rongé. Il se flattait le ventre en souriant. Si cette image ne résumait pas l'Action de grâce, nulle autre ne le ferait.

— Oh!, grogna Jack. Si vous saviez comme j'ai envie de roter...

— Que je t'entende!, lança Sylvia alors que les enfants mettaient leur grand-père au défi.

— Allons grand-papa! Montre-nous de quoi tu es capable! N'écoute pas grand-maman, il te faut de la place pour le dessert.

Jack sourit devant les réactions qu'il venait de susciter. Les singeries des petits mousses ne l'avaient jamais ennuyé. Il adorait leur ferveur tumultueuse. Jack fit un geste invitant au silence en secouant la tête.

— Non, pas à la table de votre grand-mère. Inutile d'insister, mes filles ont travaillé longtemps pour nous offrir un tel festin. Nous ne ferons rien qui risque de gâter la soirée.

— Bravo!, lança Michael en abandonnant la caméra pour lever son verre:

— A d'autres moments précieux comme celui-ci!

Il regarda de côté, espérant croiser le regard de Deena. Qu'est-ce qu'elle pouvait bien avoir? Elle qui avait toujours été si exubérante, si vive. Elle était devenue une femme triste, mélancolique dont les fréquentes sautes d'humeur venaient ternir les bons moments de la vie.

Il se souvenait de tous les jours heureux de sa vie. Le jour où il avait reçu son diplôme de la faculté de droit de l'université Harvard. Il avait regardé son père et sa mère en se rendant compte qu'il avait finalement gagné. Il avait enfin concrétisé leur rêve le plus cher. Ses parents avaient tout perdu à cause du génocide hitlérien. Ils l'avaient conçu à la mémoire des soixante-sept Berman et Feigenbaum qui avaient péri dans les camps de la mort et qui lui avaient tenu lieu de famille au cours de son enfance dans le Bronx: son père, sa mère et soixante-sept fantômes. Pas étonnant qu'il ait eu le coup de foudre pour Deena! Elle ne lui rappelait aucun fantôme. D'ailleurs aucun fantôme n'aurait pu survivre dans la maison des Strauss, véritable boîte à musique d'où fusaient les rires et les cris de joie. Leur mariage avait été le nec plus ultra des parties que donnaient les Strauss. Encore un autre souvenir auquel s'accrocher. La synagogue encombrée de roses jaunes et blanches, éclairée par les cierges et remplie des membres de la famille. Même en éliminant de la liste d'invitations les cousins germains, on comptait encore deux cent cinquante invités souriants lorsque la ravissante mariée passa l'anneau d'or au doigt de son mari. Qu'elle était belle avec sa généreuse poitrine, ses jambes galbées et sa sombre chevelure si épaisse qu'aucun diadème ne pouvait la retenir! A cette époque, son regard n'était qu'amour et admiration lorsqu'elle posait les yeux sur lui.

A présent il ne savait plus à quoi s'attendre de sa part. Certains jours elle était la Deena aimante et généreuse qu'il avait épousée. Mais trop souvent il ne la reconnaissait plus. Il chassa ces sombres pensées. La romance dure le temps d'une rose. Ils étaient mariés depuis plus de vingt-cinq ans et il n'avait aucun regret. Il fallait attacher plus d'importance à ce qui était le fruit de leur mariage: ses enfants. Chacune des quatre naissances avait été une occasion de joie, de bonheur et de gratitude. Chaque fois qu'il avait regardé un poupon braillard dans son moïse, il s'était senti sanctifié par un tel accomplissement. Nathan, Judith, Zoé, Saul: leurs prénoms bibliques étaient les gages de sa propre immortalité, de son prolongement, de sa raison d'exister. Quatre miracles défiant l'idéologie nazie. Créer une famille afin que se reproduise la race: voilà le rôle de l'Homme sur terre. Il en avait la ferme conviction.

Michael avala une gorgée de vin et revint à la réalité. Sylvia poussait la table roulante chargée de desserts sous les applaudissements des enfants. Le moment était venu de filmer à nouveau.

— Bon Dieu! Quatre sortes de tarte, s'exclama Marilyn. Une Forêt Noire et une tourte aux cerises, sans parler de la mousse au chocolat! Sylvia, aie pitié de nous! Veux-tu qu'on fasse une crise cardiaque collective?

— Si c'est ça une crise cardiaque, dit Jack en ouvrant les bras autour de la table sur laquelle étaient posés les desserts, dans ce cas c'est ainsi que je veux mourir!

— C'est pas drôle papa!

— Certainement pas aussi drôle que l'affaire blanche et noire que tu nous as apportée!

Le sang monta aux joues de Marilyn et le silence se fit soudain; il fut rompu par le charmant Noël.

— Grand-papa, Marilyn est la seule personne à cette table qui puisse grimper aux montagnes. Elle doit donc s'alimenter correctement.

Cette remarque détendit l'atmosphère et, à la surprise générale, celui qui n'avait rien dit jusque là, l'ami de Marilyn, se râcla la gorge pour parler:

— Marilyn est la preuve vivante de ses allégations. Elle reçoit des patients toute la journée, dort en moyenne quatre heures par nuit et elle peut défier n'importe quel gars sur une piste de ski.

Deena s'esclaffa.

— Marilyn a toujours eu plus d'énergie que tous les acrobates d'un cirque.

Aucune trace de sourire sur le visage creux.

— Encore aujourd'hui, poursuivit John mais ce n'est pas en bouffant ce genre de cuisine que...

Il désignait du regard la table roulante avec les desserts, la corbeille de fruits et de noix, la cafetière, la théière, les plateaux de bonbons et de dragées au gingembre. Sur ce, Noël éclata de rire.

— Tu viens de parler comme un granola qui se respecte, John!

John se résigna enfin à sourire et fit ses excuses à Sylvia.

— Moi je préfère que ce soit grand-maman qui fasse la cuisine quand j'ai skié tout l'après-midi!

Zoé venait de parler; sa minceur ne témoignait pas du tout de la quantité prodigieuse d'aliments qu'elle ingurgitait.

— Imaginez-vous ça? Le Centre de ski Sylvia. Le rôti à la cocotte, l'argenterie, les tapis de Perse.

— Oh oui! Et juste à côté de la porte, une boîte pleine de bonnets et de gants, ajouta Deena en riant. Sans parler d'une bonne mère juive qui monterait la garde pour s'assurer que tout le monde est habillé chaudement!

— Et une autre mère juive au sommet de la piste, surenchérit Zoé, pour vous dire quand il temps de rentrer avant d'avoir les pieds gelés!

A présent, toute la tablée riait aux éclats. Deena ajouta en reprenant son souffle:

— La piste pour experts s'appellerait: «Maman»...

— Celle des novices serait: «Complexe de culpabilité», continua Saul.

— Que vous êtes drôles!, s'exclama Sylvia en découpant ses tartes en huit parts égales. Ta famille a le sens de l'humour Jack. Oui, je t'en rends responsable, disait-elle en souriant car elle appréciait l'humour. Mais ne nous éloignons pas des sujets importants. Qui veut une pointe de tarte aux pacanes?

— Oh! Et puis tant pis!, s'exclama Marilyn en regardant John. On ne peut quand même pas se passer de la tarte aux pacanes de maman.

Une fois de plus, ils éclatèrent tous de rire. Michael se disait que l'humour rachetait les défauts de cette famille. Ils voyaient toujours le côté drôle d'une situation. Même Marilyn savait se montrer gaie quelquefois. Il souhaitait que Deena retrouve sa bonne humeur d'antan, pas seulement aujourd'hui mais tous les jours, à tout moment. Regardons-la à présent. Il y a deux minutes, elle se laissait aller, détendue, riant et faisant des blagues. A présent elle semblait avoir le cafard, elle grignotait sa pointe de tarte sans appétit et fuyait le regard de son mari. Elle changeait subitement d'humeur comme une enfant gâtée. Il était surpris de n'y avoir pas songé plus tôt car voilà exactement ce que Deena lui rappelait: une adolescente capricieuse.

Deena savait que son mari la regardait mais pour rien au monde elle n'aurait croisé son regard. Elle phantasmait au sujet de son professeur d'écriture cinématographique et Michael était exclu de ses pensées. Mardi dernier, alors qu'elle venait de terminer ses tartes, Luke lui avait téléphoné. Les étudiants de son cours allaient voir un film le lendemain de l'Action de grâce. Il n'ignorait pas que le moment était mal choisi, mais il s'agissait d'un film important qui, de plus, avait été réalisé par l'un de ses amis. Elle avait accepté. Elle avait répondu «oui» avant même de savoir si c'était possible. Ce cours d'écriture cinématographique était sa propre déclaration d'indépendance. Elle pouvait imaginer pire moment à passer que de s'asseoir deux heures durant aux côtés de son séduisant professeur dans une salle obscure. Dans son phantasme, elle était évidemment assise à côté de lui et tenait sa main…

Elle ne pouvait plus rêvasser ainsi, sachant que Michael la dévisageait en la jugeant avec hauteur. Son mari avait l'habitude de juger ses semblables et elle était l'un de ses sujets préférés. L'esprit de Michael ne connaissait pas les nuances; tout était blanc ou noir, bon ou mauvais, amour ou haine. Elle se demandait s'il avait perdu son sens de l'humour depuis quelque temps. Elle n'aurait pas pu le supporter. Non, non, quelle idée! Lors des pique-niques annuels à l'université, il participait toujours à la course de pieds liés, il faisait de la lutte à la corde dans la boue, il riait et racontait des histoires crues, il buvait beaucoup de bière et faisait la fête comme ses compagnons de classe. S'il s'était montré un tant soit peu désagréable, papa aurait usé de son droit de véto. Papa avait toujours eu son mot à dire dans le choix des garçons qu'elle fréquentait. «Un peu court, tu ne trouves pas?», «Il ne brille pas par son esprit», «Quel costume affreux!», «L'accent de Brooklyn!», «As-tu vu sa vilaine coupe de cheveux?». Il passait toujours ses commentaires en riant mais on comprenait le message: «ne t'éprends pas de celui-là, pas si tu veux demeurer la chérie de papa.» Mais papa n'avait jamais prononcé un mot déplaisant à propos de Michael. Au contraire. Il avait même dit: «C'est ce que tu nous a présenté de mieux jusqu'à présent! Surtout après les deux derniers affamés. Et c'est un élève brillant.»

Elle avait enfin respiré après avoir reçu l'approbation paternelle. Car papa ne cachait pas son mépris pour Howard ni pour aucun des jeunes hommes qui fréquentaient ses filles. Elle était très attirée par Michael. Il lui faisait un de ces effets: beau, intelligent, sérieux, elle avait peine à croire qu'un homme comme lui veuille d'une fille comme elle qui avait à peine dix-huit ans. L'année suivante elle était mariée, et à vingt ans elle avait son premier enfant. Comme dans toutes les belles histoires, ils avaient vécu heureux. Jusqu'à récemment. Elle en voulait à Michael mais n'en montrerait rien: jamais papa ne lui pardonnerait de gâcher son dîner d'Action de grâce.

Pendant qu'elle s'enfermait dans ses pensées, Jack se râcla la gorge en se levant, prit son verre et attendit que tous les convives se taisent. Papa sourit et dit enfin:

— Merci. A présent que j'ai l'attention de tout le monde- et ça t'inclut Zoé chérie- permettez-moi de vous apprendre une excellente nouvelle. Cela concerne mes filles, mais ceux qui ont eu le bon goût de les épouser y trouveront leur compte.

Michael recommença à filmer. Jack souriait de plus belle. «Il doit s'agir de quelque chose de très important», songea Deena.

— Mes enfants... Restez tranquille les petits! Je suis sérieux...

Les yeux de Jack s'embuèrent de larmes.

— Ma chère, ma très chère famille. Je... Je suis...

Il prit une longue inspiration et dit enfin:

— On m'a fait une offre que seul un idiot refuserait. Dix-huit millions de dollars. Je... me propose donc de l'accepter. Je vends l'entreprise, je me retire des affaires et vous serez riches à craquer!

Pendant qu'il parlait, chacun avait levé son verre pour porter un toast. Mais quand il eut prononcé le dernier mot, personne ne but. Un silence gênant régnait à table. Elaine était stupéfaite. Papa se retirer? Sans travail? Elle l'imaginait mal. Jamais elle ne l'avait dissocié de l'entreprise. Les affaires et lui ne formaient qu'un. Son luxueux bureau faisait partie de ses souvenirs d'enfance au même titre que les fourneaux de sa mère et que sa chambre blanche et bleue. Le bureau de papa. C'était un endroit mystérieux pour une fillette. La plus belle surprise qu'il pouvait lui faire était de l'habiller d'une jolie robe et de l'emmener au bureau, le samedi après-midi.

Il ne pouvait pas songer sérieusement à vendre l'entreprise. Il avait tout érigé à partir de la petite menuiserie de grand-papa Weinreb. Un petit atelier dans le Lower East Side. A présent, on faisait souvent état de sa compagnie dans la section Immobilier du New York Times. Il avait tout bâti lui-même. Il avait été l'un des premiers à entrevoir les énormes profits que l'on pouvait tirer de la vente de résidences à prix modiques après la Deuxième guerre. Le précurseur du réaménagement de l'Upper West Side. C'était lui encore qui, dix années plus tôt, avait entrepris de convertir en appartements en copropriété les immeubles industriels de Manhattan. Chaque fois il avait trouvé sur son chemin des adversaires qui l'avaient traité de mégalomane. Mais Jack Strauss avait toujours su flairer la bonne affaire et avait gravi les échelons du succès. Et voilà qu'il parlait de tout laisser tomber. Comment pouvait-il seulement y songer? Sa réussite n'avait aucun prix.

— Que va devenir ta vie?, demanda Marilyn. Tu vas aller faire des emplettes chez Bloomingdale et tenir le manteau de Sylvia? Pousser le chariot au supermarché? Tu ne tiendras pas le coup.

— C'est vrai papa!, cria Deena. Qu'est-ce que tu crois? Tu as toujours dit qu'on devrait te sortir de ton bureau les pieds devant. La retraite, mais ça va t'achever!

— Mors ta langue Deena, ajouta précipitamment Sylvia avec empressement, avant que le diable t'entende et accomplisse ta prophétie!

Elaine aurait ri volontiers si elle n'avait pas été si déconcertée. Et son père se tenait là, satisfait de lui-même, le sourire fendu jusqu'aux oreilles, attendant leur approbation et leur gratitude. Jamais il ne lui viendrait à l'idée qu'il pût blesser quelqu'un. Tout ce qu'il faisait était nécessairement correct. Non!

— Non!, s'écria-t-elle. Je suis désolée mais c'est injuste!

Le silence se fit autour de la table; Michael cessa de filmer et rangea la caméra. Deena savait pourquoi: on ne devait immortaliser aucun instant de déplaisir. Sylvia allait faire des remontrances à Elaine mais Jack lui fit signe de se taire. Il parla:

— Qu'y a-t-il, Lainie chérie? Où est le problème? N'as-tu pas entendu ce que j'ai dit? Dix-huit millions divisés en quatre... Compte toi-même.

— J'ai tout l'argent qu'il me faut! Je ne parle pas d'argent! Je parle de l'entreprise, d'une entreprise familiale. Du moins, c'est ce que je croyais.

Elle sentait la main de Howard dans son dos; elle savait qu'il l'incitait au calme.

— Mon chou!, dit Jack sur un ton raisonnable. Qu'y a-t-il? Tu ne veux pas que je prenne ma retraite? Ne t'en fais pas. Je ne suis pas vieux pour autant. J'ai simplement décidé de m'accorder quelques années de plaisir. Avant qu'on me porte en terre. Mon petit chou, ne prends pas ça à coeur.

Non, mais l'aurait-on cru? Il faisait délibérément semblant de ne pas comprendre. C'était bien dans sa manière, si frustrante, si choquante! Elle secoua la tête.

— Tu sais très bien qu'il ne s'agit pas de ça. Ce dont je parle, et tu t'en doutes, c'est de la compagnie. Pourquoi la vendre à des étrangers alors qu'elle appartient à la famille?

Elle entendit vaguement sa mère murmurer quelques remontrances; elle s'en moquait éperdument.

—Elaine, Elaine, dit Jack en affichant son plus beau sourire condescendant. Il n'y a personne dans la famille qui sache diriger cette compagnie, ou qui en éprouve même le désir.

Le salaud! Elle se leva avec tant de fureur que sa chaise bascula et tomba avec fracas. Elle se sentait étourdie. Elle tremblait de rage, tant et tant qu'elle dut se tenir à la table pour ne pas s'écrouler.

— Moi je peux! Et je veux! Et tu le sais très bien!

— Elaine, cesse tout de suite!

Encore une fois, la mère s'était permis un mot et papa lui avait fait signe de ne pas s'en mêler. Il poussa un énorme soupir en prenant la carafe de vin pour emplir son verre.

— Elaine, écoute-moi… Tu es une excellente administratrice, je suis le premier à le reconnaître. Mais on parle ici de construction. D'immobilier. A New York. C'est une sale affaire. Certainement pas pour une femme.

Il fit une pause, emplit son verre de vin et la regarda dans les yeux.

— A part Leona Hemsley.

Il ne put s'empêcher de quêter l'approbation de ses commensaux. Mais on ne riait plus à présent.

— Je n'en crois pas mes oreilles, lança Elaine d'une voix chevrotante malgré ses efforts pour conserver son sang-froid. Tu me fais encore écouter la rengaine machiste et chauvine. Tu ne peux pas nous léguer ta compagnie parce que nous sommes des filles. Rien que des filles!

— Allons, allons Lainie. Assez d'idioties. Je me suis montré très patient mais tu dépasses les bornes. Tu sais combien j'aime mes filles. Vous êtes ce que j'ai de plus cher, tu le sais bien.

Il lui adressa un sourire séducteur.

— Je l'ai assez entendue celle-là! Parle-moi comme à une adulte pour faire changement!

Pendant une seconde elle s'attendit à le voir secouer la tête, comme il le faisait lorsqu'elle était petite et qu'elle l'ennuyait.

— Sexy Follies a réalisé un chiffre d'affaires de neuf millions l'année dernière, de sorte que tu peux cesser de me traiter comme une gamine idiote. Je veux cette compagnie et j'ai le droit de la gérer. Je mérite au moins la chance de pouvoir prouver ce que je peux faire.

— Assez!, dit-il d'une voix dure. Assez! Ton attitude me blesse et je mets fin immédiatement à cette conversation.

— C'est ça, mets-y fin! Tu te fous bien des autres, tu n'as toujours pensé qu'à toi et toi seul!

Malgré ses quarante-cinq ans, elle fut prise de panique pendant un moment. Elle craignait d'être allée trop loin cette fois. Elle entendit Howard murmurer derrière elle:

— Elaine, ça suffit.

— Je vais oublier ce que tu viens de dire Elaine. Ça n'a jamais eu lieu. Bon. Levons nos verres.

Marilyn dut réprimer un fou rire en les voyant tous lever leurs verres au simple commandement. La dispute était effacée de leurs mémoires. Mais pas de la sienne.

chapitre deux

Le soir du vingt-huit novembre 1985

Sylvia essayait d'apaiser son mari:

— Jack, Jack... Nous les avons élevées pour qu'elles soient frondeuses, fortes et intelligentes. J'ai raison, non?

— Tu as tort, tu as bien tort. *Tu* les as élevées ainsi, pas moi... Pas moi.

— Vraiment? Et qui donc emmenait Elaine au bureau dès l'âge de cinq ans tous les samedis après-midi? Hein Jack? Hein? Qui tenait à lui montrer son bureau? Qui?

— Elle jouait avec les papiers carbone, sacrebleu! Elle dessinait des oiseaux...

Sylvia pouffa de rire.

— Qu'est-ce qui est si drôle à présent?

— Jack, as-tu réellement oublié?

Elle poussa un soupir et se rendit à sa coiffeuse pour ôter les boucles d'oreilles en diamants qu'il lui avait offertes l'année dernière pour leurs noces d'or, et qui étaient trop lourdes pour ses lobes fragiles. Elles lui faisaient mal. Mais il ne fallait surtout pas s'en plaindre. Elle le regarda dans la glace. Il était assis au pied du lit et enlevait ses chaussures et ses chaussettes en les lançant vers son armoire. Jack avait toujours lancé ses vêtements au hasard dans la chambre; en le regardant ce soir, elle éprouvait la nostalgie de ce temps passé où il s'empressait de se dévêtir

pour la prendre dans ses bras. Tant d'années, tant de changements, autant de déceptions. Dieu merci, ils étaient en santé,
avaient des enfants et des petits-enfants! Il était encore maussade.
Connaissant son Jack comme elle seule le connaissait, elle devait
avant tout le faire rire et ensuite il serait en mesure d'écouter ce
qu'elle avait à dire.

— Jack, as-tu vraiment oublié qu'Elaine dessinait toujours
des en-têtes pour son papier à lettres?

Il haussa les épaules sans regarder son reflet dans le miroir.
C'était sa manière de lui laisser savoir qu'il était encore fâché.

— De jolis oiseaux qu'elle dessinait: «Elaine International»,
«Elaine, présidente-directrice». Tu ne t'en souviens donc pas?
Tu les montrais à tout le monde. Tu en as même conservé un
dans ton portefeuille jusqu'à ce qu'il soit jauni. «Le même bois
que son père», disais-tu. «Elle me ressemble tellement, dommage
qu'elle ne soit pas un garçon!» Tu persistes encore à dire que tu
ne t'en souviens pas?

Il la regarda du coin de l'oeil et un petit sourire se dessina
sur ses lèvres.

— D'accord, d'accord! Je m'en souviens, murmura-t-il du
bout des lèvres.

— Et te voilà surpris à présent?

— Je trouvais ça mignon, Sylvia. Des caprices de gamine.

— Pourtant Jack. Depuis tant d'années qu'elle est en affaires. Elle possède autant d'actions que Howard, tu le sais. Tu sais
aussi qu'ils font des affaires d'or. Alors pourquoi ce refus?

Il se leva avec lourdeur, se déshabilla lentement et laissa
tomber son pull de cachemire sur la moquette. Sylvia ne mani-
festa pas son exaspération; après cinquante années, elle était encore
confrontée à un malheureux dilemme: ramasser le chandail tout
de suite et lui montrer qu'elle était sa servante ou attendre au
lendemain, quand elle ne pourrait plus souffrir le désordre?

— Elle travaille dans la «guenille». La lingerie, les désha-
billés sexy, les escarpins de marabout, les bustiers, ce sont des
affaires de femmes! La construction, c'est autre chose. Tu devrais
le savoir! Et Elaine aussi! Tu sais quel genre de racaille je dois
côtoyer tous les jours. Sans parler des syndicats qui ne se gênent
pas pour serrer la vis. Crois-moi sur parole: c'est pas un monde
pour les femmes. Dieu, simplement la vulgarité de leur langage!

Sylvia laissa le cardigan qu'elle pliait et se mit à rire puis s'arrêta d'un coup.

— Tu ne crois tout de même pas que tous ses clients sont des gentlemen? Tu penses que c'est différent pour elle parce qu'elle vend des sous-vêtements en crêpe de Chine, des peignoirs en satin et des pantoufles? Elaine sait comment traiter la racaille, crois-moi. Les gens qui ont de la classe ne courent pas le quartier de la «guenille».

Elle dit en plaisantant:

— Tu sais qu'on lui a fait plusieurs propositions malhonnêtes.

— D'accord, d'accord. J'ai compris. Mais là encore. Elle aurait dû attendre. Elle n'avait pas à me faire honte devant toute la famille.

— Quand aurait-elle dû te parler, à ton avis? La semaine prochaine, lorsque tout sera réglé?

— Ce soir, Sylvia. Mais dans une autre pièce. Si elle ne m'avait pas sauté au visage, et en public de surcroît, je lui aurais peut-être répondu différemment. Je ne me serais pas senti attaqué.

Sylvia réfléchit à tout cela en ôtant sa gaine et en passant sa chemise de nuit. Il aurait probablement réagi de la même manière. Jack Strauss ne réagissait jamais favorablement à tout ce qu'il percevait comme une critique. Toutefois, comme on en avait discuté calmement l'autre jour en groupe, quel était l'objectif véritable à atteindre? S'agissait-il de faire avouer son entêtement à Jack? Ou était-il plus important de donner à sa fille la chance qui lui revenait? Le choix s'imposait de lui-même. Elle devait avant tout désamorcer la situation explosive. Et elle savait comment s'y prendre. Elle avait accumulé les années de pratique à ce jeu.

— Jack, tu as tout à fait raison. Tout à fait. Je te l'accorde.

Elle lui jeta un coup d'oeil. En faisait-elle trop? Non. Il s'était retourné, d'abord étonné, puis satisfait et enfin ravi. Evidemment qu'il avait raison! N'était-il pas Jack Strauss? Quelquefois elle s'en voulait d'avoir recours à de tels subterfuges. Mais quand il s'agissait de ses filles...

— Tu le penses vraiment, Sylvia?

— Bien entendu. Elaine s'est montrée insensée.

Elle choisit de ne pas mentir.

— Elle aurait dû se montrer plus perspicace et choisir un meilleur moment. Elle s'est du moins montrée impolie. Mais Jack...

— Je te vois venir avec tes gros sabots!

Il souriait, à présent qu'elle l'avait assuré de sa suprématie.

— Mais Jack quoi?

— Jack, essaie de comprendre ses sentiments. Tu sais combien elle t'admire...

— Ouais, ouais...

— Elle a grandi en te prenant pour modèle...

— Continue, tu es excellente...

— Elle a toujours espéré que tu l'associes à ton entreprise...

— Ecoute Sylvia: je lui ai dit d'oublier cette idée alors qu'elle étudiait aux Hautes études commerciales. Je lui ai dit de choisir une carrière facile qui ne l'empêcherait pas d'être une femme et une bonne mère de famille. Institutrice, travailleuse sociale, infirmière. Mais non, elle a tenu a passer son diplôme en administration!

Il avait enfilé son pyjama bleu et défaisait les couvertures de son lit en bâillant. La conversation venait de prendre fin. C'était du moins ce qu'il croyait. Mais Sylvia n'avait pas terminé. Pas encore. Il se cala dans ses oreillers, mit ses lunettes et ouvrit un roman.

— Pendant toutes ces années, elle a sincèrement cru qu'après t'avoir prouvé sa compétence, qu'après avoir remporté beaucoup de succès, tu te montrerais raisonnable comme elle sait que tu peux l'être... et que tu lui donnerais une chance. Jack. Une chance. Pas une promesse, pas un contrat. Une chance, c'est tout.

Elle guettait sa réaction dans le reflet du miroir de sa coiffeuse, en faisant semblant de se brosser les cheveux.

— Tu es en train de m'attendrir Sylvia. Encore une ou deux flatteries et tu feras de moi ce que tu voudras.

Ils échangèrent un sourire complice. Voilà ce qui faisait la force de leur union: leur complicité et quelques rares moments de parfaite compréhension.

— Une seule chance, Jack. C'est tout ce qu'elle veut. Il me semble que si tu la laissais consulter les livres de la comptabilité

et exposer ses idées, tu serais au moins en mesure de lui dire
non. Ou, ajouta-t-elle après quelques secondes, peut-être oui.

— Crois-tu?

Son sourire s'estompa; il lui lança un regard interrogateur.

— Peut-être bien. N'éteins pas tout de suite. Je veux lire
un peu.

Howard cherchait à calmer Elaine. En déshabillé, elle faisait
les cent pas dans la chambre dans une envolée de mousseline.
Elle avait dénoué ses nattes et sa longue chevelure flottait dans
son sillage. Il adorait sa crinière sauvage. Il répétait doucement
son prénom.

— Maudit soit-il!, criait-elle. Toutes ces promesses non
tenues, toutes ces années d'attente! J'ai pourtant prouvé ma
compétence à maintes reprises. Et malgré tout, je ne suis pas
encore assez bonne pour lui!

— Elaine, ma chérie, ne crie pas. Viens ici, je vais m'occuper de toi.

— Howard, je t'adore, mais pour l'instant il faut que je crie.
Je me sens trompée et trahie. Comment peut-il me faire ça après
toutes les promesses qu'il m'a faites? Il m'a pourtant répété qu'il
y verrait, qu'il me donnerait la part qui me revient...

— Mais il croit te donner la part qui te revient.

— Je ne veux pas l'avoir en argent sonnant et il le sait très
bien! Comment a-t-il pu m'humilier ainsi devant tous les autres?
Ils savent tous ce qu'il a dit pour m'endormir depuis tant d'années. Pourquoi aurais-je travaillé d'arrache-pied pour obtenir mes
diplômes, sinon?

— Chérie, je t'en prie.

Il se sentait impuissant devant sa fureur. Qu'aurait-il pu
dire? Elle avait raison. Jack lui avait toujours promis, «lorsque
le moment sera venu». Les affaires étaient la raison de vivre
d'Elaine. Et cela lui réussissait à merveille. A commencer par
la petite boutique de lingerie qu'il tenait dans le Lower East Side.
Le magazine *Business Week* venait de consacrer deux pages
entières à Sexy Follies. Cette marque de reconnaissance était
méritée car ils avaient atteint le sommet. Elaine avait envie de
commencer autre chose. Il le sentait depuis presque un an. Elle

ne cessait d'envisager l'achat d'une autre compagnie, et la diversification de leurs marchandises avec les maillots de bain et les accessoires de sports aquatiques. Un feu nouveau brillait dans ses yeux lorsqu'elle évoquait une telle possibilité. L'annonce de son père avait terrassé Elaine. Le rêve était terminé, le mythe s'était effondré, jamais son père ne lui céderait les rênes.

— Elaine, assieds-toi et laisse-moi te masser les épaules. Tu as du mal à parler tellement tu es en furie.

— Tu parles!

— Je lui parlerai... Il peut se montrer raisonnable devant certains arguments.

— Pas en ce qui me concerne! Il me considère encore comme sa petite fille. Seulement une fille.

— C'est un homme de son temps. C'est comme ça qu'ils pensent tous. Ne t'en fais pas. Je lui parlerai. Je vais l'inviter à prendre un verre, ensuite nous irons manger le meilleur steak chez Peter Luger, et il fondra comme dirait Noël. Je ne sais pas pourquoi mais je sais comment le faire changer d'idée.

— Bon, dit-elle en cessant d'arpenter la chambre, si quelqu'un peut amener papa à changer d'idée, c'est bien toi. Mais je ne voudrais pas que tu t'infliges un filet mignon chez Peter Luger, avec de belles grosses frites et un strudel aux pommes nappé de crème chantilly, simplement pour me faire plaisir! Je ne peux pas exiger un tel sacrifice de ta part.

Elle avait retrouvé sa bonne humeur.

— Tu sais ce que j'aime de toi Elaine?

— Oui mon coeur. Mon intelligence supérieure, ma finesse, mon sens de l'humour, mon charme...

— Et ta modestie, continua-t-il.

— Oh! mon chéri, honnêtement...

Il lui tendit les bras.

— Je sais, ce n'est pas facile de faire entendre raison à ton père. Souviens-toi que j'ai eu des ennuis avec lui. Il m'a fallu trois mois pour le convaincre que je n'étais pas homosexuel.

— Mais j'ai des nouvelles pour toi! Il ne t'a jamais cru, jusqu'au jour où je lui ai finalement crié qu'on baisait ensemble depuis plus d'un an!

Howard retint son souffle pendant un moment.

— Et tu as attendu vingt-six ans pour me le dire?

— Tu ne m'en veux pas trop?

Elle semblait intimidée, du haut de ses cinq pieds neuf pouces.

— Pas vraiment...

— Est-ce que je peux faire quelque chose pour réparer?

En disant cela, elle laissa glisser son déshabillé et se tint devant lui en se léchant les lèvres. Elle portait une camisole de satin ivoire dont l'encolure de dentelle révélait le tiers de sa généreuse poitrine. Devant son spectateur, elle fit glisser une bretelle sur son épaule et se mit à réciter à voix basse:

— Avant de retirer le modèle huit cent soixante-quatorze Z en satin ivoire, aussi disponible en noir, en rouge, en rose et blanc, dans les tailles trente-quatre à quarante-quatre, laissez-moi vous montrer quelque chose...

Elle s'approcha de lui et de son regard émanaient des lueurs de désir. Elle feulait comme une panthère.

— Prenons notre temps ce soir. Noël rentrera tard et demain nous pouvons faire la grasse matinée. Alors enlève-moi la camisole très doucement, Tarzan...

Il se conforma à ses ordres, un sourire aux lèvres. Ils se déshabillèrent lentement en se caressant. Ils se laissèrent choir dans le grand lit moelleux. Il lui tenait le dos d'une main, et de l'autre il visitait sa toison moite. Déjà le plaisir montait en eux. Elaine étira le bras pour éteindre mais Howard l'en empêcha:

— Non, non. Je veux te voir...

— Marilyn va moins vite! On a le temps, ralentis!

Marilyn regarda aussitôt le compteur, surprise de constater que l'aiguille frôlait les cent vingt. Elle ôta son pied de l'accélérateur et se félicita de n'avoir pas engueulé John. Non seulement elle conduisait trop vite, mais elle tenait le volant avec une telle tension que ses doigts étaient endoloris.

— Désolée, dit-elle. J'ai envie de les fuir le plus rapidement possible. Toujours des histoires, toujours un drame!

Elle ne le voyait pas à cause de l'obscurité, aucun lampadaire n'éclairant l'autoroute, mais elle savait que ses propos le choqueraient. John mettait la famille Strauss sur un piédestal. Sa propre famille était une tribu hétéroclite: frères et soeurs, tantes, oncles, cousins innombrables qui s'aimaient et se querellaient, se louangeaient et se détestaient avec autant d'intensité.La loyauté de John était indéfectible car il ne cherchait jamais à juger la conduite de qui que ce soit. Lorsqu'elle lui avait fait remarquer que son frère Peter le malmenait, il lui avait ri au nez. «Il est ainsi. Ce n'est pas grave.» John n'avait qu'une explication au sujet des relations humaines. Les humains sont ce qu'ils sont et on doit les accepter tels quels, sans essayer de les changer. Surtout quand il s'agit des membres de sa famille.

— Tu fais tout un plat avec des riens, dit-il.

— Tu es injuste, rétorqua-t-elle. J'aurais voulu disparaître sous le plancher une dizaine de fois. Mais papa et sa grande nouvelle ont été la goutte qui fait déborder le vase! C'est vraiment son genre, faire une annonce pareille lors d'un dîner de fête alors que personne n'osera le contredire.

— Wow!, s'exclama John avec prudence. Attends un peu. Pourquoi t'en prendre toujours à ton père? D'après ce que j'ai entendu, c'est Elaine qui a commencé.

— Ne dis pas un mot de plus!, murmura-t-elle les dents serrées. Ne commence pas à parler contre ma soeur Elaine. Je donnerais tout pour elle.

C'était à lui de rire à présent. Il n'en avait pas l'habitude et riait de façon maladroite.

— Ciel! Marilyn, je ne te pensais pas aussi éprise de ta soeur.

— Elle a tout fait pour que je puisse étudier la médecine.

— C'était gentil de sa part mais... Ne m'as-tu pas dit...?

— Oui, oui il a tout payé. Mais c'est elle qui l'a convaincu.

Un long silence s'installa entre eux. Puis John le rompit:

— D'accord, elle t'a appuyée quand t'as voulu entrer à la fac de médecine. mais c'est quand même elle qui a commencé la bagarre cet après-midi.

— Zut! John tu ne comprends rien à rien.

— Peut-être bien! Mais j'aimerais comprendre. Tu m'as parlé de ton vieux comme d'un monstre d'égoïsme qui n'a jamais acquiescé à vos désirs, qui ne vous a jamais comprises. Et puis lorsque je l'ai rencontré... Marilyn! J'ai rencontré un bonhomme au sommet de sa forme, toujours gentil et souriant, qui fait des plaisanteries et qui a toujours un bon mot pour chacun.

— Alors?

— Voilà que ça recommence! Tu vas trop vite. Ce que j'essaie de te dire, c'est que c'est peut-être toi qui ne comprends rien. Ne te fâche pas Marilyn, je ne prétends pas qu'il ne s'est rien passé. Mais je suis convaincu que ton père n'est pas le type que tu m'as décrit. Voici la sortie qu'il faut prendre.

— Je sais où nous sommes, John! Pour l'amour de Dieu, accorde-moi au moins ça!

— Hé! Relaxe. Tout ce que j'ai dit c'est...

— On voit bien que tu ne le connais pas.

— Mais je viens de passer toute une journée avec lui!

Elle aurait voulu tout lui expliquer au sujet de son père. Au sujet de chacun des membres de sa famille. Il avait rencontré une famille unie et avenante. «Même les enfants font des farces comme David Steinberg!», avait-il dit. Marilyn avait été stupéfaite que John admirât son père. A son avis, c'étaient tous des gens sympathiques et accueillants. Il se sentait maintenant de la famille. C'était du moins ce qu'il avait dit ce matin. Que ces gens envahissent son espace vital, c'était pour lui un excès d'amour. «Ils sont ce qu'ils sont», lui avait-il dit. «Ils ne cachent rien.» C'est ce qu'il pensait et c'était exactement ce dont elle ne voulait pas discuter.

Empruntant la sortie vingt-quatre, elle dit d'une voix plus calme:

— Entends-moi bien. La première chose qu'il faut savoir au sujet de mon père, c'est qu'il a toujours voulu des garçons. Il n'en a pas eu. Alors il est déçu. Etant ce qu'il est, il s'est vengé.

— Il semble pourtant aimer ses filles.

— Pour l'amour du ciel, John! Combien de fois il m'a-t-il répété que j'étais censée être un garçon! Que j'étais l'une des pires déceptions de sa vie simplement parce que j'avais eu la malchance de naître femelle.

John posa sa grande main sur celle de Marilyn.

— Pas en ce qui me concerne! Et à mon avis, pas en ce qui le concerne non plus. Tu ne l'entends pas se vanter à ton sujet? Il annonce à tous ses amis que le docteur sa fille arrive du Vermont. Allons, donne-lui ce mérite!

Elle arrêta au poste de péage, baissa la vitre, lança son jeton, remonta la vitre, et reprit la route en cherchant l'enseigne qui annonçait la direction nord. Elle était furieuse de la manière dont il résolvait tous les problèmes. C'était sûrement le seul adulte vivant au XXe siècle ignorant que le comportement humain est régi par des motivations invisibles. Par contre, c'était probablement à cause de cela qu'elle se fiait à lui. Elle passait toutes ses journées à recevoir des patients, à essayer de comprendre le mécanisme de leurs comportements, à démêler le réel de l'imaginaire, le dangereux du primesautier; il faisait bon rentrer chez soi et trouver John qui ne se préoccupait que des choses pratiques.

Trouver John à la maison. Elle n'y était pas encore habituée, même au bout d'un an. Lorsqu'elle avait beaucoup de travail, elle oubliait qu'ils partageaient la même maison et restait surprise de le trouver à la cuisine, préparant un ragoût lorsqu'elle rentrait. Elle était chaque fois heureuse de le retrouver, son compagnon de tous les instants, son ami, son amant, et cela aussi l'étonnait. Elle s'était montrée réticente devant cette idée. Très réticente. Mais ils s'entendaient bien. Cela aussi l'avait surprise. A vrai dire, leur relation allait de surprise en surprise. Les autres pouvaient bien se demander ce qu'un médecin pouvait trouver à un instructeur de ski sans instruction, elle s'en moquait éperdument. John et elle filaient le parfait bonheur depuis le premier jour. Dès qu'il avait emménagé chez elle, quand il avait choisi le grand fauteuil à oreillettes près de la cheminée. Cela lui convenait; elle préférait le canapé en velours lie-de-vin parce qu'elle pouvait s'y étirer les jambes en lisant. Elle était folle de cette maison victorienne avec ses avant-toits de style rococo, qui offrait beaucoup d'espace pour vivre et recevoir ses patients. Son cabinet était à l'écart des pièces qu'ils habitaient; les patients y entraient par le porche de côté. Si quelqu'un avait besoin d'elle au milieu de la nuit, elle n'avait qu'à descendre. John aimait beaucoup cette maison. Petit à petit il avait tout réparé, en commençant par la vieille tuyauterie rouillée.

Elle avait décidé qu'il était l'homme de sa vie le jour où il s'était présenté avec une cheville foulée pour réparer les tuyaux du lavabo de la cuisine. Malgré sa douleur, il avait tout remis à neuf d'une main experte. Elle l'avait regardé travailler, étonnée de son efficacité et de son sens de l'humour. Elle s'était laissée aller à des effusions de gratitude et d'admiration. Elle n'avait pas cessé de lui marquer cette gratitude et cette admiration. Mais elle avait dû accepter la réalité: il ne portait aucun intérêt au comportement humain. Alors qu'elle avait durement appris que les gestes posés envers autrui sont à la base du Bien et du Mal. Elle lui aurait avoué tous les maux que sa famille lui avait causés, qu'il lui aurait probablement répondu que ça ne l'intéressait pas. Il n'était pas homme à plonger au fond des choses. Il se préoccupait seulement de ce qu'il pouvait changer en posant un geste concret. Voilà une qualité qu'elle admirait en lui! Il pouvait tout réparer avec confiance et sang-froid, mais jamais il ne comprendrait la relation qu'elle entretenait avec son père.

— Lui accorder du mérite? Pourquoi donc?

De nouveau il sourit.

— Premièrement parce qu'il t'a envoyée à la fac de médecine, voilà pourquoi!

— Seulement parce qu'on l'en a convaincu John!

Il ajouta avec calme:

— Tu hausses le ton Marilyn. Dis moi: lui as-tu déjà demandé s'il consentait à t'envoyer à l'université?

— Bien sûr que non! Il n'aurait jamais voulu. Il n'en était pas question. Je sais exactement ce qu'il m'aurait répondu. «Marilyn, Marilyn...» Non, il m'aurait plutôt appelée Moo Moo pour me signifier que je n'étais qu'une enfant. «Moo Moo, mon petit chou, quelle drôle d'idée que de vouloir devenir médecin. C'est pas un travail de fille. Si tu veux un médecin, épouses-en un!»

Elle s'arrêta pour reprendre souffle. Elle savait que son imitation de Jack était toujours réussie. John lui murmura doucement:

— Tu vis à présent à des centaines de milles d'eux; ils ne devraient pas avoir encore le pouvoir de te mettre en boule. Tu as construit une vie sans eux et tu y as parfaitement réussi. Toute la ville a une haute estime de son médecin. Ta compétence dépasse largement la médecine; tu sais calmer les gens et leur faire découvrir la véritable cause de leurs maladies; tu les renvoies chez eux avec un peu plus d'espoir.

Elle savait. Dans son cabinet, elle débordait de confiance, d'énergie. Il avait raison. Elle ne devait pas revenir hargneuse de chez ses parents, et se plaindre de choses qui étaient loin derrière.

— Moi je te trouve merveilleuse, dit-il enfin.

Ils se turent quelques instants. Elle reconnut ce silence et savait ce qui viendrait:

— Pourquoi ne pas nous marier?

Il lui posait cette question pour la énième fois et pour la énième fois elle dirait non. Elle détestait cela. Elle aurait plutôt souhaité qu'il cesse de la demander en mariage.

— Parce que je préfère vivre en état de péché mortel!

Il était heureux de l'entendre rire de nouveau. Il se mit à lui parler de la nouvelle machine à fabriquer de la neige artificielle, des projets pour le centre de ski et des ennuis que lui causait un instructeur don juan pathologique qui séduisait toutes les jolies skieuses... Tout rentra dans l'ordre. Marilyn put enfin se détendre.

chapitre trois

Deena s'était rendue chez D'Agostino dès l'ouverture du supermarché, elle avait rapidement fait ses courses et attendu patiemment à la caisse; elle qui avait horreur de faire l'épicerie semblait presque heureuse de s'y trouver. Son esprit flottait à des lieues de là. Il aurait cependant été plus exact de dire: «Son esprit flottait à un mille et demi de là, plus précisément à Soho, dans la salle de cinéma où Luke lui avait tenu la main durant la projection.» Voilà en réalité où se trouvait Deena ce matin-là. Elle commençait à poser ses achats sur le comptoir de la caissière lorsqu'une voix enfantine s'éleva derrière elle:

— Excusez-moi. Me permettez-vous de passer avant vous?

Elle aperçut alors un petit garçon à l'épaisse chevelure noire qui la regardait de la même manière que Nathan, son aîné -il y avait de cela longtemps à présent- et cela la fit sourire. Il tenait un rouli-roulant sous le bras et un gros sac de nourriture pour chien dans ses petites mains.

— Bien sûr, vas-y!

— Mon chien est malade et il doit manger. C'est un golden retriever.

— La race que je préfère, dit-elle.

Le visage du gamin s'éclaira.

— Connaissez-vous Ranger?

47

Deena était enchantée.

— Devrais-je le connaître? Est-il célèbre à Brooklyn Heights?

— Il est très grand, ajouta le garçonnet. Il mesure cinq pieds sept pouces, sur ses pattes de derrière.

— Moi aussi, je mesure cinq pieds sept pouces sur mes pattes de derrière!

L'enfant avait ri après l'avoir bien regardée pour s'assurer qu'il s'agissait d'une blague. Il riait encore après avoir payé la caissière et posé le pied sur son rouli-roulant pour franchir les portes automatiques. Elle paya ses courses d'un coeur léger. Elle se sentait beaucoup mieux. Quelle merveilleuse histoire cette aventure lui inspirerait! Cela lui servirait à écrire la scène qu'elle devait rédiger pour son cours, qu'elle essaierait de rédiger!Même Michael rirait en entendant l'histoire de Ranger, le chien célèbre dans tout Brooklyn à cause de ses cinq pieds sept pouces.

Il rit. Miracle suprême, il l'attendait lorsqu'elle rentra à la maison. Il l'aida même à sortir les paquets de la voiture en disant:

— Je vais t'aider à tout ranger. Je veux qu'ensuite tu m'accompagnes pour aller acheter une nouvelle cafetière électrique.

— Michael, nous avons déjà la meilleure cafetière.

— Je parle d'une cafetière à espresso. J'en ai vu une dans la vitrine de Leaf & Bean... Elle ressemble à celle qu'ils utilisaient au bistro du Village quand on sortait ensemble. En l'apercevant, l'arôme d'un bon espresso corsé m'est monté aux narines. Pourquoi ne pas en faire à la maison?

Elle n'était pas vraiment d'humeur à discuter de café espresso, pas plus qu'elle n'avait envie de suivre Michael simplement parce qu'il avait le caprice d'acquérir un nouveau gadget. Il ne manquerait sûrement pas de discuter chacune des particularités de chaque modèle jusqu'à ce que la patience du vendeur, de même que la sienne, soit épuisée. Elle n'aimait pas faire les courses avec lui. Toutefois, il aurait été mesquin de le lui refuser. Il détestait faire des achats seul. D'autant plus qu'il essayait, à sa manière, de se réconcilier avec elle. Elle ne voulait surtout pas qu'il perde sa bonne humeur; c'était une denrée rare à présent. Quelques heures d'ennui sur Montague-Street la punirait d'avoir flirté avec son professeur.

Ils sortirent donc bras dessus-bras dessous. Elle lui raconta son aventure au sujet du chien Ranger et Michael sembla l'apprécier. Dans le magasin, la scène se passa exactement comme elle l'avait imaginée: elle se tenait sur une jambe puis sur l'autre, tandis que Michael passait en revue tous les modèles de cafetières en posant des questions pertinentes au sujet des jauges de pression, s'enquérant de la capacité d'une tasse et de détails tout aussi fascinants. Heureusement, la participation de Deena n'était pas requise; elle pouvait donc rêvasser en ne disant que ce qu'il voulait entendre: «Tout ce que tu veux, je le veux aussi Michael.»

Ses pensées la ramenèrent à la soirée de la veille en compagnie de Luke Moorehead. Grand, mince et blond. Jeune en plus. Très jeune: vingt-sept ans. Elle avait vite calculé la différence d'âge. Lorsqu'elle lui avait offert de le reconduire, elle s'était convaincue mentalement: «Tu ne feras pas de bêtises en compagnie de ce jeune homme qui, en fait, est simplement gentil et ne te drague même pas.» Elle avait pensé le déposer devant chez lui, mais il avait voulu prolonger un peu la soirée. Lorsqu'elle avait garé sa voiture devant l'immeuble de la quatorzième rue, ouest, il n'avait pas bougé. Il s'était plutôt mis à parler. De la voiture de Deena. Il aimait sa voiture. Pas surprenant, tout le monde aimait sa voiture. C'était la meilleure auto de l'année. C'est pourquoi Michael la lui avait offerte.

— Je n'en voulais pas, avait-elle avoué à Luke. J'aimais bien ma vieille bagnole. Elle était un peu rouillée mais je l'adorais. Je lui avais même donné un nom. Mais ce n'était pas la bonne voiture pour la femme de Me Michael Berman. Alors il m'a fait une surprise pour mon anniversaire. Il avait vendu ma vieille Volvo sans même m'en parler! Et il aurait voulu que je sois ravie.

— C'est moche!, avait dit Luke en la cajolant.

Deena avait fait de gros efforts pour ne pas pleurer. Ce n'était surtout pas le moment de fondre en larmes et de tout gâter. Pour une fois qu'un homme écoutait ce qu'elle avait à dire, en la regardant dans les yeux et en passant son bras autour de son fauteuil. Comme elle avait été consciente de son bras, de sa main, de lui tout entier! Il ne fallait pourtant pas.

— Je sais combien quelqu'un peut blesser, avait poursuivi Luke, en offrant ce que lui aimerait recevoir plutôt que ce qu'on voudrait avoir. Quand j'avais onze ans, je voulais avoir un chien pour mon anniversaire. Mon père avait laissé entendre que je pourrais en avoir un. Je lui avais fait toutes les promesses: je le nourrirais, le sortirais, m'en occuperais. J'avais même trouvé un nom pour mon futur compagnon...

A ce moment, Luke avait donné un petit coup de coude à Deena et ils s'étaient regardés dans les yeux.

— Je sens que je n'aimerai pas la fin de cette histoire, avait dit Deena.

— Moi, je n'ai pas aimé. Le matin de mon anniversaire, j'ai reçu une bicyclette.

Il fit une pause et poussa un profond soupir.

— Une bicyclette! Quand j'ai pleuré, mon père a dit: «Vaut mieux une bicyclette qui rouille sous la pluie qu'un toutou qui crève de faim à cause de ta négligence!» Je ne le lui ai jamais pardonné.

— Quelles terribles paroles!

Ils s'étaient de nouveau regardés dans les yeux à la lueur des lampadaires.

— Tu es une femme charmante Deena, avait dit Luke à voix basse.

Elle en était toute retournée, attendant la suite. Attendant quoi? Elle n'avait pas obtenu de réponse à cette question. Mais lorsqu'il avait fait le geste de sortir de la voiture en prétextant l'heure tardive, elle avait su ce qu'elle ne voulait pas.

— Voilà plus d'une heure que nous causons, avait-il dit. Ton mari va s'inquiéter.

— Michael? Inquiet? Si seulement il est à la maison, ce dont je doute.

«J'espère que cela ne ressemblait pas à une invitation! Ça n'en était pas une.»

Luke avait bâillé et s'était étiré sur son siège.

— J'ai trois heures de montage à faire.

Il s'était tourné vers elle et lui avait souri.

— J'ai passé un très agréable moment à parler avec toi. Sincèrement.

Il s'était penché et avait posé un baiser délicat sur ses lèvres. Elle avait reçu une décharge électrique. Puis la portière s'était ouverte et il était sorti de la voiture, laissant entrer une bouffée d'air froid. Il s'était ensuite penché et l'avait saluée à travers la vitre. Elle était rentrée chez elle en discourant sur la réalité, la maternité, la popote et la folie des femmes mûres qui courent les rues de New York. Le soir. Et qui hantent les salles obscures.

— Deena, je te parle!

Elle cligna des paupières, sortit de sa rêverie pour se retrouver au magasin en compagnie de son mari.

— Navrée.

— Alors qu'en penses-tu?

Elle hésita. Elle n'avait pas entendu un traître mot. Il la dévisagea avant de poursuivre:

— En cuivre, qu'en dis-tu? Ou en acier inoxydable?

— En acier inoxydable, très certainement!

S'était-elle montrée suffisamment enthousiaste? Apparemment oui car il avait souri en ordonnant au vendeur:

— Vous avez entendu Madame? En acier inoyxdable!

Il était si heureux de posséder un nouveau jouet. Il l'avait prise par la taille et pressée contre lui en déambulant dans la rue. Au coin de Henry et de Montague, alors qu'ils attendaient le feu vert, vint se placer à côté de Deena une femme qui tenait un chien en laisse. La passante dit à la bête d'une voix cristalline:

— Vas-tu cesser Ranger?

En moins de deux, Deena se retourna et demanda:

— Bonjour Ranger! Te sens-tu mieux?

Elle raconta à la dame étonnée sa rencontre avec son fils le matin même.

— Votre fils est un amour. C'est votre fils, n'est-ce pas? J'espère que je ne me suis pas trompée de Ranger! Je ne parle jamais aux chiens que je ne connais pas!

La dame éclata de rire.

— Il s'agit bien du bon Ranger et il va beaucoup mieux. Et merci pour mon fils. Todd est un amour la plupart du temps. Attendez que je lui dise que je vous ai rencontrée et que vous vous êtes informée de la santé de Ranger. Il sera si content!

Elles se souriaient, ces deux étrangères partageant la passion des chiens et des enfants. Deena se tourna vers Michael. Mais il ne se trouvait plus à ses côtés. Elle le chercha du regard. Où pouvait-il être passé? Elle l'aperçut enfin de l'autre côté de la rue devant une librairie. Elle traversa en vitesse et dès qu'elle fut à portée de voix, il s'écria:

— Veux-tu bien me dire ce que tu faisais là?

Elle décida de ne pas s'emporter.

— Souviens-toi Michael. Je t'en ai parlé tout à l'heure. Le petit garçon de l'épicerie et son grand chien.

Elle lui sourit mais il ne réagit pas.

— Comment pouvais-tu être sûre qu'il s'agissait du bon chien?

— Combien de golden retrievers nommés Ranger se promènent dans Montague Street?

— Deena, dit-il en s'arrêtant pour la regarder, tu n'as plus l'âge de faire le pitre dans la rue avec des inconnus. Tu es trop vieille à présent. C'est... c'est ridicule. Il fallait que je m'éloigne.

— Pourquoi? Pourquoi t'es-tu éloigné Michael? J'aimerais bien le savoir?

— J'étais embarrassé.

— Eh bien pas moi! Pas plus que la mère de Todd. Alors pourquoi est-ce que toi tu étais embarrassé?

— Parce que... Laisse tomber Deena, tu m'embarrasses tout le temps!

— C'est donc vrai? Eh bien toi aussi tu m'embarrasses, sache-le! Pas besoin d'avoir l'air consterné Michael. Souviens-toi du soir où les étudiants de mon cours sont venus à la maison pour visionner un film sur notre magnétoscope.

— Oui et puis? Je n'ai rien dit qui ait pu te mettre mal à l'aise.

— Bien sûr que t'as rien dit! T'es resté planté à la porte à surveiller tout le monde comme un vieux grincheux, à les regarder comme s'ils avaient pénétré sans permission dans ta propriété.

Il fit la moue.

— Tu exagères toujours. J'étais seulement surpris de voir un groupe d'étrangers dans ma maison, qui bouffaient mes craquelins, qui buvaient mon alcool et qui se prélassaient sur mes divans. J'étais surpris, je l'admets, et un peu mal à l'aise. Mais furieux?

— Tu avais l'air fâché Michael. Et puis tu t'es retiré sans dire un mot.

— Qu'aurais-je dû dire, à ton avis?

— «Bonsoir» aurait été approprié.

Il haussa les épaules.

— J'étais fatigué. Je m'attendais à passer une soirée calme en ta compagnie.

— Foutaise!

— Deena!

— Je suis désolée Michael mais il y a si longtemps que tu n'as passé ne serait-ce qu'une minute calme avec ta femme! Tu ne penses tout de même pas que je vais croire ça!

— Crois ce que tu veux, je n'ai rien fait pour t'embarrasser devant tes compagnons de classe. Rien du tout.

— Tu n'avais pas à dire quoi que ce soit, Michael. Tu as tout fait pour leur laisser voir qu'ils n'étaient pas les bienvenus. Dès qu'ils t'ont vu, plus personne ne riait, plus personne ne parlait et d'un seul coup tout le monde est parti. Ça, c'était vraiment embarrassant!

— Tu ne peux pas me faire porter la responsabilité de leurs suppositions, ni des tiennes. Au moins, moi je sais quand me taire!

Elle sentait la moutarde lui monter au nez.

— C'est-à-dire?

— Que tu ne sais jamais quand t'arrêter!

— C'est injuste… et tout à fait faux.

— Tu n'es pas aussi comique que tu voudrais le croire, Deena.

— Très cher Michael, tu me connaissais pourtant quand tu m'as épousée!

Il lui fit signe de baisser le ton. Elle n'allait surtout pas se gêner. Les passants pouvaient bien entendre ce qu'elle avait à dire, elle s'en moquait.

— Je me souviens même que papa t'avait dit: «Michael, je te donne ma petite clownesse. Tu vas devoir faire preuve de franchise envers elle pour le reste de tes jours.» Et te souviens-tu de ce que tu lui as répondu?

— Quoi?

— Tu as dit: «Je souhaite répondre aux moindres désirs de son coeur, Monsieur.» Tu ne t'en souviens évidemment pas.

— Non.

— Ça ne change rien au fait que tu l'aies dit. A présent, laisse-moi te dire autre chose.

Chaque mot prononcé décuplait la colère qui sommeillait en elle. Elle se sentait étouffée.

— Voici maintenant ce que mon coeur désire Michael: mon coeur désire que tu lui fiches la paix!

Il lui répondit avec calme, l'air vaguement supérieur:

— Deena, tu es folle.

Elle ne pouvait plus souffrir sa présence. Elle marcha de plus en plus vite, aveuglée par la fureur, en direction de sa maison. S'il osait la traiter de folle une fois de plus, elle lui sauterait au visage. Elle le giflerait et lui donnerait un coup de poing. Elle pressait le pas, hors d'haleine, cherchant à conserver la maîtrise de soi. Elle ne pouvait s'empêcher de penser: «Va te faire foutre Michael!»

chapitre quatre

Mercredi 11 décembre 1985.

Deena tournait au coin de la quarante-neuvième rue et de Madison Avenue, emmitouflée pour se protéger de la froidure nouvellement arrivée quand elle vit Noël et Zoé qui pressaient le pas pour éviter la morsure glaciale de l'hiver new-yorkais. Elle voulut crier pour les appeler mais au même moment ils s'engouffrèrent dans un taxi jaune. Elle n'avait pas rêvé; il s'agissait bien d'eux, n'est-ce pas? Bien entendu. Elle ne pouvait pas confondre une inconnue avec sa propre fille, à plus forte raison depuis que Zoé s'affichait avec un paletot de sergent de la Marine, qu'elle portait avec une écharpe de laine écarlate. Elle ne pouvait passer inaperçue, pas même en pleine nuit. Mais qu'est-ce que ces deux-là pouvaient bien faire dans ce quartier? Zoé n'avait-elle pas dit qu'elle devait se rendre chez une amie à Scarsdale?

Cependant, c'était une bonne chose que les deux cousins fussent copains après toutes ces années. Ils avaient toujours été très proches, dès le moment où Noël, âgé de deux ans, avait vu bébé Zoé. Il s'était alors écrié: «C'est mon bébé!» Ils avaient tous éclaté de rire devant le commentaire du bambin. Mais Howard avait tout gâté:

— Noël, tu dois savoir que c'est l'enfant de tante Deena.

Le visage de l'enfant était devenu rouge de colère et il s'était récrié:

— Non, c'est mon bébé, à moi!

Le temps lui avait presque donné raison. Zoé s'était trouvée sous sa protection à partir de ce jour et depuis ils échangeaient toutes leurs confidences. Quelques jours auparavant, Elaine avait dit:

— Jamais je n'ai vu des cousins s'aimer autant.

— Mais si Elaine! Souviens-toi de Myra et toi. Vous aviez seize ans et je me sentais tout à fait exclue de votre amitié.

— Ouais, pendant une année ou deux. Mais nous étions deux filles. Qui a déjà vu un garçon et une fille se raconter tous leurs secrets?

— Je les envie, Elaine.

— Ai-je dit que je désapprouvais? Ai-je dit que je n'aimais pas ça? Bien sûr, je suis un peu inquiète à l'idée qu'ils envisagent un jour de se marier. Souviens-toi de tante Nora et d'oncle Lou.

Sur ce, Deena avait éclaté de rire. La tante Nora et l'oncle Lou étaient deux cousins germains du côté de Sylvia qui s'étaient mariés. Le fruit de cette union était Norman le Sale, un cousin qu'elles détestaient et qui de surcroît avait six orteils au même pied! Ces six orteils étaient la moindre des punitions qui pouvaient échoir à des cousins qui s'unissaient par le mariage. Deena ne se tracassait pas au sujet d'éventuelles épousailles entre Noël et Zoé. Ils étaient plutôt comme frère et soeur. Il ne fallait guère s'en surprendre. Fils unique, Noël avait choisi Zoé pour remplacer le frère qu'il n'avait pas. Elaine ne semblait pas se rendre compte à quel point son fils avait besoin de la chaleur et de la sécurité qu'offrait une famille. Elle était retournée au travail un an après la naissance de son fils et avait consacré tout son temps à instituer Sexy Follies, lingerie pour femmes de taille 34 à 44. Au cours des cinq premières années de sa vie, Noël avait dîné cinq soirs sur sept chez Deena. C'était à l'époque où elles habitaient le même immeuble, avant que Michael achète la maison à Brooklyn Heights.

Deena arrivait enfin au Rockefeller Café, au bout de l'avenue bordée d'anges chérubins qui soufflaient dans leurs trompettes dorées. Les décorations traditionnelles du Rockefeller Center en ce temps des fêtes. Elaine était déjà arrivée; elle l'attendait, assise à une table près de la fenêtre.

— Comment vas-tu?, demanda Deena. Et comment vont les affaires, en cette période de Noël, chez Sexy Follies?

— La période de Noël chez Sexy Follies, ma chère Deena, c'était en juillet dernier. On est maintenant dans les maillots de bains. Et ne fais pas semblant de mépriser Noël; je sais que c'est ta fête préférée.

— Pas depuis mes onze ans, quand j'ai fait la grève de la faim pour forcer Sylvia à nous laisser décorer un sapin.

Elaine riait en servant du vin à sa soeur.

— Je m'en souviens comme si c'était hier. Sylvia a simplement haussé les épaules en ajoutant que tu devais suivre un régime, de toute manière. Et toi qui n'as jamais eu besoin de maigrir! C'était sa façon de nous dire non.

— J'ai toujours autant envie d'un arbre de Noël, tu sais.

— Ce que Deena veut, Elaine va le lui donner. Regarde à l'extérieur, ma belle.

Elles regardèrent par la fenêtre et aperçurent le gigantesque sapin qui dominait la place publique, décoré de boucles dorées, de lumières scintillantes et de boules multicolores. L'arbre géant rapetissait tout autour de lui: les patineurs sur la glace, la foule amassée le long de la palissade et qui les regardait évoluer, les anges dorés nichés sur les lampadaires, les drapeaux de toutes les nations qui claquaient au vent et même la statue de Prométhée qui ravissait le feu du ciel devant les passants.

— Elaine, je ne sais que dire. Tu es trop bonne pour moi.

Elles levèrent leurs verres en souriant et burent une gorgée de vin.

— De toute façon, je suis juive alors Noël ne signifie rien pour moi.

— Ne parle pas contre Noël à une femme qui vend de la lingerie féminine. A propos, je sais quel modèle tu portes aujour- d'hui et, crois-moi, cela te va à ravir! Tu es même sexy, à vrai dire.

La gêne fit rougir Deena.

— Pourquoi sembles-tu si surprise Elaine?

— Ça n'a jamais été ton style de te montrer sexy, Deena. A vrai dire, tu avais une mine effroyable depuis quelque temps, blême, démoralisée. Et tout d'un coup, te voilà resplendissante. Oui, oui, oui! Ne me regarde pas comme ça.

— Je ne me sens pourtant pas différente, je ne crois pas avoir changé et rien dans ma vie n'a changé, mentit Deena.

— Oh! allons, Deena. Tu es toujours dans la lune depuis quelque temps. Sérieusement, tu sembles perdue dans tes pensées depuis plusieurs mois. Même Sylvia s'en est aperçue. Tu la connais. Elle m'a téléphoné pour me dire: «Elaine, je veux que tu parles à ta soeur.» Je lui ai ensuite demandé de quoi on devait parler. Elle soupira bruyamment pour finalement lâcher: «O.K. S'il faut te mettre les points sur les i, je vais mettre les points sur les i. Deena n'est plus elle-même, et je sais que ça ne t'a pas échappé!»

Elles riaient trop pour boire ou manger quoi que ce soit. C'était drôle tout en ne l'étant pas, de l'avis de Deena. Sylvia avait toujours recours à cette ruse lorsqu'une de ses filles avait un problème qu'elle ne pouvait pas régler. Ce qui sous-entendait évidemment un gros Problème avec un P majuscule. Sylvia savait toujours régler les petits problèmes. Elle ne se gênait pas pour commenter un maquillage qui lui déplaisait, pour dire combien on avait l'air fatigué ou que l'on s'était mal conduit envers papa; ces choses étaient à sa portée. Mais elle n'abordait jamais les émotions, encore moins les problèmes de nature psychologique. Elle laissait cela aux soeurs. Quand elle eut cessé de rire, Deena dit enfin:

— Tu peux dire à sylvia que je vais bien.

Elaine la dévisagea un moment puis lança à brûle-pourpoint:

— Michael te trompe-t-il?

— Et Howard, lui?

— Je suis désolée. Je ne suis pas douée pour ce genre de conversation. Je te vois soudain cet éclat, alors j'ai pensé que peut-être Michael...

Deena voyait combien sa soeur était dans l'embarras.

— Elaine écoute-moi: j'ai l'air bien parce que je suis allée acheter une nouvelle trousse de maquillage. Ma vie n'est pas plus intéressante que celle d'une autre, avec ses hauts et ses bas. Et si Sylvia veut réellement savoir ce qui m'inquiète, tu ne peux tout de même pas lui avouer que c'est Saul!

Elle avait dit cela en croisant les doigts sous la table, à l'abri du regard d'Elaine.

— Qu'est-ce que Saul a fait?

— Je ne sais plus quoi penser à son sujet.

Elle parla de son bébé de dix-sept ans, grand, dégingandé, maladroit, séduisant, en mal d'amour, intelligent, irritant et, pis que tout, roux comme une carotte. Elle poussa un soupir. Elle soupirait sans cesse dès qu'elle songeait à lui.

— Il s'enferme dans sa chambre pour travailler sur son ordinateur et prétend ne pas m'entendre lorsque je lui parle. A l'école il se conduit comme un sauvage, fait l'école buissonnière. Chaque fois que je sors de mon bureau, Elaine, je le vois dans les corridors. Il n'est jamais en classe, toujours à la cafétéria à perdre son temps et à être une peste. Et tu connais Michael? Sa manière d'élever Saul, c'est d'exiger beaucoup de sa part. «Saul fais ceci, Saul fais cela». Mais quand les problèmes deviennent sérieux, on ne trouve Michael nulle part.

— Le comportement typique d'un adolescent.

— Le comportement typique du père américain, tu veux dire. Laissons cela. Saul a passé un test de mathématiques dernièrement. Tu sais comme il est génial en maths. Eh bien il n'a pas obtenu une seule bonne réponse!

— Impossible!

— C'est ce qu'a dit le directeur. Il a fait venir Saul dans son bureau et lui a demandé ce qui s'était passé. Selon ses dires, mon fils est resté devant lui en souriant d'un air narquois. «Tu es le meilleur étudiant en mathématiques de toute cette école»,lui a dit le directeur. «Il doit vraisemblablement y avoir une explication.» Pour raccourcir une longue histoire, Saul avait terminé son examen avant tous les autres, la surveillante n'a pas voulu qu'il quitte la pièce, il s'est ennuyé à mourir, alors pour passer le temps il a décalé ses choix de réponses d'une colonne. Il a tout reporté sur la colonne suivante à gauche…

— Pourquoi, grand Dieu?

— Exactement! C'était un geste autodestructeur, constata Deena en soupirant à nouveau. Saul a consulté le docteur Dick Seltzer, un psychiatre pour enfants. Voilà qu'à présent Dick veut nous rencontrer Michael et moi, et Michael refuse d'y aller.

— Comment ça, il refuse?

— Ne commence pas Elaine! Michael n'ira pas. Il ne veut pas en entendre parler. Jamais il ne parlera à un psychiatre, à aucun prix. Un point c'est tout.

— Pas même pour son fils?

— Aux yeux de Michael, Saul est plus intelligent que le directeur de l'école, trop intelligent pour ce monde. Il considère que si moi sa mère, je cessais de perdre mon temps à mes cours du soir pour m'occuper de mon fils, il n'aurait pas besoin de psychiatre!

— Il a peut-être besoin d'un peu plus d'attention, Deena.

Elle essaya de ne pas hausser le ton.

— J'entends cela de la bouche d'une femme qui s'est toujours vantée que son fils s'était élevé seul!

— Noël ne m'a jamais donné aucun problème.

«Parce que c'est moi qui m'en suis occupée», songea Deena sans dire un mot. «A moi, il en a causé des soucis.»

— J'espère seulement, dit-elle gentiment, que tu n'essaies pas de me dire que je suis une mère indigne.

— Evidemment non Deena! Je ne pensais pas à toi, mais à ton sacripant de mari.

— Elaine, avant de dire quoi que ce soit à propos de Michael, ce n'est pas si simple...

C'était toujours l'explication qu'elle fournissait quand il fallait se porter à la défense de Michael. «Ce n'est pas si simple». Les gens ne sont pas des numéros sur les statistiques gouvernementales. De plus, une bonne épouse ne pouvait pas se permettre de critiquer son mari, fut-ce un seul instant. Elle était au courant des problèmes de Michael en l'épousant. Combien de fois avait-elle entendu l'histoire de sa jeunesse, de ses parents austères et égocentriques qui n'avaient jamais essayé d'oublier leurs souffrances? Et Michael qui n'avait jamais cessé d'y penser. Elle avait su dès lors que la vie à deux ne serait pas facile. Mais alors elle n'avait que dix-neuf ans, et à dix-neuf ans on ignore de quoi on parle lorsqu'il s'agit de souffrance.

Le garçon de table était revenu et manifestait sa présence. Cette fois, Elaine lui dit:

— Je meurs de faim. Comme à chaque repas!

— Moi aussi, ajouta Deena.

Elaine savait pourtant ce que ferait sa soeur: elle commanderait le menu diététique et mangerait du bout des dents. Elle ne devait pas s'en faire pour si peu; elle aimait son corps et Howard ne s'en plaignait pas. Tant pis pour les anorexiques de ce monde! Mais toutes ces années passées auprès de Sylvia l'avaient marquées. Sa mère n'avait jamais cessé de lui passer des commentaires désobligeants. «Tu n'as peut-être pas faim pour une deuxième pointe de tarte, Elaine.» Elle avait pourtant toujours préparé des repas gargantuesques, servi chacune copieusement et insisté pour que l'on mange tout le contenu de son assiette, même si on n'aimait pas les mets servis. Du moins fallait-il tout manger si on ne voulait pas être privé de dessert, et Elaine Strauss avait toujours désiré son dessert. Pourquoi donc sa mère n'avait-elle jamais servi autre chose que des desserts engraissants?

A quoi cela servait-il de remuer encore et toujours les mêmes pensées? Elle était une femme forte et l'avait été toute sa vie, malgré les innombrables régimes amaigrissants. Sauf le jour de son mariage. En prévision de ce grand jour, Sylvia lui avait fait suivre un régime amincissant chez un spécialiste de renommée internationale. Pendant six mois elle avait pris l'autobus pour traverser toute la ville pour se faire peser et inoculer une potion magique. L'objectif: entrer dans sa robe de mariée taille 40. Le traitement avait-il été efficace? Oui. On pouvait en avoir la preuve en feuilletant les cinquante pages de l'album de noces relié en cuir blanc pour apercevoir une jeune femme mince comme un fil que personne n'avait jamais vue et que personne n'a revue depuis.

Elle n'avait pas été surprise de récupérer ses quarante-six livres. En six mois, elle était redevenue la bonne vieille Elaine qui cachait subtilement les courbes de son corps à son mari. Elle se déshabillait dans la salle de bain, se promenait toujours vêtue d'une chemise de nuit et baissait l'abat-jour avant de faire l'amour. Puis un soir, Howard l'avait arrêtée alors qu'elle passait près de lui. Il était assis tout nu au pied du lit; elle était enveloppée de plusieurs mètres de nylon rose, avec dentelles et falbalas.

— Elaine, il faut que nous parlions.

Elle s'était exclamée:

— Bien sûr mon chéri. De quoi veux-tu que nous parlions?

— Tu... te caches de moi et je dois savoir pourquoi. Est-ce que j'ai fait quelque chose qui t'a déplu? Qui t'a blessée? Tu dois me le dire parce que cette situation me rend cinglé.

Elle avait fondu en larmes en lui avouant qu'elle craignait de le perdre étant donné qu'elle était redevenue grosse. Il l'avait regardée d'un air stupéfait. Il l'avait attirée vers lui, avait posé des baisers sur son cou, ses oreilles, sa gorge, ses épaules, son menton, son nez, ses cheveux, ses mains en lui répétant combien il était amoureux d'elle.

— Ne me redis jamais pareille chose, jamais. Je t'aime Elaine. Je t'aime, toi, l'être humain, pas une femme qui porte du 36 ou du 44. Ça, je m'en fous!

Elle s'était mise à pleurer. Il avait pris son visage entre ses mains, avait séché ses pleurs et posé des baisers sur ses paupières en disant:

— Comment as-tu pu te mettre une telle idée en tête? Te voilà redevenue celle dont je suis tombé amoureux quand je l'ai rencontrée. Ce qui me donne à penser... Puisque je ne pouvais pas te voir entièrement nue à cette époque, de crainte que ton père ne surgisse dans la pièce, que dirais-tu d'un peu de rattrapage?

Il l'avait déshabillée lentement en embrassant chaque partie de son corps à mesure qu'il la dévêtait. Ils avaient ensuite fait l'amour et elle avait pleuré de joie. Quel homme! Elle avait fait le bon choix. Alors au diable le régime! Etant donné qu'elle règlerait l'addition à la fin du repas, autant en profiter. Deena avait choisi son habituel poisson grillé et un Tab diète. Tant pis pour elle. Elaine sourit au garçon et commanda:

— Les fettuccini Alfredo. Et apportez-nous un autre verre de vin. Je t'en prie Deena, je veux porter un toast et ce ne sera pas en levant un verre de Tab diète!

Elaine contemplait sa soeur. Ça devenait agaçant à la longue d'essayer de deviner les pensées de Deena. «D'abord elle se plaint de Michael, et avec raison. Et puis dès que je lui montre mon accord, elle se met à le défendre. Il faudrait qu'elle se décide. Mais elle ne le fera pas. Michael est un petit dictateur chauvin qui se prend au sérieux». Si Deena avait travaillé dans les affaires avec sa grande soeur, elle se serait vite rendu compte du nombre de vers de terre qui se prennent pour des hommes. Comparé à certains clients qu'Elaine rencontrait tous les jours, Michael était un saint. Qui en ce monde pouvait se vanter d'être parfait? Même ce cher Howard avait ses défauts. Leur mariage n'avait pas connu que des jours heureux. Ils avaient failli se séparer lorsque Noël eut un an et qu'elle annonça son intention de retourner travailler. Howard voulait que sa femme soit une mère à temps plein. Elle avait envie d'autre chose que de rester à la maison ou d'emmener le petit au parc.

— Howard mon chéri, j'ai déjà le cerveau mou comme de la gélatine. Montre que tu as du coeur.

Il avait fini par accepter, mais à la condition qu'elle s'occupe de son commerce à lui. Et tout avait marché comme sur des roulettes. Howard ne craignait pas qu'elle soit en compétition avec lui; lorsqu'elle avait voulu apporter des changements à la structure de l'entreprise, il l'avait écoutée et suivi ses conseils. Ils étaient passés de la vente au détail aux commandes par catalogue. Leur compagnie était à présent l'une des plus importantes dans le domaine de la lingerie.

Il ne fallait pas se dégonfler, mais au contraire se retrousser les manches devant un problème. Il fallait surtout savoir ce qu'on voulait. Deena pliait trop facilement devant la volonté de son mari; elle était trop influençable. Si elle savait ce qu'elle voulait, elle l'obtiendrait. Son union avec Michael lui laissait beaucoup de liberté. Il était presque toujours absent. Cela pouvait être ennuyeux, mais elle aurait pu aussi tirer avantage de la situation. Elle avait du temps, de l'argent et elle était intelligente. Qui de nos jours avait le loisir de paresser, d'avoir un emploi à temps partiel, de reprendre ses études comme une gamine et de chercher à se connaître à l'âge de quarante-trois ans? Allons! Elle avait de la chance! Mais elle préférait se plaindre plutôt que triompher.

En ce qui concernait Elaine, elle avait une affaire à diriger, un rendez-vous avec un important vendeur à trois heures. Et lorsque Sid Levine annonçait qu'il venait à trois heures, il n'arrivait pas une fraction de seconde plus tard. Il fallait qu'elle soit là. Howard s'occupait toujours des contrats et des chiffres mais Sid aimait qu'elle soit là. Il essayait de jeter un coup d'oeil dans son décolleté. De temps en temps, elle le laissait faire. Qu'est-ce qu'elle en avait à faire!

Le garçon revint avec le carafon de vin blanc. Elaine leva son verre:

— Je veux boire à toi, Deena.

— Moi?

— C'est le vingt-sixième déjeuner annuel pour célébrer l'association avec Howard Barranger...

— Vraiment? Déjà vingt-six ans?

Les deux soeurs souriaient. Vingt-six ans plus tôt, à l'époque de Noël, Deena avait intercédé en sa faveur auprès de papa. Il s'était montré inflexible devant Howard dont il remettait la virilité en cause.

— Hourra!, s'exclama Deena. Je lève mon verre à Howard. A Howard et à Elaine, je souhaite vingt-six autres années de complicité.

Elles burent une gorgée de vin en échangeant des sourires.

— A toi Deena. Merci!

Elaine inspira profondément avant d'ajouter:

— Voilà que j'ai de nouveau besoin de toi.

— Dis-moi. Si je peux le faire, je le ferai. De quoi s'agit-il?

— Quelque chose me chicote à propos de la récente décision de papa. Ça ne lui ressemble pas.

— Mais si. Tu sais ce qui s'est passé. Sylvia l'a convaincu de te donner au moins une chance.

— Je sais que c'est à cause de Sylvia. Non, non. C'est la manière dont il s'y prend. Tout d'un coup, il se montre affable et accueillant. Il m'invite à consulter les livres de comptabilité, à conclure une entente. Linda se fera un plaisir de m'aider, Lawrence m'expliquera tout ce que je ne comprendrai pas, je peux visiter l'édifice dans ses moindres recoins et lui soumettre par écrit toutes les questions qui me viennent à l'esprit.

— Qu'est-ce qui ne va pas? Ça correspond exactement à ce que tu voulais, non?

— Je n'ai pas confiance. Tu connais papa aussi bien que moi. Il croit dur comme fer à l'infériorité de la gent féminine...

— Elaine, tu devrais avoir honte! Il nous a toujours encouragées.

Elaine l'envoya promener d'un geste de la main.

— Nous encourager? Dans la mesure où l'on faisait ce qu'il voulait! Tu te souviens de mes études?

— Il y a des années de cela. Tu as fait tes preuves à présent.

— Deena. Ecoute-moi, tu veux bien? Tout d'abord, il ouvre trop grand les bras. Ce n'est pas une attitude d'homme d'affaires; c'est un papa qui veut faire plaisir à sa petite fille. C'est ça que je flaire dans cette histoire. Il ne me prend pas au sérieux. Il m'invite et je ne sais pas où je vais. J'ai l'impression qu'une fois arrivée, la pièce sera vide, personne pour m'accueillir.

— J'espère que tu n'accuses pas papa de t'avoir menti!

— Oserais-je accuser notre cher papa de me mentir? Non, cesse de me regarder avec ces yeux! Disons qu'il me cache quelque chose, qu'il garde certaines informations pour lui seul. J'ai la sensation qu'il n'est pas sincère. Il ne s'agit pas d'une véritable transaction. Il espère que je n'en retirerai rien. Je ne serais pas surprise s'il ne me montrait pas les vrais livres.

— Elaine, tu l'accuses de te mentir!

— Pas vraiment. Me cacher une partie de la vérité, peut-être bien. Je ne sais pas... Je ne l'accuse pas, je te confie simplement mes sentiments. Deena, je suis très sérieuse. Sexy Follies roule presque seule maintenant. Il y a longtemps que je cherche à diversifier mes intérêts. Je n'avais aucune idée de son intention de vendre Strauss Construction... Il m'a toujours promis une chance, il m'a montré une carotte durant toutes ces années! J'ai toujours admiré ses immeubles; il m'emmenait avec lui et me faisait deviner les coûts de construction...

— Tu te trompais rarement, je m'en souviens.

— C'est vrai. J'avais douze ans et déjà je pouvais repérer n'importe quel immeuble de Manhattan et dire combien valait le pied carré. Sacrebleu! Je suis une excellente femme d'affaires et il me considère toujours comme l'enfant de douze ans qui faisait rire ses invités. «Tu l'as ton garçon, Jack!» C'était tout ce qu'ils trouvaient à dire. Bande d'idiots!

— Ils voulaient te faire un compliment.

— Mais Deena, ça n'en était pas un...

Elle voyait sur le visage de sa soeur qu'il fallait abandonner la discussion sur le sexisme de leur père. Le sujet était clos. Papa était un saint selon Deena.

— Elaine, va affronter le mur.

Les deux soeurs rirent de bon coeur.

— Je veux que tu viennes avec moi.

— Avec toi? Où?

— Au bureau.

— T'as pas besoin de moi Elaine. Je ne comprends rien aux affaires.

— Je veux que tu sois là. Je t'en prie. Si tu es présente, il ne va pas... me faire une scène. Si tu es là, il sera plus détendu, plus raisonnable. J'en suis convaincue.De plus, je ne perdrai pas patience. Voilà qui devrait te décider!

— Voyons Elaine! Mon opinion ne compte pas à ce point. Tu me flattes, c'est tout. Je l'avoue: je suis flattée. Mais tu n'as toujours pas besoin de moi. Il sait très bien quelle femme intelligente tu es!

— Oh vraiment? Il n'y a rien que j'aie fait qui soit parvenu à le satisfaire. J'ai obtenu mon diplôme pour plaire à Jack Strauss. Tu t'en souviens? Quand j'étais au collège et que je le suppliais de m'engager? Il m'a répondu: «Passe ton baccalauréat.» Alors je l'ai fait. Mais ça ne suffisait pas. Pas pour lui. Je n'étais pas un homme, mais une pauvre femme. Mais qu'est-ce qu'il voulait à la fin? Que je devienne transexuel?

— Elaine!

Deena était contrariée, mais tout de même amusée.

— Tout le monde nous regarde!

— Laisse-les! M'accompagneras-tu?

— Bien sûr. Comment refuser après un aussi vibrant plaidoyer? Dis-moi quand. Seulement, pas cet après-midi.

— Pourquoi pas?, lui demanda Elaine d'un ton coquin. Tu as un rendez-vous galant?

Elaine badinait mais s'étonna de voir Deena s'empourprer. Elle y songerait à un moment plus opportun.

— D'accord, poursuivit-elle. Pas cet après-midi. Disons demain, à quatre heures?

— Entendu. A l'heure qui te convient. Mais tu te trompes au sujet de papa. Tu verras.

— J'espère que je verrai quelque chose. S'il me laisse voir quoi que ce soit.

chapitre cinq

Jeudi 12 décembre 1985

Les murs de l'ascenseur particulier étaient lambrissés de miroirs; Elaine en profita donc pour jeter un dernier coup d'oeil à sa tenue le temps de l'ascension jusqu'à l'étage du penthouse. Parfait. Elle semblait confiante, maîtresse d'elle-même, femme d'affaires. Femme d'affaires par-dessus tout. Elle connaissait bien son père; il les accueillerait à bras ouverts en leur disant combien elles étaient jolies, les appellerait «ses grandes», et il n'y aurait plus moyen d'aborder le sujet qui l'intéressait. Elle avait donc dû s'habiller comme une femme d'affaires et non comme la fille à papa. Elle croyait avoir réussi: un tailleur noir d'un modèle de chez Halston et un chemisier de couleur vive pour que son père ne l'accuse pas de s'être habillée comme une banquière! L'étole de renard argenté lui rappellerait qu'elle était l'aînée; il la lui avait offerte lors de son quarante-cinquième anniversaire. Elle mouilla ses lèvres pour faire ressortir davantage l'éclat de son fard et sourit au reflet qu'offrait la glace.

— Ne t'en fais pas, tu as une mine superbe!, dit Deena.

— Qui s'inquiète?

Elaine dut s'incliner et rire devant le regard que lui renvoya sa soeur. Toutes deux connaissaient très bien l'homme qu'elles allaient rencontrer.

— Ne le laisse pas faire, Elaine.

Elaine poussa un long soupir. Il était inutile d'expliquer au chouchou de papa combien ce dernier aimait prendre son aînée en défaut. Il trouvait toujours quelque chose à redire sur son apparence: «As-tu oublié de te faire couper une mèche? Non? Et la tignasse à l'arrière, c'est une mode? «Moppe»* serait plus approprié.» Ou sur sa façon de gérer les affaires: «J'ai vu ta publicité dans le *Sunday Times*. Le mannequin a l'air d'une fille de Madame Claude!» Il trouvait toujours quelque chose à redire, un rien parfois, toujours dit à la blague, accompagné d'un grand éclat de rire. Mais toujours il avait à redire.

A quelques reprises elle avait essayé d'en parler à sa soeur mais Deena lui avait répondu: «Mais Elaine, il agit ainsi avec toi parce qu'il sait qu'il va te mettre en colère. Chaque fois qu'il a essayé avec moi, j'ai éclaté de rire. Il a cessé.» Cause toujours. A dire vrai, jamais il n'avait pris Deena en défaut. Mais personne ne pourrait en convaincre celle-ci. Deena était sa préférée, un point c'est tout.

Elle jeta un coup d'oeil au reflet de sa soeur. Deena semblait plus jeune. Une lueur intérieure l'éclairait, ses yeux brillaient comme ceux d'une femme amoureuse. Voilà probablement ce qui inquiétait leur mère, d'autant plus que Deena avait laissé entendre à plus d'une reprise que Michael et elle faisaient face à une crise conjugale. Ils n'avaient pas caché leur désaffection mutuelle le jour de l'Action de grâce. Mais elle ne pouvait pas avoir pris un amant! Pas Deena. Elle était l'exemple même de la brave fille qui se faisait un honneur d'obéir à tous les commandements de Dieu. Elle avait même perdu talent et intelligence durant de nombreuses années, simplement parce qu'on lui avait répété qu'une mère respectable devait rester à la maison pour élever ses enfants.

Elle s'était enfin inscrite à un cours du soir cette année. Grand bien lui fasse! Il était temps qu'elle mette le nez dehors. Il lui fallait à présent remettre sa démission au directeur de cette école snob où elle faisait semblant de travailler et s'initier une fois pour toutes au monde des affaires. Elaine se félicitait d'avoir eu l'idée géniale: pourquoi n'initierait-elle pas Deena aux affaires paternelles? Avec la permission écrite de papa, bien entendu. Deena pourrait très bien concevoir l'aménagement intérieur: elle

---

* N.D.T. Sorte de balai à longues franges pour laver les planchers.

pourrait ainsi utiliser sa créativité. Peu importe ce qu'elle choisirait. Il lui serait mille fois plus profitable de faire face à la réalité que de se réfugier dans ses fantasmes. L'écriture cinématographique! Non mais, quoi encore? Elle ferait mieux d'investir sa ferveur et son énergie dans Strauss Construction. Elles travailleraient ensemble et leurs efforts seraient récompensés de manière concrète.

— Pas besoin de me dire de conserver mon calme, répondit-elle. Ça fait trois cents fois que je me répète: «garde ton sang-froid, ne lui cède pas, et surveille tes paroles!»

Elles éclatèrent de rire car Elaine venait de dire exactement ce que pensait sa soeur qui, timide, n'avait pas osé. Deena ignorait cependant un détail important, que leur père aurait avantage à expliquer sous peine d'insurrection filiale.

— C'est la raison pour laquelle je t'ai amenée, Deena, pour nous aider à conserver notre calme.

Deena lui renvoya un regard dubitatif.

— Si, si. Tu sais, tu es une excellente médiatrice.

La porte de l'ascenseur s'ouvrit et elles se retrouvèrent au milieu d'une jungle africaine. C'était du moins leur impression. Deena trouva immédiatement la réplique:

— Si papa est Tarzan et toi Jane, je devrai me contenter d'être Cheetah!

— Moi j'aime bien!

Elaine adorait le décor. Elle admirait la manière dont son père se servait de ses bureaux comme d'une vitrine publicitaire. Elle lui avait emprunté cette idée. La salle de présentation chez Sexy Follies était envahie de velours rose, de rideaux de dentelle, d'amours en bronze et de poufs sortis des boudoirs des grandes courtisanes. Sans oublier le miroir posé au centre d'un drapé, au plafond. Ce miroir avait fait vendre plus de lingerie qu'un bataillon de vendeurs chevronnés. Les acheteurs se montraient ébahis et savaient y reconnaître la touche d'humour caractéristique d'Elaine. Bien entendu, ils ne détestaient pas y jeter un coup d'oeil pour mieux reluquer les poitrines des mannequins.

Rien de tel ne meublait les bureaux de Jack Strauss. La décoration du salon de réception était prestigieuse. Papa changeait entièrement le décor tous les quatre ans. Six mois auparavant, on avait remplacé les boiseries, les meubles de cuir noir et les accessoires de laiton -qui donnait à la pièce une allure de bureau d'avocat londonien- par des miroirs, des dalles de marbre, des palmiers en pots ainsi qu'une fontaine qui murmurait sous un puits de lumière. Elaine appréciait particulièrement les mille reflets que se renvoyaient les murs lambrissés de miroir, les volières et leurs oiseaux multipliés à l'infini, l'image de la fidèle réceptionniste. La brave Madeleine Harvey était le seul élément qui ne changeait jamais dans cette pièce, de même que ses cheveux passés au bleu et ses célèbres tricots dans tous les tons pastel. Assise derrière sa console de verre, elle portait aujourd'hui un costume bleu pervenche et parlait au téléphone, entourée des milliers de reflets de sa propre image. Deena la salua avec bonne humeur. Miss Harvey sourit avec joie et dit:

— Deena vous voici! Et Elaine! Qu'est-ce qui nous vaut un tel honneur?

Elle les considérait avec beaucoup d'indulgence.

— Nous avons rarement la chance de vous voir ensemble.

Née à Brooklyn, l'accent britannique qu'elle s'efforçait de cultiver accusait encore ses origines. Mais Elaine n'aurait su dire pourquoi. Elle regarda sa soeur; elles avaient souvent émis des hypothèses sur le motif qui avait poussé Miss Harvey à prétendre être née en Angleterre, alors que tout chez elle, son visage autant que ses manières, trahissait une enfance passée à Brooklyn.

— Je suis désolée mais votre père est absent pour l'instant. Un rendez-vous à Long Island City.

— Un rendez-vous? Vous voulez rire?

Jamais Elaine ne comprendrait son père! Il prenait rendez-vous avec elle, téléphonait à sa secrétaire pour confirmer l'heure et la date, puis s'esquivait le moment venu. Toutes ses bonnes résolutions fondirent sous le coup de la colère.

— Mais il avait rendez-vous avec moi!

— Elaine, Elaine...

Deena lui tapotait l'épaule comme elle le faisait, enfant.

— Calme-toi, continuait-elle. Il a dû être pris à la dernière minute...

Elaine se rebiffa.

— Je m'en fous! Il aurait pu me téléphoner. Il aurait dû prévenir...

— A vrai dire, commença Miss Harvey, il...

— Je m'en fous! Il a bien le téléphone, merde alors!

— Elaine!

Les deux voix avaient crié en choeur, trahissant une horreur féminine de la vulgarité. A présent, Deena emmenait sa soeur à l'écart.

— C'est si typique Deena! Il ne s'agissait que de moi alors il avait le droit de s'en aller sans prévenir. Mais je ne fais pas que passer; nous avions un rendez-vous d'affaires qui te concerne, de même que toute la famille. Il a un sacré toupet de me faire traverser toute la ville dans cette foutue circulation pour finalement n'être pas là quand je viens!

— Elaine, attends un peu...

— Tu crois qu'un acheteur ou un de mes vendeurs me ferait cela? Ni monsieur Neiman ni monsieur Marcus, pas plus Betsy Bloomingdale en personne. Personne ne me ferait perdre mon temps de cette manière.

— Elaine, il s'agit d'un empêchement de dernière minute. Il n'a pas pu faire autrement, j'en suis convaincue.

— Je suis une femme occupée, Deena. J'ai un catalogue à produire, je dois engager des mannequins, rencontrer les acheteurs, mes vendeurs, je reçois les comptables le mois prochain et on parle d'une grève des opératrices à la manufacture!

— Je sais que tu travailles beaucoup Elaine, mais je suis convaincue qu'il ne l'a pas fait exprès.

Qu'est-ce que Deena pouvait bien en savoir?

— Crois-tu que je peux m'absenter quand bon me semble?, demanda-t-elle à sa soeur. Comme toi?

Etait-ce une pique à propos d'hier? Elaine ne pouvait pourtant pas savoir que son important rendez-vous n'avait consisté qu'à faire les cent pas dans sa cuisine en attendant le coup de fil de Luke Moorehead.

Deena pinça les lèvres avant de répondre:

— Elaine, ne t'en prends pas à moi. Je t'en prie. D'accord?

— Cette fois, tu ne sais pas de quoi tu parles Deena.

— Je comprends ta colère mais je reste persuadée qu'il existe une explication satisfaisante à son absence. Tu sautes aux conclusions avant même que papa ait pu s'expliquer. Je ne vois pas ce qu'il a fait de mal. S'il a agi de façon malveillante, alors tu auras le droit d'être fâchée.

— Vraiment? Tu m'en donnes la permission?

Elaine était furieuse à présent. De plus, elle en avait assez de porter seule le fardeau de cette affaire. Elle se moquait bien des conseils de Howard, de la manière délicate dont il fallait aborder la question... Trop c'était trop!

— Ecoute-moi Deena, dit-elle en baissant la voix. J'ai quelque chose à t'apprendre. Tu sais que nous avions toutes quinze pour cent des actions de la compagnie. Toi et moi, Marilyn et Sylvia.

— Bien sûr. Mais... pourquoi as-tu dit *avions*?

— Tu comprends vite. La semaine dernière, je t'ai téléphoné et je t'ai demandé si tu étais prête à m'endosser avec tes actions. J'ai aussi téléphoné à Marilyn. Puis je suis allée voir Sylvia.

— Et après? Qu'essaies-tu de me dire?

— Sylvia a répondu à sa chérie qu'elle aurait bien voulu l'aider, mais que malheureusement elle ne détenait plus quinze pour cent des actions.

Elaine fit une pause pour donner plus de poids à ses mots. Quelques secondes plus tard, Deena fronça les sourcils en demandant:

— Où donc sont passées ses actions?

Elaine baissa le ton jusqu'au murmure.

— Elle n'a jamais voulu me le dire. Elle s'est contentée de bredouiller que papa les lui avait demandées et qu'elle les lui avait données.

— Pourquoi, à ton avis?

— Voici ce que je crois: il a dû avoir besoin d'argent rapidement, alors il a vendu les actions de Sylvia.

— Pourquoi aurait-il eu besoin d'argent à ce point?

— Excellente question. J'espérais entendre une tout aussi excellente réponse aujourd'hui. Et tu vois? Tout à coup il est très occupé, très loin et très inaccessible. Quelle coïncidence! N'est-ce pas ce genre de hasard qui permet à une bonne fille de prononcer des mots grossiers?

— Oh! Elaine... Il a mauvais caractère, il est pas très commode, c'est vrai. Mais de là à dire qu'il est sournois? Je suis certaine qu'il existe une explication rationnelle à tout ceci.

— Il vaudrait mieux que ce soit une une fichue bonne explication!

Deena posa soudain son index sur sa bouche; Elaine entendit alors la voix de fausset de Lawrence McElroy derrière son dos.

— De la belle visite! Le portrait vivant de leur père! Ne feins pas la surprise Elaine. Je t'ai aperçue de mon bureau et tu avais la même expression que le jour où tu as perdu la course dans les sacs de pommes de terre et que moi je l'ai gagnée. J'espère que je n'aurai pas le nez cassé cette fois!

Il riait en passant son bras autour de son épaule. «La grosse vache!», songeait-il. Il aurait bien voulu savoir pourquoi elles venaient fourrer leur nez au bureau. Les princesses Strauss n'avaient jamais montré beaucoup d'intérêt pour les affaires de papa, pourvu qu'elles puissent toucher une rente généreuse, acheter des vêtements à prix exhorbitants et inscrire leur progéniture dans des collèges privés. Elles désiraient quelque chose. Il aurait parié cent contre un qu'elle voulaient soutirer quelque chose à oncle Jack. Jack tout court. Lawrence se rappela pour la énième fois qu'il fallait l'appeler par son prénom et laisser tomber sa qualité d'oncle. Une vieille habitude dont il ne se débarrassait pas. Oncle Jack avait toujours été là, aussi longtemps qu'il se souvienne. Jack lui avait demandé de laisser tomber cette marque de familiarité lorsqu'il l'avait embauché.

— Les autres employés croiraient que nous sommes apparentés. Ou plutôt que nous désirons leur faire croire que nous le sommes. Appelle-moi simplement Jack comme tout le monde. D'accord Lawrence?

Il avait alors posé le bras sur l'épaule de Lawrence et l'avait serré contre lui. Un type du tonnerre, ce Jack Strauss.

Que pouvaient-elles donc vouloir ces deux-là? Qu'avaient-elles à demander à leur père? Elles n'habitaient plus chez lui, étaient toutes deux mariées et avaient des enfants. Que lui voulaient-elles? Il savait ce que signifiait le regard de la grosse; rien qui vaille. Il l'avait vu un millier de fois. Elle avait le toupet de porter la fourrure que Jack lui avait offerte pour lui demander davantage. Exactement ce que Di Santo avait dit au meeting hier après-midi: «Que veulent les femmes à la fin? Je vais vous le dire en un mot ce qu'elles veulent: davantage!» Ils avaient tous éclaté de rire; ils étaient tous mariés ou l'avaient été. Sauf lui.

Il concentra ensuite ses pensées sur Deena, la belle Deena. Il s'approcha pour la serrer dans ses bras, elle se pencha sur lui quelques secondes puis recula comme d'habitude. Deena l'allumeuse. Elle disposait de son charme à son gré, comme d'un robinet que l'on ouvre ou que l'on ferme. Quel béguin il avait eu pour elle, à treize ans lorsqu'il n'était qu'un adolescent en rut. Elle devait pourtant avoir dix-huit, peut-être dix-neuf ans. Quoi qu'il en soit, elle était déjà mariée. Mais cela n'avait aucune importance. Elle aurait pu avoir sept époux, cela n'aurait toujours eu aucune importance. Elle lui faisait de l'effet, elle le savait et elle ne s'était jamais gênée pour l'agacer. Elle le frôlait souvent, en faisant semblant, bien sûr, que c'était accidentel. Mais il le savait. Elle aimait le faire bander, ça l'amusait.

N'était-ce pas ainsi que toutes l'avaient traité, la mère comme les filles? En sa présence, elles faisaient des plaisanteries qu'elles seules comprenaient. Enfant, il était trop candide pour s'en rendre compte; mais en vieillissant ça l'avait rendu furieux. Il s'était mis à les détester. Sa mère lui avait toujours dit que l'oncle Jack était un membre de la famille. C'était lui qui s'occupait de tout, il se montrait bon et généreux pour eux. D'ailleurs, ne les avait-il pas toujours invités à chacune de ses soirées sociales et familiales? Chaque anniversaire, chaque mariage, chaque *bar mitzvah*. Sa mère prétendait qu'il lui fallait s'en montrer reconnaissant.

Il se souvenait de la soirée offerte à la chic Tavern-on-the-Green en plein cœur de Central Park pour fêter les seize ans de Marilyn. Il s'était habillé en sifflotant une rumba: quatorze ans et la chance d'être invité à pareil événement! Il danserait avec toutes les filles, les toucherait au passage, peut-être même l'une d'elles accepterait-elle de l'accompagner dans la pénombre d'un bosquet. Il était conscient de sa belle allure. Sa mère n'avait pas eu besoin de l'en convaincre; cela se lisait dans les yeux des filles qui le dévisageaient. Sans compter toutes celles qui lui téléphonaient.

Il n'oublierait jamais cette soirée d'anniversaire, jamais. Marilyn lui avait d'abord adressé une parole de bienvenue, elle avait ensuite pris le cadeau qu'il avait mis tant de soin à choisir et l'avait donné à sa mère sans même l'ouvrir. Elle ne l'avait présenté à personne. Lorsque madame Strauss l'avait présenté aux autres invités, ses filles l'avaient dévisagé comme s'il était un moustique porteur d'un virus. Il supposa que son complet bleu marine, sa chemise amidonnée et sa cravate rouge étaient en cause. Elles étaient toutes en tenues sport, avec des bandeaux qui retenaient leurs montagnes de cheveux. Il devait avoir l'air d'un catholique frais émoulu de l'école secondaire St-Anthony, ce qui était la stricte vérité. Il avait été humilié en s'apercevant à quel point il était différent d'eux. Pourquoi l'avait-on convié à cette soirée? On l'invitait chaque fois. Mais pourquoi? Pour lui montrer combien ils étaient riches et puissants? Pour le confronter à sa propre insignifiance? Jamais il n'oublierait cette soirée. Jamais. Il se souvenait des décorations, l'immense chiffre seize taillé dans du carton doré, ainsi que les serpentins et les mille ballons multicolores. Quel ennui. Ils auraient pu la garder, leur invitation! Il aurait seulement aimé posséder l'argent qu'ils avaient dépensé pour les ballons.

Mais s'ils l'entendaient ainsi, au moins essaierait-il d'en profiter! Il était allé au buffet et avait goûté au meilleur rôti de boeuf, à la dinde farcie, aux pâtisseries miniatures, celles dont on ne fait qu'une bouchée. Il avait songé à en emballer quelques-unes dans une serviette de table pour les apporter à sa mère, mais s'était ravisé de crainte qu'on ne l'aperçoive. C'était alors que Marilyn, l'héroïne de la fête en personne, s'était approchée de lui pour l'inviter à danser. Quel émoi! L'orchestre jouait une chanson des Beatles, un air lent. Il l'avait délicatement enlacée, et elle s'était blottie tout contre lui. Elle avait pressé ses seins contre son torse. Il avait presque perdu connaissance. Que devait-il faire? Se conduire en gentleman ou lui accorder ce qu'elle voulait? Elle était en chaleur et se frôlait à lui en dansant. Sa verge s'était tendue: devait-il l'enfoncer entre ses jambes? Certes il l'aurait pu, car elle ne faisait rien pour l'en empêcher.

Il n'était donc pas resté surpris lorsqu'elle avait proposé d'aller prendre le frais dans le parc. L'air frais, mon oeil! Elle s'était jetée dans ses bras et lui avait donné des *French kisses* comme au cinéma. Youpi! Il en avait si souvent rêvé. Il l'avait embrassée à son tour et elle avait apprécié. Il avait déjà essayé

75

d'embrasser une fille de cette manière à la danse de l'école Sainte-Agnès mais elle l'avait giflé. Pas Marilyn. Elle gémissait, en redemandait, et soudain elle avait pris la main de Lawrence et l'avait placée en plein sur sa poitrine. Il était si excité, qu'il n'entendait plus rien; il ne savait plus où il se trouvait. Puis une main l'avait saisi par l'épaule pour le déloger, et une voix avait crié: «Qu'est-ce qui se passe ici?» Zut, l'oncle Jack! Avec un regard de tueur à gages.

— Toi, avait dit oncle Jack à Marilyn, tu retournes à l'intérieur auprès de tes invités.

En moins de deux elle avait disparu. Jack s'était alors adressé à Lawrence:

— Quant à toi... Tu me déçois grandement, Lawrence. Un homme doit savoir se retenir lorsqu'il est en compagnie d'une brave fille.

— Mais oncle Jack, c'est elle qui... Elle m'a demandé de...

Il s'était mis les pieds dans les plats. L'oncle Jack était devenu vert de rage et Jack avait craint de recevoir une fessée à coups de ceinture.

— Espèce d'ingrat! Si tu ne peux pas montrer plus de respect pour moi, je préfère ne plus te revoir.

Il avait parlé d'une voix basse et glaciale. Lawrence n'avait jamais vu son oncle en pareil état et il avait eu peur.

— Tu ferais mieux de réviser tes notions de décence et de loyauté, jeune homme, si tu veux avoir une chance de réussir en ce monde.

De telles paroles avaient inspiré à Lawrence à la fois honte et ressentiment. Il avait rougi comme une jeune fille et, pis encore, il avait eu les larmes aux yeux. Il avait imploré la Vierge Marie, lui avait promis tout ce qu'elle voulait, à condition qu'il ne pleure pas devant l'oncle Jack. Il ne s'était jamais souvenu de ce que son oncle lui avait dit par la suite. Il avait été question de confiance, de quelque chose au sujet de sa pauvre mère, le refrain habituel. Jack lui avait fait des remontrances comme s'il était un criminel. Et pourtant rien de tout ça n'était sa faute! Il était parti tout de suite après, sans revoir ses hôtes, sans saluer qui que ce soit. Il s'était promené quelque temps, dans les dédales du métro, furieux, afin de rentrer tard pour satisfaire aux exigences de sa mère. Il avait erré dans l'obscurité dans Stuyvesant Town, détestant s'y trouver, maudissant ces rangées interminables d'immeubles tous semblables bondés de pauvres gens tassés comme des lapins en cages. Il haïssait ce quartier minable aux confins de Manhattan, l'antithèse de Central Park West. Il s'en voulait de porter des chaussures trop serrées qui lui faisaient mal aux pieds, il s'en voulait d'avoir les aisselles moites et il en voulait à sa mère qui l'attendrait, confiante et pleine d'espoir, pour savoir combien il s'était amusé avec les enfants de riches.

Il était convaincu qu'en ce moment même elle guettait son retour, étendue sur le sofa, dans son peignoir molletonné. Elle l'accueillerait avec un grand sourire. Il lui mentirait. Pourtant, dès qu'il l'aperçut, sa colère explosa.

— Ne me demande plus jamais d'assister à une soirée chez les Strauss! Plus jamais!

— Lawrence!

— Maman, n'exige plus jamais ça de moi! Sais-tu ce qu'ils pensent de nous? Ils nous prennent en pitié, maman. Nous sommes de pauvres diables qui vivons dans un quartier ouvrier.

En dépit des froncements de sourcils désapprobateurs de sa mère, il avait persisté:

— Oh non! La Marilyn ne souhaitait pas ma présence à cette soirée, et ses amies ne m'ont pas adressé la parole. Personne n'a voulu danser avec moi. Je n'étais pas habillé convenablement. La seule qui a été gentille pour moi, c'est madame Strauss. Sais-tu où j'étais passé depuis dix heures quinze? Je me promenais dans le métro, j'ai fait la navette entre les terminus pendant trois heures et demie pour arriver plus tard ici.

— Mon pauvre enfant!

Elle se leva mais il lui fit signe de se rasseoir.

— Arrête, veux-tu? Durant toutes ces années, tu m'as répété qu'ils étaient de la famille. C'est faux. Ils n'ont pas envie de nous voir.

— Lawrence, je t'en prie. Ils ont voulu se montrer gentils.

— Ils n'ont pas réussi. Ils ne sont que...

Il fit une pause afin de trouver le terme approprié pour décrire le regard amusé d'Elaine ou la manière dédaigneuse dont Deena lui avait répondu lorsqu'il l'avait invitée à danser: «Non merci, pas maintenant, je suis un peu lasse.»

— Ils ne veulent pas de nous. Et je n'y retournerai pas.

— Ton oncle Jack sera triste.

Pourquoi le mêlait-elle toujours à la conversation? Entendre son nom lui mettait le feu aux joues. Comment pourrait-il à nouveau le regarder dans les yeux? Qu'est-ce que l'oncle Jack raconterait à sa mère? Dans quel cloaque avait-il posé les pieds? Il souhaitait remonter dans le temps et tout recommencer: chose certaine, il n'irait pas à cette soirée. L'âme en peine, il lâcha:

— Je me fous de l'oncle Jack!

Ce qui était dit restait dit. Elle se mit à pleurer comme elle le faisait chaque fois, en silence, sans émettre un son, laissant seulement rouler les larmes sur ses joues, se mordillant la lèvre inférieure et serrant les poings. Il s'enferma dans sa chambre, s'assit au pied du lit et contempla la collection de flammes que son oncle lui avait offertes. «Qu'ils soient tous maudits, tous autant qu'ils sont!» Après toutes ces années, tous ces anniversaires pendant lesquels il s'était cru le bienvenu... Ils avaient menti, ils avaient prétendu les recevoir dignement, sa mère et lui. Il n'aurait pas dû dire qu'il se foutait de l'oncle Jack. Il savait que cela faisait mal à sa mère. Elle le considérait comme un ami très particulier. C'était son premier patron, mais c'était encore plus qu'un employeur. «Lorsque ton père est décédé au cours de la guerre, avait-elle expliqué à maintes reprises, je n'avais personne pour s'occuper de nous et l'oncle Jack s'est montré très généreux. Il a trouvé cet appartement alors qu'aucun appartement n'était disponible; il a réglé tous les frais après ta naissance. A présent il nous visite régulièrement car il croit qu'un garçon doit grandir entouré d'une présence masculine». Lawrence savait que cela cachait autre chose. L'oncle Jack était très gentil, il partageait ses jeux et le comblait de présents. Mais sans être Einstein on pouvait se rendre compte qu'il venait à la maison autant pour visiter la jolie maman que pour jouer au base-ball avec son fils.

Il y avait si longtemps de cela. Beaucoup d'eau avait coulé sous les ponts depuis les seize ans de Marilyn. Il l'avait vue l'année dernière et il avait pouffé de rire. La jolie blonde était devenue une lesbienne manquée, habillée d'une chemise de bûcheron et de bottes de soldat! Elle était médecin, et quoi encore? Plutôt mourir que de se faire ausculter par elle!

— Deena, tu es belle à ravir!

Il le pensait véritablement. Elle portait un pantalon ajusté et des bottes à talons hauts, une tenue très sexy. Elle avait de très belles jambes, et, adolescente déjà, elle savait les mettre en valeur. Ses jambes et son joli petit derrière. Chaque fois qu'il pensait à Deena, il l'imaginait dans une tenue moulante. Aujourd'hui elle portait un blouson de daim, déboutonné de manière à ce qu'on puisse voir qu'il était doublé de vison. Voilà bien Deena Berman: porter une fourrure coûteuse sous un modeste dehors sport, mais faire en sorte que la pelisse ne passe pas inaperçue. Il ne s'en laissait pas imposer par elle. Il la connaissait depuis trop longtemps. Depuis plus longtemps en fait qu'elle n'aurait voulu l'admettre. Quel âge avait-elle à présent? Quarante-deux ans? Quarante-trois? Elle ne les faisait pas. Il se demandait si elle s'était fait faire un lifting... Puis il essaya d'imaginer le prix de son blouson. Son mari avait dû y mettre le paquet.

— C'est un super-blouson, dit-il.

Elle lui adressa son plus beau sourire.

— Merci Lawrence! Un présent de mon mari pour mon anniversaire.

Pour une fois, elle lui semblait amicale. Lawrence se sentait en confiance. Il ajouta:

— Tu dois être très gentille pour mériter pareil cadeau!

Au regard dont elle le foudroya, il sut que le prolétaire venait encore de se mettre les pieds dans les plats. Un seul regard et il retrouvait leur enfance. Quelle raison avait-elle de se prendre pour une autre? Il tenait ce genre de propos «humoristiques» à toutes les femmes qu'il rencontrait, et elles étaient nombreuses. Aucune d'elles ne lui renvoyait pareil regard. Elle lui adressa son fameux sourire figé et lui dit:

— J'ai toujours fait preuve de gentillesse envers ceux que j'aime.

Elle ne le lui avait pas envoyé dire. Il n'avait jamais su comment se comporter en présence des soeurs Strauss. Quoi que l'on fasse, quoi que l'on dise, on était toujours perdant. «Quel idiot!, songea Deena. Jamais il ne deviendra adulte. Il a toujours commis quelque impair en ma présence et malgré tout, il est devenu vice-président de la compagnie de papa. Très compétent de surcroît. Papa prétend que c'est le meilleur employé. Il possède cette volubilité qui fait le charme des Irlandais. Lawrence peut faire la conversation à tout le monde, et il est très intelligent. «Peut-être, songea Deena, mais ce n'est pas à moi qu'il l'a prouvé.» Enfant, il était pleurnicheur et obséquieux; il parlait trop, s'appliquait sans cesse à plaire et ne réussissait qu'à paraître sot. Il avait peu changé.

— Laissons les papotages, trancha Elaine. Sais-tu où se trouve mon père? Je dois lui téléphoner.

— Tu ne peux pas lui téléphoner. Il assiste à un meeting très important.

— Il avait un rendez-vous très important. Avec moi!

— Cette fois, il s'agit d'un meeting réellement important, Elaine.

— Et qu'est-ce que ça veut dire, au juste?

— Six millions de dollars. Est-ce assez important?

Lawrence fit un clin d'oeil à Elaine. Deena se disait qu'il ressemblait à un GI-Joe et qu'il en avait l'intelligence. On ne pouvait prétendre que Lawrence McElroy n'était pas un bel homme, si on aimait les Irlandais à la mâchoire volontaire et taillés d'un seul bloc. Mais elle ne lui trouvait aucun charme. Elle savait qu'elle appartenait à une minorité. Papa répétait sans cesse que toutes les femmes étaient folles de Lawrence. Ces femmes ne le connaissaient évidemment pas, sinon elles se seraient vite aperçues qu'il n'était qu'une poupée de plastique: belle allure mais aucune substance. Regardez-le dans son costume de *yuppie*: complet bleu marine, chemise Polo bleu pâle à col blanc, cravate assortie. Tout ce que proposait le magazine GQ pour le jeune cadre supérieur qui réussit en affaires et en amour. Papa vantait ses mérites et sa compétence. Il le tenait en haute estime. Deena avait peine à le croire. Peut-être se comportait-il différemment avec les hommes? En ce moment, il n'avait aucun succès auprès de sa soeur. Ses sourires ne provoquaient pas l'effet désiré chez Elaine qui était sur le point d'exploser.

— Et moi, qu'est-ce que je suis? Un déchet nucléaire? Nous avons pris un rendez-vous d'affaires et j'ai traversé toute la ville pour être ponctuelle. S'il ne pouvait pas y être, il pouvait très bien me téléphoner!

Elle avait tant haussé le ton qu'elle criait à présent. Deena posa une main apaisante sur son épaule. Tous les employés n'avaient pas à connaître les détails de cette mésaventure. Elle invoquait le ciel pour qu'Elaine se calme. Elle regrettait de l'avoir accompagnée. Elle fit un effort pour rester maîtresse d'elle-même:

— Elaine, nous ne règlerons rien ainsi. Descendons à la cafeteria pour prendre un café et nous en discuterons.

Elle crut un instant avoir convaincu sa soeur, mais le stupide Lawrence ouvrit sa stupide bouche:

— Bonne idée. Elaine a toujours eu un caractère de chien.

Il ne fallut pas plus d'un dixième de seconde à Elaine pour devenir rouge tomate et pour hurler:

— Oh vraiment? Et moi, on m'a dit que t'avais une queue pas plus longue que celle d'un chien!

Deena se tourna aussitôt vers Miss Harvey qui faisait semblant de n'avoir rien entendu. Mais l'horreur se lisait dans le regard scandalisé que la vieille fille offrait aux mille reflets des miroirs.

— Va te faire foutre!, lança Lawrence. Espèce de femme frustrée castratrice!

— Lawrence!, cria Deena.

Elle n'avait pas été la seule à crier. Linda, la secrétaire particulière de papa, avait fait son apparition à la porte du bureau du président. Deena fut à nouveau émerveillée par la tenue soignée de Linda. Jamais une seule mèche de ses cheveux n'était décoiffée; pas même lors des pique-niques offerts par la compagnie, alors que les employés s'en donnent à coeur joie dans les jeux de toutes sortes. Elle ressemblait à une Miss America vieillissante. En fait, on l'avait élue Miss Subway dans sa jeunesse. On aurait dit la poupée Barbie, un peu vieillie, encore bien faite, bien maquillée, toujours jolie. «Elle doit pourtant avoir la soixantaine», se dit Deena. Mais il n'y paraissait pas. Du moins pas au premier coup d'oeil. Jamais son beau visage ne laissait filtrer ses pensées ou ses sentiments. Elle parlait d'une voix douce:

— Lawrence, tu nous excuseras.

Elle invita les deux soeurs d'un gracieux geste de ses mains manucurées.

— Voulez-vous me suivre, Dee-dee et Lainie, mes chéries?

Sa voix avait subrepticement changé. Le ton distant qu'elle avait adopté pour s'adresser à son fils s'était fait chaleureux pour accueillir les filles de Jack Strauss:

— Je suis si heureuse de vous voir, les petites filles!

Désireuse d'éteindre le feu allumé quelques instants plus tôt, Deena rit gaiement en disant:

— Linda, vous êtes la seule personne au monde à m'appeler «petite fille».

— Sans parler de Dee-dee et Lainie, ajouta Elaine. Essayez donc d'oublier ces surnoms.

Elle souriait à présent. Linda répondit en riant:

— Je suis désolée. Mais après toutes ces années,... je vous ai vues petites aux pique-niques de la compagnie, toujours habillées de façon identique. Votre mère insistait pour que vous ayiez l'air de jumelles, vous savez. Lainie en bleu ou en vert, Dee-dee en rouge ou en lavande. Vous faisiez la ronde autour de moi en m'implorant de vous tresser les cheveux!

Deena évoqua ces images.

— Elle nous tressait les cheveux avec des fleurs. T'en souviens-tu Elaine? Linda, j'avais oublié le détail des marguerites. J'étais folle de cette coiffure!

A présent, elles étaient dans le couloir qui conduisait au bureau de la secrétaire, adjacent à celui de leur père. Linda les y précéda en marchant à pas menus, ce qui irritait Deena. Cette femme ne se détendait jamais. Chacun de ses gestes était calculé et son attitude toujours étudiée. Le même défaut que Lawrence, observa Deena. Quel hasard! Heureusement qu'elle ne devait pas travailler en leur compagnie, elle deviendrait folle! Dire que papa n'avait que de bons mots pour eux. Cela n'avait pourtant aucun sens. Lui si exubérant, si naturel! Linda prit place derrière son bureau Louis XIV. Toute la pièce était décorée dans ce style qui contrastait avec le décor high-tech conçu pour le reste des bureaux. Elle les invita d'un geste gracieux à prendre place dans la causeuse de velours grenat en face d'elle. Voilà qui semblait aussi artificiel.

Pourquoi Deena était-elle soudain consciente de tous ces détails? Cela l'ennuyait. Au cours de ces nombreuses années, elle n'avait jamais porté attention ni à Linda ni à Lawrence. Ils faisaient simplement partie du décor, se faisant un devoir d'assister aux deux cocktails qu'offrait Sylvia chaque année. Elle ne s'était plus posé de questions au sujet de Linda depuis son onzième anniversaire. Jusqu'alors, Linda avait été la belle fée blonde qui apparaissait de temps en temps au château magique qu'était le bureau de papa.Elle inventait des jeux pour Elaine et elle, leur lisait des contes de fées, leur tressait les cheveux, les faisait tournoyer et faisait avec elles des parties de dominos et de Monopoly. Puis cette année-là, Deena s'était rendu compte que sa chaleur, ses embrassades, ses effusions d'affection n'étaient qu'hypocrisie. Elle avait lu dans les grands yeux gris de froids calculs et des manigances. Pour la première fois, elle s'était aperçue que Linda les embrassait uniquement pour attirer l'attention de leur père. A onze ans, la petite Deena avait su que toutes ces attentions étaient destinées à un public composé d'un seul homme. Linda n'aimait pas véritablement Deena et Elaine, pas même le bébé Marilyn que tous adoraient. Linda ne voyait rien d'autre en elles que les filles de leur père. Elle se servait d'elles pour faire plaisir au patron.

— A présent, dites-moi ce que je puis faire pour vous aider, leur dit Linda avec son plus charmant sourire.

— Pouvez-vous faire apparaître papa?, demanda Elaine.

— Personne, ma chère Elaine, ne peut amener votre père à faire ce qu'il ne souhaite pas!

Un petit rire coquet, simplement pour démontrer qu'il s'agissait d'une plaisanterie.

— Nous avions rendez-vous.

Linda jeta un coup d'oeil à son calendrier.

— Ce n'est pas noté à mon agenda.

— Cela ne signifie pas que ne n'ayons pas rendez-vous, répondit Elaine d'un ton annonciateur de colère.

Elle ouvrit son carnet de rendez-vous en cuir bleu et le montra à Linda. «Pas de colère», implora silencieusement Deena.

— Elaine, je ne mets pas votre parole en doute. Je vous dis simplement que je n'en avais aucune idée. Sinon, je vous aurais immédiatement téléphoné, aussitôt que l'affaire pressante à Long Island City s'est présentée.

— Peut-être pourrons-nous nous passer de lui, dit Elaine d'un ton lénifiant. Je dois simplement consulter quelques dossiers. Papa m'a demandé quelques idées au sujet du projet de la neuvième avenue.

— J'aurais tant aimé vous être utile Elaine, mais je ne le peux pas. Désolée.

— Je ne vous demande rien. Je vais simplement entrer discrètement dans son bureau et je trouverai bien toute seule.

L'effroi qui émanait du regard de Linda McElroy aurait fait la gloire d'une actrice du muet.

— Oh! non, c'est impossible.

Deena avait le fou rire mais il valait mieux ne pas céder à l'impulsion. La voix d'Elaine se fit menaçante.

— Et pourquoi pas?

— Parce que, ma chérie, la première chose que votre père m'ait apprise lorsque je suis entrée à son service, c'est que personne ne doit franchir la porte de son bureau sans son autorisation.

— Ma chère Linda, cela ne me concernait évidemment pas.

— Lainie, je ne laisserais pas entrer votre mère elle-même sans qu'il me le demande.

Elaine se leva et prit une longue inspiration. Deena regardait sa sœur avec fierté admirant sa force et sa détermination. Elle était imposante et ne le devait pas seulement à sa taille, ni à sa belle allure. Elle exhalait la confiance en soi; on apercevait presque un halo autour d'elle, comme dans les bandes dessinées présentant des super-héros. Linda semblait moins confiante mais elle ne céderait pas un pouce.

— Linda, j'ai de très bonnes raisons de vouloir entrer là-dedans, même si elles ne vous concernent pas.

Comme la secrétaire s'obstinait à refuser, elle poursuivit:

— Il manque des actions. Celles que papa a données aux femmes de sa famille. Je dois les retrouver. C'est tout... Cela n'a rien à voir avec les transactions qu'il conclut ces jours-ci. Seules ces actions m'intéressent.

Linda continuait à secouer la tête, mais elle ne put réprimer complètement un petit sourire narquois.

Deena ne put s'empêcher d'affirmer:

— C'est vous qui les avez! Les actions de ma mère.

— Je possède quelques actions mais elles m'appartiennent. Sachez-le.

Elaine l'interrompit:

— Un instant, Linda! Nous sommes toutes capables de compter. Si vous avez des actions, il faut que ce soit celles que mon père a prises à notre mère.

— Je ne sais pas à qui il les a prises! Il me les a données, c'est tout.

Deena, étonnée, continua à la questionner:

— Mais pourquoi... aurait-il fait une chose pareille?

Elle était à présent debout, à côté d'Elaine qui lui passa le bras autour des épaules.

— Je sais pourquoi, déclara Elaine d'une voix étranglée. Vous... et papa... étiez amants!

Deena se tourna pour dévisager sa soeur. Elles se regardèrent en silence et tout s'éclaira pour Deena. Elle se retourna vers Linda. Elle crut qu'elle allait être malade. Linda s'était levée, les mains posées sur le bureau, le visage blême. Elle adopta une pose rigide.

— Quelle plaisanterie de mauvais goût!

Elaine éclata d'un rire sarcastique.

— De très mauvais goût, en effet! Mais encore moins que la vérité, n'est-ce pas?

— Vous pouvez croire ce que vous voulez.

Deena n'appréciait aucune des pensées qui lui venaient à l'esprit. Elle ne pouvait quitter Linda du regard. Elle était subjuguée par les boucles d'oreilles en saphir qui, elle en était certaine à présent, étaient un cadeau de son père. Elle sentit enfin qu'Elaine la prenait par la taille, en lui disant:

— Partons vite d'ici!

chapitre six

Jeudi 27 juillet 1950.

New York, en cet été 1950, était une ville étouffante. On avait peine à respirer. Le trottoir était surchauffé, à tel point que la chaleur lui brûlait la plante des pieds à travers ses nouveaux escarpins de cuir verni. Linda Collins pressait le pas vers Union Square. L'écrasante chaleur n'était cependant pas la seule raison de sa hâte; elle avait une merveilleuse nouvelle à apprendre à Frances Corvin, sa meilleure amie, qui travaillait pour une compagnie d'assurances dans la vingtième rue. Elles déjeunaient ensemble presque tous les jours, dans le parc de Union Square lorsque la température le permettait. L'écrin de verdure était toujours frais, invitant, malgré la lourdeur du temps. Linda avait appris malgré elle combien l'humidité était insupportable dans la grande ville de New York.

Fran était au rendez-vous, assise sur le banc habituel, et s'éventait avec un vieux journal en lui faisant signe de la main. Lorsque Linda fut à portée de voix, Fran cria:

— J'adore ton bibi!

Linda eut un large sourire. Elle aussi était fière de ce chapeau de marin à large bord et décoré d'un ruban bleu foncé qui pendait en arrière. Aujourd'hui elle portait une robe assortie, d'inspiration nautique, coupée dans un piqué bleu marine et garnie d'un col de matelot blanc. Linda répondit à son amie en souriant:

— Merci. Le tien n'est pas mal non plus.

Elles éclatèrent de rire comme deux collégiennes. Elles portaient des chapeaux identiques achetés la veille chez Klein. Deux dollars cinquante, à rabais.

— Ce que tu es chic aujourd'hui!, ajouta Frannie alors que Linda prenait place à ses côtés sur le banc.

— En quel honneur?

Ses grandes prunelles brunes jetaient des lueurs de plaisir anticipé. Elles n'avaient aucun secret l'une pour l'autre, de sorte que Frannie savait tout ce qui se passait entre Linda et son nouveau patron.

— Je sais qu'il se passe quelque chose, alors dis-moi tout Linda!

Frannie louait encore une petite chambre dans l'immeuble Webster, réservé aux jeunes filles qui avaient quitté leurs familles pour venir travailler à la ville. Linda y avait habité quelque temps. Elle y avait fait la connaissance de Frannie, à la cafeteria située dans le sous-sol de l'immeuble. Toutefois Linda avait su dès le départ qu'elle ne rencontrerait aucun gentleman distingué en logeant à cet endroit. Il lui faudrait habiter un quartier mieux fréquenté.

La mère de Frannie, qui habitait Schenectady, était horrifiée à l'idée que sa fille vive seule. Elle n'avait pas voulu entendre parler de déménagement, pas même si Linda partageait l'appartement avec sa fille. Frannie croyait sincèrement que sa mère ferait une crise cardiaque si elle ne se conformait pas à son souhait. La pauvre était donc dans l'obligation d'habiter ce pensionnat où l'on ne pouvait rencontrer les garçons qu'au parloir. La grande salle était meublée de façon à ressembler à un salon, sauf qu'elle était ouverte à la vue de tous. Naturellement, Frannie fréquentait peu les hommes. Qui était intéressé à fréquenter une femme logeant dans un refuge pour vieilles filles? Alors Frannie vivait ses histoires d'amour par procuration, en écoutant celles de Linda. Elle était aussi fébrile que Linda devant ses divers prétendants. Quelquefois davantage. Elle prenait plaisir à l'écouter raconter ses histoires, à lui poser des questions pour connaître tous les détails. Rien ne parvenait à l'ennuyer. Linda la faisait languir en sortant malicieusement son sandwich et ses fruits du sac brun, très lentement, puis en mettant beaucoup de temps à ôter le papier cellophane de son sandwich. Elle était cependant aussi pressée de raconter que Frannie d'entendre.

— Il m'a invitée à dîner au restaurant, annonça-t-elle en se calant sur le banc afin d'observer la réaction de sa copine. Il m'a officiellement invitée.

— C'est bien la moindre des choses! Après toutes les heures supplémentaires que tu as faites pour lui, tous ces sandwiches avalés en vitesse au bureau... Tu as même annulé des rendez-vous galants pour lui, Linda! Il cherche peut-être à se montrer poli?

Frannie irritait Linda lorsqu'elle émettait des objections au lieu que de partager son enthousiasme. Linda devait toujours se justifier.

— Non, il ne s'agit pas de ça. Il a posé sa main sur la mienne et, je te le jure, je sentais l'électricité. Oh! je sais qu'il partage mon sentiment. Il le faut.

Frannie lui dit:

— Tu plais toujours aux hommes, Linda. Tu es si jolie. Et te voilà une célébrité à présent. Je ne sais pas pourquoi tu t'en fais à son sujet, il est si vieux. Désolée, mais c'est la stricte vérité. Car en fin de compte, tu es Miss Subway! Ton téléphone ne cesse plus de sonner.

Linda baissa les paupières en signe de modestie.

— Bon d'accord. C'est permis d'avoir le béguin pour le patron; ça m'est déjà arrivé. Mais n'oublie pas que monsieur Strauss est un homme marié.

— Il n'est pas heureux en ménage.

— C'est ce qu'ils prétendent tous!

Linda se retint d'ajouter quelque chose . Elle aurait pu lui dire: «Et qu'est-ce que tu en sais?» Mais elle préféra se taire. Elle savait à quelle source Frannie tirait ses connaissances au sujet des hommes: *Confidences.*

— N'a-t-il pas envoyé toute sa famille à la montagne pour l'été?, demanda-t-elle. Tu ne crois tout de même pas que la canicule y est pour quelque chose? Il a bien changé depuis que sa femme est partie.

Linda prit une bouchée de son sandwich en essayant de retenir un sourire. Elle essuya ses lèvres avec un mouchoir pour mieux se cacher.

— Nous allons dans un excellent restaurant, là où nous pourrons mieux nous connaître, prétend-il... Frannie, je pense que j'aurai une importante décision à prendre. Mon Dieu, je n'ai pas fermé l'oeil de la nuit!

Elle fit une pause; Frannie devait comprendre l'importance de la prochaine phrase.

— Dois-je assumer la responsabilité de rompre une union?

— Oh! Linda, pas toi. Il a déjà deux enfants et elle en attend un troisième. La naissance n'est-elle pas pour bientôt?

— A l'automne, répondit sèchement Linda. Mais la décision n'appartient pas qu'à moi seule, tu sais.

— Linda, crois-tu qu'il irait jusque là?

— Tu devrais le voir quand il me regarde. Il fond, Frannie. Voilà des mois que je connais ses sentiments pour moi. Je t'ai déjà raconté la façon qu'il a de me frôler, de retenir ma main un peu trop longtemps, de me dire combien je suis jolie et comme mon parfum sent bon. De quoi penses-tu qu'il s'agit? Il a affiché le poster de Miss Subway dans son bureau pour que tous puissent le voir! Il en a commandé deux douzaines et les distribue à ses clients. Frannie, il se vante de m'avoir pour secrétaire. Il clame à qui veut l'entendre que je suis la plus jolie secrétaire de New York! Pour quelle raison, selon toi?

Elle se cala sur le banc, hors d'haleine, et s'éventa quelque temps. Frannie, impressionnée par autant de signes révélateurs d'un grand amour, dit enfin:

— Tu sais ce qu'on dit Linda? Qu'un homme ne quitte jamais sa femme pour sa maîtresse.

— Frances Corvin, tu devrais avoir honte! Il n'est pas question qu'il quitte sa femme. Nous n'avons même pas encore dîné au restaurant.

Linda redevint toute souriante:

— Mais je sais quand un homme me désire. Et cet homme me désire plus que tout.

L'endroit était tout désigné pour un romantique dîner en tête à tête. Les chandelles fondaient lentement et le climatiseur maintenait l'air frais. Le tapis était moelleux, les garçons portaient des smokings, et elle une robe qui lui seyait. Jack avait réservé une banquette pour qu'ils puissent s'asseoir l'un à côté de l'autre. Il s'était approché aussi près que le permettaient les convenances, leurs genoux se touchaient, il avait passé son bras autour de ses épaules, sa main caressait son bras nu. Elle frissonna et devint soudain timide. Elle le regarda discrètement sous ses longs cils fardés. Il était si beau! Elle l'avait toujours trouvé séduisant, dès le premier jour. Elle aimait les hommes à belle carrure, aux cheveux ondulés et à la voix de basse. Elle aimait l'odeur de sa lotion après-rasage et les repousses rugueuses qui revenaient tous les après-midi. Elle aurait parié qu'il avait le torse velu. Cette seule pensée la fit rougir. Il avait dû s'en rendre compte car il s'était dégagé. Sous ses dehors d'ours mal léché, c'était un véritable gentleman. Elle savait ce que lui reprocherait sa famille. Il était certes riche et puissant, mais ce n'était qu'un Juif. On ne pouvait les contredire à ce sujet. Mais certaines gens parvenaient à s'élever au-dessus des préjugés et des mentalités provinciales. De toute façon, les Juifs faisaient d'excellents maris. Chaque femme le savait.

Il leva son verre de martini, elle fit de même avec son Pink Lady, et il dit:

— Enfin ensemble!

Tout cela était si excitant. Puis ils croisèrent leurs bras, de sorte qu'il lui tendit son verre pour qu'elle boive à l'endroit où il avait bu. Elle but une petite gorgée en grimaçant.

— C'est trop fort pour moi!

Jack rit de bon coeur.

— C'est un cocktail pour homme, ça se comprend!

Lui souriant, elle porta son verre aux lèvres de Jack mais il secoua la tête.

— Je ne bois rien qui soit rose, merci!

Pourquoi avait-il passé ce commentaire? Cela l'avait embarrassée. Il avait ensuite ajouté en riant:

— Je faisais une blague. Ne fais donc pas cette tête-là!

Il se pencha et posa un baiser sur ses doigts. Quel homme romantique! Il composa le menu sans lui demander ce qu'elle avait envie de manger.

— Laisse-moi choisir pour toi, dit-il en posant sur elle un regard qui la fit chavirer.

Jack Strauss était un homme si sûr de lui. Elle était heureuse de se trouver en sa compagnie et de le laisser prendre toutes les décisions. Ainsi vont les choses. La plupart des hommes qu'elle avait fréquentés ne savaient pas comment s'y prendre avec une femme. Un film au cinéma du coin, un repas dans un restaurant italien bon marché, un tour de bateau jusqu'à Bear Mountain. Rien qui puisse l'impressionner. Elle préférait la façon de faire de Jack: dîner à The Embers, l'un des night-clubs les plus sélects de New York. George Shearing jouerait pour eux au cours de la soirée. Elle parcourut la salle à manger du regard afin de tout raconter le lendemain à Frannie au sujet du piano à queue, des murs couverts de miroirs biseautés, des élégantes portant les dernières créations des grands couturiers, sans oublier leurs bijoux. C'était bien elle, Linda Collins de Norfolk en Virginie, qui attendait au milieu de ce beau monde son bifteck saignant, en sirotant un cocktail en compagnie d'un richard séduisant qui était fou d'elle! La belle vie quoi! Au moment du dessert, il s'éclaircit la voix avant de dire d'un ton sérieux:

— Linda, nous avons des choses à nous dire. A propos de nous.

Elle avait presque cessé de respirer. Il y arrivait enfin.

— Qu'y a-t-il?

Un regard timide sous ses longs cils. Il succomba, s'approcha et lui prit la main.

— Je veux que tu saches combien j'ai essayé de combattre cette idée... Tu rougis encore. Si tu savais comme tu es belle lorsque tu rougis. Chaque fois que je pose les yeux sur toi, je voudrais...

Il ne pouvait plus se taire à présent.

— Oui?

— Je voudrais te prendre dans mes bras et te couvrir de baisers. Quelquefois...

Il se rapprocha plus encore et saisit son autre main.

— ... Quelquefois je deviens fou tellement je désire te serrer contre moi. Pourquoi trembles-tu, Linda? T'ai-je effrayée? Ecoute. Si tout cela ne t'intéresse pas, dis-le moi et on n'en reparlera plus jamais. D'accord? Je te le promets. Linda?

Ses yeux la suppliaient, sa bouche se rapprochait de la sienne. Elle se sentait étourdie. Jamais elle n'oublierait ce moment.

— Jack! ne parle pas comme ça. Il y a si longtemps que j'attends ce moment. Moi aussi j'ai combattu mon sentiment. Mais je suis folle de toi, je n'y peux rien!

— Oh! ma chérie... Ma poupée...

Il retint son haleine âpre, pencha la tête et posa un baiser sur ses lèvres. Il l'embrassait et tout lui semblait romantique. Il ne pouvait s'en empêcher. Elle ne pouvait résister. Soudain il se défit de son étreinte et lui murmura dans un souffle:

— Nous ferions mieux de sortir d'ici.

Elle était anxieuse à l'idée de le laisser entrer chez elle. Considérerait-il cette politesse comme une invitation à l'amour physique? Si elle le renvoyait chez lui bredouille, elle risquait de ne plus jamais être invitée. Elle aurait pourtant dû savoir. C'était un parfait gentleman. Il ne se permit pas de la toucher avant qu'elle eût versé deux verres de limonade et qu'ils eussent pris place sur le sofa. Elle craignait qu'il n'y eût méprise. Elle n'était plus vierge, mais en fin de compte elle avait été fiancée à Edgar. Linda n'était pas une femme facile, même si elle avait cédé à un homme qui ne la méritait pas. Plus jamais elle ne s'était abandonnée aux bras d'un autre homme. Pourtant les offres n'avaient pas manqué.

Heureusement elle avait fait le ménage le matin même. La pièce était coquette. Personne ne serait douté qu'elle faisait aussi office de chambre à coucher. La banquette-lit provenait du magasin de l'Armée du Salut; elle l'avait recouverte de chintz rose tendre et avait astiqué le laiton. La grande table de chêne au pied scuplté provenait d'un brocanteur de la deuxième avenue. Elle avait emprunté l'idée des chaises dans un magazine: il s'agissait de choisir différents modèles et de les laquer avec de la dorure. Elle avait confectionné les rideaux. Ce matin, elle avait jeté un fichu rose sur l'abat-jour afin de tamiser l'éclairage. Jack regarda les lieux avant d'approuver:

— Quel endroit joli et coquet! Comme celle qui l'occupe.

Il lui prit la main et ne relâcha plus son emprise. La radio jouait une musique mièvre et Jack l'invita à danser. Elle n'était plus que tendresse à fleur de peau. C'était l'homme le plus merveilleux qu'elle ait jamais rencontré, et elle se moquait bien qu'il soit marié. Elle se fichait des conséquences; jamais elle ne renoncerait à lui. Ils s'enlaçaient et tanguaient doucement au son de la musique. Jack se mit à l'embrasser sur le cou, sous les oreilles. Elle soupira, il continua à la couvrir de baisers en descendant le long de son cou, à la naissance de la poitrine. Elle ne pouvait s'empêcher de grogner de plaisir. Il l'étreignit davantage. Puis ils s'embrassèrent avec passion, lui la serrant dans ses bras, elle passant les siens autour de son cou. Ils s'embrassèrent encore et encore, roucoulant des mots doux, puis il la repoussa. D'une voix bourrue, il annonça:

— Il vaut mieux que je me sauve!

— Je sais, je sais...

— Linda, c'est fou mais je t'aime trop!

Elle retomba dans ses bras et ils s'embrassèrent de nouveau. Quand sa main fouilla son corsage et qu'elle sentit son mamelon se durcir au contact de ses doigts, ce fut elle qui recula.

— Nous ne devrions pas agir ainsi. Tu es marié.

— Cela n'a rien à voir entre nous. Je suis fou de toi, Linda. Tu es ce que j'ai toujours voulu.

— Vraiment Jack? Vraiment?

— Dès que je t'ai vue, je me suis dit: «Jack Strauss, voilà la fille de tes rêves!» Tu es si féminine, si douce, si généreuse... Et cet accent du Sud! Tes paroles sont une musique à mes oreilles.

Il avança vers elle, la ramena à lui et se pencha pour l'embrasser encore mais elle secoua la tête, recula de deux pas en posant gentiment ses mains sur son torse.

— Jack, il est temps de t'en aller. Je suis une faible femme et la tentation est grande. Je te préviens Jack Strauss: je suis une femme passionnée.

— Linda, ne me renvoie pas. Je t'en prie. je suis seul et j'ai besoin de toi.

— Jack, tu dois partir. Il le faut.

Son regard abattu l'emplit de tendresse.

— Pour ce soir, ajouta-t-elle.

— Alors, tu consentirais à me revoir?

— Quand vous voudrez, monsieur Strauss.

Il posa un baiser sur son cou et murmura:

— Ne m'appelle plus jamais monsieur Strauss, d'accord?

— Promis, Jack!

— Demain soir. On dîne ensemble. Ensuite, tour de calèche à la belle étoile dans Central Park, puis… à la maison.

— Oui Jack, dit-elle le coeur au bord des lèvres.

Elle aurait du mal à fermer l'oeil en attendant le lendemain. Elle aurait tant de choses à raconter à Frannie.

chapitre sept

Samedi 9 décembre 1950.

On venait de terminer le déjeuner. L'odeur du potage à l'orge et aux champignons persistait jusqu'au vestibule, où Jack cherchait son paletot dans un placard. Deena se tenait à ses jambes et fouillait ses poches à la recherche de bonbons. D'un air absent il ébouriffa ses cheveux bouclés en traînant la petite à ses trousses. Ni lui ni l'enfant ne semblaient y voir un quelconque inconvénient.

Sylvia sortit de la cuisine en essuyant ses mains trempées à son tablier fleuri. Il était évident au premier coup d'oeil que cette femme était la mère de la fillette. Elles avaient le même visage ovale, de grands yeux pétillants, une chevelure généreuse et bouclée. L'une était la miniature de l'autre.

— N'oublie pas que c'est Hannukah, Jack!

— Avec deux paires de patins neufs, deux poupées vendues avec leurs garde-robes, sans compter deux colliers de perles, comment pourrais-je oublier que c'est Hannukah? Deena, ma chérie, ne fais pas cela. Papa doit s'en aller.

— Reviens à la maison avant la nuit, d'accord? On allumera la ménorah. Ne t'éternise pas à ton bureau comme tu le fais depuis quelque temps.

Jack jeta sur sa femme un regard perplexe, mais le visage de celle-ci semblait aussi doux que du beurre et elle souriait. Il lui caressa l'épaule.

— Je sais, je sais. Deena, ma chérie, ne monte pas sur mes chaussures.

La fillette répondit:

— Mais je veux aller avec toi, papa.

Sans attendre la permission, elle monta sur ses chaussures et passa ses petits bras dodus autour de la taille de son père. Sa mère émit une protestation:

— Deena! As-tu compris ce que papa vient de te dire? Tu as sept ans, tu es trop vieille pour marcher sur les souliers de papa!

— Laisse-la Sylvia.

Il marcha dans le vestibule avec la petite sur ses pieds et tous deux éclatèrent de rire. Au bout du couloir il fit une pause avant de se retourner au moment où Elaine sortait précipitamment de sa chambre. Ils évitèrent de peu la collision.

— Lainie, combien de fois t'ai-je dit de regarder où tu vas? Tu deviens si maladroite. Tu devrais songer à retourner au cours de ballet afin de perdre quelques kilos!

Elaine s'arrêta aussitôt et baissa la tête. A l'autre extrémité du couloir, Sylvia lança:

— Elle est un peu potelée Jack, c'est tout. Elaine est en pleine croissance.

A l'âge de neuf ans, Elaine était la première fillette de sa classe à porter un soutien-gorge et la première à fréquenter un garçon. Les traits délicats de son beau visage contrastaient étrangement avec le reste de sa personne plutôt boulotte. Elle posa les poings sur les hanches, à la manière d'une adulte, et répondit à son père:

— Oui, papa! Je suis en pleine croissance. De toute façon, que diable se passe-t-il ici? Nous devrions déjà être au bureau!

— Surveille ta langue, jeune fille, avant que je te la passe au savon. Quelle vilaine façon de s'exprimer devant son père!

Elaine fit la moue tandis que Sylvia éclatait de rire.

— Jack! Qui lui a appris ces mots, crois-tu?

— Certainement pas moi!

Sylvia riait de plus belle.

— Oh non! Certainement pas.

— Pourquoi ris-tu? C'est vrai.

— Papa, tu jures toujours en parlant du diable, insista Elaine.

— Ça suffit, petite peste!

Elaine se renfrogna et courut s'enfermer dans sa chambre en claquant la porte derrière elle. Deena, toujours pendue aux basques de son père, se mit à chantonner:

— Papa dit: «Que diable se passe-t-il ici?,» et papa dit: «Aucun bâtard ne s'assoira dans mon auto!»

Il se pencha vers elle.

— Toi aussi? Comme si j'avais besoin qu'une autre femme me casse les pieds! Ote-toi de mes souliers, petite guenon!

— Mais papa, je veux encore me promener!

— Promène-toi à bicyclette, pas sur ton pauvre père!, dit-il avec un grand sourire. Allons!

Il lui donna une petite tape sur le derrière en la regardant déguerpir.

— Tu vois?, dit-il à Sylvia. Tu l'as entendue? Elle entend son aînée dire des gros mots et déjà elle l'imite.

— Excuse-moi mais Deena citait tes paroles, pas celles d'Elaine.

— C'est du pareil au même.

Sylvia fronça les sourcils et s'apprêtait à dire quelque chose lorsqu'un bruit sourd suivi d'un gémissement parvint du salon. Ils y accoururent et trouvèrent Deena étendue sous sa bicyclette neuve, entourée des tessons de ce qui était quelques instants plus tôt un vase chinois.

— Deena!, réprimanda Sylvia. Combien de fois t'ai-je dit de ne pas faire de bicyclette dans la maison? Regarde ce que tu as fait, malheureuse! Tu as brisé mon plus beau vase, et tu aurais pu te blesser.

— Chut! Chut! Sylvia. N'en fais pas un drame, d'accord? Il s'agit seulement d'un vase. Je t'en achèterai un autre. Hé! Je t'en achèterai une demi-douzaine... Ne pleure pas, ma chérie. Tu ne t'es pas fait mal, c'est l'important.

— Une demi-douzaine de vases antiques, j'ai hâte de voir ça!

— Antiques? Ta grand-mère a acheté ça deux roubles d'un colporteur.

Il se tourna vers l'enfant, la prit dans ses bras et lui murmura pour que sa mère entende:

— Je n'ai jamais aimé ce vase. Tu viens de me rendre service.

— Jack! Est-ce un langage à tenir à une enfant?

— Qu'est-ce qui est le plus important pour toi? Une vieillerie ou ta fille? Deena, va chercher ta soeur. Dis-lui que je pars pour le bureau avec ou sans elle. Elle a donc intérêt à cesser de bouder. Grouille-toi!

Aussitôt que Deena eut disparu, Sylvia se tourna vers son mari, les poings sur les hanches et lui lança:

— Jack, j'aimerais simplement que tu me dises où tu as la tête. Comment peux-tu te montrer si dur avec Elaine et excuser Deena lorsqu'elle a mal agi? Tu lui passes tout et tu crois que la plus vieille ne s'en aperçoit pas?

— Je sais, je sais, répondit-il en secouant la tête. Mais depuis quelque temps Elaine me tape sur les nerfs. Elle est si bruyante, elle mène tout le monde par le bout du nez, impatiente avec ça, et convaincue de toujours avoir raison. De plus elle mange toujours comme s'il s'agissait de son dernier repas... Qu'as-tu donc à rire?

Sylvia vint près de lui, posa ses mains sur les bras musclés et lui sourit.

— Tu veux dire qu'elle a du caractère, qu'elle est agressive, intelligente, dynamique, confiante et qu'elle profite de la vie, y compris les plaisirs de la table. N'est-ce pas mon nounours?

Elle fit une pause pour qu'il comprenne où elle voulait en venir, ce qui ne tarda pas. Puis elle conclut:

— Exactement comme quelqu'un que je connais.

— Je sais, je sais. Tu as peut-être raison. Elle me ressemble trop. Quant à Deena, continua-t-il en lui pinçant gentiment la joue, elle me fait penser à toi. C'est pour ça que je la trouve si charmante.

— Laisse-moi tranquille Jack! Pas besoin de me faire le numéro du séducteur!

— Sylvia, tu devrais avoir honte.

Il rit de bon coeur.

— Nos trois filles ne sont-elles pas la preuve que je te trouve charmante?

Il rit de plus belle. La gêne avait rosi les joues de Sylvia qui ajouta:

— Puisque nous y sommes, pourquoi ne rentres-tu pas plus tôt du bureau dorénavant? Comme ça tu serais moins fatigué le soir venu!

Il lui fit un clin d'oeil et posa un baiser sur sa joue.

— Tout ce que tu désires, ma chérie. Bon, voici ma grande fille. Toujours fâchée contre papa, Lainie? Juste un peu? Ce n'est pas grave. Je vais t'acheter une glace et tu oublieras, lança-t-il en riant de plus belle.

— Un cornet à deux boules?

— A trois boules.

Il regarda Sylvia avec l'air de dire: «Tu vois?» Les vagissements du nouveau-né se firent entendre dans le vestibule. Sylvia se rendit à la nursery:

— Marilyn est éveillée. Attends, je vais la chercher.

Jack continua de bavarder avec Elaine, l'amena au placard, l'aida à passer son manteau à capuchon et s'assura qu'elle avait ses deux gants. Lorsque Sylvia revint quelques instants plus tard, tenant un bébé blond dans ses langes, ils étaient partis.

— Oh! Je croyais que papa et Lainie nous attendraient mais ils sont déjà partis travailler. Allons trouver Dee-dee.

Une fois sur le trottoir, Jack dit à sa fille:

— Attends un peu, ma chérie...

— Tu as oublié de faire un appel très important, n'est-ce pas papa?

Il la dévisagea avec insistance.

— Quel âge as-tu Lainie? Neuf ans? J'oublie toujours à quel point tu es futée, dit-il en posant la main sur sa tête.

Il entra dans une cabine téléphonique, ferma la porte derrière lui et sourit à sa fille en composant le numéro. Lorsqu'on répondit à l'autre bout du fil, il parla doucement sans s'éterniser:

— Linda? Ecoute ma chérie: Je dois emmener Elaine aujourd'hui. Apparemment je le lui avais promis la semaine dernière et Sylvia s'est fait un devoir de me le rappeler. Je suis donc obligé. Ne fais pas la tête. Linda. Linda, je t'en prie. Bien sûr que si! Bien sûr que je veux! Ecoute, écoute. J'ai un beau cadeau pour toi. Oui, un véritable cadeau. Un soir de la semaine prochaine... Jeudi... D'accord, d'accord. Linda cesse, je t'en prie! Tu ne penses pas ce que tu dis. D'accord, d'accord. Lundi. Oui, lundi. Promis, juré. Un véritable cadeau.

Assise derrière son bureau, Linda posa le combiné en refoulant ses larmes. Encore un samedi où ils ne feraient pas l'amour sur le canapé de son bureau. Deux semaines consécutives. Peut-être se lassait-il d'elle? Elle ne devait pas se mettre cette idée en tête. Bien sûr que non. Ne lui avait-il pas promis de passer à son appartement lundi soir? Puis il y aurait sa visite habituelle du mardi. Deux soirs de suite! A moins que la visite de lundi ne remplace celle de mardi?... Elle avait horreur d'une telle situation. Quand donc mettrait-il sa femme au courant de la situation, de sorte qu'ils n'aient plus à se cacher? Elle craignait tant de le perdre. Elle ne pourrait le supporter.

Elle ne devait pas penser ainsi. Cela ne mènerait nulle part. Elle devait sortir, se changer les idées. Elle composa un numéro et fut soulagée lorsqu'on répondit à l'autre bout du fil.

— Frannie? Il m'a encore fait le même coup! Deux samedis de suite.

— Je te l'ai souvent dit, Linda...

— Je sais ce que tu m'as dit, mais c'est plus fort que moi. Je suis folle de lui!

— Il est marié, Linda.

— Je sais très bien qu'il est marié. Marié et père de trois enfants. Je suis bien placée pour le savoir. C'est la raison pour laquelle on ne peut pas se rencontrer cet après-midi. Il amène sa grosse au bureau. Je ne ferai pas semblant de travailler tout l'après-midi pendant que cette peste va s'amuser avec la machine à polycopier et me poser des questions toutes les dix secondes!

— Alors, est-ce que tu vas finalement m'accompagner chez Macy's?

— Oui ma chère. Et ce film que tu voulais voir?

Il y eut un silence puis Frannie répondit enfin:

— A vrai dire, ne perds pas connaissance, mais j'ai un cavalier ce soir. Ed. Le policier que nous avons rencontré l'autre jour. Tu t'en souviens? Dans le parc?

— Tu vas sortir avec lui?

— Pourquoi pas? Il est très gentil, très doux et il me trouve à son goût.

Linda serra les lèvres.

— Il est gringalet, rustre et puis sais-tu combien gagne un policier par semaine? Une chanson!

— Je l'aime bien et je ne le trouve ni gringalet ni rustre, Linda! Au moins, il n'est pas marié lui!!

Linda posa le combiné sans ajouter un mot. Zut! Frannie rabâchait sans cesse la même rengaine. Elle n'avait surtout pas envie de l'entendre. Quelle déception de constater que sa meilleure amie était jalouse! Ses yeux s'embuèrent de larmes. Cette fois, elle ne put les refouler.

chapitre huit

Vendredi 13 décembre 1985.

La cloche de onze heures sonnait la fin des classes. Deena était en train de vérifier la liste des présences aux cours du premier cycle du secondaire. Elle rassemblait ses forces pour affronter l'assaut imminent. En moins de deux secondes, une dizaines d'écoliers crasseux feraient irruption dans son bureau, devoirs d'anglais à la main, dix bouches parleraient en même temps. Elle avait quelquefois du mal à croire aux tâches qu'on lui assignait à l'école Clayton, et qui n'avaient rien à voir avec son travail de coordonnatrice du premier cycle. La vérification des devoirs! Elle avait laissé cette corvée loin derrière elle, depuis que ses enfants avaient acquis une certaine «maturité». Et pourtant elle jouait encore à la mère, même dans l'exercice de sa profession!

La bande arrivait en s'esclaffant, tous aussi taquins qu'indisciplinés, et s'agglutinait autour de son pupitre, réclamant son attention, lui présentant des papiers qui n'étaient pas nécessairement le devoir de la veille.

— Taisez-vous les gars!, cria-t-elle d'une voix autoritaire. Je ne peux rien voir si vous criez tout le temps et si vous m'étouffez avec vos feuilles. Je sais que la main est plus rapide que l'oeil. Assurons-nous que vous avez bien fait vos devoirs.

Elle révisait le septième ou le huitième résumé de *Huckleberry Finn* de Mark Twain lorsqu'elle aperçut Stacey Baldwin

105

qui rôdait dans le corridor. Lui adressant un sourire, elle invita Stacey à entrer dans son bureau. Stacey avait des problèmes qui seraient bientôt résolus si on savait s'en occuper.

— Ça va les gars! Rompez les rangs! Eh bien! Stacey... Laisse-moi deviner... Tu viens me raconter la rencontre que tes parents et toi avez eue avec le directeur.

La fillette blonde, menue et gentille lui sourit avec timidité.

— Alors? Raconte. Tu veux bien me raconter? Parce que...

Deena tendit la main à la petite fille.

— ... je veux connaître les moindres détails.

Stacey prit la main de Deena.

— Nous nous sommes rencontrés, dit-elle. Et nous allons faire trois choses.

— Trois choses?, demanda Deena étonnée.

Lorsqu'elle avait discuté du dossier de Stacey avec Ron Herbert, le directeur de l'école secondaire, ils s'étaient entendus sur deux choses: Stacey devait suivre des cours de rattrapage et faire une psychothérapie qui la convaincrait qu'elle n'était pas stupide.

— Premièrement, je vais suivre des cours de rattrapage; deuxièmement, je vais pouvoir parler à quelqu'un. Troisièmement, j'ai dit à maman et à papa qu'ils devaient rester plus souvent à la maison.

Que dites-vous de cela? Ensuite on sous-estime les enfants! Ravie, Deena lui sourit.

— Brave fille, Stacey! Je suis convaincue que tout va marcher comme sur des roulettes.

Elle était assise à son bureau, souriante, satisfaite de ce qu'elle avait accompli et heureuse pour Stacey. Qui aurait cru que la blonde enfant aurait le cran de tenir tête à ses avocats de parents habitués à tout faire plier devant eux? Lorsque Bob Harter entra avec un récipient de plastique contenant son lunch, elle l'accueillit en disant:

— Stacey Baldwin a fait tout un remue-ménage chez elle!

Il sourit en écoutant avec intérêt les détails de l'anecdote; c'était le professeur de l'enfant et c'est lui qui l'avait présentée à Deena. Ils buvaient du café tiède quand soudain Bob indiqua le tableau d'affichage en disant:

— Il est temps de changer tout ça, non?

— Quoi?

Elle comprit alors de quoi il parlait: l'horaire de novembre du Film Forum. Elle se sentit troublée.

— Oh! Je m'en chargerai bientôt.

Elle prit soin de n'émettre aucune objection lorsque Bob retira l'horaire du tableau d'affichage et le jeta à la corbeille à papiers.

— Nous sommes presque en janvier. On sera en janvier lorsqu'on rentrera de vacances. Nous commencerons une nouvelle année!

Il poursuivit en riant:

— Ma chère Deena, tu ne peux pas arrêter le temps aussi facilement. Si tu crains le temps qui passe, fais-toi faire un lifting!

Elle rit de sa blague en regardant l'horaire dans la corbeille à papiers. Elle ne pouvait s'empêcher de songer qu'elle le reprendrait aussitôt que Bob aurait le dos tourné. Elle conservait l'horaire épinglé au babillard en souvenir de la soirée passée au cinéma en compagnie de Luke, le soir où il l'avait embrassée. Elle ne pouvait rien en dire à Bob. Etait-ce le fruit de son imagination ou l'observait-il d'un air intrigué? Il la regardait par-dessus ses lunettes en caressant sa barbe. Cela la rendit nerveuse et elle se mit à tenir des propos décousus au sujet du satané horaire.

— Je présume qu'il n'en est rien pour les garçons, mais c'était de rigueur pour une adolescente lorsque j'étais adolescente. Et pour l'amour de Dieu Bob, ne me demande pas à quelle époque je l'étais! Pour nous, le tableau d'affichage était le livre de notre vie. On y épinglait des photos de notre famille et de nos animaux, les souvenirs des événements importants, les photos d'acteurs de cinéma dont nous étions amoureuses, un bouquet de corsage fané pour celles qui étaient assez âgées et assez heureuses pour en avoir un, et moi j'avais en plus un carton d'allumettes du Copacabana. Je me serais laissée torturer plutôt que d'admettre que mon cousin Jay me l'avait donné. J'avais laissé croire qu'il s'agissait d'un mystérieux séducteur à qui j'avais promis le silence!

Bob rit et elle fut contente d'avoir détourné son attention. Hormis les photos de sa famille et les numéros de téléphone en cas d'urgence, tout ce qui était épinglé à ce tableau lui rappelait Luke. Deena avait le souffle coupé devant sa propre audace:

songer à Luke en présence de Bob Harter, le professeur d'histoire de Saul, un père de famille tout ce qu'il avait de plus sérieux, et qui siégeait au conseil d'administration de son église! Pour masquer son trouble, elle ajouta:

— Les allumettes du Copa mises à part, ce tableau ressemble étrangement à celui que j'avais dans ma chambre de jeune fille. A un détail près.

— Lequel?

— J'ai toujours eu une photo de Jacques d'Amboise.

— Le danseur de ballet?

— Le célèbre danseur de ballet. Mais à cette époque, je savais seulement de lui qu'il jouait Daniel dans *Seven Brides for Seven Brothers*. Ce que j'étais amoureuse de lui! Il était sur l'écran, me regardait, nos regards se sont rencontrés et j'ai connu ma destinée!

Elle n'avait d'autre choix que d'en rire.

— Partout dans ma chambre, j'avais des photos de Jacques d'Amboise. Glissées dans les cadres les plus baroques que l'on vendait chez Woolworth. Je les posais au mur. J'ai toujours été une fille fidèle!

Elle fit une pause au milieu de sa tirade car elle sentit un petit pincement au coeur.

— Absolument fidèle, s'obstina-t-elle avec entêtement comme si on l'avait contredite. Jusqu'au premier jour de ma première année à l'université. Alors je me suis rendu compte que c'était idiot pour une fille de dix-huit ans d'avoir une collection de photos de danseur plutôt que des amoureux. J'ai enlevé les photos. J'étais déchirée. J'ai eu beaucoup de mal à rompre, mais j'ai dû admettre qu'il était temps. Ce soir-là, tandis que nous étions attablés pour dîner, ma soeur Elaine fit tinter son verre et annonça qu'elle avait une grande nouvelle à nous apprendre.

— Deena a enlevé ses photos de... Tenez-vous bien! Elle a enlevé ses photos de Jacques!

— Toute la famille se moqua de moi. Tu n'imagines pas ce qu'ils m'ont dit. Ma mère fit semblant de s'évanouir, mon père me demanda sérieusement si nous nous étions disputés et finit par admettre qu'il n'était pas mécontent parce qu'en réalité Jacques n'était pas juif!

Elle avait raconté cette anecdote pour amuser Bob et y réussit. Il quitta son bureau pour retourner en classe; il donnait un cours à une heure quarante. Elle souriait encore après son départ. Le courrier arriva enfin. On déposa le paquet sur son bureau. Elle adorait recevoir du courrier. Elle s'empressa de retirer l'élastique qui rassemblait les lettres. En décembre elle recevrait au moins quelques cartes de souhaits des autres conseillères, quelquefois même d'une famille reconnaissante de l'aide qu'elle avait apportée à un adolescent confus. Il s'y trouverait peut-être un carton d'invitation pour une soirée donnée à l'une des écoles privées du voisinage, ou encore à l'école de Célia où elle s'assoirait par terre pour manger des biscuits en forme d'étoiles saupoudrés de sucre rouge. L'année dernière, les élèves avaient oublié de sucrer la pâte.

Parmi les différents prospectus, les publicités et les avis de conférences, elle trouva une photo de Jacques d'Amboise au temps de sa jeunesse. Son coeur fit un bond. Quelle extraordinaire coïncidence! Elle fixait la photo sans en croire ses yeux. Elle songea enfin à retourner la carte postale pour lire le message gribouillé au verso. Elle vit en premier la signature, un L majuscule. Puis elle eut du mal à lire le message. Il ne s'agissait pas de mots d'amour, pas même d'une phrase personnelle; une simple phrase disant qu'il avait vu cette carte et qu'il avait voulu la lui envoyer.

Elle sortit de son bureau et marcha dans le corridor pour se calmer. Elle avait reçu une photo de Jacques d'Amboise tout de suite après l'avoir évoqué. Et alors? Il n'y avait rien de magique là-dedans. La semaine précédente, elle avait lu à haute voix un monologue composé dans le cadre de son cours intitulé: «Mon premier amour de l'écran». Elle y avait raconté qu'elle avait vu *Seven Brides for Seven Brothers* quatorze fois et qu'encore aujourd'hui elle consultait la section Cinéma du *Sunday Times* pour vérifier si on projetait ce film dans quelque cinéma de répertoire. Elle avait même commandé une vidéo-cassette pour son magnétoscope pour l'enregistrer. En tant que numéro comique, cela lui avait rapporté quatre sur dix mais apparemment Luke l'avait écoutée. Et Luke n'avait pas attendu pour agir.

Voilà pourquoi il occupait tant ses pensées: il ne ressemblait à aucun homme qu'elle avait connu. Elle n'en avait pas connu beaucoup. Papa, quelques oncles, trois cousins dont Normand le dégoûtant, un ou deux prétendants qui l'avaient maladroitement tripotée dans les salles obscures lors de l'adolescence, ses fils, et bien entendu Michael. Aucun compagnon qui fût sensible, à l'écoute de ses besoins et intellectuellement compatible. On devait exclure papa; il l'adorait plus que tout et la connaissait mieux que quiconque. Mais il y a des choses que l'on ne dit pas à son père. Toute fillette intelligente s'aperçoit rapidement vers l'âge de dix ans que papa n'aime pas les histoires de chagrin, de sorte qu'on ne lui confie jamais ses bobos. Papa aime seulement entendre les bonnes nouvelles. Jack Strauss était champion dans l'art de faire un triomphe à ses filles: il poussait des cris de joie, souriait, la bouche fendue jusqu'aux oreilles, gloussait de plaisir et les comblait de présents.

Au début de ses fréquentations avec Michael, elle se croyait trop sophistiquée pour recevoir des louanges aussi bruyantes. Ce gentil tapage commençait à sérieusement agacer Deena. Lors de sa première véritable discussion avec Michael, le calme de celui-ci lui apparut comme un signe de maturité, de supériorité. Mais avec les années, cette attitude l'avait rebutée. Récemment elle s'était mise à écrire des scènes racontant son enfance et elle s'était rendu compte à quel point lui manquaient la chaleur et la sécurité que son père lui avait toujours apportées. Cette même chaleur qu'elle retrouvait chez Luke Moorehead avait d'abord éveillé ses soupçons. N'était-ce qu'une illusion? Pourquoi se montrait-il aussi attentionné envers elle? C'était évidemment pour cela qu'on l'avait engagé: s'occuper de ses étudiants et leur accorder toute son attention.Il se comportait en professionnel avec tous ceux qui suivaient son cours. Toutefois, envoyait-il des cartes postales personnelles aux autres étudiantes? Elle avait raison d'en douter. Et si Luke n'était qu'un homme qui considérait ses cours du soir comme un étal où choisir les plus belles pièces? Mais Luke l'avait bel et bien embrassée et ce baiser était sincère. De plus, Luke Moorehead était en un quart de siècle le premier homme qui l'écoutait réellement, qui comprenait ce qu'elle disait, qui l'appréciait et qui la considérait comme un être humain à part entière. Elle n'était pour lui ni sa fille, ni sa femme, ni sa mère, mais une femme prénommée Deena. Une telle attitude lui plaisait singulièrement et elle souhaitait que cela dure.

— Maman!

Elle sursauta, c'est le moins qu'on puisse dire.

— Bonjour mon chéri!, dit-elle, espérant que sa voix ne trahirait pas son sentiment de culpabilité.

Comme il faisait une mine agacée en entendant le «chéri», elle se persuada qu'il n'avait rien remarqué.

— Est-ce que tu vas me demander quel est mon problème cette fois?

— Quel est ton problème cette fois, Saul chéri?

Il sourit.

— Un problème financier. C'est tout. Je te jure, rien de très grave, rien qui implique le doyen, le directeur, ou mon allocation pour le lunch.

Pour une fois, il semblait de bonne humeur. Tant mieux. Elle regardait son bébé qui mesurait à présent six pieds, ses quelques poils follets au menton et son sweater trop serré. Sans même y penser, elle aurait pu lui citer six ou sept choses à changer pour améliorer sa silhouette. Mais ce n'était pas la manière à employer avec un adolescent; elle le savait d'expérience.

— Ainsi tu es venu voir la Senora Peso, dit-elle en se penchant pour prendre son sac à main dans le tiroir du bas.

— Je viens voir Madame Franc, Lady Pound, Signorina Lira et Frau Mark.

Elle ne put réprimer son envie de rire. Elle en avait envie et les occasions se faisaient plutôt rares. Saul était si bourru ces derniers temps. Trop souvent elle se sentait incapable de discuter avec lui. Chaque jour il apportait une mauvaise nouvelle. Pourquoi tout allait-il vers la débâcle en même temps? Elle avait pourtant assez de ses problèmes avec papa, de ses ennuis avec Michael. Saul avait choisi la même saison contraire pour faire sa crise d'adolescence.

Elle le regarda sortir de son bureau en poussant un profond soupir. Chaque fois qu'on la questionnait au sujet de son fils, elle sentait un pincement au coeur et se croyait obligée de mentir. «Il va bien. Vous savez comment sont les adolescents de nos jours.» Elle ne le connaissait pas, pas vraiment. Elle pouvait bien tracer un portrait de lui, décrire ses traits de caractère, prétendre le connaître sur le bout des doigts. Mais c'était faux. Elle était mal à l'aise, presque craintive, en sa présence. Comment pourrait-elle le conseiller, elle qui pourtant venait en aide aux enfants des autres?

Un nouveau soupir. Faire de la compréhension maternelle une profession n'était pas la manière facile de gagner de l'argent. L'écriture comportait certainement moins de difficultés. Et elle y prenait cent fois plus de plaisir. En composant une scène, on pouvait mettre dans la bouche des personnages les paroles que l'on souhaitait entendre. On pouvait les changer aussi souvent qu'on en avait envie. On pouvait aspirer à la perfection. Elle se pencha pour sortir l'horaire du Film Forum de la corbeille à papiers et le rangea dans un tiroir en souriant. Encore trois jours, ce serait lundi et elle assisterait à son cours. Elle avait hâte à cette journée où elle se retrouvait en compagnie de gens qui partageaient sa passion pour l'écriture, auprès de qui elle trouvait un défi intellectuel.

Quelle piètre menteuse elle faisait!

chapitre neuf

Lundi 16 décembre 1985.

L'hiver new-yorkais aurait assurément mérité qu'un chanteur de charme le vante. Certes glacial. Pourtant le ciel semblait plus bas et les reflets bigarrés des néons phosphorescents s'y nichaient, comme les lumières de la ville et le halo des lampadaires coiffés de neige folle. Deena y voyait un dessin d'enfant. Elle déambulait lentement en direction de l'arc de Washington Square, le visage levé vers le ciel, pour que les flocons viennent se poser et fondre sur sa peau. Elle aimait tant que la ville soit ainsi: calme, sous un linceul duveteux. Qu'ajouter pour décrire cette ville qui pourtant ne dormait jamais? Elle eut soudain envie de rire. Elle ne bravait tout de même pas le blizzard de l'année pour le seul plaisir de faire fondre des flocons sur sa langue au milieu de Washington Square. Elle ne ralentissait pas sa marche pour faire un exercice de description. Elle flânait, voilà ce qu'elle faisait, elle flânait au cas où Luke Moorehead la suivrait. En fait, elle souhaitait ardemment qu'il la suive. Espoir vain. A quoi fallait-il s'attendre quand une femme dans la quarantaine se mêlait de flirter avec un jeune homme de vingt-sept ans? Dire que l'un de ses fils avait vingt-trois ans!

Pourquoi traînait-elle ainsi les pieds? Sûrement à cause du vin. Luke avait apporté quelques bouteilles pour célébrer le congé de Noël. Un mois sans cours n'était pas pour Deena une raison de se réjouir, mais tant pis! Elle avait bu trois verres de vin qui l'avaient un peu étourdie et qui avaient amenuisé son sens des responsabilités. Elle se sentait bien. La neige commençait à s'entasser dans les rues et les quelques voitures qui s'aventuraient glissaient dangereusement. On ne recommanderait pas à une étourdie irresponsable de conduire une auto par ce temps; c'était pourtant ce à quoi elle s'apprêtait. Après avoir pris le frais quelques instants pour retrouver sa sobriété.

Quelle merveilleuse sensation! L'ivresse en pleine tempête de neige dans Greenwich Village. Elle se sentait rajeunie, frondeuse, prête à tout. Luke ne lui avait guère laissé d'espoir. Il avait pris soin de l'éviter et l'avait traitée comme n'importe quelle autre étudiante. Aucun signe, pas même un clin d'oeil ou un regard complice. Elle s'était mise en retard après s'être changée trois fois pour être sexy sans ostentation. Elle avait finalement opté pour un pantalon de cachemire turquoise très moulant et un chemisier de soie assorti. Un effet du tonnerre, il fallait l'avouer. Elle avait passé cinq autres minutes à choisir les boucles d'oreilles, hésitant entre ses turquoises serties d'argent massif ou les pastilles de nacre qu'Elaine lui avait rapportées de Paris.

Elle s'était sentie aussi stupide qu'une héroïne de roman à l'eau de rose. En la voyant, Luke «s'avouerait-il enfin qu'il brûlait d'un feu éternel pour elle»; et «lorsque son regard rencontrerait le sien, le désir naîtrait-t-il dans sa poitrine»? Quelle stupidité! La réponse à ces deux questions était la même: non, non et non. Une femme de son âge n'avait pas à se le rappeler. Mais elle était si convaincue qu'il essaierait de s'entretenir en privé avec elle, qu'elle s'était rappelé une ou deux anecdotes qui le feraient sourire.

La neige tombait maintenant à gros flocons et on ne voyait plus à un pied devant soi. Sa voiture était garée dans cette rue. Il fallait se dépêcher de rentrer avant que la circulation ne soit complètement paralysée. Michael se ferait-il du souci si elle mettait plusieurs heures à revenir à la maison? Ce soir il avait un meeting. Il ne serait probablement pas rentré, trop préoccupé de retrouver Otto Schwartz ou de lire une dépêche en provenance du Brésil. Chose certaine, sa femme était le dernier de ses soucis.

Lorsque la main se posa sur son épaule, elle était perdue dans ses pensées et sursauta, comme une chatte bondit sur ses pattes. Le grand sourire de Luke se fit hésitant lorsqu'il vit la mine effrayée de Deena..

— Je suis navré. Je n'aurais pas dû faire ça. C'était stupide de ma part. J'aurais dû te prévenir.

Il semblait hors d'haleine et ses cheveux étaient saupoudrés de neige.

— Je n'étais pas certain que c'était toi quand je t'ai aperçue. J'ai couru depuis l'université. Pourquoi es-tu partie si vite? Tu étais là quand j'ai salué Joël et Laurie, puis, quand je me suis retourné, tu avais disparu.

Inutile de mentir, il lui faisait de l'effet. Pour sûr, il y avait quelque chose entre eux, une chose d'autant plus excitante qu'elle était tacite.

— A présent que je t'ai retrouvée, continuait-il, je t'accompagne jusqu'à ton auto. Pourquoi ris-tu ainsi?

— Parce que...

Elle ne pouvait s'empêcher de rire.

— Parce que nous sommes à côté de ta voiture! Alors viens faire le tour du pâté avec moi et je te raccompagnerai à ta voiture!

— Comme j'aimerais cela Luke! Mais je crains que ce soit impossible. Si je ne rentre pas chez moi maintenant, j'ai peur d'en être empêchée par la tempête.

Il la regarda sérieusement. Puis il lui dit à voix basse:

— Serait-ce si grave? Excuse-moi. Je n'avais pas le droit de dire ça.

— Ça va. Je... L'idée d'être empêchée par la tempête est plutôt séduisante.

— Deena! Le penses-tu vraiment?

Il ôta ses lunettes pour mieux la regarder. Elle résistait au désir de caresser sa joue tendrement. Elle ajouta d'une voix confiante:

— Je le pense vraiment. Mais c'est un soir de tempête et j'ai une famille qui m'attend, des responsabilités.

— Moi, je n'ai pas envie de te dire bonsoir tout de suite.

Elle lui dit avec malice:

— Pas besoin de partir tout de suite. Tu peux m'aider à déblayer ma voiture.

Elle lui fit un grand sourire et reçut en réponse une révérence:

— Avec plaisir, Madame.

Elle lui laissa la pelle pendant qu'elle dégivrait les vitres et le pare-brise. La neige tombait à mesure qu'elle la balayait. De gros flocons mouillés. Elle était contente puisqu'ainsi ils mettraient plus de temps à déblayer l'auto. Elle était heureuse qu'il soit là, même s'ils ne parlaient pas. Elle dit enfin à regret:

— J'ai terminé.

A ce moment, il se pencha, fit une boule de neige et la lança dans sa direction. Une bataille de boules s'ensuivit, ponctuée de rires et de plaisanteries. Deena leva les mains pour se rendre.

— Assez! Regarde, tu as enneigé le pare-brise que je viens de nettoyer. Il faut vraiment que je m'en aille Luke.

«Je n'en ai pas du tout envie, songea-t-elle, mais tu n'as pas à le savoir.»

Sans dire un mot il s'approcha, la prit dans ses bras et tint son menton dans sa main. Il murmura son prénom trois fois.

— Ne me fais pas ces yeux-là, sinon je devrai t'embrasser. A bien y penser, je t'embrasserai quand même.

Deena se défit de son étreinte.

— Pas maintenant!... Je veux dire...

— Je sais ce que tu veux dire. Tu veux dire: «Oui, ça me tente».

Il la lâcha et dit en riant:

— Vois! Mes mains sont derrière mon dos.

Elle tendit la main pour caresser sa joue et l'attira vers elle, de sorte qu'en se haussant sur la pointe des pieds elle put l'embrasser. Ses lèvres d'abord froides et dures, devinrent chaudes et sensuelles. Il s'approcha et la prit de nouveau dans ses bras; elle ouvrit la bouche en se rapprochant de lui. La chaleur montait en elle, le désir aussi. Ils étaient rivés l'un à l'autre par leurs bouches gourmandes. Finalement, il leva la tête et lui demanda:

— Deena, viens chez moi.

Elle recula, terrifiée par sa propre fougue.

— Je ne peux pas! Ne me demande pas pourquoi, mais je ne le peux pas!

— Ajoute: «cette fois».

Elle contempla un instant son visage, ses cheveux et ses sourcils enneigés.

— Cette fois, ajouta-t-elle lentement.

— Conviendras-tu d'un véritable rendez-vous avec moi Deena?

— Luke, je veux te revoir mais je crains de tout gâter. J'aurai peur d'être vue en ta compagnie. Je sursauterai au moins bruit insolite, je guetterai sans cesse les alentours. Ce sera terrible, je le sais.

— Rien ne nous oblige à dîner au restaurant. Viens plutôt chez moi. C'est très bien, tu verras. Je ferai la cuisine. Je ne t'ai jamais dit que j'étais un excellent cuisinier? J'adorerais faire la cuisine pour toi. Alors, c'est oui? Bien! Quand? Demain? Non? Après-demain alors...

Deena s'expliqua en riant:

— Luke, demain c'est vendredi. C'est le week-end.

Elle fronça les sourcils et ajouta, les yeux dénués de toute expression:

— Mes enfants sont en vacances à la maison et les week-ends sont...

Comment dire sans le rebuter? Sans lui mettre sous le nez qu'elle avait aussi un mari?

— ... les week-ends sont réservés à la famille.

— Bien sûr! Quel idiot je suis! Mais... c'est que je serai absent la semaine prochaine.

— Dans ce cas...

Elle souhaitait ne pas paraître trop déçue. Puis elle souhaitait aussi ne pas sembler trop désintéressée. Et puis flûte! Elle ne savait comment s'y prendre.

— Enfer et damnation! S'il s'agissait de deux sous, j'annulerais tout immédiatement. Il ne s'agit pas de deux sous, mais de la coquette somme de deux mille dollars! Alors disons lundi en huit, d'accord?

Elle avala sa salive. «Ce soir ou jamais», se disait-elle. Aucun son ne sortit de sa gorge. Elle dut se contenter d'acquiescer sans dire un mot. Il s'approcha pour l'embrasser et murmura sur ses lèvres:

— Bonne nuit Deena. Fais de beaux rêves. Je sais à quoi je vais rêver jusqu'à ce lundi.

Luke se rendit chez lui à pied. Il habitait à deux pas et la tempête qui tournoyait dans le ciel rendait le quartier paisible.

Il marcha de la cinquième à la sixième avenue sans se presser, sans trop s'apercevoir que ses espadrilles étaient trempées. Il était heureux. La cérémonie d'accouplement était prévue pour bientôt. Elle viendrait dîner à la maison et tous deux savaient à quoi les engageait ce tête à tête. Il la désirait et cette envie était réciproque. Le désir grandirait avec l'attente et il n'aurait plus qu'à cueillir les fruits de la passion. Dans une semaine, la jolie madame Berman serait dans son lit, dans ses bras, et lui au creux de ses reins. Il aurait du mal à patienter mais cette attente augmenterait le plaisir.

Il l'avait remarquée entre toutes le soir du premier cours. Très attirante, un peu plus âgée que les autres étudiants, certainement mieux vêtue, assurément très à l'aise. Mais elle avait semblé tendue, ce qui avait plus que tout attiré son attention. Elle s'était assise le dos bien droit, l'avait regardé sans ciller, avait croisé les bras et n'avait plus bougé de tout le cours. Il avait cru avoir devant lui une dame de la société ennuyée de tenir maison et de participer à des oeuvres de bienfaisance, et qui s'imaginait qu'un cours d'écriture lui permettrait de s'exprimer. Il s'était bien trompé. Au deuxième cours elle avait abandonné son tailleur et ses talons hauts pour des jupes aux couleurs vives et des pulls assortis. Il s'en souvenait très bien car, soudain, elle eut l'air d'une jeune fille. Elle avait lu à haute voix sa première composition- une scène de sa vie familiale- qui lui avait valu une excellente note. Un bon débit, le pouvoir de capter l'attention de toute la classe, et de la drôlerie. Il ne s'agissait pas de vaudeville ou de blagues pimentées, mais d'humour intelligent.

Il l'avait ensuite approchée pour vérifier si elle était bien telle que son texte le laissait croire. Depuis elle avait rédigé plusieurs scènes de la vie familiale; elles avaient toujours lieu autour de la table de la cuisine, et toutes étaient empreintes d'humour. D'amour aussi. Enfin une femme satisfaite de son sort et qui avait eu, chose rarissime, une enfance heureuse! Elle avait rédigé une scène pas mal du tout présentant une enfant qui faisait la grève de la faim pour obtenir la permission de décorer un arbre de Noël; une autre dans laquelle elle partait pour la première fois en colonie de vacances; enfin la dernière avait porté sur la naissance d'un enfant.Il aurait aimé rencontrer sa véritable famille afin de distinguer le vrai de la fiction. Il n'y tenait plus à présent qu'il la connaissait, qu'il la désirait, qu'il était subjugué par elle.

Elle l'avait donc attiré depuis le premier cours mais il ne s'était permis aucun espoir. Trop âgée, trop riche, et surtout trop mariée! Il s'était entre temps amouraché d'une blondinette pétillante qui suivait ses cours l'après-midi. Gillian Everts avait vingt-trois ans, elle était célibataire, charmante et enchantée de l'avoir pour professeur. Un choix qui allait de soi pour un homme essentiellement monogame qui n'était cependant pas encore prêt à se passer la corde au cou. Mais cette Gillian était devenue une véritable peste! Elle avait commencé par lui laisser de jolis messages sur son répondeur automatique. Jolis, mais fréquents. Quatre fois par jour. Puis elle s'était permis de sonner à sa porte de temps en temps, de l'attendre dans le hall d'entrée, d'acheter des billets pour un concert ou un spectacle. Elle lui avait même fait livrer un bouquet de ballons pour son anniversaire, accompagné d'un télégramme chanté. Il y aurait peut-être pris plaisir si cela n'avait pas eu lieu au début de leur relation. Elle avait dépensé cinquante dollars et elle le connaissait à peine!

Le vase avait débordé le soir où, trois semaines après l'avoir rencontrée, il était rentré chez lui pour la trouver dans sa cuisine en train de préparer une lasagne.

— Qu'est-ce que tu fais ici?, avait-il demandé avec désespoir. Comment es-tu entrée?

Il avait eu envie de la mettre à la porte. Quel toupet! Elle s'était contentée de rire et de répondre:

— J'ai convaincu ton concierge que la lasagne deviendrait aigre si je ne la mettais pas tout de suite au four!

Il l'avait mise à la porte, elle, son manteau de fourrure, sa lasagne et tout ce qui pouvait lui appartenir. Elle ne s'était plus présentée en classe et il souhaitait ne plus jamais la revoir. Il n'avait eu aucun regret. En fait, il était simplement heureux qu'on le laissât seul. Quand il avait raconté à ses amis ce qui s'était passé, il avait eu droit à des remontrances: «Tu l'as mise à la porte? Crétin! Elle aurait pu prendre soin de toi, mais tant pis!» Ils n'avaient pas compris qu'il souhaite se débarrasser d'un beau brin de fille qui était folle de lui et qui était prête à tout pour lui plaire. Ils le croyaient tordu. Mais il avait découvert quelque chose à son propre sujet: il ne souhaitait pas que l'on prenne soin de lui. Il l'avait probablement toujours su sans l'admettre. Luke

Moorehead voulait respirer, jouir de son intimité et vivre sa vie comme il l'entendait. Il n'avait aucunement envie qu'une femme qui se croyait amoureuse de lui vienne troubler sa quiétude et régler sa vie! Il pouvait très bien se débrouiller seul. Il était célibataire à vingt-sept ans et très heureux de l'être.

Deena semblait comprendre ce désir. Elle-même gardait jalousement son intimité. Voilà l'une des choses qui l'enchantaient: elle se révélait très lentement, petit à petit. Pas seulement dans ses écrits, en paroles aussi. Son mari, par exemple. Jamais elle n'avait parlé de lui; il avait dû consulter son dossier d'inscription pour savoir si elle était mariée ou célibataire. Elle avait inscrit: «Mad. Deena Berman»! Il avait dû trouver une manière ingénieuse de le lui demander; il avait donc invité les étudiants mariés à lever la main pour discuter une scène que quelqu'un avait écrite et qui racontait une querelle de ménage. Elle avait aussitôt levé la main et il s'était alors demandé pourquoi elle n'écrivait jamais au sujet de son mari. Jamais un mot sur lui. Tout ce qu'elle écrivait se passait à la fin des années quarante et au début des années cinquante; les années de sa jeunesse. Il avait été surpris d'apprendre qu'elle avait quatre enfants. Il aurait pourtant cru qu'une femme qui avait désiré quatre enfants serait fière d'en parler. Quand il lui avait demandé pourquoi elle n'écrivait pas au sujet de sa vie actuelle, de ses enfants, elle avait ri avant de répondre: «Ecrire au sujet de quatre adolescents? Tout ce que je veux, c'est les oublier!» Elle avait évidemment esquivé la véritable question. A présent qu'il se retrouvait seul à neuf heures du soir en pleine poudrerie, il en vint à penser qu'elle ne répondait jamais aux questions d'ordre personnel. Elle ripostait par une plaisanterie.

Elle ne blaguerait plus très longtemps à présent car il la connaissait suffisamment pour savoir que madame Berman était une pomme mûre qui ne demandait qu'à être croquée, une vraie femme que son crétin de mari ne méritait pas, qu'il n'appréciait pas et qui ne devait pas la satisfaire au lit, surtout pas au lit. Comme il avait hâte! Ses lèvres charnues avaient tremblé sous les siennes et la chaleur de son corps l'avait réchauffé. Pendant qu'ils s'étaient embrassés, il avait senti son souffle chaud, elle avait passé ses bras autour de son cou, elle avait ouvert sa bouche gourmande... «O.K. Luke, ça suffit! Il te reste plus d'une semaine à patienter.»

Il avançait d'un pas lourd dans la neige épaisse qui s'amoncelait. La tempête empirait à chaque minute. Le vent froid mordait sa peau et engourdissait ses orteils. Il espérait qu'elle ait plus de facilité à conduire qu'il n'en avait à faire la route à pied. Il aurait dû lui demander de lui téléphoner dès son arrivée. Il ne pouvait pas l'appeler, pas à cette heure, surtout pas en présence de son mari. La rue où il habitait était déserte. La bourrasque faisait tourbillonner la neige poudreuse et l'entassait sur le trottoir. L'entrée de son immeuble était enneigée. Il dut déblayer le chemin pour rentrer. Il fit tourner la clef dans la serrure, grimpa l'escalier quatre à quatre et déboutonna son parka. Heureux d'étre enfin chez lui! Au chaud et au calme, car ce soir le bruit de la circulation ne viendrait pas troubler son travail. Bien. Il travaillerait deux ou trois heures, puis il grignoterait quelque chose. Il entra dans son atelier et se rendit aussitôt au répondeur automatique. Le bouton rouge clignotait. Peut-être Klaus avait-il téléphoné, ou alors les gens de la côte ouest? Il devait se décider avant de répondre. Il se rendit à la cuisinière et ouvrit le gaz sous la cafetière; alors le téléphone sonna. Il courut répondre. L'instant suivant, il était tellement pris par la discussion au sujet d'un nouveau contrat, qu'il ne se rendit pas compte que le café bouillait.

Ce retour à la maison lui déchirait le coeur. Elle n'était pas dans son état normal. Elle avait sombré dans une sorte de fantasme érotique, de sorte que, rendue à Canal Street, elle n'avait pas réalisé la gravité de la situation. La circulation sur Broadway était toujours dense, beau temps mauvais temps, jour ou nuit. La neige boueuse fondait sur deux voies; les conditions étaient les mêmes sur Canal Street. La chaussée n'était pas trop glissante mais la visibilité était presque nulle. Les lampadaires et les feux de circulation étaient brouillés par le blizzard, de sorte qu'elle avait du mal à maintenir sa voiture dans une voie. Elle se rangea derrière un camion de marchandises, se disant que les chauffeurs de camions étaient de bons conducteurs, même si elle n'en était pas toujours convaincue. Elle le suivit servilement, pouce par pouce à une vitesse de vingt milles à l'heure en espérant qu'il se dirige vers Manhattan Bridge. Une fois sur le pont, elle serait presque arrivée. Une fois sur le pont, elle serait en sécurité. Elle se le répétait comme pour s'en convaincre.

La pensée de Luke Moorehead occupait son esprit mais elle résistait à ce plaisir. Elle n'y songerait pas tant qu'elle ne serait pas en mesure de repasser, à tête reposée, tous les événements de la soirée. Elle le gardait pour plus tard, lorsqu'elle pourrait en savourer les moindres détails. Elle concentrait tous ses efforts sur la conduite de son véhicule, sur les deux signaux lumineux devant elle. Quand elle fut sur le pont de Manhattan derrière le même camion, elle put enfin se détendre un peu. Ses pensées pouvaient quitter la route et aller vers autre chose. Michael... Non, pas lui. Pas ce soir. Pas Michael, ses critiques et la façon qu'il avait de toujours lui tourner le dos. La seule vue de son dos lui faisait horreur, sa nuque musclée, sa chevelure poivre et sel, le grain de beauté entre ses omoplates, le fin duvet qui courait le long de sa colonne vertébrale. Autrefois elle en traçait la ligne avec son doigt, avec sa langue, amoureuse. Pourquoi se souvenait-elle de cela? Il y avait si longtemps qu'ils n'avaient pas fait l'amour. Il y avait plus longtemps encore qu'elle s'était sentie amoureuse de lui. Non, il n'y avait rien de gai à songer à Michael.

Elle était enfin arrivée. Elle conduisait lentement sur la neige vierge, en laissant les premières traces de pneus derrière elle. Heureusement, le terrain de stationnement était proche de sa rue. Il était beaucoup plus facile de marcher vers Monroe Place que d'y conduire. Plus sûr aussi. Deena traîna les pieds dans la neige nouvellement tombée, savourant la quiétude du voisinage. Papa avait émis de nombreuses objections lorsque Michael et elle avaient décidé d'acheter la maison. On aurait dit qu'ils partaient pour le bout du monde, alors qu'ils n'étaient qu'à une demi-heure de voiture de chez lui. Lorsqu'ils habitaient encore le West Side, il avait l'habitude de s'arrêter chez eux avant de rentrer chez lui. En y songeant, elle se sentait coupable. Etait-ce à ce moment, lorsqu'elle avait déménagé et qu'elle l'avait privé de ses petits-enfants, qu'il s'était intéressé à Linda? Elle avait du mal à le croire. Elle ne pouvait imaginer un homme intègre et intelligent comme son père s'amouracher d'une tête de linotte comme sa secrétaire. Un triste cliché, en vérité. Cela ne se pouvait pas. Linda avait sûrement tout inventé pour se rendre intéressante.

Lorsqu'elle avait émis cette hypothèse, Elaine s'était étranglée de rire:

— Allons donc Deena! Tu n'es pas seulement naïve mais un peu sotte. Pour ma part, je pense que papa doit nous raconter sa version des faits.

Deena avait ajouté qu'elle ne pouvait pas exiger cela de son père. Elaine avait rétorqué:

— Quand deviendras-tu adulte Deena? On ne peut pas exiger cela de lui? Pense à ce qu'il a fait à Sylvia!

Elle ne se querellerait pas à ce sujet. Depuis, Elaine lui avait téléphoné tous les jours pour convenir d'un rendez-vous avec leur père. Puis ce matin elle l'avait sommée:

— C'est maintenant ou jamais!

Deena avait rassemblé tout son courage pour crier:

— Dans ce cas, c'est jamais!

Et elle avait raccroché. Elle avait fait cet affront à Elaine. Elle était restée assise au pied de son lit, la main sur la poitrine, la mine contrite. Mais son sentiment de culpabilité fut vite éclipsé par une sensation de soulagement. Cette fois, elle n'agirait pas selon le bon vouloir d'Elaine. Elle ne voulait pas en parler. Elle ne voulait pas même savoir si c'était vrai. Elle ne souhaitait qu'une chose: rentrer chez elle et sombrer dans son confort douillet pour mieux s'abandonner à ses pensées. Au cours de toutes ces années, elle avait connu son destin et su ce que serait sa vie. Voilà soudain qu'une bifurcation se présentait sur sa route et qu'elle avait un choix à faire.

A sa grande surprise, le trottoir avait été déneigé devant sa maison. Une légère neige poudreuse le recouvrait, ce qui signifiait qu'on avait récemment pelleté. Et le travail avait été accompli avec plus de rigueur que Saul n'en déployait habituellement. Eh bien! une merveille n'attendait pas l'autre. L'avertissement du directeur avait peut-être mis du plomb dans la tête de son fils. Elle monta les quelques marches, déverrouilla la porte et entra chez elle avec un sourire, songeant encore aux lèvres de Luke. Elle enleva son manteau en rêvassant, seule dans le vestibule. Luke était adorable. Pour la première fois depuis des lustres, son sang s'était échauffé et ses sens réveillés. Elle le ferait réellement, oh! oui elle le ferait. Elle avait peine à croire à tant d'audace, à cette énergie du désespoir. La voix de Michael qui l'appelait fut si inattendue, qu'elle se sentit attaquée.

— Michael, que fais-tu ici?

— Si je ne te connaissais pas si bien, je croirais que tu n'apprécies pas de me voir à la maison si tôt.

Il avait dit cela en riant. Incroyable. Depuis combien de semaines ne l'avait-elle pas vu rire? Elle lui sourit à son tour, hésitante, ignorant où il voulait en venir. Il avait quelque chose de différent ce soir. Il s'approcha, la prit dans ses bras et l'embrassa. Elle était si surprise qu'elle demeurait passive, ne sachant que faire, comparant les baisers que lui avait donnés Luke et ceux de son mari. Pouvait-il savoir? Bien sûr que non! Elle l'embrassa à son tour. Il se dégagea enfin et lui dit:

— Si tu voyais la tête que tu fais?

— Quelle tête Michael?

— Tu as toujours l'air surprise après nos baisers.

Deena ne pouvait lui confier le fond de sa pensée. Elle aurait aimé savoir à qui il pensait en l'embrassant ainsi. Elle choisit de se taire et eut recours à un artifice féminin: elle baissa les paupières et émit un doux roucoulement.

— Moi, poursuivit Michael, j'ai quelque chose qui va réellement te surprendre.

— Oh oui? De quoi s'agit-il?

Ce n'était pas habituel. Jamais il ne l'embrassait ni ne la cajolait, jamais de surprise non plus; tout cela était si étrange. Elle ne voyait toujours pas où il voulait en venir. Il brandissait deux feuilles de papier sous son nez.

— Rien que nous deux! Une semaine à bord d'un grand voilier!

— Quoi?

— Dans les Caraïbes, Deena. Sur un grand voilier.

— Mais pourquoi?... Je veux dire, en quel honneur?

— Deena, je me rends compte que dernièrement je me suis donné tout entier à mon travail et que je ne t'ai pas assez consacré de temps.

Elle ne pouvait soutenir son regard.

— Quand l'un des nouveaux associés a annoncé, lors du meeting, qu'il possédait ces deux billets qu'il ne pouvait utiliser, je me suis dit: «Voilà l'occasion rêvée de filer! Ce dont toute ménagère a besoin pour combattre le syndrome de Cendrillon.»

C'était donc ce qu'il pensait! Le syndrome de Cendrillon, mon oeil! Sans lever les yeux, elle dit:

— Et tu les as acceptés.

— Tu as parlé d'aller au soleil plutôt que faire du ski cet hiver encore. Alors...

Il passa son bras autour de sa taille et poursuivit:

— Tu as beaucoup de shopping à faire et peu de temps.

Le coeur de Deena battait à tout rompre.

— Pourquoi si vite Michael? Quand partons-nous?

Elle connaissait la réponse avant de l'entendre.

— La fin de semaine prochaine. Nous descendrons dans un grand hôtel jusqu'à lundi en guise de prélude. Puis lundi soir nous monterons à bord du voilier pour six jours en haute mer.

Il semblait si satisfait de lui-même. Deena se força à sourire. La déception la rendait malade. Il murmura:

— Ce sera notre seconde lune de miel, ma chérie!

L'image de Luke s'effaça peu à peu, pâlit et disparut complètement. Loin des yeux, loin du coeur. Quand son mari faisait un effort pour ressusciter leur mariage, peu importait qu'elle en ait envie ou même qu'il soit trop tard. Rien de tout cela ne comptait. Elle devait y aller.

chapitre dix

Mardi 17 décembre 1985.

Linda l'appela par l'interphone, le coeur battant à tout rompre dans sa poitrine. Elle devait cette agitation à monsieur Cleary, mais Jack ne devait se douter de rien.

— Monsieur Cleary sur la première!, chantonna-t-elle selon son habitude.

Puis elle serra les lèvres, et se cala dans son fauteuil pour écouter la conversation. Elle voulait savoir ce que Jack disait à George Cleary de chez Cleary Ciments. Il ne lui avait pas demandé d'écouter, ce qui signifiait qu'il ne le voulait pas; mais elle n'allait pas se laisser embêter pour si peu. Il avait du toupet de songer à vendre la compagnie sans lui en parler! Pas un mot, ni à elle ni à Lawrence. Et il ne cessait de répéter que Lawrence était son bras droit, le meilleur employé de son équipe. Elle ne savait que trop où il voulait en venir: il pensait ainsi les évincer. Autant lui déchirer le coeur! Elle qui avait été sa secrétaire particulière et le grand amour de sa vie durant tout ce temps, la femme qui avait tout abandonné pour lui, qui avait fait tout ce qu'il avait toujours voulu, qui lui donnait sans compter ce dont il avait besoin... C'était trop injuste! Il n'avait aucun droit de se comporter ainsi envers Lawrence et elle.

Elle essaya de recouvrer son calme. Il était plus important d'écouter leurs propos que de se fâcher. Cleary disait:

— Mais je croyais que l'entente était conclue, Jack!

Quoi? Son coeur fit un bond. Qu'avait-elle manqué? Jack dit en riant:

— Rien n'est conclu tant que tous les détails ne sont pas réglés, tu le sais bien! Un imprévu.

— Allons Jack, ne me parle pas d'imprévu! Dis-moi la vérité. Que se passe-t-il?

— Je te jure Cleary, nous avons une option sur un immeuble. Impossible de refuser. Une hypothèque datant d'avant-guerre, une vieille dame seule... Il ne se passait plus rien depuis si longtemps, j'avais oublié l'affaire. Tout à coup, une lueur de vie. Ils ont décidé de conclure la transaction. Qu'est-ce que je peux faire, je te demande? Georges, que ferais-tu à ma place?

— La même chose que toi: je te mettrais sur des charbons ardents.

— Voilà trois ans que nous pensons à cet immeuble; nous avons fait une offre l'année dernière et nous ne les avons pas lâchés d'une semelle depuis. J'ai parlé au type hier, j'étais prêt à lui dire de tout oublier, et il m'annonce ce que tu sais. Tu sais ce que c'est.

— Ouais, ouais.

Jack entendit son interlocuteur pousser un soupir d'exaspération.

— Que fait-on à présent?

— Laisse-moi penser... Je consulte mon calendrier... Pas cette semaine, ensuite ce sont les fêtes du nouvel an. Que dirais-tu si je te rappelais à la mi-janvier? Ma secrétaire téléphonera à la tienne et elles prendront rendez-vous pour le déjeuner. Que dirais-tu d'aller au Club 21?

A ce moment, Linda ferma l'interphone. Elle n'avait pas besoin d'en entendre davantage et elle ne devait surtout pas risquer que Jack la surprenne à l'épier. Il n'avait aucune idée de tout ce qu'elle savait au sujet de la marche de l'entreprise, des choses qu'elle n'était pas censée connaître. Elle ne s'en vanterait certainement pas. Une femme seule devait surveiller ses intérêts; elle l'avait appris depuis longtemps. Elle ne possédait rien qui puisse le retenir. Elle en avait la preuve à présent. D'importantes décisions se prenaient actuellement sans qu'il en informe les deux personnes les plus proches de lui. Son sang bouillait à cette seule pensée.

La porte du bureau de Jack s'ouvrit et il en sortit comme un taureau dans l'arène. Son Jack était aussi viril à soixante-dix ans que le jour où elle l'avait rencontré. Aussi séduisant, pensait-elle alors qu'il se pencha au-dessus de son bureau.

— Linda, dit-il, je me demande constamment ce que je ferais sans toi.

Sa conversation avec Cleary s'était déroulée comme il l'entendait. Il était gai comme toujours lorsque les événements allaient dans le sens qu'il souhaitait. Par un seul sourire, il pouvait encore faire d'elle ce qu'il désirait. Jack lui sourit et la colère de Linda s'apaisa. Elle lui adressa un doux sourire et posa sa main sur la sienne.

— Jack, dit-elle à voix basse, tu n'es pas venu dîner à la maison depuis quelques semaines et, à vrai dire, ta présence me manque. Tu me manques même beaucoup.

Il se rapprocha plus encore et elle crut apercevoir l'ancienne flamme briller dans son regard.

— Inscris-moi pour jeudi. Après-demain.

Elle sentit le sang refluer à son visage. Elle ne pouvait s'en empêcher, pas même après toutes ces années. Elle inscrivit le rendez-vous à son calendrier. Ainsi, s'il oubliait, elle aurait une preuve à lui apporter.

— Je vais à mon club, dit-il. Je déjeune avec Harry. Si Lawrence arrive, demande-lui de...

— Lawrence est arrivé! lança une voix dans l'entrée.

Son fils était là, son enfant chéri. Il semblait fou de joie. Il était sûrement porteur de bonnes nouvelles. Lawrence se râcla la gorge avant d'ajouter:

— Eh bien Jack, j'ai de bonnes nouvelles pour toi!

— Tu l'as eu! Tu as obtenu que Salisbury nous le vende! Mon Dieu, dis-moi que tu l'as!

Il courut vers Lawrence qui arborait un large sourire, et le serra dans ses bras.

— Enfin! Nous avons tout ce qu'il faut pour dresser les plans.

Il recula d'un pas, sourit de plus belle et ajouta:

— Sacrebleu, tu as réussi!

— Allons, je ne suis pas le seul à avoir travaillé à cette affaire. J'ai simplement réglé les derniers détails. Tu as passé plusieurs années à faire le travail préliminaire. De plus, c'était ton idée de t'installer à Queens.

— Pas besoin d'être un génie pour s'apercevoir que les habitants de l'East Side n'ont rien d'autre à regarder que Queens. Mais que, du quartier Queens, on a une très belle vue de Manhattan. C'est une chose d'avoir une idée et d'offrir à sept types d'acheter leur bâtiment pour une bouchée de pain. C'en est une autre de les convaincre de vendre. C'est ce que j'appelle un tour de force.

— Merci Jack, mais je persiste à dire...

— Je ne veux plus en entendre parler. Tu verras dans ton enveloppe de paye à qui revient le crédit de cette transaction. Non, ne me remercie pas.

Il riait de bon coeur.

— Pas tant que tu n'auras pas compté les billets!

Lorsqu'il quitta la pièce, Linda fit signe à son fils de rester encore un peu, pour qu'ils puissent parler. Les McElroy avaient établi un code qu'ils utilisaient à l'insu des autres. Cette habitude était devenue pour eux une seconde nature; ils y avaient recours sans s'en rendre compte.

— Oui?, demanda Lawrence aussitôt que les portes de l'ascenseur se furent refermées sur Jack. Que se passe-t-il?

— Lawrence, tu dois apprendre à faire preuve de plus de confiance en toi.

— Ne reviens pas là-dessus maman, je t'en prie. Je sais ce que je fais.

— Ecoute-moi. Je connais Jack Strauss. Il ne respecte que la force. Tu dois paraître fort lorsque tu t'entretiens avec lui, sinon il te rangera parmi les faibles.

— Maman, pour l'amour du ciel, je ne suis pas ton commissionnaire. Il y a longtemps que je travaille ici et j'ai obtenu son respect. Tu l'as entendu.

— Je t'ai aussi entendu. Et tu parlais comme un lèche-botte!

Lawrence fixa sa mère et dit enfin:

— O.K. Parlons-en! Qu'est-ce qui te préoccupe vraiment? Et ne me parle pas de ma personnalité parce que je te connais bien. Il y a autre chose, n'est-ce pas?

— Cleary a téléphoné avant ton arrivée. Jack essaie de gagner du temps et je ne vois pas pourquoi.

— Ça ne me surprend pas. Il n'a jamais eu véritablement l'intention de vendre la compagnie. Cleary lui a présenté le projet comme une offre qu'il ne pouvait pas refuser, c'est tout. Et Jack aime conclure des transactions, tu le sais bien. Jack adore chacun des immeubles qu'il a construits, c'est sa vie. Tu devrais l'entendre en parler! «Mes buildings sont les signes de mon immortalité.» C'est sa gloire. Il les fait visiter à tous ceux qui viennent de l'extérieur de la ville.

Linda secoua la tête avec obstination. Lawrence se pencha au-dessus de son bureau, s'y agrippa en regardant sa mère droit dans les yeux:

— Ne secoue pas la tête. Il ne s'agit pas de foutaise. Moi aussi je me sens comme lui. Chaque fois que je mets les pieds sur le chantier de South Street, j'ai un petit pincement au coeur. C'est excitant de songer que l'on participe à la vie d'une métropole... que l'on a eu une idée et qu'on est en train de la voir se réaliser. C'est enivrant. Si j'étais propriétaire de cette compagnie, je ne la vendrais pas, pas même pour une fabuleuse somme.

Linda grommela:

— Elle te revient de droit.

Lawrence sembla amusé.

— Tu sais ce qui t'arrive maman? Tu as des idées de grandeur. Tu crois que cette compagnie t'appartient parce que tu occupes ce bureau depuis très longtemps.

— Si tu veux, mais ça ne change rien au fait qu'il ait songé à vendre à Cleary sans nous en parler.

— Mais tu sais à présent qu'il essaie de gagner du temps. Donc il ne vendra probablement pas. Il a simplement attendu un peu, afin de réfléchir. Pourquoi nous en parlerait-il avant d'avoir pris une décision?

— Ça m'inquiète. J'ai peur qu'il décide de tout vendre et que nous nous retrouvions sur la paille.

— Tu n'as rien à craindre, maman. Tu as des actions; elles vaudront une fortune. En ce qui me concerne, Cleary serait fou de ne pas avoir recours à mes services et il le sait.

— Qu'adviendrait-il si Jack me demandait de lui rendre mes actions?

Lawrence s'étonna d'une telle question.

— De quoi parles-tu à la fin? Elles t'appartiennent légalement. Elles sont à ton nom. Il ne peut pas te demander de les lui remettre. Légalement, c'est impossible.

Linda se leva en fronçant les sourcils.

— Ne me parle pas de droit, Lawrence! Il est ici question d'une relation personnelle. S'il me les demande, je n'aurai qu'à les lui céder.

Lawrence consulta sa montre.

— Tu sais ce que je crois? Tu précipites les choses. Il ne vend pas et il ne te demande pas de lui céder tes actions. Attends au moins que cela se produise avant de te faire du mauvais sang.

— Lawrence, j'ai consacré ma vie à cette affaire... Je me suis vouée à Jack Strauss. Il y a tant de choses que tu ignores.

Ce refrain était familier au jeune homme. Il continua de sourire mais ses pensées étaient ailleurs.

— Allons maman! Arrête un peu. J'ai rendez-vous pour déjeuner et je suis déjà en retard.

— Je suis inquiète, Lawrence, pour nous deux. Jack a soixante-dix ans. Il peut décider de faire n'importe quoi. Et ses filles sont venues mettre leur nez ici. Elles doivent être au courant de quelque chose.

Il s'avança vers elle, passa le bras autour de ses épaules et posa un baiser sur sa tête.

— Laisse-moi m'en occuper, d'accord? J'ai déjà commencé à préparer l'avenir.

— Lawrence, tu ne...

— Chut! Je n'ai rien dit. Tu n'as rien entendu. N'est-ce pas la devise de notre famille? Sois assurée d'une chose: Je prendrai toujours soin de toi.

Linda se détendit dans les bras de son fils.

— Lawrence, quel bon fils tu es!

Le West Side Club avait été inauguré durant les années mil neuf cent trente. L'ameublement en témoignait. On avait retenu ce que l'on considérait alors approprié à la gent masculine: meubles d'acajou lourds et foncés, recouverts de tapisseries flamandes ou de cuir marron, cloutés de laiton, et boiseries de chêne verni. Jack Strauss était assis dans la sévère salle à manger en compagnie de son meilleur ami, Harry Ginsberg. Ils y occupaient toujours la même table, dans le même coin. Le déjeuner était terminé. Ils tiraient des bouffées de leurs cigares en étirant leurs jambes.

— Ah les femmes!, disait Jack.

Les deux vieux amis se sourirent. Combien de conversations sur les femmes avaient-ils eues au cours de toutes ces années? Impossible à recenser, le nombre n'existait pas.

— Les femmes! Elles n'apportent que des complications.

Harry rit à son tour. C'était un grand costaud, complètement chauve mais qui portait avec fierté une grosse moustache blanche.

— Qu' y a-t-il à présent?, demanda-t-il en riant.

— Il m'a fallu ralentir l'affaire avec Cleary. Sylvia prétend que je dois donner sa chance à Elaine. Et si elle faisait l'affaire? Pour l'instant, je ne peux éviter d'en tenir compte. Quel casse-tête chinois! Dès qu'une femme se mêle de nos affaires, les ennuis commencent.

Harry souleva un sourcil.

— Allons Jack, ne jette pas le blâme sur Elaine. Je te connais trop. Ce n'est qu'un prétexte.

Jack tira quelques bouffées de son cigare sans rien dire. Puis il regarda Harry droit dans les yeux:

— Tu es le seul devant qui je l'admettrai, mais tu as raison. Quand tu as raison, tu as raison Harry! Et cette fois, tu as visé juste. Je me suis emporté le soir de l'Action de grâce, je l'admets. Je les ai tous regardés et je me suis demandé ce que je pouvais faire pour eux que personne d'autre que moi ne ferait. Tu sais ce qui s'est passé.

— Je sais. Me prends-tu pour un aveugle? Depuis ce temps, tu es devenu indécis. Tu n'es plus le Jack Strauss que j'ai connu pendant plus de quarante ans.

Jack acquiesça.

— J'ai agi sur un coup de tête et une fois les paroles prononcées, je me suis senti obligé de m'y conformer. Il faut bien voir les choses en face. Je ne suis plus de la première jeunesse; pourtant, je n'ai pas encore dit mon dernier mot.

Harry leva sa tasse de café pour saluer cette déclaration.

— C'est à moi que tu le dis? Tu me bats encore au base-ball!

— Sais-tu l'impression que j'ai?, demanda Jack en posant les coudes sur la table, l'air sincère. J'ai voué toute ma vie à ma compagnie. Et ça m'a rapporté gros. A présent, je devrais vendre?

Il secoua la tête.

— Ce serait la même chose... Je ne sais plus... Ma fille! Les femmes ont des enfants, les hommes des compagnies.

Enchanté de ses propres paroles, il les répéta.

— Alors pourquoi ne pas abdiquer en faveur de tes enfants?

— Je devrais tout léguer à une bande de femmes qui ne sauront pas gérer l'entreprise?

— Attention Jack! Je connais Elaine et elle a l'étoffe d'une femme d'affaires. Il n'y a aucune raison pour qu'elle ne sache pas diriger ta compagnie.

Harry sourit et s'exclama:

— Ha! Ha!

— Quoi?

— Ha! Ha! dis-je. Ça t'ennuie parce que tu ne veux pas partager le pouvoir avec Elaine. J'ai découvert le pot aux roses!

Jack repoussa cette suggestion d'un geste de la main.

— Tu sais autant que moi qu'il ne peut y avoir qu'un seul patron. Et ne me parle pas de partenaires égaux, Harry. Si je donnais cinquante pour cent des actions à Elaine... En moins de deux, elle serait seule maîtresse à bord. Exactement comme sa mère.

Harry secouait la tête en rallumant son cigare avec beaucoup de soin.

— Il me semble que jamais Sylvia n'a tenté de coup d'état. Il me semble qu'elle t'a toujours soutenu à cent pour cent. Elle t'a donné un foyer, a élevé tes trois belles filles, parmi lesquelles on compte un médecin. Il me semble que si Elaine a de qui tenir, elle le tient de son vieux.

Il regarda Jack par-dessus ses lunettes.

— Tu ne connais pas Sylvia aussi bien que tu le prétends, Harry. Selon toi, elle a toujours été une femme admirable. Tu n'as pas eu à vivre avec elle. Ne te méprends pas le sens de mes paroles. J'adore cette femme mais elle a toujours eu une grande gueule. Lorsqu'elle était plus jeune, je n'avais jamais un moment de calme et de repos. «Rentre tôt à la maison.» «Rentre plus tôt.» «Pourquoi passes-tu tant de temps à ton club? Y-a-t-il une strip-teaseuse?» «On vient de lancer la première balle de la saison au Yankee Stadium. Je ne verrai plus mon mari d'ici la chute des feuilles.» Mais pourquoi est-ce que je te raconte tout ça? Tu l'as déjà entendu toi-même.

— Ouais, ouais. Je me souviens du temps où tu as pris une maîtresse. Sylvia était si jolie, je n'ai jamais compris ce qui t'attirait chez l'autre.

— Ma maîtresse, répéta Jack en adoucissant sa voix. J'avais de bonnes raisons, crois-moi. Je me sentais prisonnier. Deux petites filles et un troisième bébé en route. Mon avenir était clairement tracé et je n'avais aucun moyen d'y échapper. Je ne sais pas comment l'expliquer. Je suffoquais. Et puis j'ai rencontré la petite Linda Collins, Miss Subways, blonde, douce, belle comme une image, gentille... et cet accent du Sud! Intelligente en plus; mais elle savait se taire. Elle faisait ce que je lui demandais, et prenait plaisir à le faire. Elle m'adorait. Elle était là pour moi; j'aurais été fou de refuser une telle offre. Et n'oublie pas que Sylvia n'a pas voulu que je l'approche pendant sa grossesse; j'étais presque maboule! Linda a probablement sauvé mon mariage.

— C'est ce que tu as toujours prétendu, commenta sèchement Harry.

— C'est vrai! Linda était championne au lit. Elle l'est toujours.

Il eut un sourire satisfait.

— Essaies-tu de me dire qu'encore aujourd'hui...?

— De temps en temps. Quelquefois, j'en ressens le besoin pressant. Dieu merci!

Ils s'esclaffèrent.

— Bon, je dois y aller. J'ai promis à Elaine de lui fixer un rendez-vous. A présent que j'ai mis l'affaire Cleary en veilleuse, il me faut tenir parole. Je ne devrais pourtant pas me montrer si généreux avec elle. Pas après tout ce qu'elle m'a dit à l'Action de grâce. Et devant tous mes invités.

— Mieux vaut avoir une fille qui parle trop, qu'une fille qui ne parle pas du tout!

Jack acquiesça d'un signe de tête.

— Te souviens-tu Jack de ces cinq années au cours desquelles ma Mimi ne voulait plus me voir? J'ai vécu un véritable enfer.

J'aurais tout donné pour qu'elle vienne dîner à l'Action de grâce, même pour me faire des reproches. Mais elle ne voulait pas entendre parler de moi. Et pourquoi, je te le demande? Je n'en sais toujours rien.

— Comment savoir? Stan Weiss me dit que son aînée ne lui a pas adressé la parole en vingt-six ans. Il en fait des ulcères.

Ils échangèrent un regard plein de compréhension. Décidément la vie serait moins compliquée sans les femmes.

chapitre onze

Jeudi 19 décembre 1985.

La salle fut soudain inondée de lumière rose et les mannequins commencèrent la présentation de la nouvelle collection. Les haut-parleurs diffusaient en sourdine des oeuvres de l'école romantique de Mantovani, comme Howard se plaisait à les qualifier. Rien qui soit trop tapageur. Eva parut la première, dans une tunique pêche drapée à la grecque. Puis vint Tiffany portant une chemise de nuit en satin ivoire, et enfin Ginger dans un modèle jade en point d'esprit. Ginger était le meilleur mannequin parmi toutes celles qui participaient à la parade. Elle devait à son ascendance irlandaise un teint d'albâtre, de grands yeux verts et une chevelure cuivrée que les chimistes de chez Clairol ne parviendront jamais à reproduire. Ce qui la distinguait des autres mannequins était sa présence. Elle rayonnait de fraîcheur et de joie de vivre. Elle faisait augmenter les ventes de tous les modèles qu'elle portait. Elle avançait telle une nymphe, vêtue d'un court déshabillé, chaussée de mules à talons hauts assorties au jade de sa tenue légère. Elle retourna derrière les lourds rideaux de velours fuschia et vint à nouveau parader devant les deux clientes qui écoutaient les commentaires d'Howard. Ginger posa la main sur sa hanche, pivota, imitée par son image réfléchie par le miroir posé derrière elle; elle se tourna pour montrer le décolleté du dos et la dentelle qui découvrait la chute de reins, puis, de nouveau, elle fit face au public.

«Merde!», songea Elaine en essayant de conserver son sourire de femme intéressée. L'acheteuse de chez Neiman-Marcus était enfin là, à ses côtés, et faisait signe à Ginger de s'approcher. Elle remarquerait à coup sûr les yeux rouges et cernés. Ginger savait pourtant qu'elle devait éviter de se présenter dans cet état. Elaine était furieuse. Elle se moquait éperdument de l'amour qui liait Ginger à ce goujat, elle était dégoûtée d'en entendre parler et plus encore de voir arriver son mannequin-vedette en piteux état au moins une fois par mois! On la payait, et grassement, pour qu'elle se présente au travail fraîche et dispose, débordante de vitalité et de sex-appeal. Elle faisait le coup pour la quatrième fois et ce serait la dernière! Trop c'était trop! Avec la mine qu'elle avait aujourd'hui, on pourrait s'estimer heureux de vendre une paire de bas-culotte à un prisunic.

Lorsque Ginger s'approcha pour que l'acheteuse puisse toucher le tissu et examiner les détails de la dentelle, Elaine se rendit compte que le mannequin avait l'air encore plus misérable qu'elle se l'était d'abord imaginé. Des larmes embuaient son regard. Elle retiendrait dix dollars sur son salaire pour chacune des larmes qui coulerait. Une professionnelle ne se comportait pas ainsi au travail. Pour faire diversion, Elaine bavardait avec Sandra Goodman. Heureusement qu'elle connaissait bien sa marchandise! Il était cependant moins facile de conserver son charmant sourire et d'affecter l'enjouement. «Tu ne perds rien pour attendre, Ginger!», se promettait-elle en silence. «Tu vas te retrouver au bureau d'assurance-chômage si vite que tu ne sauras pas ce qui s'est passé.»

Elaine se fit volubile pour capter toute l'attention. Elle consentirait une réduction à partir de l'achat d'une certaine quantité. Si Sandra Goodman discutait d'une éventuelle réduction, elle présumait que Neiman-Marcus avait l'intention d'acheter certains modèles de Sexy Follies. Ce ne serait certainement pas grâce à Ginger! Les dégâts étaient donc évités pour cette fois. Mais elle ne pouvait laisser la vie privée de Ginger causer des ravages chez elle. Cette fois elle ne céderait pas. Peu importait ce que Howard dirait, Ginger était licenciée.

Elaine eut du mal à se contenir jusqu'au moment où madame Goodman rédigea quelques notes, passa une commande et fit quelques commentaires élogieux au sujet des chemises de nuit. Elle demanda gentiment si la commande parviendrait chez Neiman-Marcus dans les délais prévus. Elle partit enfin et Elaine aurait pu savourer son moment de triomphe car elle y travaillait depuis dix-huit mois. Mais à cause de Ginger, elle avait envie d'exploser. Elle consulta sa montre. Elle avait tant de choses à l'agenda aujourd'hui; elle recevrait deux appels très importants d'une minute à l'autre. Elle se demandait quelquefois si tous ses efforts étaient bien utiles, et elle répondit immédiatement par l'affirmative. Que serait la vie si on ne concluait jamais de transactions? Evidemment, la vie était moins compliquée à l'époque où sa compagnie faisait seulement de la vente par catalogues. Pas d'acheteurs, pas de présentation de collection chaque saison et pas de mannequins. Lorsque les filles capricieuses piquaient une colère, c'était le photographe qui écopait. Depuis qu'Howard et elle avaient décidé de devenir grossistes, les problèmes n'avaient pas cessé. Tout le temps d'Elaine y passait, sans compter sa bonne humeur.

D'un signe de tête elle invita Howard à la rejoindre dans son bureau. Elle fit un détour par la grande loge pour réprimander Ginger. Leurs regards se croisèrent dans la glace. Ginger semblait effrayée. Bien. Elle avait raison de l'être. Elaine se rendit à son bureau, prit place derrière son imposant secrétaire tandis que Howard se tenait debout derrière elle les bras croisés. Ginger entra dans la pièce, honteuse. Dès qu'elle aperçut Howard, elle se mit à pleurnicher. Elle n'eut rien à dire; Howard lui ouvrit les bras. «Quelle petite nature!», songea Elaine.

— Toujours ce Teddy Fox, lança-t-il. Il te fait encore pleurer.

Elaine regarda son mari avec la résignation d'une femme aimante. Qu'aurait-elle pu y faire? Ils avaient à leur emploi six mannequins, une comptable qui faisait aussi office de secrétaire, deux messagers, une couturière et une femme de ménage; chacun et chacune se confiaient à Howard sans rien lui cacher. Il les aimait et veillait sur eux. C'était le seul homme qu'elle eût jamais connu à se montrer si attentionné envers les femmes. Papa avait osé le traiter d'efféminé. Papa pouvait bien dire ce qu'il voulait; elle savait de quel bois Howard était fait. Ginger s'apitoyait sur son sort.

— Et ce n'est pas le pire..., gémissait-elle.

«Et puis quoi encore?», songea Elaine. «Il ne manquerait plus qu'elle ait fait une bêtise et qu'elle soit enceinte!»

— J'ai déjà mangé cinq livres de chocolats. Lorsque nous nous sommes quittés l'été dernier, j'avais engraissé de dix livres. Je sais que ça va se reproduire s'il ne quitte pas Miranda.

— Ginger, prononça Elaine d'une voix dure. Ça suffit! Assieds-toi et écoute-moi. Tu nous as fait ce coup trop souvent. Je suis désolée mais je dois te remercier de tes services...

— Mais madame, ça ne se reproduira plus jamais! Je vous le promets.

— Comme tu nous l'as déjà promis trois fois! Assez! Tu as déjà eu droit à plusieurs avertissements. Je ne laisserai pas les névroses de Ted Fox empiéter sur mes affaires. Si tu n'as pas l'intelligence de te débarrasser de ce crétin, je ne peux rien pour toi. A cet instant même, tu viens de joindre les rangs des chômeurs. Tu recevras une indemnité de licenciement, ne t'en fais pas.

Ginger n'écoutait déjà plus. Elle pleurait à chaudes larmes, démunie. Howard lança:

— Elaine!

Elle connaissait bien ce ton. Il signifiait: «Ne sois pas si dure, Elaine. Accorde-lui une autre chance. Vois comme elle est malheureuse. Après tout, il ne s'agit pas d'un lot de Charmeuses en satin mais bien d'un être humain.» Tout cela, il le lui avait dit avant que Ginger ne soit là. Zut! elle avait horreur de se dédire. Si on lui cédait, cette pauvre fille n'apprendrait jamais à se tenir debout. Tant pis! Pourquoi ne pas garder Ginger? Si les choses se passaient comme elle le souhaitait, dans quelques mois elle n'aurait plus à se préoccuper de Ginger ni d'aucun autre mannequin. Plus jamais. Elle travaillerait à plein temps chez Strauss Construction et toutes les responsabilités de la lingerie reviendraient à Howard.

— Ah! et puis flûte, dit-elle. Ginger cesse de pleurer. Tiens, prends un Kleenex. Essuie tes yeux, tu fais peur à voir. Je fais un marché avec toi, d'accord?

Ginger acquiesça en se mouchant.

— Tu laisses tomber Ted Fox... pas d'obstination, pas question de remettre ça à la semaine prochaine ou à plus tard. Tu le laisses tomber ou nous te laissons tomber. Point à la ligne. Est-ce entendu?

Howard flattait paternellement le dos de la jeune femme et la consolait à mi-voix:

— Tu verras ma chérie. Elaine a raison. Tu seras mieux sans lui. Prends congé cet après-midi. Demain aussi. Va au gymnase et fais de l'exercice, va au sauna et fais-toi masser. Tu rencontreras plein de gars. T'es trop belle et trop gentille pour te caser tout de suite.

Ginger se répandait en remerciements mais Elaine ne l'écoutait déjà plus. Elle planifiait le lendemain. Qui pourrait remplacer cette fille? Il faudrait téléphoner à l'agence et retenir les services d'une fille mesurant six pieds. Elle en prit note et se tourna vers Howard, son mari-amant-partenaire-père de son fils.

— Enfin seuls!, dit-elle en souriant.

— Laisse tomber tes salades à l'eau de rose!, dit-il en riant. Donne-moi à manger, je suis affamé. J'ai toujours faim quand une belle femme vint pleurer sur mon épaule, tu le sais.

Elaine se leva sur le champ et se rendit à la cuisinette en gris et rose qu'elle avait fait aménager dans un coin du bureau. Elle ouvrit le congélateur en disant:

— Soit les escalopes à la Kiev, soit l'aubergine parmigina... Oh! Ton plat préféré mon chéri. Du chili. Qu'est-ce que t'en dis?

— Va pour le chili!

Elaine plaça les deux récipients de plastique dans le four à micro-ondes et pressa trois boutons en disant:

— J'adore cuisiner ici!... Pourquoi ris-tu?

— Quand fais-tu la cuisine au bureau?

— C'est exactement ce que j'aime! Et le jour où je dirigerai Strauss Construction en te laissant ici tout seul comme un grand, tu apprécieras cette cuisine autant que moi pour la même raison.

Ils s'esclaffèrent et elle songea à quel point elle avait de la chance de l'avoir à ses côtés. Elle riait encore lorsqu'il se râcla la gorge pour dire sérieusement:

— Elaine?

— Oui? Qu'y a-t-il?

— Rien. Rien de grave. J'ai réfléchi, c'est tout. Mais si tu réalises ton voeu le plus cher- bien que je ne comprenne absolument pas pourquoi tu veux te mesurer aux requins de l'immobilier- alors je crois que moi aussi j'ai le droit de réaliser un voeu.

Elaine le dévisagea, la bouche ouverte.

— Tu me coupes le souffle. Alors dis-moi. Quel est donc ton voeu le plus cher? Si ce n'est pas d'étendre les ramifications de Sexy Follies, je donne ma langue au chat.

Il caressa la main de sa femme.

— Il y a plusieurs années que je n'y songeais plus... Mais autrefois, je voulais devenir psychiatre. Ne ris surtout pas!

— Petit cachottier! Je pense que tu ferais un excellent psychiatre. Il y a quelques instants à peine, je me disais que tu es très attentif aux problèmes d'autrui. Alors, vas-y!

— C'est tout. Je veux retourner à l'université et passer un doctorat en psychologie. J'ai parlé au doyen du département de psychologie de l'université de New-York. Si notre ami Park de la Corée nous fait une offre intéressante, et si tu diriges Strauss Construction, alors je retournerai sur les bancs de l'école.

Elaine sourit.

— Même si je n'assure pas la direction de Strauss, tu devrais y aller quand même. Je peux m'occuper de notre affaire toute seule. Je ne m'amuserai pas autant mais tant pis! Je serai peut-être ta première cliente...

— Patiente, corrigea-t-il. C'est une excellente idée, tu ne crois pas? Dieu sait que les mannequins auraient besoin d'un bon psychiatre! Je m'occuperai d'abord de Ginger, pauvre enfant.

— Ginger, pauvre enfant? Je l'ai déjà prise en pitié mais c'est fini à présent. C'est toujours la même histoire. Son idiot de gigolo devrait lui mentir un peu, elle ne s'en porterait pas plus mal.

Howard lui lança un regard désapprobateur.

— Elaine! Tu crois que les gens devraient se mentir? Tu crois qu'on peut bâtir ainsi une relation sincère?

Il y eut un silence.

— Oui, quelquefois. Il n'y a rien d'édifiant à dire la vérité à propos de tout. La vérité et rien que la satanée vérité. Ça peut faire terriblement mal. Ted aurait pu lui éviter bien des souffrances en lui dissimulant ses aventures.

Elle fit une autre pause.

— Comme papa l'a fait.

— Elaine!

— Je lui en suis reconnaissante. Au moins il n'a pas fait souffrir Sylvia.

— Elaine, tu n'en es pas absolument certaine.

— Je sais tout. Linda l'a presque admis.

— Presque admettre n'est pas admettre. Elle a peut-être voulu t'embêter. Ou elle a peut-être tiré quelque plaisir en vous laissant croire à une liaison?

— Peut-être aussi que cette histoire est vraie.

— Peut-être. Et même si c'était vrai, pourquoi ne pas l'oublier?

— Oublier? Mais tu perds la tête! Cela change tout, ne vois-tu pas?

— Non, ça ne change rien. Ce n'est pas parce qu'un homme a une aventure une fois dans sa vie, d'accord deux fois. Ecoute, ça ne change rien au fait qu'il soit un bon mari et un bon père.

La sonnerie du four à micro-ondes se fit entendre. Howard apporta les deux récipients fumants à la table où ils prirent place pour déjeuner.

— Un bon mari!, dit-elle d'un ton amer. Un bon père, bien sûr. Un bon menteur, voilà ce qu'il est! Il a toujours manipulé son entourage. Avec son supposé charme et son air de gentleman. Mais vois ce qu'il m'a fait. Il n'a jamais voulu que je sois intégrée à ses affaires et, tu l'as remarqué, j'en suis exclue. Même si j'ai prouvé ma compétence maintes et maintes fois...

— Je t'en prie, ne remue pas le passé.

— Qui parle du passé? Qu'est-il advenu la semaine dernière alors que j'avais rendez-vous avec lui, hein? Tu vois de quoi je parle? D'une manière ou de l'autre, il obtient toujours ce qu'il veut, de la façon dont il l'entend. A une exception près, ajouta-t-elle d'un ton moqueur.

— Laquelle?

— Sa salle de séjour...

— Quand ta mère a refait la décoration lorsqu'il était en voyage d'affaires?

— Ouais, cette fois-là.

Elle rit de plus belle.

Jusqu'alors la salle de séjour ressemblait à une véritable porcherie. Une odeur de fumée de cigare l'empestait en permanence; on n'y voyait goutte car Jack aimait la pénombre et des lambris de noyer; le mobilier était hétéroclite et minable. Tout était usé. Pour compléter le tableau, il laissait tout traîner. C'était son territoire et il ne ramassait rien. Jusqu'au moment où il partait pour le bureau. Sylvia et Elaine entraient alors dans la pièce pour ouvrir les fenêtres et mettre de l'ordre.

La salle de séjour était le refuge de tous ses copains qui venaient se plaindre d'épouses revêches ou recouvrer leurs forces après une beuverie. La petite Elaine voyait tous ces hommes grincheux et non rasés sortir de cette pièce sombre dont, sans savoir pourquoi, elle ne s'approchait jamais. Sylvia le suppliait de la laisser s'occuper de la salle de séjour.

— Que pourrais-tu y ajouter?, demandait-il en riant. Il n'y a rien à changer; c'est parfait comme ça.

— Les filles grandissent; il leur faut un endroit où recevoir leurs amis.

Elle pensait à d'éventuels amis de coeur, même si Elaine et Deena ne fréquentaient pas encore les garçons. Quand Jack signifia son refus, Sylvia répliqua avec force:

— Je veux être prête à toute éventualité.

Après plusieurs jours de harcèlement, il frappa du poing sur la table et décréta:

— Sylvia, ça suffit! Nos filles n'ont pas besoin d'une pièce pour recevoir leurs amis. Nous avons emménagé dans ce grand appartement pour qu'elles aient chacune leur chambre. J'ai droit moi aussi à une pièce qui me soit réservée, n'est-ce pas?

Sylvia avait rétorqué sèchement:

— Ma pièce à moi, où est-elle?

Elle avait serré les lèvres lorsqu'il avait répondu en badinant:

— T'en as une pièce à toi toute seule. La cuisine!

Elaine, alors âgée de douze ans, avait réagi:

— Papa, nous n'avons pas déménagé pour que Deena et moi ayons chacune notre chambre. Nous avons déménagé parce que tu disais que nous vivions au-dessous de tes moyens et que cela nuisait à ton standing!

Elle avait cru qu'il la giflerait mais il s'était contenté de se lever et de sortir d'un pas lourd pour manifester sa mauvaise humeur. Elle savait qu'elle avait raison. Elle les avait souvent entendus se disputer à ce sujet lorsqu'ils résidaient dans Peter Cooper Village. Sylvia ne voulait pas déménager.

— Il y a un parc en face de l'immeuble et toutes leurs amies sont ici. Attends encore quelques années, ça vaudra mieux.

Mais il n'avait pas voulu attendre, alors ils avaient déménagé. Elaine et Deena avaient eu chacune leur chambre. Et lui, sa salle de séjour. Cet homme si soucieux de son image s'entêtait lorsqu'il s'agissait de sa salle de séjour, toujours malpropre et en désordre. Il marquait peut-être son ascendance en rompant ainsi avec la décoration opulente qu'il avait imposée au reste de l'appartement. Elaine n'en avait jamais été certaine. Lorsqu'elle fut d'âge à recevoir ses cavaliers à la maison, sa mère revint à la charge.

— Tu ne veux tout de même pas qu'elle emmène les garçons dans sa chambre, Jack?

Ces mots avaient produit de l'effet. Jack était revenu sur sa décision. Sylvia pourrait redécorer la pièce si elle insistait. Mais il s'était toujours arrangé pour qu'elle n'ait pas les fonds nécessaires. Sylvia avait donc économisé dix dollars par semaine sur son allocation et avait attendu le moment d'agir. Lorsqu'il s'était absenté pendant une semaine pour aller visiter des usines au nord de l'état, elle était passée à l'action. Une armée de peintres et de tapissiers sous les ordres d'un décorateur prénommé Philippe avaient envahi la salle de séjour et en étaient ressortis victorieux. Les tons de vert fade, de beige sali et de brun usé avaient disparu. La nouvelle pièce avait des allures de bibliothèque anglaise, décorée d'un tapis écossais, de scènes de chasse dans des cadres dorés, d'un faisan empaillé et de fauteuils de cuir marron cloutés de laiton. La décoration était très réussie, du moins au goût des femmes de la maison. Elaine se souvenait comme sa mère était anxieuse de recevoir l'approbation de Jack.

— Il va beaucoup aimer. Qu'en dis-tu, Elaine?

— Quand tout fut terminé, ce que j'aimais le mieux dans cette pièce c'était les lampes. Si tu avais vu les lampes, Howard! Deena et moi en raffolions. Trois fiers vaisseaux aux mâts desquels flottaient des oriflammes et dont la lumière, lorsqu'on les allumait, émanait des hublots. La Nina, La Pinta et la Santa-Maria. Ces lampes étaient géniales. Je me demande où elles sont passées.

Elaine posa sa fourchette et chercha au fond de sa mémoire.

— Attends un peu... Earline les aimait bien et lorsque Sylvia a refait la salle de séjour il y a quelques années, elle les lui a données.

— Les vaisseaux ont donc navigué vers le Nord, à destination de Harlem, dit Howard avec un sourire.

Elaine se leva, alla vers lui et posa un baiser sur son front.

— Merci d'être intelligent et si merveilleux!

Retournant à sa place, elle poursuivit:

— Evidemment, il n'a pas aimé.

— Qui? Quoi?

— Papa. La salle de séjour. Lorsqu'il est rentré. Il était furieux. Il a reproché à Sylvia sa tyrannie. Tyrannique! Il lui avait promis cette rénovation pendant toute une année. Il avait fallu à Sylvia au moins un an pour économiser une telle somme. Il était si fâché qu'il n'a même pas remarqué la banderole de bienvenue que Deena et moi avions fabriquée à son intention. Il a tourné les talons et il est sorti sans dire un mot. Je ne me souviens plus s'il est rentré à la maison ce soir-là... A présent, je sais où il est allé.

Howard se montra patient et répliqua:

— Tu n'es certaine de rien.

— Tu es aussi naïf que Deena. Elle cherche des prétextes pour tout expliquer. Elle soutient qu'il ne s'est rien passé. Lorsque je parviens à lui faire admettre qu'il s'est peut-être passé quelque chose, elle prétend alors que ce n'était pas la faute de papa. Elle croit que son père est parfait, voilà le problème! Elle ne veut à aucun prix que la réalité vienne ternir l'image qu'elle se fait de lui. Ce qu'elle est naïve! A-t-elle pu croire un seul instant qu'il a donné les actions de Sylvia à Linda parce que c'est une employée loyale? A d'autres que moi!

— Pourquoi n'essaies-tu pas de comprendre son point de vue?

146

— Non merci. J'ai essayé de lui faire entendre raison. Pas moyen. Deena est incapable de faire face à la réalité. Jamais elle n'a osé affronter ce qu'elle ne voulait pas voir ou savoir. Jamais!

— Elaine, on ne doit pas nécessairement se confronter à tout, tu sais. Il faut quelquefois user de délicatesse.

— Au diable la délicatesse! Il s'agit de Jack!

— Et qu'est-ce que ça change?

— Nous sommes enfin à égalité. Presque à égalité. Finalement, je dispose d'une arme contre lui.

— Elaine chérie, cela ressemble bigrement à du chantage.

— Toi, tu n'as pas peur de mots mon amour! Tu as raison à cent-deux pour cent.

— Je ne te croyais pas sérieuse.

— Non? Eh bien je le suis. Jusqu'à présent papa a toujours fait la loi. Eh bien à partir de maintenant, c'est Elaine qui fera la loi. Voyons comment il réagira en se mesurant à cette forte personnalité!

chapitre douze

Mardi 24 décembre 1985.

— Deena et son mari sont partis?

Flo Edelstein se versa une tasse de café en demandant:

— Quelqu'un veut une seconde tasse?

Quatre mains se levèrent en même temps et Flo éclata de rire. Toutes les adeptes du groupe des Femmes judaïques étaient, selon leur habitude, arrivées plus tôt afin de bavarder avant que rabbi Sally ne les rappelle à l'ordre.

— En bateau?, poursuivit-elle.

Sylvia joua de la prunelle et expliqua:

— A bord d'un grand voilier. Ne me demande pas d'où leur vient cette idée. Ça ressemble à une croisière et ça n'en est pourtant pas une. Ils sont pieds nus toute la journée et on leur a conseillé de ne pas emporter de vrais vêtements. Seulement des bermudas et des maillots de bain.

— Tu veux dire qu'ils ne se changent pas pour le dîner?

Molly Farber venait de parler avec ce fort accent du Bronx que quarante années de richesse et de privilèges n'avaient pu atténuer.

— *Oy!* En croisière, c'est le seul moment où Herb m'emmène danser, et j'y serai en février prochain à bord du *Queen Elizabeth II.*

— Au moins Herb te fait danser, répondit Sylvia. Moi, personne ne m'invite.

149

Molly la regarda par-dessus ses lunettes.

— Je ne veux pas t'entendre bavasser contre l'homme merveilleux que tu as épousé. Si Mon Herb ressemblait un tant soit peu à ton Jack...

Molly laissa échapper un profond soupir en posant les mains sur son coeur.

— Ce n'est pas tout d'être beau, murmura Sylvia. Ta mère ne te l'a donc jamais enseigné?

Flo plaça son mot:

— Allons Sylvia, Jack est l'homme le plus populaire de tout l'univers. Tout le monde s'entend là-dessus. Crois-tu qu'on l'a élu président du Men's Club à cause de son apparence? Non. C'est parce qu'il a de l'entregent. Voilà pourquoi! C'est Murray qui me l'a dit.

— Tu es trop modeste, Sylvia. Ton mari est le plus beau et le plus sociable de tous nos hommes, lança Harriet Stone. Laisse tomber Irène. Sociable n'est pas un mot de mon invention. Tu le saurais si tu ouvrais un livre de temps en temps. Flo, toi aussi tu as de la veine. Ton mari te fais danser sur un paquebot? Fabuleux! Lou va m'emmener à la pêche à bord d'un bateau, mais danser? Jamais!

La gaieté générale s'ensuivit et Harriet opina d'un grand signe de la tête.

— Même au mariage de notre fils Steve, il n'a pas voulu danser avec moi la valse anniversaire. Les parents de la mariée avaient déjà ouvert le bal et lui s'entêtait à me dire non. Jusqu'à ce que sa soeur l'oblige à danser!

Les cinq femmes éclatèrent de rire encore une fois. Elles connaissaient bien les enfantillages des hommes. Sylvia parvint à dire en riant:

— Deena et Michael se trouvent quelque part dans les Caraïbes et j'espère qu'ils en profitent. Michael prétend que c'est leur seconde lune de miel.

— Ce qu'il est romantique!

— Romantique, répéta Sylvia. Je l'espère. Il y a peu de couples qui font une seconde lune de miel de nos jours.

Les trois autres femmes s'écrièrent en choeur:

— Qu'ils vivent en paix et en santé, *kayn aynhoreh!*

— Qui garde les enfants?, s'enquit Florence.

— Quels enfants? Ils sont grands à présent. Les deux filles sont parties faire du ski. Tout le monde fait du ski de nos jours. Quand j'étais jeune, les Juifs ne skiaient pas.

Sylvia fit une pause pour mieux récolter les éclats de rire auxquels elle s'attendait puis continua:

— Comme vous le savez, Nat, l'aîné, étudie la médecine. Il est presque docteur à présent. Il peut se passer d'une gardienne. La plupart du temps.

De nouveau les rires fusèrent.

— Quant à Saul, Deena voulait qu'il vienne chez nous.

Elle posa sa tasse de café et pouffa de rire.

— Dieu merci il n'a pas voulu! Je lui téléphone tous les jours pour l'inviter à dîner à la maison. Mais nous habitons trop loin de Brooklyn Heights, tu parles! Ça n'est plus un enfant, on doit le laisser libre de ses décisions.

— Surtout pour un garçon. Il ne faut pas l'élever comme une femmelette.

— Tu devrais avoir honte, Irène Katz! Et tu te vantes d'être une femme libérée?

— Tu sais ce que je veux dire...

— Tout ce que je sais, c'est que mon petit-fils a la bosse de l'informatique et qu'il se nourrit probablement de pizza et de glace au butterscotch. Il est temps que grand-maman lui fasse parvenir une trousse d'urgence: un tendre morceau de boeuf fumé, des crêpes de pommes de terre, un peu de foie haché de chez Zabar. Si la montagne ne vient pas à Sylvia, Sylvia ira à la montagne.

— C'est toi qui devrais avoir honte! cria Irène, une note de triomphe dans la voix. S'il s'agissait de l'une de tes petites-filles, je te garantis que tu ne te traînerais pas jusqu'à Brooklyn avec deux sacs d'épicerie. Et tu viens me dire que je ne suis pas libérée!

— Moi, je suis libérée. C'est Saul qui ne sait pas cuisiner.

— Sylvia, toujours la bonne réponse. Tu tournes toujours tout à la blague.

— Jack prétend que si on ne sait pas rire, vaut mieux mourir.

Molly Farber, jouant la grande pacificatrice, mit fin au débat:

— Mes petits-enfants vivent en Israël et lorsqu'ils me rendent visite, trop peu souvent à mon goût, ils ne mangent que des mets américains. Et savez-vous ce qu'ils considèrent comme de la cuisine américaine? La pizza et les mets chinois!

Un grand éclat de rire fusa de l'entrée. Elles se tournèrent et sourirent à une jeune femme blonde portant une jupe écossaise et un chandail de laine angora. On aurait dit une couventine souriant à un groupe de dames assises autour d'une grande table.

— Eh bien, voilà rabbi Sally!, s'exclama Sylvia en faisant fi des remontrances discrètes d'Irène Katz. Cette dernière n'acceptait aucune irrévérence à l'égard de sa conseillère spirituelle. Tant pis pour elle!

— Bonjour Sally! Nous discutions d'indépendance féminine.

Irène toussa pour marquer sa désapprobation. Elle estimait que l'on ne devait ni tutoyer leur guide, ni l'appeler par son prénom.

Sally sourit.

— Vraiment? J'ai seulement entendu parler de pizza et de mets chinois. J'imagine qu'ils font aussi partie du processus d'émancipation des femmes. Mais je ne crois pas que la nourriture soit le sujet de discussion à l'ordre du jour.

— Mais ne nous réunissons-nous pas tous les mardis pour discuter de la vie des femmes juives contemporaines? Et s'il fallait en exclure la cuisine, nous n'aurions plus de vie!

Toutes éclatèrent à nouveau de rire, même Irène.

La jeune rabbi approcha son fauteuil de la table et accepta une tasse de café. Elle sortit de son porte-documents papiers, brochures et livres. Les femmes prirent leurs places respectives et on passa aux choses sérieuses. Le cabinet de travail était lambrissé de rayons de bibliothèque; un escalier en colimaçon grimpait à une petite mezzanine où se trouvaient une bergère de cuir et d'autres livres sacrés. Trois lampes Tiffany pendaient du plafond et diffusaient un éclairage discret sur le tapis oriental passablement usé. Une lithographie d'Andy Wharhol représentant Golda Meir était accrochée au mur; des reproductions de Chagall complétaient la décoration. Buvant une gorgée dans sa tasse fumante, rabbi Sally les informa:

— Aujourd'hui nous discuterons du mariage et du divorce chez les Juifs. Nous avons toutes lu les textes préparatoires, j'espère? Oui? Très bien. Alors, qu'en pensez-vous?

— Je me suis dit, commença Molly Forber en rougissant de timidité, que là encore les droits et les sentiments de la femme ne valaient pas plus qu'un bol de bortsch!

Une autre intervenante s'insurgea:

— Ce n'est pas tout à fait juste, Molly. Le contrat de mariage accorde à la femme...

— Laisse tomber le mariage! Je parle de divorce. Un homme peut demander tout ce qu'il veut mais qu'en est-il de la femme? On accorde le divorce sur demande, mais seulement aux hommes!

— Qu'y a-t-il Molly? Tu veux divorcer?

— Très drôle Harriet, très très drôle! Inez, ma fille qui vit en Israël, veut justement divorcer. Mais ce bon à rien de Gadi refuse, à moins qu'elle ne lui cède la maison et la voiture. La maison et l'auto que nous lui avons offertes en cadeau de noces! Et elle devrait les lui donner? A ce bon à rien! C'est trop injuste.

— Qu'elle prenne les enfants et qu'elle revienne ici, dit Irène. C'est la solution.

— Je sais, c'est ce que je lui ai dit: «Inez, reviens à la maison. Papa et maman sont là. Prends les enfants et rentre tout de suite.» Et vous savez ce qu'elle m'a répondu? Elle m'a dit: «Maman, c'est ici chez moi à présent.»

Rabbi Sally leva la main et les rappela à l'odre:

— Mesdames, je vous en prie, vous avez largement dépassé le cadre de la discussion. Souvenez-vous de ce dont nous avions convenu lors de la première rencontre. Nous nous en tiendrions au sujet du jour.

— J'aimerais bien le connaître, le sujet du jour, argua Molly Farber. Le judaïsme ne rend pas justice aux femmes!

Un murmure réprobateur courut dans le groupe.

— La fille de Molly Forber a des ennuis en Israël, dit Sylvia en haussant le ton pour se faire entendre, et déjà elle est prête à se convertir à une autre religion.

— C'est faux, Sylvia Strauss! Je n'ai jamais prétendu vouloir abandonner ma foi...

— Mesdames, mesdames, je vous en prie. Je pense que nous essayons d'affirmer que l'expérience féminine manque aux lois du judaïsme. Ce qui ne signifie pas qu'elle en soit totalement absente. Souvenons-nous de notre discussion sur l'aspect sexuel du mariage; l'obligation qu'a le mari de satisfaire son épouse...

— J'en ai parlé à Lou et il m'a dit: «Voilà où nous en sommes quand les femmes se mêlent de devenir rabbi!»

— Je croyais que tu allais nous dire qu'il avait mal à la tête!

— Aussi!

— Le mien à un mal de tête permanent. Il m'a dit: «Flo, ne m'en demande pas plus. Je suis déjà grand-père.»

— Pourquoi ne dis-tu rien Sylvia?

— A l'âge où nous sommes, le sexe n'est pas ce qui compte le plus.

— Alors qu'est-ce qui compte pour vous?

— Les enfants, répondit Molly immédiatement, recevant l'approbation générale.

— Un fils qui perpétuera le nom de la famille, ajouta Flo qui avait quatre fils.

— Qui portera le deuil de ses parents et qui les conduira en terre.

Irène venait de parler, insistant toujours sur l'étiquette.

— C'est exact, n'est-ce pas rabbi? Une fille ne peut pas porter le deuil.

Avant que la Sally ait pu répondre, Sylvia s'était levée, rouge de colère:

— Ce sont des idioties! Nous étions trois soeurs lorsque mon père est décédé, que Dieu ait son âme. Mon oncle, le frère de ma mère, est venu à la maison en se disant honoré de porter le deuil pour nous toutes. Mes soeurs et moi avons dit à notre mère: «Nous allons prier pour papa. Nous n'avons pas besoin qu'oncle Charles le fasse à notre place.» Maman était de la vieille école, mais cette fois elle nous a dit: «D'accord. Je sais que votre père, *alevai shalom*, préférerait entendre vos voix monter vers lui. Il n'a jamais aimé oncle Charlie.»

Les femmes rirent de cette remarque mais Sylvia ne plaisantait pas.

— C'est très sérieux, dit-elle. Nous sommes réunies pour discuter des expériences d'une femme juive. C'est une expérience de femme juive; nous sommes des citoyennes de seconde zone.

— Toutes les religions se ressemblent. Les religieuses catholiques ne se plaignent-elles pas de la même chose au pape?

— Les juifs devraient se montrer plus intelligents que les catholiques, répondit Sylvia. Je suis désolée, je tourne encore tout en dérision. Rabbi, s'il vous plaît, expliquez-moi: où est-il écrit qu'il vaut mieux naître du sexe masculin que du sexe féminin?

Flo répondit:

— Dans la Bible.

— Bien vrai! Et savez-vous à quel point le récit biblique est tronqué? La Bible dit qu'Eve fut tirée de la côte d'Adam. Et depuis quand les hommes donnent-ils naissance?

— Sylvia, ce n'est pas la signification du récit.

— Vraiment Harriet? Peux-tu nier le fait qu'en ce monde les hommes sont plus importants que nous?

Elle n'attendit pas la réponse d'Harriet et poursuivit:

— Lorsque j'étais jeune mariée, mon beau-père, ce vieux chameau, me donnait toujours le croûton du pain. Qui d'autre y avait droit? Vous toutes, j'en suis sûre. Il voulait ainsi s'assurer que je porte un garçon. Quand j'ai eu mon premier enfant, après quatorze heures de travail- Elaine était un gros bébé je vous assure- savez-vous ce que ma sainte belle-mère a trouvé à me dire? «Ne t'en fais pas Sylvia, la prochaine fois ce sera un garçon.»

Des murmures de protestation se firent entendre et Sylvia dévisagea une compagne, puis l'autre, jusqu'à ce qu'elle les ait toutes observées. Elles savaient de quoi Sylvia parlait. Harriet Stone s'exclama froidement:

— T'as fait à ta tête Sylvia. Trois filles!

Sylvia fit une légère grimace.

— J'ai effectivement fait à ma tête. Elle soupira et se rassit.

— Voulez-vous savoir quelque chose d'affreux? Pendant ma seconde grossesse, j'ai prié sans répit pour avoir un garçon. Même dans la salle d'accouchement je priais. « Dieu, faites que ce soit un garçon!» Un garçon! Vous m'entendez?

Son regard s'embua et elle cligna des paupières.

— Dommage que l'on vous ait élevées de la sorte, dit rabbi Sally avec douceur. Particulièrement depuis qu'on sait que la femme n'a aucun contrôle sur le sexe de son enfant.

— Bien vrai, glissa Molly Farber. Je me souviens de ma première grossesse. Ma mère ne voulait même pas entendre parler de la possibilité que ce fût une fille.

— Tout le monde pensait ainsi à cette époque, excusa Irène. Pourquoi en faisons-nous tout un plat? Nous sommes toutes grand-mères!

— Encore une fois, tu ne comprends rien, dit Sylvia. Ne vois-tu pas à quel point c'est horrible? Une femme devrait prier pour que l'enfant qui dort dans son sein soit un mâle. J'étais la mère d'une petite fille et je priais pour que mon nouveau-né soit un garçon. Quelle opinion avais-je de moi? Quelle valeur m'accordais-je en tant qu'être humain? Quelqu'un peut-il répondre à cela?

— Ça ne t'a pas empêchée d'avoir une troisième fille!

— Très drôle Irène, très drôle! J'ai eu ma troisième fille en souhaitant avoir un fils.

— Sylvia, tu fais toujours des drames!

— C'est ce que tu crois? Alors Molly tu n'as qu'à aller demander à ton cher Jack Strauss, celui que tu trouves si séduisant, celui qui est si populaire à la synagogue, va lui demander pourquoi il désirait un troisième enfant. Parce qu'il souhaitait un fils. Un fils qui prolongerait sa lignée et son nom. Quel nom? Je vous le demande. Qu'y a-t-il de si merveilleux à s'appeler Strauss? Si c'était Einstein peut-être, ou Freud. Mais Strauss? Je le lui ai demandé et vous savez ce qu'il a répondu?

— Non.

— Que croyez-vous qu'il ait répondu? Rien. Il s'est fâché et s'est enfermé dans sa salle de séjour. Deux mois plus tard j'étais enceinte.

Flo ajouta:

— Vous vous êtes donc réconciliés.

Sylvia et Flo échangèrent un regard complice.

— Nous nous sommes réconciliés, répéta-t-elle. J'avais presque trente-cinq ans et j'étais satisfaite de ma famille. Laissez-moi vous dire qu'Elaine et Deena suffisaient à occuper une mère. Mais il voulait un garçon plus qu'il ne voulait un enfant.

— Et vous?, demanda rabbi Sally. Avez-vous prié pour que l'enfant soit un fils, cette fois?

— Je ne m'en souviens plus, répondit Sylvia d'une voix douce. Mais je sais que j'ai eu avec Marilyn une attitude différente de celle que j'avais avec ses soeurs. Toujours.

— Nous nous comportons toutes de manière différente envers chacun de nos enfants.

— Ce n'est pas de cela que je parle Harriet, et tu le sais bien. Je ne me suis jamais attachée à elle comme à ses soeurs.

— Elle a pourtant bien réussi. Un médecin! Pas si mal!

— Qu'a donc été ma vie durant toutes ces années avec trois filles,en sachant que Jack voulait un garçon?

Sa voix trembla un peu lorsqu'elle dit:

— Oubliez cela. Désolée d'avoir pris autant de temps pour parler de moi. Où en étions-nous, Sally?

La théologienne sourit et répondit:

— Quelqu'un a demandé ce qui était important dans un mariage entre juifs et on a répondu les enfants.

Irène Katz inspira bruyamment, croisa les mains et se recueillit dans la position de la prière. Sylvia dissimula son exaspération; Irène s'apprêtait à devenir d'humeur poétique et s'attendait alors à ce que le monde entier cesse de vivre pour la regarder et la couvre d' éloges. Elle répétait souvent qu'elle était une femme sensible. Elle articula d'une voix d'oracle:

— Nos enfants assurent notre immortalité.

«C'est pire que je ne le craignais», songea Sylvia.

— Pour l'amour de Dieu Irène, fais preuve d'un peu plus d'originalité.

Irène pleurnicha:

— Nous sommes de très bonnes amies et je t'aime beaucoup, mais nous sommes quelquefois si différentes. Tu es très dure Sylvia, je l'ai toujours dit. Je préfère penser du bien de chacun. Je suis une femme très sensible.

Sylvia n'avait pas la force de se quereller avec elle. Irène était son amie d'enfance et son esprit avait cessé de se développer à la puberté. A quoi cela servirait-il de la forcer à comprendre, de l'obliger à penser intelligemment? Il était trop tard maintenant. Quelqu'un d'autre lui coupa la parole et la discussion se poursuivit jusqu'à l'heure du déjeuner. Les quatres amies décidèrent d'aller manger au Hunan Palace, mais Sylvia se désista.

— J'ai la migraine, prétexta-t-elle.

Ce n'était pas tout à fait la vérité. Son coeur était trop douloureux. Pourquoi avait-elle ravivé cette souffrance, ces souvenirs pénibles? Elle était si sûre d'être immunisée. Quand elle s'était résolue à accepter son sort, elle avait tout accepté sans broncher. Qu'est-ce qui lui avait pris de s'ouvrir ainsi à ses amies, de révéler les détails de sa vie privée? Après que les autres femmes eurent quitté la pièce, rabbi Sally posa la main sur l'épaule de Sylvia en disant:

— Quelque chose ne va pas?

Sylvia ne dit rien. Elle fixait sans la voir la lithographie représentant Golda Meir. Au bout d'un moment, elle parla enfin:

— A une certaine époque, j'ai sérieusement songé à quitter mon mari.

A présent elle regardait la jeune femme droit dans les yeux.

— J'y ai souvent pensé, mais j'y ai sérieusement réfléchi une seule fois. Vous savez, j'avais mis presque deux ans à mûrir cette décision. Deux années sans rien dire à qui que ce soit.

— Oui et puis?

— En fin de compte, je me suis confiée à la seule femme dont j'étais proche. Ma mère m'a alors dit: «Tu as fait ton lit, à présent il te faut coucher dedans.» Ma mère était ainsi. Quant à ma gynécologue, elle m'a dit: «Vous voulez qu'ils vous revienne? Ne vous en faites pas; ils reviennent toujours.»

— Vous ne l'avez pas quitté, affirma la belle rabbi Sally. Et tout semble s'être arrangé pour le mieux.

Une légère interrogation teintait cette affirmation.

— Oh oui! Très bien. J'ai une belle maison, une vie agréable, de merveilleux enfants, des petits-enfants adorables, un médecin, deux avocats et même un génie de l'informatique, Saul! On peut dire que j'ai tout ce qu'une femme peut désirer.

chapitre treize

Dimanche 11 juillet 1937.

Agée de vingt et un ans, en pleine possession de ses moyens, Sylvia Weinreb marchait sur des nuages. Le soleil était radieux en ce dimanche et le pont du ferry-boat sur lequel elle se trouvait était balayé par une brise marine qui ébouriffait sa chevelure. Elle n'ignorait pas que les regards des garçons étaient posés sur sa nuque. C'était une belle journée. Elle se tenait à tribord, appuyée au bastingage, encadrée de ses deux soeurs. Elles sortaient ainsi tous les dimanches; les autres jours de la semaine leurs parents les retenaient à la maison. Chaque fois, Sylvia se retrouvait entre ses soeurs: Helen à droite, Ruth à gauche. Chaque fois ses soeurs se querellaient. Si Helen disait noir, Ruth disait blanc; si Helen avait envie de visiter le jardin botanique de Brooklyn, Ruth voulait se rendre à Coney Island. Sylvia devait chaque dimanche appliquer le jugement de Salomon et trancher la question, ce qui ne lui déplaisait pas du tout. La chaude température, au-delà de trente degrés, l'avait incitée à opter pour le ferry qui se rendait à Staten Island et ce choix s'avéra judicieux. L'air était bon même s'il fallait sans cesse retenir son chapeau pour l'empêcher de s'envoler. Quand ses soeurs ne l'importunaient pas trop, elle s'imaginait en croisière à bord du *Queen Mary*, voguant vers des rivages inconnus où l'attendait un destin hors du commun.

Elle adorait le changement, la frénésie du carnaval, des foires, des noces et des *bar mitzvah*, la danse, le chant et les rires. Sa mère prétendait que Sylvia était née pour être hôtesse dans un lieu de villégiature. Sylvia aurait beaucoup aimé travailler dans une ambiance de loisirs et inciter les estivants à s'amuser, à faire une partie de croquet, à suivre les cours de yoga ou à prendre l'apéritif. La réalité était tout autre. Elle était à l'emploi de son père, dans son atelier de menuiserie situé à deux pas de Rugby Road où ils habitaient. La seule partie de plaisir qui lui était réservée consistait à tenir la comptabilité du commerce paternel. Elle aimait bien son travail malgré tout; ainsi elle avait l'impression de subvenir à ses besoins, même si elle vivait au domicile familial avec ses soeurs et ses parents. Elle préférait son sort à celui de sa soeur Helen qui donnait des leçons de piano en attendant le prince charmant, ou à la vie estudiantine de sa jeune soeur Ruth.

Elle aimait le monde des affaires, mais dimanche était jour de liberté. Elle pouvait alors se mêler à la foule qui débarquait à Coney Island, à Prospect Park ou qui embarquait à bord du ferry. Ses soeurs et elles avaient décidé de porter des robes fleuries, des chaussures de cuir blanc et des chapeaux garnis d'une voilette. Les filles Weinreb formaient un charmant trio: jolis minois, ossature faciale finement dessinée, chevelures abondantes et brillantes, grands yeux intéressés. Sylvia savait qu'elles étaient la cible de regards admirateurs et d'un en particulier, depuis que le vent indiscret avait soulevé leurs jupes. Celui qui les examinait ainsi était appuyé au garde-fou, grand et costaud, cheveux foncés, oeil pétillant. Sylvia voyait ses yeux briller mais c'était peut-être à cause du soleil. Elle se détourna pendant quelques instants, puis le regarda de nouveau. Il les surveillait encore, souriant de plus belle. Il était très séduisant. «C'est un homme pour moi», songea-t-elle aussitôt. Elle s'accouda au parapet et rejeta sa crinière en arrière pour mieux révéler la courbe gracieuse de son cou, laisser flotter sa chevelure au vent et, pourquoi pas, permettre à son admirateur d'apprécier sa silhouette.

Tout l'après-midi elle avait joué des cils pour lui, discrètement s'entend. Une fille de bonne famille, surtout accompagnée d'une soeur comme Helen, ne s'adonnait pas ouvertement au flirt.

Mais qui pouvait surprendre un petit sourire lancé au moment propice? Elle lui sourit en catimini et il délaissa le bastingage. Il avança et le coeur de Sylvia battit à tout rompre. Il marchait dans sa direction. Fausse alerte, il allait chez le marchand de glaces! Non, il se tenait soudain devant ses soeurs et elles, moins grand qu'elle l'avait imaginé, vêtu d'un pantalon de lin crème et d'un blazer bleu marine.Il souleva son canotier et sourit. Quelles dents blanches! Cheveux ondulés et cils à rendre une femme envieuse.

— Bonjour mesdemoiselles! Excusez mon effronterie, mais lorsqu'un homme voit d'un coup les six plus belles jambes de New York, il ne peut résister.

— Vous ne manquez pas de toupet!, lança froidement Helen en serrant les lèvres et en rougissant.

— Voilà qui me décrit bien, répondit Jack Strauss. Et vous?

— A laquelle d'entre nous vous adressez-vous?, demanda Sylvia.

Helen lui donna un coup de coude dans les côtes tandis que Ruth se cachait derrière son aînée.

— Mais à vous toutes! Je suis accompagné de deux amis très timides qui sont restés à bâbord et qui crèvent d'envie de faire votre connaissance. Qu'en dites-vous? Nous sommes de bons garçons. Venez boire un cola ou un soda avec nous. Allons, ne soyez pas timides. C'est un bel après-midi d'été que Dieu nous donne exprès pour que les garçons fassent la connaissance des filles.

Pour une offre irrésistible, c'en était une. Il semblait plein d'entrain et visiblement impressionné par elles. Comment trouver la force de refuser son offre? Helen semblait hésitante mais tout de même charmée. Après quelques instants d'un silence plutôt embarrassant, Sylvia lui tendit la main et se présenta:

— Sylvia Weinreb. Et voici mes soeurs, Helen et Ruth.

Helen la foudroya du regard. Selon elle, l'aînée devait toujours donner le ton à la conversation et Sylvia ne respectait jamais ce droit d'aînesse. Mais s'il fallait attendre que l'aînée fasse les premiers pas, rien d'excitant ne surviendrait jamais. Sylvia jeta un coup d'oeil au séduisant jeune homme et se promit de ne pas le laisser filer. Pendant qu'il était parti chercher ses copains, Helen donna un nouveau coup de coude dans les côtes de Sylvia en murmurant:

— Plutôt voyant, tu ne trouves pas?

— C'est peut-être ce qui me plaît chez lui, rétorqua Sylvia.

— Sans aucun doute, aboya Helen pour avoir le dernier mot.

Sylvia rejeta la tête en arrière, consciente du fait que ce geste faisait onduler sa chevelure soyeuse. Sa coiffure était un autre sujet de mésentente entre Helen et elle. Selon l'aînée, une jeune fille devait porter les cheveux à longueur d'épaules et ne jamais être décoiffée. Comme Helen. Elle ne devait pas laisser pousser ses cheveux et les porter en crinière sur le dos comme une fille des rues. Tant pis. Sylvia Weinreb ne connaissait qu'une loi, la sienne. Il aurait été sans joie, le monde régenté par sa soeur Helen. Dieu sait combien Helen était austère! Elle passait sa vie à la maison en attendant que le prince charmant vienne la chercher sur un beau cheval blanc. A Brooklyn! Non mais qu'est-ce qu'elle croyait?

Les deux copains étaient très gentils mais quelconques. Tout le contraire du beau Jack Strauss qui possédait les qualités qui font d'un garçon un homme véritable. Une forte personnalité doublée d'un sens de l'humour à toute épreuve. Une plaisanterie n'attendait pas l'autre. Sylvia riait aux larmes. Elle plaisanta à son tour et le fit rire, sans qu'il s'offusque comme les garçons qu'elle connaissait. Il éclatait de rire. Il posa sa grande main sur son épaule; elle sentit sa chaleur virile transpercer l'étoffe de sa robe. Il lui dit enfin:

— T'es une chic fille, Sylvia!

Lorsqu'elle récita par coeur *Three Little Fishies*, il en fut estomaqué.

— Tu es vraiment dans le vent!, dit-il en riant.

Ce Jack Strauss lui plaisait décidément beaucoup. Elle croisa les doigts en souhaitant qu'il cherche à la revoir. Son voeu fut exaucé à moitié. Il leur demanda s'il pouvait les revoir, toutes les trois. Ruth et Helen aussi. Ne s'était-il pas rendu compte qu'Helen était une vieille fille aigrie et que Ruth n'était encore qu'une gamine? N'avait-il pas remarqué qu'elle, Sylvia, débordait d'énergie et de vitalité? Etait-il à ce point aveugle? Papa disait qu'elle était sa petite rebelle. Elle était la seule qui ait manifesté le désir de suivre un cours commercial et d'aller travailler. Maman lui avait signifié qu'il était inutile de faire des études car elle se marierait comme toutes les filles de son âge; elle lui avait répondu qu'elle n'était pas certaine de vouloir faire comme toutes les filles. Sa mère lui avait dit: «Retire ces paroles!» Mais papa avait souri. Il était fière d'elle.

— Je reconnais bien ma fille indépendante, avait-il dit. Personne ne lui dit quoi faire, hein?

Lorsqu'il avait acheté sa première Ford, elle lui avait demandé de lui apprendre à conduire. Il avait souri de nouveau en donnant son consentement. Puis lorsqu'elle ne s'était pas fait couper les cheveux à la mode du jour comme sa mère et ses soeurs, papa lui avait fait remarquer:

— Que se passe-t-il? Une jeune fille moderne comme toi veut avoir l'air vieux jeu?

Ell lui avait souri en disant:

— Je n'ai pas à suivre les modes comme un mouton. Elles se font toutes couper les cheveux. Moi je serai différente.

Il avait applaudi:

— Je reconnais bien là ma fille!

Elle adorait être autant la fille à papa, que la rebelle de la famille. Elle se différenciait ainsi de ses soeurs et cette différence lui plaisait. La cadette d'une famille occupait une position désavantageuse. Elle n'était ni l'aînée bénie des dieux, ni le petit bébé. Elle était coincée entre les deux. Elle avait décidé de devenir anticonformiste à cause de papa. Très jeune âge elle avait constaté que papa appréciait la vivacité d'esprit. Il prétendait avoir été amoureux de maman à cause de son esprit et de sa beauté. Sylvia s'était rendu compte que maman faisait rire papa et elle avait décidé de suivre l'exemple de sa mère. Si elle avait été un garçon, elle serait allée à l'université comme son cousin Léo. Voilà ce que les hommes faisaient, s'ils le pouvaient: ils devenaient quelqu'un. Les femmes devenaient l'épouse de quelqu'un. Elle savait dès lors que telle était sa destinée et elle l'avait acceptée. Mais entretemps elle ne passerait pas inaperçue. Elle ne serait pas seulement une passante parmi la foule. Elle décida donc de travailler à l'atelier avec papa et d'apprendre tout ce qu'elle pouvait au sujet de ses affaires. Elle était maintenant en mesure de discuter avec lui, fière de rechercher autre chose qu'un mari. Elle était à l'emploi de son père mais elle aurait pu trouver du travail dans une autre entreprise si elle avait voulu.

Sans chercher un mari, elle avait tout de suite reconnu en Jack Strauss l'homme qu'elle désirait. Voilà pourquoi elle avait minaudé en sa présence et s'était donné des airs de diva. Ils s'étaient quittés à Battery Park après qu'il eût noté leur adresse en demandant s'il pouvait leur téléphoner. Lui aussi habitait Brooklyn.

— Pas votre quartier, avait-il précisé. Mais je travaille tout près de Rugby Road, sur Flatbush Avenue. Chez «Style-Rite Shoes». J'en suis le gérant.

Le gérant, dis donc! Même Helen devait être imnpressionnée. Il avait proposé de leur rendre visite mercredi soir après dîner. Helen n'avait pas pincé sa soeur lorsque Sylvia avait répondu:

— Bien sûr, ce serait gentil.

Toutefois, il n'avait pas fait trois pas que déjà Helen sifflait à l'oreille de Sylvia:

— Tu devrais avoir honte d'aguicher ce type!

Elle n'avait aucune honte, le signifia à sa soeur et fit un pied-de-nez à Ruth qui approuvait l'aînée.

— Je fais ce qui me plaît, leur répondit Sylvia. Je ne passe pas ma vie à m'embarrasser de ce que pensent les autres. Il n'a pas semblé croire que je l'aguichais. De toute manière, fit-elle en mentant, je me moque bien qu'il vienne ou pas mercredi!

Le mercredi suivant, à huit heures précises, il sonnait à la porte des Weinreb. Il passa au salon et écouta Fred Allen à la radio Zenith pendant qu'elles mangeaient la glace au chocolat qu'il avait apportée. Il admira:

— Quel intérieur charmant vous avez!

Le père de Sylvia était un généreux pourvoyeur; le parquet était couvert d'un tapis persan, le mobilier était d'acajou massif et non pas de placage de bois précieux comme tant de gens en achetaient, le piano provenait de chez George Steck. Sylvia était fière de la maison qu'elle habitait, de l'aisance dans laquelle sa famille vivait. Il se montrait poli envers ses parents, appelant papa «Monsieur» et se levant d'un bond chaque fois que maman bougeait, c'est-à-dire souvent car elle avait juré qu'il ne mourrait ni de faim ni de soif dans sa maison. Maman lui avait enfin dit avec humour:

— Jack Strauss, vous trépasserez d'une indigestion aiguë si vous sautez tout le temps comme un polichinelle. Asseyez-vous. Je sais que vous êtes bien élevé, même si vous ne vous levez pas chaque fois que j'apporte du thé.

Déjà Sylvia l'admirait parce qu'il semblait apprécier l'humour particulier de sa mère. La plupart des garçons qui venaient à la maison étaient intimidés par elle et fuyaient sa compagnie. Selon eux, une femme ne devait pas avoir le sens de l'humour. Sylvia n'appréciait cependant pas le fait que Jack portât autant attention à ses soeurs qu'à elle-même. Il conversait d'homme à homme avec son père et discutait les événements de la scène internationale, par exemple la montée de l'antisémitisme en Allemagne. Il complimentait sa mère sur la décoration de la maison, papotait avec Ruth sur ses travaux scolaires et demanda même à Helen de jouer du piano en la félicitant du brio de son exécution. Il adressait aussi la parole à Sylvia, s'enquérant de son travail et vantant son sens de l'humour. Elle allait lui donner la réplique lorsque Helen, toujours aussi rabat-joie, sortit la partition musicale de la chanson-thème de «Blanche Neige» le dessin animé de Walt Disney, et se mit à jouer «Siffler en travaillant». Ce qui mit fin à la conversation à peine engagée entre Sylvia et Jack.

Pendant trois semaines, il les visita ainsi deux fois par semaine, les mercredis et les dimanches, sans que rien ne fût changé. Le dernier dimanche, maman l'avait invité à déjeuner pour la première fois. Il eut droit au fameux rôti braisé et au strudel aux pommes. Il se montra ravi du repas, de la compagnie, et de sa présence parmi eux.

— Mille mercis de m'avoir invité, dit-il en partant. Etre reçu dans votre famille me fait chaud au coeur.

Quand la porte fut refermée derrière lui, papa s'assit dans son fauteuil, déboutonna son gilet et regarda ses filles en demandant:

— Alors? Que se passe-t-il? Votre mère vient de servir un délicieux repas à ce jeune homme, probablement le meilleur repas qu'il ait pris de sa vie. Mais ce n'est pas votre mère qu'il vient voir. La question est de savoir qui? Laquelle d'entre vous sera madame Jack Strauss, hein?

— Qu'est-ce qui te fait croire qu'il ne vient pas voir maman?, demanda Sylvia avec piquant.

— Sylvia!, s'objecta sa mère, comme il fallait s'y attendre. Surveille tes paroles.

Sylvia remarqua que sa soeur aînée rougissait. Helen Weinreb n'abordait jamais certains sujets, et la sexualité était tabou. Avait-elle jeté son dévolu sur Jack? Lui avait-il dit quelque chose qui permît d'espérer? Sylvia en mourrait s'il fallait que Jack Strauss fût épris d'Helen. C'était pourtant impossible. Elle ne le permettrait pas. Papa ignorait la raison qui attirait Jack Strauss dans sa famille. Peut-être Jack Strauss l'ignorait-il aussi? Mais Sylvia ferait en sorte que l'on soit bientôt fixé. Elle avait une envie folle de le connaître. Elle se prenait à rêvasser: il lui tenait la main en secret sous la table ou l'entraînait loin des regards pour lui avouer son amour. Toutefois, à l'exception de quelques clins d'oeil furtifs, il ne lui avait pas donné l'impression de la préférer à ses soeurs ou même à sa mère.

Il ne lui restait plus qu'à prendre l'initiative. Pendant quatre jours elle réfléchit à la manière de procéder. Elle échafaudait mille projets pour les rejeter aussitôt. Elle eut finalement recours à la méthode simple. Le dimanche soir après dîner, elle décida d'offrir des cornets de crème glacée car il faisait très chaud. Quoi de plus naturel que d'inviter Jack à l'accompagner jusque chez le marchand de glaces? La nuit tombait et une jeune fille de bonne famille ne se promenait pas toute seule le soir, surtout dans ce quartier de commères. Elle marchait d'un pas sûr et lent. Si les vieilles filles cachées derrières leurs tentures cherchaient un sujet de conversation, Sylvia Weinreb et son cavalier leur en fourniraient un. Elle le regardait avec coquetterie, consciente de la lumière dans son regard, humant avec délice les effluves d'eau de toilette de Jack. La chemise blanche de son compagnon semblait phosphorescente sous l'éclairage des lampadaires. La chaude humidité du mois d'août avait assourdi tous les bruits, à part les stridulations des criquets.

— J'aime beaucoup ce quartier, dit Jack. C'est très joli. Beaucoup d'arbres et de verdure. Vous avez de la chance!

— La chance de vivre parmi les arbres et la verdure? Mais tout le monde peut en voir en allant à Prospect Park.

— Sylvia, tu plaisantes!

Il prit son bras pour traverser la rue et elle se rapprocha de lui autant qu'elle put, sans que son geste semble trop révélateur.

— Je parle de toute ton existence. Ce quartier, ta maison... Où j'habite, il n'y a aucune maison comme celles de Rugby Road; seulement des immeubles.

— Il n'y a rien de mal à habiter un appartement.

— Tu ne connais pas mon quartier. Il ne s'agit pas d'immeubles huppés, mais de constructions en briques rouges. Les êtres humains ne devraient pas être obligés de vivre dans des cages à poules!

— Jack Strauss, un homme de ton allure ne vient certainement pas d'une cage à poules. Ça n'a, de toute manière, aucune importance. Dans ce pays les origines importent peu; seule compte la direction que l'on prend. Et je crois que tu iras très loin.

Il s'arrêta.

— Penses-tu vraiment ce que tu viens de dire?

Elle aurait voulu mieux distinguer son visage.

— Evidemment que je le pense!, répondit-elle avec conviction. Tu es né sous une bonne étoile. Vingt-deux ans et déjà tu gères une boutique.

— Ouais, dit-il, tu as peut-être raison. Je ne gèrerai pas toute ma vie une boutique qui ne m'appartient pas, n'est-ce pas?

— Bien sûr que non! Ton territoire n'a pas de limites, Jack Strauss. Un homme d'une telle trempe et, pardonne ma franchise, aussi séduisant que toi a le monde et la vie devant lui.

— Sylvia, c'est le plus beau compliment qu'on m'ait jamais fait. Tu es une fille pas comme les autres, toi.

— Evidemment! Fallait me le demander, je te l'aurais dit tout de suite.

Il riait de sa plaisanterie.

— En plus, tu as de l'énergie à revendre!

Ils continuèrent de marcher.

— Sérieusement, tu m'as beaucoup donné à réfléchir. Je suis préoccupé depuis quelque temps.

Il prit une profonde inspiration puis expira longuement.

— Je te l'ai caché, mais mon père est un simple cordonnier. La cordonnerie lui appartient mais ce n'est rien de comparable à l'entreprise de ton père qui a six hommes sous ses ordres.

— Sans compter une jeune fille, rappela-t-elle avec impertinence.

— Oui, une jeune fille. Mais dans mon milieu, les choses sont différentes. Mon père s'imagine que j'ai enfin satisfait mes ambitions. Il croit que la gérance du magasin de Sid Imberman est une fin en soi et que je n'ai rien d'autre à espérer de la vie. Je suis col blanc et mon emploi est assuré...

— Il a raison, selon son échelle de valeurs à lui. Mais toi? Tu vises plus haut, n'est-ce pas?

— Tes paroles sont les miennes, Sylvia.

— Dans ce cas, tu n'as plus qu'à le lui dire!

Jack sourit en disant:

— Tu es si mignonne, le sais-tu? Tu ne connais pas mon père, pas encore.

En entendant ces deux petits mots, elle crut que son coeur cessait de battre. Laissait-il entendre qu'il la présenterait à sa famille? Elle eut du mal à retrouver son calme et se concentra sur l'achat à effectuer. En sortant de chez le glacier, elle n'osait encore y croire. Puis il fit un premier geste: il prit son bras et la serra contre lui. Elle connut un moment de pure allégresse, une chose pétillante et irréelle comme des bulles de champagne. Sur le chemin de retour, ils marchaient côte à côte, se tenant le bras comme un couple amoureux. Elle était fière d'être vue en sa compagnie. Lorsque Manny Shapiro les croisa en les dévisageant chacun leur tour, elle ne put s'empêcher de pouffer de rire. Lorsqu'ils tournèrent au coin de sa rue, elle était déterminée à savoir. Le moment était venu; c'était maintenant ou jamais. Elle fit semblant de trébucher, s'agrippa à son bras et releva la tête pour le regarder dans les yeux. Jack Strauss n'était pas idiot. Il savait profiter d'une chance lorsqu'elle passait; il posa ses lèvres sur les siennes. Il lui fit un petit sourire avant de lui donner le baiser qui déciderait du reste de sa vie.

Le mercredi suivant, lorsque Jack parut sur le pas de la porte, il salua son père en disant:

— Bonsoir monsieur Weinreb, je désire voir Sylvia!

Monsieur Weinreb sourit et répondit:

— Je vais voir si elle est en mesure de vous recevoir.

Papa se retourna et fit un clin d'oeil à sa fille.

chapitre quatorze

Dimanche 8 février 1942.

Jack s'arrêta soudain pour désigner le style rococo des avant-toits et dit à sa fillette Elaine:

— Papa adore cette maison! C'est ton grand-père qui l'a construite de ses propres mains.

— Jack, il fait trop froid pour une leçon d'histoire! Vois comme cette petite tremble.

— Elle ne tremble pas du tout, répondit-il. N'est-ce pas mon ange? Elle aime bien quand je raconte l'histoire de la famille.

Sylvia leva de grands yeux impuissants vers le ciel et se dirigea vers les marches. Elle n'eut pas à sonner; la porte s'ouvrit comme par enchantement et son père la serra contre lui avant de l'inviter à entrer. Jack la suivit, remit l'enfant aux soins de son grand-père, retira son paletot et huma le fumet qui emplissait la maison en grognant de satisfaction.

— Quelle parfum délicieux! Si on pouvait l'embouteiller, on en tirerait facilement cinq dollars l'once. «Bouillon de poulet numéro 5», lança-t-il en riant. Je suis affamé, ajouta-t-il en se frottant les mains.

Il se rendit au salon et s'étendit sur le sofa en regardant les moulures au plafond.

— J'ai toujours aimé cette maison, confia Jack.

— Je vous l'ai dit maintes et maintes fois. Je n'attend qu'un mot de vous et je vous en construis une, offrit le grand-père.

— Oui, oui mais où? Je ne veux pas m'établir du côté de New Lots Avenue.

— Que dirais-tu de Mill Basin?

— Trop loin, trop isolé. Je crois plutôt que nous irons du côté de Manhattan, annonça-t-il en riant. Un de ces jours. Si le projet de mon ami Marty fonctionne. C'est simplement que cette maison... elle semble si confortable, si douillette... Elle a un petit quelque chose que je ne parviens pas à identifier.

Sylvia apportait l'enfant après lui avoir enlevé son habit matelassé. Elle dit à son mari:

— A t'entendre parler, on croirait que nous vivons dans un taudis.

Son père la considéra un moment et répondit:

— Jack n'a rien dit de tel, ma jolie. Il a le droit de préférer ma maison.

Sylvia gémit:

— Il y a plus que cela papa. Jack adore cette maison, le piano, la salle à manger, la pelouse, les rosiers et même le réverbère qui l'éclaire. Pour lui, vous habitez un endroit de rêve alors que son propre foyer lui est indifférent.

— Notre maison est toujours en désordre depuis quelque temps Sylvia. Nat, que dirais-tu s'il y avait un seau à couches en permanence dans ta salle de bain, des biberons dans le salon et des jouets un peu partout? Ce bébé a pris le contrôle de nos vies. On ne doit rien poser sur la table du salon à cause d'elle, un bébé qui a moins d'un an. Je ne peux même plus laisser ma boîte de cigares là où ça me plaît. Plus question de cendriers trop lourds, mes magazines sont tous cachés parce que sinon elle les mange!

Son beau-père lui confia gentiment:

— Jack, il faut apprendre à vivre avec un bébé à la maison. Trois fois j'ai dû m'y faire. Ça passera, ne t'en fais pas. Tu as de la veine que ce ne soit pas un garçon. Crois-moi, les garçons sont encore plus turbulents.

— Est-il normal qu'un petit bébé dérange autant? Cette semaine, elle a vomi sa bouillie sur le canapé neuf et depuis qu'elle sait grimper, on ne peut même plus lire le journal en paix.

Il se tourna pour lancer un regard accusateur vers son épouse mais elle avait quitté la pièce. Elle avait emmené le bébé à la cuisine.

— Il vaudrait peut-être mieux, conseilla Nat Weinreb, ne pas parler ainsi en sa présence.

— En présence de qui?

— De ta fille. De qui veux-tu que je parle?

Jack regarda son beau-père d'un oeil amusé.

— Elle? Ce n'est qu'une enfant; elle ne comprend rien.

Marquant ainsi qu'il se désintéressait du sujet, Jack sortit de sa poche un document qu'il présenta à son beau-père.

— J'ai réfléchi au sujet du contrat dans le Lower East Side. On pourrait y parvenir, Nat. Nous en sommes capables et nous ferions fortune. Voici les évaluations...

Mais déjà Nat Weinreb secouait la tête.

— Il faudrait que j'achète un autre camion, et à cause de la guerre, c'est impossible. Même si je réussissais à m'en procurer un, le rationnement de l'essence rendrait son usage difficile. C'est trop loin. De toute manière, nous prendrions trop de risques.

— Nous en sommes capables, Nat. C'est moi qui m'occuperai du projet Manhattan. Cesse de me regarder ainsi! Tu ne cesses de répéter que je suis ton bras droit. Et je travaille avec toi depuis longtemps, bien avant mon mariage. Seigneur, ça fait plus de cinq ans! N'as-tu pas confiance en moi?

— Bien sûr que si, Jack! Seulement... je ne crois pas qu'il s'agisse d'un bon projet. C'est trop ambitieux, trop de problèmes surgiront. Manhattan est un territoire inconnu. Ce n'est pas pour nous.

De la cuisine, Sylvia écoutait la conversation entre les deux hommes. Ils parlaient encore affaires. Jack ne semblait plus s'intéresser qu'à sa compagnie. Construire, prendre de l'expansion, devenir le premier. Il ne parlait plus que de cela. De son entreprise et des inconvénients que lui causait la présence de sa fille. Elle prit une longue inspiration et souffla de manière peu discrète.

— Qu'y a-t-il ma chérie?

Contrairement à son habitude, sa mère était assise; la petite était sur ses genoux. Elle invita sa fille à s'asseoir aussi. La grand-mère bécota le cou d'Elaine et gazouilla:

— Dire que je ne t'ai pas même entendue arriver! Quelle grand-mère indigne je fais!

— Maman, c'est la troisième fois que tu dis cela. Tu n'es pas obligée d'accourir dès qu'on sonne à la porte.

— Mais j'aime ça, courir répondre à la porte. J'attends ce moment toute la semaine. Je suis bien seule depuis que tes deux soeurs ont quitté la maison. C'est trop calme ici. Est-ce que je te l'ai dit? Helen est enceinte. Toute seule à Chicago.

Sylvia pouffa de rire.

— Maman, même à Chicago on sait comment faire un enfant! J'ai entendu dire qu'il y avait même un hôpital.

Sa mère brisa une biscotte et tendit un morceau à l'enfant affamé.

— Tu as faim, mon ange? On te fait jeûner sur Westminster Road, n'est-pas? Regarde comme elle est belle. Une véritable poupée vivante.

— Si seulement son père pensait comme toi.

— Sylvia, ne dis pas une chose pareille!

— Il espérait un garçon. Maman, il ne voulait pas d'une fille.

— Tu devrais tourner la langue sept fois dans ta bouche avant de parler. Jack adore sa fille.

— Il ne cesse de se plaindre à son sujet. Si on l'écoutait on ne la laisserait pas respirer.

— Les hommes réagissent toujours de cette manière à leur premier-né. Les hommes sont de grands enfants gâtés. Ils deviennent vite jaloux si on leur porte moins attention.

— Crois-tu que je l'ignore? Jack a toute mon attention. Une heure avant son retour du bureau, la petite est dans son bain, tout ce qui traîne est ramassé, le dîner est au four, je me brosse les cheveux et je mets un peu de rouge. Exactement comme on nous le conseille dans *Good Housekeeping* dit-elle en riant sèchement. Je suis une femme moderne. Je sais tout ce qu'il faut faire afin que le premier-né n'entrave pas la vie de couple. Maman, j'ai peine à croire que tu rougisses. Mais écoute-moi. Veux-tu bien m'écouter pour une fois?

Sa mère s'était levée. Elle avait posé Elaine sur le plancher de la cuisine en lui donnant un couvercle et une spatule de bois pour qu'elle s'amuse. Elle retourna au poêle et dit à sa fille en lui tournant le dos:

— Je t'écoute Sylvia. Mais nous avons deux hommes affamés qui veulent manger.

— Ils peuvent bien patienter encore une minute, non? De toute manière, ils parlent affaires et tu sais ce que ça signifie? Le dîner pourrait être servi froid, ils ne s'en apercevraient pas.

— Ton père s'en rendrait compte, crois-moi. Il ne se gênerait pas pour me le faire savoir.

— Il rentre de plus en plus tard, lança Sylvia.

Leah se retourna et regarda sa fille avec insistance.

— Qui? Jack? Tu crois...? Je préfère ne rien dire. Mais si c'est le cas, tu dois redoubler d'efforts pour lui offrir un foyer où il est agréable de rentrer.

— Il est toujours en compagnie des menuisiers ou du vendeur de matériaux de construction. Il rentre de plus en plus tard. Qu'est-ce qui peut le retenir au bureau? J'aimerais le savoir.

La porte de la cuisine s'entrouvit sur Jack qui portait Elaine comme un paquet.

— Grand Dieu Sylvia, tu ne peux pas surveiller ta fille!

Leah Weinreb essuya ses mains sur son tablier et de dépêcha d'aller prendre l'enfant.

— Voilà qu'elle est ma fille à présent, dit Sylvia avec amertume. Elle a pourtant été conçue grâce à ton concours, si je me souviens bien!

Leah Weinreb se mit à chanter une berceuse à haute voix.

— Sais-tu ce que cette enfant vient de faire? Elle s'est traînée jusqu'au salon sans faire de bruit et, sans que je m'en aperçoive, elle a mâchonné une partie du contrat et bavé sur tout le reste. Impossible de lire quoi que ce soit à présent.

Soudain il perdit son sérieux.

— Elle a bavé sur la comptabilité, répéta-t-il en redoublant de rire. Imagine-moi en train d'expliquer ça au vieux Schwab!

Voilà qu'ils riaient tous à présent, même Sylvia. Quant à l'enfant, voyant chacun tordu de rire, elle se mit à gazouiller comme un moineau ravi. Jack dit enfin:

— Cette odeur délicieuse a un drôle d'effet sur moi. Le dîner est prêt, j'espère? Toute la semaine je me lèche les babines en songeant au merveilleux repas que je prendrai ici malgré le rationnement.

Il se pencha et posa un baiser affectueux aur la joue de sa belle-mère. Leah sourit en rougissant comme une jeune fille.

— Ce n'est pas parce que mon frère Charlie est mon boucher que nous outrepassons nos droits. Mais je ne comprendrai jamais rien au mode de rationnement. Tous ces carnets, ces jetons, les timbres, des rouges, des bleus, des verts. Que vont-ils encore inventer? Ne fais pas cette tête-là Sylvia. Ne me dis pas que tu prends plaisir à faire les courses, à présent qu'il faut convertir les cents en livres. Sans compter toute cette paperasse que l'on doit traîner avec soi.

— Nous venons dîner toutes les semaines, dit Jack. Il me semble injuste que vous en assumiez les frais. Je vais vous donner quelques-uns de nos coupons.

— Il n'en est absolument pas question! Vous avez un bébé à nourrir. Vous avez besoin de vos coupons. Merci Jack, j'apprécie vraiment votre intention mais ça me fait plaisir de vous recevoir à dîner. Sauf que vous ne mangerez pas de sitôt si vous ne nous laissez pas terminer les préparatifs.

Quand Jack fut retourné au salon, la mère se tourna et dit à sa fille:

— Tu vois? Tout est rentré dans l'ordre. Il a ri du mauvais coup de la petite. Crois-moi Sylvia, il y a des hommes qui sont véritablement allergiques à la présence d'un bébé dans la maison.

— Les autres pères ne se plaignent pas continuellement de leurs enfants. Mes amies du parc me disent...

— Les mères qui vont au parc...interrompit aussitôt Leah. Apporte-moi les bols à soupe, veux-tu? Laisse-moi te dire quelque chose au sujet des mères qui bavardent ensemble au terrain de jeu Sylvia. Elles se racontent des histoires. Leurs mariages sont aussi heureux que dans les contes de fées, et elles ont toutes un mari modèle. Elles prétendent toutes que leur mari rentre à la maison en souriant, vrai? Ils prennent tous l'enfant dans leurs bras et n'élèvent jamais la voix. Bien sûr, quoi d'autre? N'en crois rien Sylvia. Chaque couple doit s'adapter à la présence d'un nouvel enfant et quiconque prétend le contraire ment. Ne les écoute pas, Sylvia.

La mère posa les bols de soupe fumante sur un plateau et ajouta:

— De plus Sylvia...

— Oui?

— Tu n'as parlé à personne de tes problèmes, n'est-ce pas? Non? Parfait. Ecoute-moi bien ma chérie: n'en dis rien à qui que ce soit. Ça risque de devenir embarrassant, plus tard. Personne ne doit trop en savoir à ton sujet. En ce qui concerne les problèmes familiaux, mieux vaut ne rien confier à personne.

L'ascenseur de l'immeuble qu'habitaient les parents de Jack était exigu et montait trop lentement. Comme chaque fois, les portes s'étaient refermées juste devant eux. Ils devraient patienter avant que l'ascenseur ne redescende, ce qui était toujours très long.

— Encore un beau dimanche, plaisanta Sylvia sans livrer davantage le fond de sa pensée.

Jack fit abstraction de la blague et ne retint que l'ironie des paroles:

— Toujours en train de rouspéter quand vient le moment de rendre visite à ma famille, protesta-t-il.

— Jack, c'est faux. Et depuis quand cela t'amuse-t-il de monter dans l'ascenseur de cet immeuble?

— Da... da... da..., chantait la petite Elaine.

Sylvia rit des efforts de sa fille.

— Ecoute, on dirait qu'elle essaye de dire «Maman»!

— Ne serait-ce pas plutôt «Papa», étant donné que c'est toujours moi qui l'ai dans les bras?

— Toujours Jack?

— Au moins le dimanche, se froissa-t-il.

— Voici ce que je te propose: tu prends le sac de couches, les biberons, les bananes et les jouets, et moi je porte le bébé.

— Un homme ne porte pas un sac de couches.

Cette remarque amusa Sylvia et le bébé, voyant sa mère heureuse, se mit à sourire, montrant ses six petites dents de lait. Elaine était un très beau bébé au teint rosé, aux grands yeux bleus, aux cheveux noirs bouclés retenus par un joli ruban.

— Très drôle, dit Jack. Tiens, voilà l'ascenseur! Aurais-tu à présent l'obligeance de m'ouvrir la porte, étant donné que j'ai les mains pleines?

— Avec plaisir, Monseigneur!

Ils entrèrent dans la cage d'escenseur, pressèrent le bouton du sixième étage et attendirent que le mécanisme vieillissant recommence sa dure ascension.

— J'espère que ton père ne brandira pas Elaine dans les airs pour la faire vomir comme la semaine passée.

— Sylvia, je fais tout ce que je peux pour bien m'entendre avec tes parents. Tu pourrais au moins faire la même chose avec les miens. Fais-le pour moi, à défaut d'une autre raison.

— Jack, ne crois-tu pas que je fais un effort? Je m'assois et je fais gentiment la conversation. Je m'informe de sa santé, de son travail, de son lumbago et de sa soeur en Russie. Allons Jack, à qui mens-tu?

— Bon ça va! Je ne veux plus en entendre parler. Ce n'est peut-être pas une partie de plaisir, mais il faut le faire.

Le couloir du sixième était tristement éclairé, et l'aération défectueuse. Une odeur d'humidité et de chou bouilli y stagnait depuis longtemps.

— Quel cloaque!, grommela Jack.

— C'est l'endroit où tu as grandi.

— Et j'en suis sorti aussi rapidement que je l'ai pu. Pourquoi persistent-ils à habiter ici? Je ne l'ai jamais compris.

Jack pressa le bouton de la sonnette. Il entendit aussitôt la voix de basse de son père Saul Salomon qui criait à tue-tête:

— Ça va! Je viens!

— On dirait toujours qu'il ne s'attend pas à notre visite. Chaque semaine nous venons et chaque fois...

— Laisse tomber!, murmura Jack.

La porte s'ouvrit sur la menaçante silhouette de Saul Solomon Strauss. Il n'était pourtant ni grand ni costaud, mais il donnait l'impression de dominer.

— Ah? C'est vous? Eh bien, ne restez pas là comme des étrangers. Entrez, entrez.

Ils enlevèrent leurs manteaux qu'ils déposèrent dans la penderie. Le grand-père tenait sa petite-fille qui tirait sur sa moustache en brosse. Il se mit à la chatouiller, à la faire rire et crier jusqu'à ce qu'elle régurgite.

— Ce bébé n'est vraiment pas normal. 'Passe son temps à vomir. 'Doit être trop nourrie chez les Weinreb.

Sylvia lança un coup d'oeil meurtrier en direction de son mari. Il l'ignora résolument et se dirigea aussitôt vers la cuisine, suivi de son père et de Sylvia.

— Comment vas-tu maman?

Il embrassa sa mère sur le front. Elle s'affairait à dresser le couvert en prévision du dîner. Elle semblait comme toujours agitée. Dora Strauss paraissait constamment troublée mais personne n'avait pu établir la cause de son agitation. Peu importait le temps qu'elle avait consacré aux préparatifs, elle omettait chaque fois quelque chose. Elle leva les yeux vers son mari avant de poser l'argenterie sur la table. Puis elle ouvrit les bras pour prendre l'enfant.

— Oh! *Mammeleh! Shayner punim!*

Saul Salomon la réprimanda en lui remettant l'enfant:

— Qu'est-ce qui t'arrive tout à coup? Tu en perds ton français?

Elle ne lui répondit pas et continua à s'adresser à l'enfant en yiddish. Elle leur tournait le dos et ne voyait plus que sa petite-fille, comme s'ils avaient tous disparu. Sylvia posa les ustensiles à côté de chaque couvert en faisant la sourde oreille aux propos de sa belle-mère. Elle savait trop bien ce qui l'attendait et essayait de se mettre hors d'atteinte des remarques désobligeantes. Dora ne manqua pas de parler en français pour tenir ses propos malveillants:

— Regarde ces petites pattes maigres. Ils ne doivent pas te nourrir convenablement, n'est-ce pas ma *shayner*? Laisse-moi faire et tu seras un beau bébé dodu et en santé. Moi je vais te donner à manger.

Sylvia prit soin de ne rien dire, mais son sang bouillonnait. Dora lui faisait le coup à chaque visite. S'il était un reproche qu'on ne pouvait lui adresser, c'était de sous-alimenter sa fille. Sylvia craignait même qu'elle ne fût un peu rondelette. Elle était plus grasse que les enfants de son âge. Le pédiatre avait cependant rassuré Sylvia; le surplus de graisse fondrait aussitôt qu'elle commencerait à marcher. Elle n'avait aucun reproche à se faire sur la façon dont elle élevait et nourrissait sa fille et Sylvia ne comprenait pas pourquoi sa belle-mère trouvait constamment à redire à tout. Si, à vrai dire. La pauvre Dora était tellement malmenée par tous les membres de sa famille. Sylvia la prenait en pitié mais elle en était aussi dégoûtée. Sylvia Weinreb-Strauss ne laisserait personne la rendre aigrie et amère. En faisant le tour de la table, elle trébucha.

— Qu'est-ce que c'est? Oh! regarde: il y a un trou dans le linoléum.

— Encore ce vieux revêtement, papa? Je croyais que tu l'avais changé, dit Jack. Quelqu'un se rompra le cou, un de ces jours.

— T'imagines-tu que je suis bourré d'argent comme certains?

— Je peux te procurer du linoléum au prix du grossiste. Tout ce que tu veux. Et de la meilleure qualité.

— Comme si je n'avais pas suffisamment de dépenses à encourir!

— Je paierai pour tout.

— Monsieur le millionnaire, je n'ai rien à recevoir de toi.

Dora Strauss se mêla aussitôt à la conversation:

— Pas si vite Saul! Si Jack veut nous offrir un nouveau linoléum, je n'y vois pas d'inconvénient. Tu n'en veux pas, d'accord. Mais moi je le prendrai volontiers.

Jack soutint le regard paternel en disant:

— C'est réglé. Demain matin à la première heure, j'envoie un ouvrier. Quelle couleur veux-tu maman?

— Quelle couleur as-tu à m'offrir?

— Toutes les couleurs que tu veux, à condition qu'il s'agisse de vert ou de brun roux! Nous sommes en guerre, ne l'oublie pas.

— Puisque nous en parlons, pourquoi ne pas remplacer aussi notre linoléum?, lança Sylvia.

— Quoi?, demanda son beau-père. Vous n'avez pas un linoléumtout ce qu'il y a de mieux et de plus récent? Oh! Jack j'ai honte de mon fils. Ce n'est pas la manière de traiter la fille d'un Crésus.

Sylvia évita de regarder Saul Salomon. Elle préféra se tourner vers son mari pour quêter une réponse; il la regarda droit dans les yeux, secoua la tête et Sylvia serra les lèvres pour réprimer sa colère.

— La femme du charpentier a toujours un mauvais plancher!, s'exclama Dora. Moi, je suis toujours mal chaussée.

Dora avait retrouvé sa bonne humeur. Elle remit l'enfant à Saul Salomon, porta la main à son chignon gris et se rendit au réfrigérateur pour en sortir six petits paquets emballés dans du papier journal.

— Du hareng, annonça-t-elle. Un peu de foie haché, un peu de fromage fermier et de la salade de chou. Sans oublier un bel oignon espagnol. Laissez-moi le trancher. Assieds-toi Saul. Jack apporte le pain de seigle et l'eau de Seltz qui sont dans la glacière.

— Le réfrigérateur maman, pas la glacière!

— Réfrigérateur, glacière... Apporte-moi l'eau de Seltz! Elaine, viens t'asseoir à côté de grand-maman.

— Elle a déjà mangé madame Strauss. Je vous en prie, ne la bourrez pas trop. Et vous n'êtes pas obligée de la garder sur vos genoux.

— Sylvia, je suis grand-mère, j'ai tous les droits. Elle est mon unique petite-fille et Dieu sait quand... Désolée Sylvia, je suis désolée. J'ai outrepassé mes droits. Je sais qu'il est inutile de vous poser la question, que je serai la première à apprendre l'heureuse nouvelle.

Elle sourit à sa bru jusqu'à ce qu'un petit sourire se dessine sur les lèvres de Sylvia, puis sans tarder elle servit le repas. Ils prirent place à table et mangèrent en silence, ne parlant que pour demander un plat. Elaine se tenait tranquille. Assise sur les genoux de sa grand-mère, elle grignotait le croûton du pain. A la fin du repas, pendant que sa mère servait le thé noir, Jack demanda enfin:

— Des nouvelles des filles?

Sa mère lui sourit.

— Les jumelles aiment beaucoup leur vie à Washington. Vingt jeunes hommes pour chaque fille, disent-elles. Elles ont toute une cour de soupirants.

— Aucun intérêt!, lança son mari irrité. Jack, ta soeur Yetta n'est pas seulement contente de vivre loin de sa famille, elle parle maintenant d'entrer dans l'armée! Quelle absurdité! Comme si c'était la place d'une charmante fille! Elle prétend être attirée par l'aventure. Elle devrait plutôt se marier, elle en aurait de l'aventure!

— Autant l'armée!, répliqua sa femme.

— Dora, tais-toi! Je parle.

— Excusez-moi Votre Majesté. Je ne dirai plus rien, même si vous me suppliez à genoux.

— Attendez un peu, cria Jack. Que dites-vous là? Yetta veut entrer dans l'armée? Vous voulez rire! Il n'y a pas deux mois qu'elle est partie. Je croyais qu'elle aimait son travail.

Son père fit une grimace.

— Elle aurait très bien pu se trouver du travail ici, à Brooklyn. Quelle jeune fille qui se respecte quitte sa famille pour...

— Monsieur Strauss, objecta Sylvia, vous savez très bien pourquoi les jumelles sont parties.

— Ça ne change rien!

— Mais papa, il fallait bien qu'elles sortent d'ici.

Jack se mit à rire.

— Tu as effrayé tous les garçons du voisinage!

Il se tourna vers Sylvia afin de préciser:

— Tu ne sais pas quel traitement mon père leur infligeait.

— Ça va, ça va, dit le vieil homme en rougissant à peine. C'est de l'histoire ancienne, ça n'intéresse personne.

— Ça m'intéresse!, lança Dora.

— Je n'ai jamais entendu l'histoire au complet. J'aimerais bien, déclara Sylvia.

— Les jumelles étaient de beaux brins de filles lorsqu'elles étaient adolescentes, commença Jack. Tous les garçons voulaient les inviter. Peu importait qu'il s'agisse de l'une ou l'autre. Qui s'en serait soucié? Elles se ressemblaient tant.

— A cette époque, expliqua la mère avec fierté, je les habillais encore de façon identique. Elles étaient adorables.

— Elles le sont toujours, ajouta Sylvia.

Saul Salomon passa un commentaire:

— Elles le seraient plus encore si elles se trouvaient ici avec nous!

— Les garçons venaient souvent à l'atelier au-dessus duquel nous habitions, continua Jack. La plupart d'entre eux n'étaient pas assez bien pour fréquenter les filles de papa. Si l'un d'eux avait l'audace de demander à voir une de mes soeurs, et si papa n'aimait pas leur allure- et tu ne l'aimais jamais, n'est-ce pas papa?- il lui lançait une galoche à la tête.

Jack riait aux éclats. Il aurait pu être lanceur pour les Dodgers, mon père. Quel bras il avait! Tout ce qui était à portée de sa main s'envolait droit vers la cible!

— Les salauds! Ils n'avaient qu'une idée en tête.

Jack redoubla de rire.

— J'ai quelque chose à t'apprendre, papa. Les jumelles avaient la même idée. Il ne leur restait plus qu'à sortir de ton champ de tir.

— Et maintenant elle veut faire son service militaire. Une fille dans l'armée, tu parles!, grommela le vieil homme. Les garçons leur ont fait perdre la tête.

— Papa, les garçons n'y sont pour rien. Elles ont plus de vingt-cinq ans.

— J'ai bien peur qu'elles ne trouvent jamais à se marier, confia soudain Dora. Et ce sera ta faute! Elles vivent à présent à Washington où il n'y a certainement pas de juifs pour les épouser. Elles vivront dorénavant chacune de leur côté et ensuite l'armée viendra t'enlever à nous, mon fils.

— Moi? Jamais. Je te le promets. Si tu dois coller une étoile à la fenêtre, ce sera pour Yetta et pas pour moi. Tous les jeunes hommes s'enrôlent volontairement; on n'aura pas besoin d'un vieux père de famille. Ne te fais pas de souci pour ça.

— Lorsque le tsar a voulu me forcer à grossir les rangs de son armée, tu sais ce que j'ai fait?

— Ouais papa, on le sait. Tu a émigré en Amérique, terre de prédilection.

— Prédilection mon oeil! Je me suis fait cordonnier, moi qui aurais pu devenir comptable! Cordonnier...

— Vous avez bien vécu en Amérique monsieur Strauss, rectifia Sylvia.

— Seule la fille d'un richard peut parler ainsi!

En se levant Jack fit crisser les pattes de sa chaise sur le linoléum, réveillant ainsi Elaine qui se mit à pleurer. Sylvia se leva aussitôt en insistant:

— Donnez-moi le bébé, je dois la changer.

Elle sortit en coup de vent de la cuisine et entra dans la chambre adjacente, une petite pièce sévèrement décorée d'un fauteuil et d'un sofa recouverts de peluche et d'un appuie-tête au crochet. On ne pouvait évidemment pas y poser une enfant avec sa couche souillée. Sylvia étendit Elaine sur la moquette après y avoir placé une couche propre. Assise sur ses talons, elle changea la petite et se mit à l'habiller pour le voyage de retour.

— Elaine, dit-elle avec douceur en regardant les prunelles bleues de sa fille, dans quelle famille es-tu née? Comment ce vieux grincheux et cette geignarde ont-ils pu engendrer un homme comme ton père?

Elaine regardait sa mère sans ciller.

— Comprends-tu ce que je te dis? Je me demande. Tu sembles faire ton possible et, sincèrement, je crois que tu comprends mieux qu'eux. J'aimerais tant que papa rentre plus tôt à la maison. J'aimerais vraiment ça. Il nous manque, n'est-ce pas? La solitude nous pèse de plus en plus. Je vais te confier un secret mais promets-moi que tu n'en diras rien: dans presque huit mois, tu auras un petit frère ou une petite soeur. Es-tu heureuse? J'en suis presque certaine.

Elle se redressa pour étirer sa colonne vertébrale.

— J'ai mal au dos!

«Pourquoi ne pas le leur avoir dit? Parce que Dora affirmerait qu'il est de mauvais augure de l'annoncer avant le troisième mois. Au diable Dora! La semaine prochaine nous le dirons à papa, après que j'aurai rendu visite au docteur Feinstock. Lorsque nous serons quatre dans la famille, alors papa sera obligé de rentrer plus tôt le soir. Surtout si- je ne devrais pas te dire ça- surtout si c'est un garçon. Les hommes veulent tous avoir un fils, on n'y peut rien. Moi j'aimerais bien avoir un enfant de chaque sexe. Tu t'amuserais avec un frère. J'ai grandi sans savoir ce qu'était un garçon; je n'avais que des soeurs.»

Elle se releva en prenant l'enfant qu'elle embrassa sur les joues. «Je suis désolée que ton grand-père t'ait fait régurgiter encore aujourd'hui. Quel vieux schnock!Il n'écoute jamais ce qu'on lui dit. Il en fait toujours à sa tête. Pas surprenant que ses filles soient parties. Ne lui dis pas ce que je viens de te confier, d'accord?»

L'enfant gazouilla de joie.

«Lorsque tu seras plus grande, il ne te mènera plus à la baguette. Ton père non plus. Je ne le laisserai pas faire. Peu importe qu'il ait plusieurs fils, peu importe ce qu'il pensera ou dira, je ne le laisserai diriger ta vie comme un général d'armée. Maman te le promet.»

chapitre quinze

Mercredi 19 mars 1947.

Jack Strauss haletait et son souffle chaud brûlait le cou de la femme qu'il pénétrait. Ils se murmuraient des mots doux. Elle aussi était à bout de souffle. Ils tanguaient au même rythme. Puis elle le repoussa, se recula un peu et engouffra le phallus dans sa bouche avide. Il éjacula entre ses lèvres gloutonnes, puis se laissa choir sur le dos, toujours haletant, paupières closes, un petit sourire témoignant de sa satisfaction.

— Tu as été merveilleuse Louise, merci beaucoup.

Il n'avait pas ouvert l'oeil et sa main la chercha à tâtons sur les draps moites, la trouva et la ramena vers lui.

— Tu es un amant extraordinaire Jack. Est-ce qu'on te l'a déjà dit?

— Oui, ma femme.

Il rit de sa plaisanterie puis, devant l'absence de réaction de sa partenaire, il souleva les paupières pour la regarder.

— C'est une plaisanterie, ma chérie. Juste une plaisanterie.

— Jack, on ne badine pas avec ces choses-là!

— T'as raison.

Il étira tous ses muscles et bâilla en regardant sa montre.

— Juste ciel! Déjà trois heures. Il faut que je parte.

— Ouais, je sais.

Elle roula sur elle-même et sortit du lit; elle n'était pas très grande, la trentaine, plutôt jolie quoique trop fardée, et ses cheveux mal oxygénés ne l'avantageaient pas. Elle se coiffa d'une main pour qu'il puisse mieux étudier son corps, ses hanches de femme et ses seins d'adolescente.

— T'avais tout le temps tout à l'heure quand t'étais bandé. Et tout d'un coup, tu viens de te rappeler un important rendez-vous!

Il s'appuya sur un coude et lui offrit son plus beau sourire.

— Allons, tu sais bien que je m'occupe d'affaires importantes. Sois gentille et donne-moi un autre baiser. Qu'en dis-tu, hein?

— Oh, toi!

Elle lui obéit et se pencha pour l'embrasser. Il ouvrit la bouche et sa langue envahit celle de la jeune femme qui succomba à la passion.

— C'est pour t'aider à te souvenir de moi, dit-il ensuite.

— Ne t'en fais pas. Je me souviendrai.

Elle le regardait se rhabiller.

— Il y a longtemps que je t'ai à l'oeil. Depuis le jour où t'es venu à la cafeteria.

— Il y a six mois, précisa-t-il en souriant. Mon Dieu! Louise, j'ai quasiment éjaculé dans mon pantalon quand tu t'es approchée pour me chuchoter à l'oreille: «Quand tu voudras Jack, quand tu voudras.» Aucune femme ne m'a fait ça avant toi.

Elle semblait fière de son audace.

— Je sais reconnaître tout de suite ce que je désire, et je n'ai pas peur de le dire. Je regrette seulement de ne pas te l'avoir dit plus tôt. On aurait pu en profiter avant.

— C'est souvent ainsi que ça se passe.

Il devenait évident qu'il songeait à autre chose.

— On peut dire qu'on vient de rattraper le temps perdu! T'es une experte. Seigneur, je dois vraiment m'en aller! J'ai rendez-vous avec mon associé, nul autre que mon beau-père. Au fait, j'y songe...

Sans en dire davantage, il se rendit au cabinet de toilette pour s'asperger le visage. Il en ressortit après s'être séché en hâte.

— Alors voilà, c'est le moment de se dire au revoir. Un dernier baiser avant de partir.

— Impossible de refuser.

Lorsque le rite du baiser fut accompli, elle se cramponna à lui et demanda sans oser le regarder:

— Jack, crois-tu que je te reverrai?

Il recula d'un pas et lui répondit en souriant:

— Louise, j'ai une femme et des enfants!

Jack partit au pas de course et se rendit de la rue Bedford à l'avenue Warren. Il aperçut enfin les charpentes de six maisons, modestes, identiques, toutes chapeautées d'une enseigne sur laquelle on lisait: «Weinreb et Strauss, entrepreneurs», leur adresse commerciale, le numéro de téléphone et la mention «Tout est vendu». Le paysage semblait plutôt désolé en plein hiver, à cause de la terre gelée et des arbres dénudés. Mais au printemps on gazonnerait les talus, on planterait quelques arbustes à fleurs et l'orme aurait bourgeonné. Jack était fort contrarié; son beau-père l'attendait au froid, grelottant malgré son paletot, et faisait les cent pas devant la rangée de maisons. Jack se précipita:

— Nathan, je suis là!

— Veux-tu me dire où tu étais passé?

— Je me suis arrêté à la cafeteria rue Bedford pour manger un morceau sur le pouce et le service a été plus long que prévu, dit-il en riant.

— Jack, fit Nathan Weinreb dès que son gendre fut près de lui, je dois avouer que tu avais raison. Tu m'as conseillé de bâtir six maisons dans l'avenue Warren et j'ai refusé; tu as insisté et j'ai encore refusé. Pourtant les voilà toutes, vendues avant d'être terminées. Tout a fonctionné à merveille.

— C'est juste, avoua Jack.

L'humidité glaçait les os et la bise qui soufflait sur la baie de Sheepshead devenait insoutenable. Jack se frictionnait les bras et battait la semelle.

— Nous aurions pu en vendre soixante. Les vétérans veulent tous posséder une maison, Nathan. Tous sans exception. Je te le dis: ceux qui savent investir à présent vont rapidement faire fortune.

— Explique-toi.

— C'est très futé d'acheter les terrains et de spéculer en construisant des maisons.

Nathan reprit d'une voix empreinte de douceur:

— Dommage qu'elles soient toutes semblables. On dirait des boîtes de lessive alignées les unes devant les autres. Les temps ont changé.

— C'est vrai Nathan. Nous ne sommes plus au bon vieux temps; nous sommes en mil neuf cent quarante-sept et nous devons vivre avec notre époque, sinon nous serons vite relégués à l'arrière-plan.

— Derrière qui?

— Hum? Derrière... ceux qui sauront profiter de la situation. Qu'y a-t-il Nathan? Regretterais-tu de faire des profits?

— J'aime autant le profit que mes concurrents mais je tiens à tirer fierté de ce que je bâtis. Ces maisons... Tu sais aussi bien que moi que les murs sont trop minces et les matériaux de qualité médiocre; le bois était un peu vert, dans quelques années, les portes ne fermeront plus.

— Ça ne nous regardera plus, Nathan. Elle ne sont pas parfaites, je te l'accorde. Mais ces familles en avaient besoin et leur prix limite était de cinq mille dollars. Crois-moi, pour les vétérans qui rentrent d'Europe, tout vaut mieux que la situation des pauvres gens à Brighton. Il y a pire épreuve qu'une planche qui gauchit.

— Peut-être. De toute manière, tu ne t'étais pas trompé. Je dois cesser de déplorer le manque de minutie et de qualité et je tiendrai parole. Je voulais te parler de ce terrain à vendre. Je suis d'accord pour qu'on réalise ce projet-là. Six autres maisons et...

— Trois fois rien Nathan, trois fois rien. Ecoute un peu: nous pouvons faire mieux que de construire six autres maisons dans un quartier misérable de Brooklyn. Il y a une ferme à l'orée de Queens...

— Queens? Mais tu n'y penses pas Jack? Nous venons à peine de déménager le bureau à Manhattan. Pourquoi irions-nous courir à Queens?

Dans la rue étaient garées des voitures de modèles récents. Jack poursuivit son explication:

— Parce que, Nathan, répondit Jack en passant le bras autour des épaules du vieil homme pour l'entraîner vers la Buick rutilante qu'il venait d'acquérir. — Regarde toutes ces autos. Il y a beaucoup d'argent de ce côté-là et les gens ne demandent qu'à le dépenser. Ils veulent acheter des voitures neuves, des vêtements neufs et des maisons neuves. Surtout des maisons. On n'en trouve plus suffisamment. Il y a une vieille ferme à Queens. Un bulldozer nivellerait le terrain en une journée. Il y aurait de l'espace pour construire cinquante jolies maisons comme celles-ci.

— Jack, tu parles d'un projet trop ambitieux pour nous!

Jack éclata de rire en s'asseyant sur le siège du passager.

— Nous engagerons plus d'ouvriers et nous prendrons de l'expansion. Harry Truman ne nous a-t-il pas demandé de loger nos vétérans? Et n'est-ce pas ce que nous faisons? C'est notre devoir de patriotes Nathan!

Son beau-père le fixait en secouant la tête.

— Jack, il y a quelque temps que je veux discuter avec toi et le moment est venu. Au sujet de notre association, à part égale. Depuis quelque temps, tu sembles vouloir prendre les rênes de la compagnie.

— C'est faux, Nathan. Nous prenons ensemble toutes les décisions. Comme deux associés qui se respectent.

— ... Il me semble que depuis quelque temps nous prenons toujours les décisions qui te conviennent.

— Holà Nathan! N'est -ce pas la raison pour laquelle tu m'as pris à ton service? A cause de mes idées, souviens-toi.

— Je ne sais plus Jack. Je ne sais comment dire. Je me sens exclu, comme si j'étais la cinquième roue du carrosse.

Jack passa le bras sur les épaules de son beau-père.

— Non.Ne dis pas ça. Nous serons toujours «Weinreb et Strauss». Quel âge as-tu à présent? Soixante-deux ans. N'est-il pas temps que tu te reposes un peu? J'essaie simplement de te soulager un peu du poids de la compagnie. Mais si tu manques de fonds, tu n'as qu'un mot à dire. Si tu ne veux pas risquer le projet de Queens, nous ne le ferons pas. Je le financerai seul avec mon propre argent et notre compagnie ne risquera rien. Nous ferons comme tu l'entendras Nathan.

Le vieil homme soupira.

— A t'entendre parler... Je dois me faire vieux. Les affaires prennent un tour qui ne m'est pas familier et ça m'inquiète un peu. Le projet de Queens à lui seul me semble impossible à réaliser. Cinquante maisons! Le village où habitaient mes parents en Pologne n'en comptait pas autant.

— Nous sommes très loin de la Pologne, Nathan. Elle est aussi éloignée que le temps où nous rénovions des cuisines. La compagnie doit se transformer, s'adapter aux besoins actuels pour affronter l'avenir. Nos seules limites sont celles que nous nous imposons, Nathan. S'il est une chose que les gens veulent à tout prix, c'est une maison. Ceux qui investiront les premiers dans l'immobilier récolteront la manne. N'aimerais-tu pas que ce soit nous deux? On pourrait devenir millionnaires!

Le vieil homme secoua de nouveau la tête.

— A t'entendre, cela semble si facile. Je me sens dépassé.

— Je ne veux plus que tu parles ainsi. Tu as de nombreuses années à vivre et la compagnie a besoin de toi, de ta compétence. Mais si tu ne souhaites pas participer à mes projets d'expansion, tu peux te retirer. Je me chargerai de tout. Le surcroît de travail ne me fait pas peur. D'ailleurs, il vaudrait mieux que tu ne travailles plus autant. Je pourrais très bien me charger des tâches secondaires. Par exemple, tu pourrais arriver au bureau plus tard et partir plus tôt. Pourquoi pas? Au printemps, prends des vacances avec Leah, reposez-vous. Tu le mérites bien.

Nathan sourit avec ironie.

— Après ce discours, je me sens bien vieux! Je plaisante Jack. Nous irons de l'avant avec le projet de Queens. Pour l'instant, allons-nous en d'ici. J'ai les pieds gelés!

chapitre seize

Mardi 24 décembre 1985.

La sonnerie du téléphone retentit à l'autre bout du fil et le coeur de Zoé tressautait. Enfin, où se trouvait-il? Il lui avait dit qu'elle pouvait lui téléphoner à son bureau à tout moment du jour ou de la nuit. Puis il lui avait souri avec cette incomparable douceur qui était sienne, il l'avait regardée dans les yeux et elle avait cru s'évanouir. Il était si séduisant, si raffiné, si différent des garçons qu'elle connaissait. Des garçons justement. Lawrence était un homme. Même son prénom la faisait frémir. Pourquoi ne répondait-il pas? Encore deux minutes et Judy aurait fini de parler avec le moniteur de ski; elle viendrait bientôt chercher sa petite soeur Zoé. Sa mission à Stowe consistait à surveiller sa soeur. Elle ne soupçonnait pas que Zoé ne s'intéressait pas aux sports d'hiver. Elle aurait préféré demeurer seule à la ville, puisque les parents faisaient une croisière dans les Caraïbes. Saul ne l'aurait pas embêtée; il vivait dans son monde à lui. Elle n'aurait de comptes à rendre à personne. Mais Judy et elle avaient décidé ce voyage en septembre dernier et elle n'avait pu se désister au dernier moment.

Dommage que les garçons ne l'intéressent pas! Ils étaient nombreux au village. Ce matin, elles avaient attendu le remonte-pente durant près de quarante-cinq minutes. Patienter presque une heure afin de monter au sommet pour redescendre aussitôt.

Judy adorait skier; elle se moquait bien d'attendre. Elle croyait rencontrer des gens intéressants en faisant la queue pour le remonte-pente. Mais Judy n'avait pas rencontré l'homme de sa vie. Sa vie n'avait pas pris un autre sens, du jour au lendemain, irrémédiablement. En ce moment, Zoé avait la nette impression d'être plus vieille que sa soeur. Beaucoup plus vieille. Soudain s'infiltra dans son oreille le son chaleureux de la voix aimée:

— McElroy à l'appareil!

Aucun autre que lui ne répondait au téléphone de cette manière. Le coeur chaviré, elle réussit à dire:

— Lawrence, c'est Zoé.

— Bonjour! Quoi de neuf? D'où téléphones-tu?

— De Stowe. A moins que tu n'aies oublié?

La voix de Lawrence lui semblait étrange, bien qu'elle ne sache dire pourquoi.

— Lawrence? Tu m'as demandé de te téléphoner, tu te souviens?

— Bien sûr. Tu me... J'étais en train de faire la sieste. Je suis à moitié endormi.

— Désolée. Veux-tu que je te rappelle à un autre moment?

Il émit un petit rire et répondit avec douceur:

— Non, non. Seul le présent compte, dit-on. Je suis heureux de t'entendre. Alors que fais-tu de beau?

La conversation prenait une allure qu'elle ne désirait pas. Elle aurait préféré qu'il lui demande de revenir à New York. Tant pis! Elle prit une longue inspiration et lui demanda:

— Lawrence, as-tu songé à moi?

Sa voix devint grave, sérieuse, suave.

— Tu parles! Je n'ai pas cessé un instant.

Voilà ce qu'elle voulait entendre! Son rythme cardiaque devint plus rapide et ses lèvres dessinèrent un sourire de ravissement qui étonna et visiblement enchanta un jeune homme passant près de la cabine téléphonique. Il croyait que ce sourire lui était dédié et s'approchait en lui faisant signe. Elle secoua la tête pour l'éloigner et lui tourna le dos. Pauvre type! Qu'aurait-elle fait d'un gamin comme lui alors qu'un homme dans la trentaine manifestait un visible intérêt pour elle? Elle avait eu peine à y croire lorsqu'il lui avait souri de cette manière... C'était durant le congé de l'Action de grâce. Noël et elle s'ennuyaient à mourir. Ils avaient vu tous les films du moment, s'étaient déhanchés dans les discothèques à la mode et avaient rendu visite aux copains. Grand-papa les avait invités à prendre un vrai bon repas au restaurant, selon son expression. Cela signifiait généralement une grillade chez un restaurateur coté de Manhattan. Noël et Zoé avaient décidé d'accepter l'invitation. Grand-papa était un ange. Il était plutôt amusant pour un vieux croulant et il ne refusait rien à ses petits-enfants. Ces derniers n'ignoraient surtout pas qu'un déjeuner avec grand-père leur rapporterait à chacun un billet de cinquante dollars et la recommandation formelle de s'acheter quelque chose. Ils s'étaient donc rendus à son bureau et l'avaient attendu en faisant des grimaces devant les glaces multiples. Puis Lawrence était apparu. Jamais Zoé n'oublierait ce moment. Il la regarda rapidement, et son regard étonné revint sur elle, exactement comme dans un film. Il la dévisageait encore et encore, comme ahuri. Ils ne s'étaient pas vus depuis quelques années.

— Je n'arrive pas à le croire, répétait-il. Est-ce bien la petite Zoé?

Elle avait acquiescé, il avait sourcillé en s'approchant d'elle et dit en la regardant droit dans les yeux:

— Eh bien, tu as drôlement grandi!

Ses jambes avaient failli flancher, elle avait craint de s'évanouir. Contrairement aux autres employés de grand-papa, il ne lui avait pas pincé la joue en lui disant qu'elle était jolie et qu'elle ressemblait à sa mère. Elle en avait marre de ressembler à sa mère! Non, cette fois c'était différent. Il lui faisait une proposition. Lorsqu'il lui prit le bras, elle le sut aussitôt: elle le savait au ton de sa voix, à la lueur qui éclairait son regard. Ils procédaient tous de la même manière. Une fille pouvait toujours connaître les intentions d'un garçon à partir du moment où il la touchait. Son coeur battait la chamade. Lawrence était si séduisant, si sexy! Et il n'était pas le premier venu. C'était le vice-président de la compagnie de grand-papa.

Lawrence avait dû s'éloigner mais il avait appuyé la pression de sa main sur son bras en lui disant:

— Ce n'est qu'un au revoir et non pas un adieu!

Elle avait cru mourir sur place.

191

Au cours du déjeuner elle fit suffisamment allusion à lui pour que Noël lui donne des coups de pieds sous la table. Elle regrettait quelquefois que son cousin la connût si bien. Noël était plus qu'un frère. Jamais il ne la trahirait. Jamais.

— Lawrence!, s'exclamait le grand-père. Quelle existence il mène! Les jeunes hommes d'aujourd'hui ont la vie belle. Ils ne cherchent pas à se marier comme dans mon temps. Ils louent des garçonnières, vont dans les night-clubs, voyagent en Europe et ont plusieurs maîtresses. Si je menais la même vie que lui, je serais bon pour les poubelles! Les femmes sont folles de lui, un mannequin à chaque bras, il fréquente les bars et les discos jusqu'aux petites heures du matin... Je ne sais pas comment il fait mais tous les matins il entre au bureau à huit heures, frais et dispos. Je n'y comprends rien. Mais je m'en fous pourvu qu'il fasse son travail.

Et grand-papa continua à leur donner un cours très ennuyeux, sur les choses de la vie. Zoé ignorait encore quelle était l'exacte fonction de Lawrence au sein de la compagnie de grand-papa, mais cela lui importait peu. Grand-père avait une haute opinion de lui, cela suffisait. Cet homme qui avait à son bras les plus belles cover-girls de New York, qui conduisait une Porsche blanche, qui vivait dans un appartement de grand standing et qui faisait confectionner ses habits par un tailleur londonien, cet homme lui témoignait de l'intérêt! Zoé avait du mal à le croire.

De retour en classe, elle raconta tout à Nancy, sa compagne de chambre, qui frissonna de joie en apprenant les moindres détails de l'aventure. Elle s'exclamait et poussait de petits cris en demandant à Zoé ce qu'elle comptait faire.

— Noël m'a conseillé de garder la tête froide. Il prétend que je ne dois pas lui téléphoner. Attendre jusqu'à Noël. Un jour nous irons au bureau. Noël me l'a promis.

Nancy et Zoé émirent un petit rire stupide, causé par l'euphorie.

— Je suis jalouse!, avoua Nancy. Trente-quatre ans! Je suis sidérée.

A présent, Zoé était heureuse d'avoir réussi à conserver la tête froide. Noël et elle s'étaient présentés au bureau le lendemain de leur retour de vacances; Lawrence lui avait parlé en aparté en lui tenant la main. Elle avait pensé mourir, embrasée par l'énergie qu'il diffusait en elle.

— Zoé, écoute-moi bien... Puis il avait secoué la tête. Non, laisse.

— Dis-moi, je t'en prie!

— Je ne devrais pas... Mais je ne peux m'en empêcher. J'aimerais beaucoup te revoir. Seul à seul.

Zoé avait la gorge sèche.

— Oui. J'aimerais beaucoup aussi. Ce serait gentil. Ce serait très gentil.

Elle aurait voulu se trouver à six pieds sous terre. Elle s'était mise à parler, à bafouiller comme une gamine idiote. Il allait la considérer comme une adolescente attardée. Pourtant non. Il lui souriait. Il la prit par le bras et continua:

— J'en suis heureux. Alors demain soir? On pourrait boire un verre, si tu n'es pas engagée.

Engagée? Pour rien au monde.

— Je suis libre comme l'air, s'était-elle empressée de répondre avant qu'il ne change d'idée.

A son désarroi il secoua de nouveau la tête.

— Non, non. C'est une idée folle. Si jamais ton grand-père l'apprenait... Et il aurait raison. Aussi tentante qu'elle soit, ce n'est pas une bonne idée. Aussi tentante que tu puisses être, Zoé.

Ainsi donc elle avait raison! Il la désirait. Au diable grand-papa!

— Mon grand-père ne le saura jamais, répondit-elle. Jamais.

Il posa sur elle un regard sérieux.

— Nous ferions mieux d'y réfléchir, Zoé, avant de faire quoi que ce soit. Cela pourrait... Oublie tout. Je ne veux pas te causer de chagrin.

Tout se déroulait exactement comme elle l'avait imaginé.

— Vendredi je serai à Stowe, lança-t-elle, regrettant tout de suite ses paroles.

— Peut-être est-ce mieux ainsi Zoé? Voici ce que je te propose: va faire du ski, réfléchis et téléphone-moi à ton retour.

Il griffonna son numéro de téléphone sur une carte d'affaires. C'est alors qu'il avait spécifié qu'elle pouvait lui téléphoner n'importe quand.

— J'ai bien réfléchi, lui disait-elle à présent en parlant tout bas. Je veux te voir à mon retour.

«De mieux en mieux», songeait Lawrence. Il étira la jambe et d'un coup de pied ferma la porte de sa chambre.

— Je suis si heureux, roucoula-t-il. Parce que moi aussi je veux te voir.

A vrai dire, il ne mentait pas. Bien sûr, elle était un peu jeune mais quel fruit appétissant! Elle était son type de femme: seins plantureux, taille fine, jambes galbées, grands yeux de biche. Elle ne demandait qu'à être cueillie. Elle n'en était peut-être pas consciente mais il s'en était bien rendu compte. Lawrence McElroy serait celui qui ferait la cueillette. Le seul fait d'y songer lui donnait une érection. Ce genre de fille était volcanique. Elle frémirait, crierait des vulgarités. Elle aurait la peau douce et soyeuse, les membres fermes et les formes rebondies... Il devait abandonner cette rêverie et porter attention à ce qu'elle disait.

Amener Zoé au lit n'était pas une fin en soi. Ce n'était pas seulement une groupie adolescente, c'était la petite-fille de l'oncle Jack. Lawrence devrait se montrer prudent. Il ne donnerait pas cher de sa peau si elle allait ensuite pleurer sur l'épaule de son grand-père. Il devait s'assurer que leurs intentions étaient les mêmes. Il serait dans de beaux draps si ce n'était qu'une aguicheuse, comme sa mère. Du moins pouvait-il être rassuré sur une chose: elle ne lui chantait pas le grand air de l'amour et du mariage. Les jeunes filles y excellaient lorsqu'il était adolescent. Il fallait sans cesse être sur ses gardes car, à cette époque, elles voulaient toutes qu'un homme leur jure amour et fidélité pour la vie, et les mène à l'autel. Au contraire, les filles d'aujourd'hui se vantaient de leur liberté. Elles copulaient comme des lapines et changeaient d'amants comme de chemises.

Zoé était une pomme n'attendant que la main de Lawrence pour la cueillir. En y songeant bien, l'idée d'un éventuel mariage ne lui déplaisait pas. Au contraire... Mais où avait-il la tête? Zoé était pourtant folle de lui et ne s'en cachait pas. Une telle idée était saugrenue. Et s'il se montrait poli et attentif, elle demeurerait folle de lui très longtemps. Ce serait du gâteau. Et pourquoi ne l'épouserait-il pas? Il pouvait tomber dans pire déchéance que d'épouser l'une des filles Strauss. Elle appartenait à la génération suivante? Quelle importance! Voilà qui remettrait Deena à sa place. Après toutes ces années au cours desquelles elle l'avait traité avec arrogance. Il deviendrait son gendre. Quelle mauvaise pièce de boulevard cela ferait! Il ne détesterait pas partager ses petits déjeuners avec la jolie Zoé pour le reste de ses jours. Du moins, tant que Jack Strauss ne se manifesterait pas.

Mais il allait trop vite en se laissant ainsi porter par son imagination. Il devait se guérir de cette manie.

— Oui ma chérie, murmura-t-il dans le récepteur. Tu me manques tant. C'est fou, non? Tu me manques et nous ne sommes pourtant jamais sortis ensemble. C'est vrai.

— Oh! Lawrence...

Il la tenait dans le creux de sa main. Si, jusqu'alors, il n'avait pas été assuré de ses sentiments, s'il avait cru qu'elle l'agaçait comme sa mère l'avait fait avant elle, ses doutes étaient à présent dissipés.

— J'aimerais tant me trouver près de toi en ce moment. Puis je m'éloignerais afin que tu t'ennuies de moi.

Elle était décidément sérieuse. Il ne lui restait plus qu'à entretenir ce sentiment.

— Oh! ma chérie... Si tu savais comme j'ai envie de toi, susurra-t-il de manière experte.

Ils continuèrent à roucouler ainsi pendant quelques minutes et, avant qu'il ait pu réagir, elle lui avait donné rendez-vous. Elle proposa de rentrer plus tôt du Vermont mais il refusa cette suggestion; tous les membres de la famille voudraient connaître la raison de ce retour anticipé et il préférait conserver leur liaison secrète. Elle trouvait l'idée excellente. La seule idée de la réprobation familiale pimentait déjà leur relation. Il connaissait bien la mentalité féminine. Bien qu'elle fût une Strauss, elle n'était pas différente des autres. Les fruits défendus étaient toujours plus attirants. Lawrence savait à quoi s'attendre, l'expérience le lui avait enseigné. Il lui fallait prendre son temps et tout ce qu'il espérait s'offrirait à lui. Il aurait peut-être à chanter un autre air lorsque les choses deviendraient sérieuses. Jack Strauss n'était pas un imbécile et, si Lawrence devenait membre de cette famille, le vieil homme ne le quitterait pas des yeux. Mais il était trop tôt pour s'en inquiéter.

Il devait à présent raccrocher. Il conversait depuis déjà quinze minutes. Plus de temps qu'il ne consacrait normalement à un

195

appel d'affaires. C'était le prétexte qu'il avait invoqué pour faire quitter la chambre à Tina. Elle faisait sûrement la tête et il lui faudrait la convaincre de revenir dans son lit. A ce moment Zoé murmura à l'appareil:

— Zut! Je dois raccrocher, ma soeur arrive. Rendez-vous au Michael's Pub, lundi soir à dix heures.

Il répondit:

— C'est noté ma chérie.

Il posa le combiné, certain qu'il avait obtenu ce qu'il voulait. Il se laissa glisser hors du lit et étira ses muscles endoloris. Il était resté tendu tout le temps de la conversation. Il se rendit à la porte et ouvrit. Tina, vêtue de son peignoir, sirotait un cocktail. Elle posa sur lui des yeux lascifs. Il s'appuya au chambranle de la porte et lui lança un regard séducteur.

— Hé! Bébé. Viens un peu par ici.

— Pourquoi j'irais?, demanda-t-elle.

— Parce que je te le demande.

chapitre dix-sept

Mercredi 25 décembre 1985.

Le soleil brûlait dans le ciel tropical en dépit de l'heure matinale. Le cadran de sa montre digitale indiquait huit heures vingt-trois minutes trente-quatre secondes. Au bureau, il serait confortablement assis, plongé dans l'étude de ses dossiers, un tasse de thé fumant à portée de main. Son moment préféré de la journée: entre huit et neuf heures. Le téléphone ne sonnait pas, les secrétaires n'étaient pas encore arrivées, il pouvait travailler en paix.

Toutefois il n'était pas à New York. Il se trouvait, hélas!, accoudé au bastingage d'un grand voilier mouillant dans les eaux des Caraïbes. Il sombrait dans l'oisiveté en attendant que le capitaine vienne leur raconter une autre de ses anecdotes de marin. Il en allait comme d'un rituel tous les matins, après le petit déjeuner. La cloche sonnait, comme à la colonie de vacances pour appeler les enfants, et ils écoutaient un discours au sujet de leur destination quotidienne, des dangers à éviter en plongée sous-marine et des activités prévues lorsqu'ils seraient arrivés au lieu de villégiature. Comme le voilier allait d'île en île, le programme était chaque jour le même: bain de soleil, plongée sous-marine, natation et cocktail. La consommation d'alcool était la distraction la plus populaire, pratiquée indifféremment le jour et la nuit. On offrait le Bloody Mary dans d'immenses pichets givrés dès le petit déjeuner. De nombreux punches pour lesquels on n'avait pas un sou à débourser étaient offerts tout l'après-midi. On distribuait gracieusement les bouteilles de vin à chaque repas. Pas étonnant que les passagers aient tout le temps un verre à la main! L'alcool coulait à flots d'autant plus qu'il était gratuit. Malheureusement, sa femme profitait un peu trop de cette offre généreuse.

Dès qu'ils étaient montés à bord, elle s'était comportée comme une adolescente attardée. Elle riait bruyamment, se faisait remarquer, se montrait familière avec les autres passagers, elle buvait beaucoup trop et faisait la conversation avec le premier venu. En ce moment, elle semblait très attentive à ce que lui disait une femme rencontrée la veille, une fausse blonde habitant la Floride, que Michael trouvait idiote. Deena se vantait de découvrir les bons côtés de chacun. C'était pure affectation de sa part. Il n'avait pas encore rencontré un seul passager qui fût en mesure de tenir une conversation intelligente. Pourquoi perdait-elle ainsi son temps? Que dire des passagers qui devenaient de prétendus amis, sinon qu'elle ne les reverrait jamais plus après la croisière?

S'il avait su ce qu'était la vie à bord de ce grand voilier, il n'aurait jamais accepté les billets de Don Epson. A aucun prix. Pas même pour plaire à Deena. Il avait voulu vivre une aventure en mer, être l'un des membres de l'équipage, hisser les voiles, passer le faubert après le lavage du pont et peut-être tenir la barre. Mais rien de tel n'était possible. Bien sûr on pouvait s'habiller sport et on s'abstenait de faire des cérémonies, mais il ne fallait pas s'y tromper: il s'agissait bel et bien d'une croisière de grand standing travestie en voyage en haute mer. Chaque fois qu'on levait l'ancre, les hauts-parleurs crachaient un enregistrement de «Amazing Grace» joué à l'orgue et à la cornemuse, le second appelait à l'aide et une douzaine de passagers criaient oh-hisse! pendant que leurs épouses photographiaient un incident qui n'en était pas un. Michael n'y voyait que du faux-semblant.

Evidemment, Deena était éblouie par cette poudre aux yeux. Elle n'y voyait pas d'artifice et, en vérité, s'en moquait éperdument comme elle ne se gênait pas pour le lui dire.

— Allons Michael, descends de tes grands chevaux! Tout le monde s'amuse, sauf toi.

Il avait pourtant espéré que cette croisière leur permettrait de se rapprocher. Elle aurait dû s'excuser auprès de la blonde oxygénée et venir s'asseoir à ses côtés. A la place que sa femme devait occuper. Les passagers assis sur les transats se levèrent soudain et s'assemblèrent sur le pont près de l'escalier qui conduisait au pont supérieur. Cela signifiait que le capitaine arriverait d'un instant à l'autre. Michael croisa les bras et poussa un soupir de résignation. Il se disait que le capitaine aurait pu être un chimpanzé atteint de strabisme, son grade l'aurait auréolé d'un prestige suffisant pour que les femmes le considèrent quand même comme un bel homme, charmant et intelligent. Il n'en demeurait pas moins que le capitaine James Ward était un homme distingué, s'exprimant avec un accent britannique; une certaine désinvolture ajoutait à son charme. Il arrivait sur le pont, accompagné d'une femme aux jambes de danseuse qui faisait office de commissaire de bord. Il regarda les passagers rassemblés autour de lui:

— Qui sont tous ces gens?

Devant les murmures et les regards de connivence, il répondit lui-même à sa propre question:

— Ce sont sûrement tous tes amis, Cara.

Il fallut que l'un des vacanciers, qui était pourtant en âge d'éviter ce genre de baliverne, s'écrie:

— Dieu sait que j'ai tenté ma chance hier soir, mais elle n'a pas voulu de moi!

Les rires fusèrent. Michael avait chaud, il devenait impatient et le coup de soleil qu'il avait pris dans le dos lui causait des démangeaisons. Il se demandait pourquoi le capitaine n'écourtait pas ses pitreries pour en venir à son véritable propos. Le capitaine s'assit; ses bermudas blancs, sa chemise de coton et ses sandales lui donnaient l'allure d'un britannique colonial. Découvrant une rangée de dents nacrées, il dit enfin:

— Nous vous l'avions caché mais Cara a un merveilleux mari.

Devant la déception générale, il déclara:

— Je plaisantais! et ajouta ensuite d'un air sérieux: Assez de frivolité! Vous vous demandez probablement où nous sommes en ce moment. Nous avons navigué durant toute la nuit et nous nous trouvons dans le triangle des Bermudes.

Les rires redoublèrent. Le coup de soleil de Michael le démangeait davantage.Il regardait Deena qui penchait la tête en arrière pour croiser le regard du capitaine et rire des inepties qui sortaient de sa bouche. En tapant des mains comme une gamine idiote, elle lui demanda:

— Est-ce que ça signifie que nous resterons indéfiniment à bord?

— Non ma jolie dame, mais vous pourriez me perdre dans le triangle de vos bermudas... Quoi? Personne ne rit? Aurais-je perdu mon auditoire?

S'ensuivirent des rires témoignant de l'esprit des passagers supposément doués de raison. Michael murmura entre ses dents:

— Moi je perds patience!

Un homme qui l'avait entendu le foudroya du regard en disant:

— Hé! On est en vacances ici.

Pourquoi Deena avait-elle ainsi attiré l'attention? Le bikini qu'elle portait était déjà suffisant. Il révélait beaucoup trop ses seins. Et elle n'avait pas voulu se changer. Pas même après qu'il le lui eût demandé poliment. Qu'est-ce qui n'allait pas chez elle? Il aurait vraiment voulu le savoir. Il avait espéré que cette croisière la détendrait, calmerait sa nervosité. Depuis quelque temps elle était toujours maussade. A bord du voilier, elle redeviendrait la Deena des jours heureux, la jeune fille qu'il avait connue et aimée. Mais la magie n'avait pas opéré. Au lieu de se montrer reconnaissante et de faire un effort pour se rapprocher de lui, elle semblait plus distante que jamais. Il avait simplement espéré qu'elle contribuerait à faire de cette croisière une seconde lune de miel. Elle aurait pu se montrer gentille envers lui, voire même s'occuper de lui.

Comme d'habitude, Deena se savait surveillée par son cher mari. Pourquoi jetait-il toujours sur elle un regard sévère? Elle en avait la chair de poule. Il se croyait le droit de surveiller ses moindres gestes et d'émettre ensuite une critique à son sujet. Tant pis! Elle ne lui ferait pas le plaisir de le laisser gâcher son week-end. Fini,ce temps-là! Elle lui tourna le dos et fit semblant de l'ignorer. Elle s'assit sur un banc et posa son dos nu contre le bois délavé du dossier, profitant de la chaleur des rayons qui cuivraient sa peau. Le voilier voguait lentement, poussé par le vent chaud. Elle percevait à peine le léger roulis. Hier en débarquant à Gorda Key, elle s'était rendu compte que ses jambes étaient habituées au doux mouvement des flots. Ce roulis continuel apaisait son esprit troublé. Elle appréciait les miroitements de la mer, le vol des goélands, les nuages ouatés qui blanchissaient le bleu du ciel, la brise saline... Tout lui semblait si bon: le parquet ciré du pont sous ses pieds nus, le craquement des grands mâts, le claquement des voiles. Ce séjour en mer avait aiguisé l'acuité de chaque sens. Elle appréciait davantage la sensation de l'eau glacée qui coulait dans son gosier lorsqu'elle avait soif. Tout retrouvait son importance, même les sensations banales, et cette résurrection des sens allait au delà de ce qu'elle aurait espéré.

Elle n'avait pas envie de faire cette croisière. Elle avait fait les bagages sans enthousiasme, presque à contrecoeur. Elle avait même boudé. Elle n'avait pas eu envie d'annuler son rendez-vous avec Luke. Elle avait mis tant d'énergie à l'obtenir. L'idée de laisser les enfants à la maison lui déplaisait. Ce n'était surtout pas le moment de laisser Saul seul. Elle avait maugréé, certaine de regretter cette croisière. A sa grande surprise, elle y prenait un plaisir insoupçonné. Le voilier flottait sur l'eau turquoise. L'équipage était compétent. Chacun se montrait gentil, enthousiaste, avenant. Tous, sauf évidemment Son Altesse Michael Berman. Il ne pouvait s'empêcher de gâcher le plaisir des autres. Une preuve de plus que tout n'était pas le fruit de son imagination, qu'elle n'inventait rien, qu'elle n'était pas la seule responsable.

Ils faisaient cette croisière que lui seul avait décidée. Dans ce cas, pourquoi s'acharnait-il à chercher noise à chacun et à elle en particulier? Surtout à elle. Par exemple,ce matin pourquoi ne lui avait-il pas adressé de compliment au sujet de son nouveau maillot de bain, comme tous les autres? Que dire du regard qu'il avait porté sur elle? Elle en avait eu la nausée. Elle avait essayé une vingtaine de modèles différents chez Saks pour trouver celui qui lui donnerait du sex-appeal. Cette croisière ne devait-elle pas être leur seconde lune de miel? Quand ils étaient jeunes mariés, il était fou de ses seins et se montrait ravi lorsqu'elle portait des vêtements décolletés. Il lui avait alors avoué que cela l'excitait. Elle avait toujours la même poitrine, encore ferme pour une «vieille» qui avait eu quatre enfants. Que pouvait-il lui reprocher?

Elle essayait de se détendre et malgré tout les larmes embuaient son regard. Elle ne voulait à aucun prix saboter ce voyage. Elle décida de l'abandonner à sa mauvaise humeur. Au cours de nombreuses années, elle avait tout fait pour comprendre Michael. Elle lui avait pardonné plus souvent qu'à son tour sa conduite égocentrique et ses manières distantes. Elle lui avait donné l'absolution sous prétexte qu'il était l'enfant des survivants de l'holocauste nazie et qu'il faisait face à des problèmes qu'elle-même ne pouvait concevoir. Elle n'était que l'enfant choyée d'un père indulgent et devait faire preuve de patience envers un mari qui avait tant souffert. A défaut de le comprendre, elle pouvait au moins compatir à ses souffrances et ignorer ce qui, dans sa conduite, la blessait.

Voilà, c'était fait! Elle avait compati au point de s'oublier elle-même, elle avait essayé de le comprendre et s'était estimée heureuse de l'avoir comme généreux pourvoyeur. Elle avait fait tout ce qu'une digne épouse devait faire pour mériter un bon mari. Elle avait même entrepris cette croisière à regret. Elle s'était laissé convaincre que ce voyage serait une seconde lune de miel. Trop c'était trop! Elle se trouvait en haute mer et elle profiterait de chaque instant, s'il lui laissait l'esprit en paix, bien entendu. Le capitaine lui souriait de toutes ses dents et lui fit un clin d'oeil. Ainsi donc Michael était embarrassé lorsqu'elle lançait des plaisanteries! Pourtant le capitaine y prenait un plaisir évident. Elle adorait faire rire ses congénères et généralement elle y parvenait sans peine. Dommage que l'homme qu'elle accompagnait, celui qui était censé être son meilleur ami, trouve si déplaisant cet aspect de sa personnalité! Tant pis! Elle résolut de ne plus se préoccuper de lui pendant le reste du voyage. L'opinion qu'il avait d'elle ne devait plus compter.

Deena descendit l'échelle de coupée et posa le pied dans le canot automobile. Son sac porté en bandoulière contenait le nécessaire de tout vacancier qui se respecte: une brosse à cheveux, l'appareil-photo, la lotion solaire, un roman au format de poche, des lunettes noires. Elle se sentait enfin libre, elle n'avait pas à songer à son rôle de mère, à ce qu'elle préparerait pour dîner. Il était presque neuf heures trente. Les vacanciers passeraient la matinée couchés sur le sable blanc, iraient explorer quelque grotte ou feraient de la plongée. Vers onze heures trente, on entendrait de nouveau le vrombissement du canot automobile qui reviendrait chargé de paniers de pique-nique, de punch au rhum, de tables pliantes et des membres d'équipage chargés du service. Elle n'aurait rien d'autre à faire que de porter les aliments à sa bouche.

Elle monta à l'avant du canot, là où elle sentirait la force du vent et le crachin rafraîchissant sur sa peau brûlante. L'embarcation fendait les vagues et se dirigeait à grande vitesse vers l'îlot balayé par la brise marine qui ébouriffait la cime des palmiers. Michael se fraya un chemin jusqu'à l'avant du canot et prit place à ses côtés.

— Comment s'appelle cet endroit?

— Bun Key.

Elle s'abstint de lui rappeler que le capitaine en avait parlé durant dix minutes. Elle décida de se montrer gentille.

— Je me suis laissé dire que l'endroit est idéal pour la plongée sous-marine. Regarde, une petite colline où nous pourrons nous aventurer!

Il grommela quelque chose en guise de réponse. Elle continua:

— On trouve une petite anse de l'autre côté de l'île. Tu pourrais prendre l'équipement de plongée et aller l'explorer.

— Nous n'aurons aucune intimité, pas tant que trois cents personnes s'adonneront aux mêmes activités en même temps.

Elle ferait preuve de patience; elle ne laisserait pas la colère l'emporter.

— Michael, nous sommes quatre-vingt-quinze passagers. Et, hier, seulement quelques-uns ont fait de la plongée sous-marine.

Il croisa les bras en guise de réponse. Elle connaissait la signification de ce geste: il ne voulait plus en entendre parler, ni maintenant ni plus tard. Ils arrivèrent enfin à proximité d'une belle plage de sable fin et blanc sur laquelle déferlaient des vagues écumeuses. Deena saisit la main basanée qu'on lui tendait et sauta dans l'eau rafraîchissante. Michael lui prit ensuite la main et ils gagnèrent la rive à pied. Elle avait le coeur un peu moins lourd.

Elle aurait tant aimé que les choses redeviennent comme avant entre eux. Surtout au lit. La veille il l'avait étreinte et embrassée comme il ne l'avait pas fait depuis trop longtemps. Elle en avait été surprise et ravie à la fois; elle avait d'abord cru qu'une nuit de passion s'ensuivrait. La seconde lune de miel se concrétiserait enfin. Lors de leur voyage de noces, il l'avait réveillée toutes les heures en braquant vers elle son énorme phallus et en grognant de plaisir chaque fois qu'il l'avait pénétrée. Elle n'avait rien connu de tel depuis très longtemps. Mais jamais ils n'avaient eu de longue nuit d'amour romantique. Il se contentait d'entrer en elle à toute vitesse et de labourer ses reins avec ardeur, en transpirant à grosses gouttes et en fermant les yeux. D'abord, elle avait cru à la passion; ensuite à une forme d'égoïsme, puis, lorsqu'il éjaculait trop vite en la laissant à ses frustrations, elle s'était sentie flouée. Elle espérait encore qu'un soir viendrait où il prendrait son temps. Il avait toujours accompli ce rite avec rapidité, comme pressé d'en finir. Quand elle était plus jeune, c'est-à-dire plus naïve, elle s'était sentie flattée qu'il la désirât à ce point. Mais la jeunesse excuse plusieurs choses que l'âge ne laisse plus passer.

Elle ne le revit pas avant l'heure du lunch. Il était parti en promenade solitaire. Il vint la retrouver pour le repas durant lequel il ne cessa de se plaindre du couple d'obèses originaire de San Diego. Ils avaient osé barboter dans son anse, ce qui avait effrayé le poisson. Il était revenu à la plage et sa femme ne l'avait pas attendu. Il avait pourtant cru qu'ils faisaient ce voyage à deux. Désolé d'avoir fait cette supposition! Elle disparaissait chaque fois qu'un autre homme se trouvait dans les parages.

— Qu'est-ce que ça signifie Michael?

— Exactement ce que j'ai dit. Ta conduite est... je préfère ne pas dire le mot.

— Enfin Michael! Je ne fais rien d'autre qu'essayer de m'amuser un peu.

Il souleva un sourcil et dit d'un ton sardonique:

— Je m'en suis aperçu.

— Tout cela est faux et tu le sais très bien. Et pourquoi suis-je obligée d'expliquer mes moindres faits et gestes, de te rendre compte de mon emploi du temps?

— Tu devrais te poser la question!

— Michael, essaies-tu de me chercher querelle ou est-ce que tu ne comprends donc rien?

Il laissa échapper un rire nerveux.

— Quelle raison aurais-je de vouloir gâcher des vacances dont j'ai eu l'idée?

— Je suis heureuse que tu poses cette question... C'est ce que je me suis demandé depuis que nous sommes partis. Je n'ai qu'une hypothèse à proposer: tu t'attendais à quelque chose de différent, tu es déçu et tu m'en imputes la responsabilité.

— Cesse tes sottises!

— Non Michael, ce ne sont pas des sottises. Tu es perfectionniste et tu en es fier. Tu avais une idée préconçue au sujet de cette croisière. A présent que tout ne concorde pas absolument avec l'idée que tu en avais, tu t'amuses à chercher la petite bête noire.

— Tu as tort Deena. Tout à fait tort.

— Vraiment? Alors comment se fait-il que la cuisine soit moche, que les autres passagers soient tous des idiots, que les lits soient trop petits, les cabines trop étroites, qu'il y ait trop d'alcool et pas assez de voile, trop de soleil et pas suffisamment d'exercice, trop de mondanités et pas assez d'intimité... Désires-tu que je continue ou en as-tu assez? Parce que moi, Michael, j'en ai ras le bol!

Il serra les lèvres pour contenir sa colère. Il était visiblement exaspéré. Et elle, elle en avait par dessus la tête de ses sautes d'humeur! Pourquoi l'avait-il invitée dans les Caraïbes, si c'était pour se montrer désobligeant? Et pourquoi avait-elle eu la folle idée d'accepter? En ce moment, elle aurait pu se trouver dans les bras de Luke Moorehead au lieu d'être traitée de la sorte.

— *Tu* en as ras le bol!

Le son de sa voix était aussi sévère que son visage.

— Je suis celui qui en a assez, Deena. Depuis que nous sommes ici, tu bois comme une éponge, tu t'habilles comme une pute et tu fais des propositions à tous les hommes qui te regardent.

Conservant son sang-froid, elle exigea:

— Michael, excuse-toi. Je te le demande. Excuse-toi.

Elle ne put contrôler quelques larmes qui roulèrent sur sa joue. Ce n'étaient pourtant pas des larmes de douleur. Pas cette fois. C'était des larmes de rage. Comment osait-il lui parler sur ce ton?

— A huit heures et demie, après ton deuxième Bloody Mary, tu t'allonges sur le pont dans un maillot de bain qui découvre la moitié de ta poitrine, tu souris au capitaine et tu fais tes plaisanteries supposément spirituelles...

Par bonheur le capitaine s'approcha à cet instant; sinon, elle l'aurait étranglé de ses propres mains.

— Je voulais vous parler, dit-il en la regardant dans les yeux. Je voulais vous remercier.

— Pour quelle raison?

Il éclata de rire.

— Si vous saviez comme il est difficile de s'occuper de tout le monde certains matins. Quelquefois les passagers nous créent de petits ennuis. Nous apprécions les gens comme vous qui font rire tout le monde, qui détendent l'atmosphère. Vous m'aidez beaucoup en ce sens, moussaillon.

Il posa brièvement sa main sur le bras de Deena. Michael les dévisageait comme un chien jaloux.

— Heureuse de me rendre utile, mon capitaine. Deena Berman, à votre service. Plaisanteries en tout genre. Rencontre sur rendez-vous. Salaire négociable.

— Voici ce que je vous propose, dit le capitaine. Chaque matin, en paiement de vos services, je vous offre un Bloody Mary à mes frais.

Ils éclatèrent de rire au même moment. Deena ne regarda pas en direction de Michael. Lorsque le capitaine se fut éloigné, elle se tourna vers son mari, un sourire radieux aux lèvres et lui dit:

— Tu as vu? Ainsi donc je me rends ridicule, hein?

— Si tu te préoccupes davantage de l'opinion qu'il se fait de toi que de la mienne... Pas besoin d'ajouter quoi que ce soit!

— Je voudrais que tu saches quelque chose Michael. Tu deviens ridicule à la fin avec ce ton pompeux. Tu es la risée de toute la famille.

Le sang afflua à ses joues; il semblait près d'exploser. Il tourna les talons sans parler. Ils remontèrent à bord du voilier vers quatre heures; ils ne s'étaient plus adressé la parole. Ils prirent une douche, passèrent des vêtements secs, rincèrent leurs maillots de bain et rangèrent l'équipement de plongée en silence, en ayant soin de ne pas se croiser. Quand ils eurent terminé, Michael prit son sac de marin sous la banquette et se mit à faire ses bagages.

— Michael qu'est-ce que tu fais?

— Ma valise, répondit-il d'un ton froid et distant. Nous partons.

— Correction, dit-elle presque malgré elle. Tu pars. Moi je reste.

— Tu perds la tête!

Il lui jeta un regard incrédule. Elle eut envie de rire mais son coeur battait à tout rompre. Elle s'attendait à ce qu'il dise quelque chose pour la faire plier à sa volonté. Toutefois, elle releva le menton en énonçant clairement:

— Toi tu pars. Moi je reste. Et j'ai toute ma tête.

Il ne leva pas même les yeux; il continuait de plier ses vêtements.

— Ma foi, tu deviens folle. Crois-tu un seul instant que je te laisserais seule sur ce bateau?, demanda-t-il en laissant échapper un petit rire qu'elle détesta plus que tout.

C'était le bouquet! Sans tenir compte de l'accélération de son pouls, elle déclara:

— Je ne te demande pas la permission Michael. Je te confie mon intention.

— Tu es complètement hystérique, ma pauvre.

— Au contraire!, ajouta-t-elle d'une voix douce qui lui rappelait celle de ses filles. Je m'amuse beaucoup ici. Désolée que tu ne partages pas mon avis.

Elle fit une pause et continua sans conviction:

— J'aimerais que tu restes avec moi. Cette croisière signifie beaucoup pour nous deux.

Sans cesser un instant de ranger ses vêtements dans son sac, il rétorqua:

— Je ne changerai pas d'idée.

— Deena non plus.

Elle franchissait le seuil de la cabine lorsqu'elle entendit le coup de poing sur le mur.

— Deena!

La voix de son maître l'appelait. Elle s'arrêta net, se retourna et vit Michael qui la regardait, enfin sérieux.

— Je te préviens Deena. Si tu persistes dans tes enfantillages, si tu ne reviens pas immédiatement faire tes valises...

Son seigneur pouvait crier, elle aussi.

— Cesse de me donner des ordres! Tu parles comme un imbécile. Cette idée soudaine de t'en aller fait de toi un pauvre type. Et où crois-tu que tu iras ainsi, au beau milieu de l'océan?

— Figure-toi qu'un bateau nous conduira de Bimini à Freeport. Le capitaine a consenti à nous accompagner en canot automobile.

Ainsi donc il était sérieux. Il s'en allait. Elle s'attendait à la panique mais elle réagit calmement. Elle sentait une douce sensation monter en elle, bientot elle pourrait lui donner un nom: soulagement.

— Bon voyage de retour Michael!

Il crispa les poings.

— Deena, je t'avertis...

Elle lui renvoya son plus charmant sourire.

— Ne me sers plus d'avertissement Michael, plus de menaces. Tu t'en vas, je reste ici. Ce n'est pas la fin du monde.

— Ça pourrait être la fin de notre mariage...

Le sourire de Deena ne faiblit pas. Elle était fière de sa conduite, de son propre courage, de cette nouvelle assurance.

— Nous verrons, répondit-elle avec satisfaction.

C'était la réplique de Michael lorsqu'il ne voulait pas entendre parler de quelque chose. Elle sut, en lisant la fureur de son regard, qu'il avait compris son ironie. Elle se sentait sûre d'elle-même.

— Nous verrons. répéta-t-elle.

Puis elle sortit de la cabine.

Deena s'assit au bar sur le pont des premières, le dos tourné au passage planchéié. Toute son attention était concentrée sur les bruits causés par le départ de Michael. Les craquements du canot automobile que l'on mettait à la mer.Les ordres que criaient les matelots. Le murmure des passagers assemblés le long du bastingage. Deena entendit quelqu'un demander:

— A-t-on déjà entendu parler de quelqu'un qui regagne la terre avant la fin d'une croisière?

Qui donc agirait ainsi, en effet? Elle sirotait un gin fizz pour mieux contrôler l'anxiété qui la rongeait. Elle préféra ne pas regarder ce qui se passait derrière elle. Elle était furieuse. Il n'avait pas songé à rester simplement parce qu'elle en avait envie. Il ne s'était préoccupé de rien, sauf de sa petite personne. Cela ne la surprenait pas. Cependant, le voir réagir ainsi dans un décor autre que le leur lui avait ouvert les yeux. Elle se rendait compte à présent que depuis le premier jour Michael Berman n'avait fait que ce qui lui plaisait, point à la ligne. Il lui avait bien entendu laissé quelque liberté, comme à un caniche que l'on tient en laisse. Cette seule pensée la fit frémir. Qu'adviendrait-il à présent? Que ferait une femme seule pendant sa seconde lune de miel? Que dirait-elle aux autres passagers? Comment expliquerait-elle le départ précipité de son mari et le fait qu'elle ne se trouvait pas à ses côtés pour lui dire au revoir? Elle considéra un instant la possibilité de sauver les apparences. Mais elle demeura assise sur le tabouret du bar. Elle ne ferait plus jamais semblant.

A cet instant, Janet Lowe s'approcha de Deena. C'était une britannique d'âge mûr qui semblait connaître tous les passagers de même que le capitaine; elle était joviale et directe. Elle prit place à côté de Deena et lui dit:

— Vous voilà seule à présent. Je voyage toujours seule. Je préfère la solitude.

Deena se sentait incapable de mentir comme elle l'avait prévu, de prétendre que son mari était appelé à son bureau. Cependant, elle n'avait pas envie d'étaler sa vie privée. Devant son silence, Janet ajouta sèchement:

— Vous n'êtes pas obligée de me confier quoi que ce soit. Je suis désolée si j'ai l'air de m'occuper de ce qui ne me regarde pas, mais vous me semblez un peu perdue. Peut-être est-ce le fruit de mon imagination?

— Non, vous avez raison. Je me sens perdue. Nous nous sommes querellés...

Janet posa doucement la main sur l'épaule de Deena.

— Je sais... Les murs sont de papier sur ce bateau.

Deena rougit de honte, ce qui ne lui était pas arrivé depuis qu'elle avait mouillé ses culottes au jardin d'enfants. Ils s'étaient lancé des insultes pendant que les autres passagers écoutaient leur dispute en buvant des pina coladas sur le pont. Elle aurait souhaité se trouver six pieds sous terre.

— Oh! ma chère... Je ne voulais pas vous causer le moindre embarras. Je vous en prie, ne soyez pas mal à l'aise. Vous n'avez rien dit que nous n'ayons déjà entendu ou dit nous-mêmes.

Janet ajouta en souriant:

— Vous avez fait bonne impression, ma chère. Vous vous êtes montrée forte et héroïque.

Deena entendit une autre voix féminine surenchérir:

— Oui mon enfant, vous avez du cran.

Mildred, une retraitée vivant en Floride, approchait d'elles, tenant un cocktail d'une main et des morceaux de poisson frit de l'autre.

— A présent qu'il est parti, vous feriez mieux de boire, de manger et de vous amuser. Tenez, prenez-en, dit-elle en lui tendant les morceaux de poisson frit.

Deena se sentait mieux à présent. Les deux femmes se montraient gentilles. Elle accepta les morceaux de friture- elle en avait mangé la veille et n'avait pas aimé mais si on faisait preuve de gentillesse envers elle, elle devait se montrer polie- et remercia Mildred en l'invitant à prendre place à ses côtés. Déjà les deux frères, George et Raymond, de Milwaukee,s'asseyaient près d'elle et prétendaient qu'elle devrait boire quelque chose. Le temps passa à toute allure. Elle redécouvrit que la solitude avait des avantages. C'était une femme sociable mais en compagnie de Michael, son esprit était préoccupé par lui, par ses besoins, par ses humeurs. Il avait toujours prétendu qu'elle était experte en papotage mondain; elle y avait vu un compliment flatteur. Cependant Michael l'avait ainsi rendue responsable de sa vie sociale à lui. A présent, elle n'avait à songer qu'à elle-même. Elle pouvait bavarder, plaisanter, rire à gorge déployée sans se préoccuper de ses regards inquisiteurs et des jugements qu'il porterait à coup sûr. Elle y prenait goût. Elle se sentait bien, très bien.

Elle s'amusa au cours du dîner. Janet l'invita à s'asseoir à sa table. Elle y rencontra plusieurs personnes intéressantes, dont un médecin russe qui flirta avec elle durant tout le repas. Après le digestif, les musiciens en provenance de Bimini abordèrent avec leur steel-band et bientôt le rythme irrésistible de la musique entraîna les dîneurs à la danse. Boris, son compagnon de table, l'invita à danser. Il était mauvais danseur mais qui s'en souciait? Deena avait déjà trop bu d'alcool et elle ne fut pas sa partenaire longtemps. Un membre d'équipage au torse musclé et basané la fit ensuite danser. Sa voix était douce comme une caresse, son rire coquin et il bougeait comme un dieu. Puis ce fut au tour de George ou de Raymond. Vint ensuite un collégien gris qui trouva le courage de lui avouer son fantasme au sujet des femmes plus âgées; elle n'aurait qu'un mot à dire et il passerait à l'action.

Elle dansa encore et encore, sans même choisir son partenaire pourvu que la danse ne prît pas fin. Soudain quelqu'un vint prendre la relève et, en levant les yeux, elle s'aperçut qu'elle était dans les bras du capitaine. Elle en était ravie. Son eau de Cologne fleurait la bergamote et la verveine, il était séduisant et dansait avec une grâce féline. Elle le lui dit.

— Vraiment? Ça tombe bien. J'ai la même opinion de vous.

Cela se pouvait-il? Son bras lui serrait-il la taille? Son regard se faisait-il lascif? Elle se réprimanda car, enfin, cet homme était capitaine; c'était son devoir de faire danser les femmes seules et délaissées. Au même titre qu'il devait raconter des anecdotes chaque matin avant l'expédition et qu'il devait se montrer gentil avec tous ses passagers. Elle ne se gêna cependant pas pour lui confier combien elle le trouvait charmant.

— J'en suis si heureux madame Berman.

— Deena.

— Deena, un prénom inhabituel. Est-ce italien?

Cette question la fit sourire.

— Loin de là. Je crois que c'est russe. Ou alors yiddish, peut-être polonais. Européen de l'est, c'est sûr. Et vous, quel est votre nom? Ou vous appelez-vous «capitaine»?

Il trouva cette remarque fort amusante. Un bon point en sa faveur. Ils continuèrent de danser et de s'amuser et, à vrai dire, ils passèrent ensemble un bon moment. Elle sentait son corps contre le sien, les muscles de ses épaules, de son dos, de ses bras. Elle inspirait doucement les bouffées de son eau de Cologne. Elle regardait les pattes d'oie autour de ses grands yeux bleus lorsqu'il riait. L'orchestre cessa de jouer pendant quelques minutes. Elle croyait qu'il s'excuserait poliment pour aller rejoindre les autres passagers, même si elle souhaitait le contraire. Son souhait se réalisa. Le capitaine semblait attiré par elle! Elle pourrait si elle le voulait... Mais en ce moment, elle n'avait pas envie de penser à plus tard. Elle s'amusait ferme en compagnie de James Ward et cela seul importait. Elle savait qu'il s'appelait James Gordon Ward, qu'il était né à Liverpool, qu'il appartenait en réalité à la marine marchande mais qu'il détestait le froid; il avait donc décidé de quitter le service pour venir travailler dans les Bahamas. Il avait ajouté en riant:

— Même si le salaire est maigre, cet emploi a ses... comment dire?... compensations.

Elle savait très bien ce qu'elle faisait en lui demandant avec ses grands yeux de biche ce qu'il entendait par là. Il lui avait répondu:

— Ça me permet de rencontrer des gens intéressants.

A présent, il posait la main sur son bras et lui demandait si elle avait envie de visiter le bateau.

— A moins que vous n'aimiez mieux attendre le retour de l'orchestre pour danser?

Il voulait rire.

— L'orchestre peut très bien se passer de nous.

Ils se retrouvèrent seuls à la proue. Personne n'y venait à la tombée de la nuit à cause des cordages qui jonchaient le pont. Ils surprirent un autre couple enlacé dans la pénombre qui ne se soucia pas d'eux. James se rapprocha d'elle en continuant à lui expliquer le fonctionnement du voilier, usant de termes nautiques qu'elle prétendit connaître. Elle aimait le son de sa voix de baryton et la sensation laissée par ses mains calleuses sur sa peau. Elle savait qu'il suffirait d'un instant encore pour qu'il l'embrasse. Ils se tenaient à la proue, écoutant le bruit des vagues qui venaient s'échouer contre la coque. Ils regardaient les poissons qui passaient par bancs et qui miroitaient comme mille paillettes d'argent sous l'éclairage des lanternes. Ils savaient qu'au large se trouvait une île, sombre forme éclairée çà et là, comme ils savaient qu'un ciel percé d'étoiles s'étendait au-dessus de leurs têtes. Il passa le bras derrière Deena et posa la main sur le bastingage, à côté de son coude. Il ne la touchait pas encore. Elle attendait.

— Monsieur Berman a dû nous quitter soudainement. Une affaire à régler, m'a-t-il dit.

— Il vous a dit qu'une affaire le rappelait à New York?

— Oui, une urgence…

— Une urgence en effet. S'il n'était pas parti, je l'aurais probablement envoyé par-dessus bord!

— Ça allait si mal?

Deena eut un grand rire sonore.

— Vous aussi, vous avez entendu! Je n'ai donc pas à vous expliquer les reproches que mon mari adressait à ce voyage en mer. Le voilier trop étroit, les passagers trop vulgaires, les îles trop désertes, l'alcool qui coule trop et sa femme qui…

— Je dois avouer que je suis en parfait désaccord avec lui. Surtout en ce qui vous concerne. A mon avis, vous êtes parfaite.

Il se tourna vers elle, baissa la tête et posa ses lèvres sur sa bouche. Deena s'agrippa à lui en l'embrassant avidement. Il faisait si bon se trouver avec lui. Ses mains la caressaient et l'attiraient vers lui. Il la désirait! Ils s'embrasseraient ainsi puis il l'inviterait à sa cabine et elle irait. Elle en avait envie. N'avait-elle pas décidé cet après-midi de faire selon ses désirs? Elle avait l'impression de traverser un rêve. Il l'embrassait passionnément, leurs bouches étaient soudées. De petits grognements de plaisir montaient du gosier de Deena. Les mains de James caressaient son dos nu. Elle crut qu'elle ne résisterait pas à autant de plaisir. Puis il murmura quelque chose à son oreille, une phrase qu'elle ne saisit pas mais à laquelle elle répondit oui. Ils se rendirent à la cabine du capitaine: il verrouilla la porte, ils se dévêtirent à la hâte, ils s'embrassèrent de nouveau, enlacés, peau contre peau, le phallus de James pressant le ventre de Deena, chacun explorant la nudité de l'autre avec les mains et avec la bouche, se rapprochant sans cesse de la couchette et s'y laissant choir enfin. Oui, elle le voulait. Elle en avait envie. Il était en elle, la pénétrait avec vigueur. Elle frissonnait en lançant de petits cris de plaisir.

chapitre dix-huit

Jeudi 26 décembre 1985.

Jeudi soir, Michael rentrait chez lui, épuisé. De plus, il était furieux contre sa femme. Comment avait-elle osé demeurer là-bas sans lui? Que répondrait-il à ceux qui lui poseraient la question? Elle n'avait pas le droit de l'humilier ainsi. Et quoi encore maintenant? Toutes les lumières de la maison étaient allumées! Dégoûté par les récents événements, Michael souleva son sac de marin et monta les quelques marches qui conduisaient au perron. Etant donné que Saul se trouvait à la maison- on ne pouvait certes pas le manquer- pourquoi ne venait-il pas lui donner un coup de main?

Michael enrageait. La colère l'envahirait bientôt. Il déverrouilla la porte et pénétra chez lui. Il lança son sac sur le parquet du vestibule et cria le prénom de son fils à pleins poumons. Puis il resta muet de saisissement. Saul se trouvait là, descendant l'escalier et regardant son père avec défi, l'air malade, mais surtout coupable. Michael fit des efforts pour ne pas s'emporter. Il demanda à son fils d'une voix contenue:

— Qu'est-ce qui se passe? Pourquoi restes-tu là à me regarder ainsi? Qu'est-ce qui se passe ici?

Le ton montait. Il ne pouvait s'en empêcher; sa voix devenait hargneuse. Son fils avait l'air coupable de quelque méfait. Alors un étranger descendit à son tour l'escalier. Un policier, pour être exact. Michael savait qu'il appartenait aux forces policières bien qu'il fût en civil; il en avait la ferme conviction. Il crut un instant que l'homme était venu pour lui. Son coeur se mit à battre deux fois plus vite, une peur incontrôlable le gagna. Il se trouvait mal. Il n'avait pourtant aucune raison de craindre les autorités. C'était un citoyen modèle et, aux Etats-Unis, les policiers avaient pour devoir d'assurer la protection des citoyens tels que lui. En Amérique, les policiers n'entraient pas chez les gens au milieu de la nuit pour les déporter dans des camps sous prétexte qu'ils étaient juifs.

Il fit un effort pour se tenir droit, il regarda l'homme en haut de l'escalier, le visage calme et la respiration régulière. Il réussit à dire en se contrôlant:

— Vous feriez mieux d'expliquer votre présence chez moi.

— Je suis l'inspecteur Fatullo, de la quatre-vingt-quatrième division. Etes-vous Michael Berman?

— Oui et vous vous trouvez sur ma propriété, inspecteur. Quel motif explique votre présence ici?

L'inspecteur Fatullo était à présent descendu dans le vestibule et les deux hommes se trouvaient face à face. Le policier tendit à Michael un étui en maroquin brun contenant son insigne et ses papiers d'identité.

— Votre fils a de gros ennuis, fit-il en regardant Saul.

— Mon fils?

— Je crains que oui. Nous faisons une enquête sur un vol de cartes de crédit et...

— C'est tout à fait ridicule! ne dites plus un mot, ordonna Michael qui retrouvait peu à peu sa confiance. Mon fils n'est pas un voleur. Il n'a aucune raison de commettre des vols.

Michael désignait de la main le décor du vestibule, ses tableaux originaux, son tapis persan, son mobilier cossu, tous les signes évidents du prestige et de la fortune.

— Vous pouvez le constater vous-même. Vous devez faire erreur, inspecteur.

L'inspecteur Fatullo jeta sur Michael un regard empreint de pitié.

— Je suis désolé. La citation précise que je suis à la bonne adresse, qu'il s'agit du bon garçon et que c'est- à ce moment il désigna l'étage où Michael aperçut deux fiers-à-bras qui déménageaient l'ordinateur de Saul, le moniteur et l'imprimante- bel et bien le bon ordinateur.

A ces mots, Michael porta un regard inquisiteur sur l'inspecteur. Il avait le visage épais d'un paysan calabrais, les joues sillonnées de profondes rides, le regard fatigué et le front dégarni. Il ressemblait au marchand de fruits dans le quartier de son enfance. Sauf qu'il n'était pas fruitier mais plutôt officier du commissariat quatre-vingt-quatre.

— Et qu'est-ce que vous faites avec l'ordinateur de mon fils?

En guise de réponse, il reçut un mandat de perquisition auquel il jeta un coup d'oeil rapide. L'inspecteur avait le droit de saisir l'ordinateur qui se trouvait dans la chambre de Saul à cette adresse. Le document stipulait qu'il s'agissait d'une preuve périssable.

— Une preuve périssable qui servira à quoi?

— Désolé monsieur Berman mais cette information est confidentielle. Elle relève d'une longue enquête qui nous a conduits à votre fils. Je suis désolé, répéta-t-il, c'est tout ce que je puis vous dire. Si vous désirez en savoir davantage, je vous suggère de contacter le magistrat-fédéral*. Ça va Farrell? Tu as tout ce qu'il faut?

— Je dois remonter prendre le logiciel et puis c'est tout.

Quelques instants plus tard, ils étaient partis. Michael avait l'impression de vivre un cauchemar éveillé. Il regarda attentivement son fils, son dernier-né. Saul était appuyé contre la rampe d'escalier, les bras croisés, le dos voûté.

— Pour l'amour de Dieu, tiens-toi droit!

Saul obéit. L'air renfrogné, il détourna les yeux et se redressa aussi lentement qu'il put en défiant son père. Michael songea alors que cet enfant ne lui avait causé que des ennuis depuis le jour de sa naissance. D'humeur instable, il s'était toujours entêté à faire comme bon lui semblait au détriment des membres de sa famille. Que de fois il avait déçu ses parents! Tous ses bulletins scolaires faisaient mention de son attitude négative, de sa paresse, de son potentiel qu'il refusait d'exploiter. On l'avait inscrit à trois écoles et chaque fois on l'en avait expulsé. Il s'était montré repentant et promettait de faire mieux à l'avenir. Son père lui avait seulement demandé de faire un effort et Saul s'était contenté

---

* N.D.T. L'équivalent américain du Procureur de la République.

217

de lui dire qu'il essaierait. Mais il n'avait jamais tenu parole. Qu'est-ce qui ne tournait pas rond chez lui? Il possédait tout ce qu'un adolescent pouvait désirer, et plus encore. Son frère et ses soeurs étaient des enfants modèles. Jamais ils ne s'étaient attiré le moindre ennui.

Bien sûr toute leur existence n'avait pas été sans tache. Nathan avait d'abord voulu faire des études de droit puis au dernier moment il avait choisi la médecine. Pour cela, il avait dû suivre des cours d'appoint en sciences. Quant aux filles, la nature de leur sexe les rendait promptes aux caprices. Zoé n'avait d'intérêt que pour les garçons mais cela lui passerait. Quant à Judith, malgré d'excellents résultats scolaires, elle avait changé quatre fois d'idée au sujet de la matière principale de son baccalauréat. Mais aucun d'entre eux ne lui avait causé de véritable souci. Jamais un policier n'avait perquisitionné son domicile et aucun de ses enfants n'avait été complice de vol.

— Explique-moi ce qui se passe Saul. Qu'as-tu encore fait?

— Rien.

— C'est manifestement faux. La police n'entre pas chez les gens qui n'ont rien fait pour leur confisquer leur propriété.

— Je ne sais rien de cette histoire. Ils n'en ont pas dit davantage.

— Je vais devoir téléphoner au bureau du magistrat-fédéral. Tu en es conscient?

— Vas-y, téléphone!

— Avant que je le fasse, raconte-moi tout Saul. J'aimerais mieux entendre cela de ta bouche. Qu'as-tu fait avec tes jouets coûteux?

— Tu parles toujours de mon ordinateur comme d'un jouet coûteux! Pourquoi est-ce que ça te déplaît tant? Ce n'est pas toi qui me l'as acheté, c'est grand-papa. Alors pourquoi fais-tu toujours une histoire au sujet du prix d'achat?

— Surveille tes paroles lorsque tu t'adresses à moi!

Saul lui jeta un regard hostile. Michael ne parvenait jamais à communiquer avec cet enfant. D'où venait cette absence de lien entre eux? Il adorait Saul, au même titre que les autres. Alors pourquoi éprouvait-il autant de difficultés à l'éduquer? Il n'en avait pas la moindre idée. Ce n'était pas faute d'avoir essayé. Saul était l'enfant que ses parents n'avaient pas prévu et, en vérité, Michael avait insisté pour que Deena le porte à terme. Elle avait voulu se faire avorter dans une clinique de Puerto-Rico. Quelle abomination! Michael avait décrété qu'aucun enfant juif ne serait assassiné. Il considérait son fils à présent; Saul semblait impatient que son père termine son sermon et lui rende sa liberté. Michael avait envie de lui dire: «Je t'ai sauvé la vie Saul, bien avant que tu naisses. Ta chère mère, celle que tu portes aux nues, ne voulait pas de toi.» Il s'était préparé à chérir ce fils, voire même cette fille s'il le fallait, à cause des circonstances entourant sa naissance. Il avait depuis considéré son dernier fils comme un cadeau du ciel. Et que recevait-il en récompense de tant d'efforts?

Un poids écrasait sa poitrine; il avait du mal à respirer. Michael avait le coeur lourd. Son fils se tenait devant lui, impassible, tête baissée, l'air maussade.

— Regarde-moi Saul.

Son fils releva la tête et son regard de défi aviva la colère de Michael.

— Qu'est-ce qui t'a incité à faire une telle chose? Commettre un vol? Tu as pourtant été élevé au sein d'un foyer qui vante l'honnêteté, la décence, l'intégrité. Nous t'avons inculqué ces valeurs. Alors pourquoi Saul? Dis-moi pourquoi. Réponds-moi!

Il eut envie de le prendre par les épaules et de le secouer mais il parvint à se maîtriser.

— Saul, ton père te parle!

— Je t'entends.

— J'attends une réponse de ta part.

Saul le contempla un instant et haussa les épaules.

— Pourquoi en faire tout un plat?, répondit-il en mettant Michael au défi. Tout le monde le fait. Je n'ai pas eu de chance, voilà tout.

— Est-ce là la réponse que me fait mon fils?

— C'est la réponse que te fait ton fils, lança ce dernier comme un cri de guerre.

La fureur monta en Michael et une bile au goût de fiel emplit sa bouche. La chair de sa chair osait lui tenir de tels propos! Michael ressentait le besoin de gifler ce fils insolent pour lui inculquer quelque notion de respect. Mais aucun homme digne de ce nom ne frappait son fils. Soudain les lèvres de Saul dessinèrent un petit sourire moqueur et le coup partit tout seul. Le bras de Michael s'allongea, indépendant de sa volonté, il entendit craquer la mâchoire de Saul, vit sa tête rejetée vers l'arrière et en fut horrifié. Il avait suffi d'un seul instant. L'empreinte de sa main marquait au rouge la joue de son fils.

— Saul, je n'ai pas voulu...

L'adolescent n'attendit pas la fin des excuses. Il tourna les talons, gravit l'escalier quatre à quatre, courut à sa chambre et s'y enferma en claquant la porte avec tant de force que les tableaux suspendus au mur se mirent de travers. Michael porta les mains à son visage et laissa couler les larmes de colère et de déception.

chapitre dix-neuf

Samedi 28 décembre 1985.

L'avion se déplaçait lentement le long de la piste alors que la voix de l'hôtesse, amplifiée par les haut-parleurs, remerciait les passagers d'avoir choisi cette compagnie aérienne et leur souhaitait un excellent séjour à New York en espérant les revoir bientôt. Deena prenait plaisir à s'étirer les jambes après quatre heures de vol. Il lui fallait à présent songer à son manteau de fourrure et à son sac à main. Quatre jours au soleil et elle avait oublié ce qu'était un manteau de fourrure. Quatre jours délicieux de *dolce vita* et d'amour physique. Elle avait oublié jusqu'à l'existence de la neige, de l'hiver new-yorkais, de sa famille et du type qui lui servait de mari. Quatre jours durant lesquels elle n'avait pensé qu'au prochain cocktail, au repas suivant, à une éventuelle session dans le lit de James. A ses mains sur sa peau, à ses lèvres sur les siennes, à sa langue dans sa bouche gourmande. Un amant du tonnerre, inventif et acrobate. Elle avait aussi découvert les plaisirs de la sexualité.

Un long frisson lui parcourut le dos tandis qu'elle se rappelait ces doux moments. Il lui avait dit que jamais il ne l'oublierait. Elle l'avait cru. Tout au long du vol, elle s'était abandonnée à ses rêveries. Elle avait refait la croisière en songe afin de n'être pas confrontée trop tôt à la dure réalité qui viendrait assez vite. L'aéroport John F. Kennedy était la réalité. Un coup d'oeil au hublot révéla la grisaille triste, la bruine, la neige boueuse qu'écrasaient les roues de l'appareil. Retrouver New York en plein hiver aggravait le choc. On ne photographiait pas les cages à poules du Bronx pour les calendriers.

Il fallait un temps fou pour sortir de l'avion. Ne pourrait-on songer à un moyen plus rapide d'évacuer l'appareil? Par exemple, laisser sortir en premier les femmes portant une fourrure et dont le prénom commence par la lettre D. Elle eut envie de rire. Elle aurait mieux fait de s'abstenir après la seconde vodka. Elle était un peu grise mais tant pis! Elle n'avait pas à conduire et cela fournirait un prétexte à Michael pour la réprimander. Il aurait dû lui montrer de la reconnaissance. Michael Berman ne supportait pas l'existence s'il ne pouvait prendre quelqu'un en faute. Elle salua gaiement le steward et ne put s'empêcher de lui lancer:

— Faites mes compliments au chef!

Les agents de bord rirent poliment. Elle s'en moquait. Pourvu qu'elle fasse rire son entourage. Elle se prit à penser que l'humour était chez elle comme un narcotique. Elle devait maintenant songer à préparer sa grande entrée devant Michael. Elle n'en avait pas particulièrement envie mais elle pourrait ainsi éviter de déclencher la troisième guerre mondiale devant le terminus de la Trans-World Airlines. Une étreinte, un baiser, un sourire, peut-être un mot d'esprit. Faire comme si de rien n'était. Comme s'il ne l'avait pas quittée au milieu de leur «seconde lune de miel.» Comme s'il ne lui avait pas adressé ces abominables reproches. Comme si elle ne l'avait pas laissé dire le fond de sa pensée. Comme si elle n'avait pas connu sa première aventure extra-conjugale.

Déambulant d'un pas régulier dans le corridor qui conduisait aux douanes, elle poussa un profond soupir. Elle s'était beaucoup amusée mais ce voyage appartenait maintenant au passé; elle devait à présent affronter son mari, se montrer enjouée et heureuse de le revoir, mettre de côté les bons souvenirs. Elle pourrait y revenir ce soir lorsque Michael lui tournerait le dos dans leur grand lit. Elle franchit les tourniquets de la douane plus rapidement qu'elle ne l'avait prévu. Il était huit heures trente-cinq lorsqu'elle franchit les portes, suivie du porteur chargé de ses bagages. Michael ne se trouvait pas parmi la foule empressée à la sortie. Il ne se trouvait pas non plus en retrait de la foule. Il ne se trouvait dans aucune des cabines téléphoniques. En réalité, il n'était pas venu la chercher!

Pendant quelques minutes, elle s'offrit le luxe de le traiter de tous les noms. Une fois la colère dissipée, elle se sentit blessée et abondonnée. Elle n'était pourtant pas surprise que Michael la punisse de cette façon. Dommage pour toi, Michael! Elle était une grande fille à présent. Elle savait comment demander au porteur de héler un taxi, elle connaissait son adresse, elle savait dire merci et pouvait payer le chauffeur. Elle n'avait pas besoin de lui. Elle aurait cependant eu grand plaisir à constater qu'elle lui avait manqué, comme cela eût été normal si Michael avait été sensible aux membres de son entourage. «Si les poules avaient des dents», songea-t-elle en se souvenant les paroles de son père. Elle se prit à penser à son père, à Elaine et au dilemme qui les opposait. Elle préférait oublier pour l'instant. Demain viendrait déjà trop vite.

Elle dut hisser ses valises, marche après marche, chercher ses clefs dans l'obscurité, déverrouiller la porte de cette maison si calme qu'elle semblait déserte. Il était à peine dix heures; peut-être avaient-ils décidé de dîner dehors ou d'aller au cinéma? Elle savait cependant que Saul et Michael n'avaient d'autre activité commune que la dispute. Ils étaient tous les deux sortis. Charmant comité de bienvenue! Elle traîna ses bagages dans le vestibule en se disant qu'elle n'était donc pas la bienvenue. Elle déferait ses valises plus tard. Elle avait une faim de loup. Elle trouverait peut-être un morceau de fromage au frigo ou des petits fours dans le garde-manger. Elle se rendit à l'arrière de la maison en allumant les lustres dans chaque pièce qu'elle traversait: le salon, la salle à manger, enfin la cuisine. Quelle ne fut pas sa surprise d'y trouver Michael! Il mangeait des oeufs brouillés en lisant un épais volume.

— Tu es ici!, s'exclama-t-elle d'une voix blessée.

Elle ajouta rapidement:

— Est-ce que Saul est là? Il n'y avait pas une seule lampe allumée, j'étais persuadée de me trouver seule à la maison.

Il porta sur elle un regard dénué d'expression.

— Alors, te voilà de retour?

Deena retint une réplique ironique. Ce n'était pas le moment. Elle devait s'appliquer à faire la paix.

— Eh oui!, répondit-elle en essayant de se montrer enjouée.

Elle se tenait dans l'embrasure de la porte. Son sourire se figeait et elle attendait un commentaire de Michael. Mais il posa les yeux sur son livre et reprit sa lecture. Plutôt, il fit semblant de poursuivre sa lecture. Elle commençait à perdre patience.

— C'est tout ce que tu trouves à me dire? «Te voilà de retour»? C'est tout?

Il releva la tête et porta sur elle un regard accusateur. Elle vit dans ses yeux que sa colère n'était pas encore apaisée. Même après le geste qu'il avait posé. Ainsi donc il n'avait pas l'intention d'enterrer la hache de guerre. Elle était lasse. Elle n'avait pas envie de se quereller avec lui; elle ne voulait pas même lui adresser la parole. Cependant lorsqu'elle fut sur le point de quitter la pièce, la voix autoritaire de son mari résonna dans son dos.

— Vas-y, sauve-toi! Je te reconnais là!

— Et qu'est-ce que ça veut dire?

— Je devrais me montrer reconnaissant que tu daignes bien nous honorer de ta présence? Il est un peu trop tard à présent, Deena.

— Michael, tu m'as laissée seule sur un voilier; ne l'oublie pas. Tu te souviens? Alors voudrais-tu bien m'expliquer?

— On voit bien que tu n'étais pas là lorsque je suis rentré à la maison. Un véritable cauchemar...

— Michael qu'est-ce qui... Oh! mon Dieu quelque chose de terrible a eu lieu. Pour l'amour du ciel Michael, s'il est arrivé quelque chose aux enfants tu dois me le dire!

Il leva une main de magistrat.

— Je présume que tu n'as pas lu le *Times* d'aujourd'hui? Alors regarde où nous a conduits ta trop grande indulgence.

Il poussa en sa direction un magazine méticuleusement plié. Deena prit le magazine avec inquiétude. Elle se demandait qui était mort mais avant même qu'elle ne commence la lecture de l'article, la dure voix de Michael se mit à réciter le titre:

— «ACCUSATION PORTEE CONTRE UN ADOLESCENT DE BROOKLYN»!

«Saul? Au moins personne n'a perdu la vie. Une accusation?» Deena porta la main à son coeur qui battait à tout rompre. «Pourquoi? Qu'a-t-il donc fait?» Les larmes perlaient à ses yeux.

— Où se trouve-t-il?

Elle n'apprécia pas le sourire sardonique sur les lèvres de Michael.

— Dieu soit loué, il n'est pas en prison! Il est là-haut dans sa chambre, où il doit demeurer jusqu'à ce qu'on l'emmène à l'académie militaire de Concord jeudi prochain.

— Michael, tu ne peux tout de même pas...

— Oh! si, je peux. Je t'ai laissé l'élever et on constate les résultats. Dorénavant, c'est moi qui me charge de son éducation. Si le magistrat-fédéral me le permet.

— Michael, pour l'amour de Dieu!

— D'accord. Je suppose que tu as le droit de connaître tous les détails de cette sordide affaire. Jeudi soir, lorsque je suis rentré, toutes les lampes de la maison étaient allumées...

Elle l'écouta et chacun de ses mots renforçait son sentiment de culpabilité. Tout cela était sa faute. Mais non, elle n'avait pas tous les torts. Mais elle se sentait responsable. Si elle était revenue en même temps que Michael. Pourtant, le sort en était jeté au moment de son arrivée; elle n'aurait rien pu y changer. Sauf qu'elle avait préféré folâtrer au soleil dans les bras du beau capitaine, pareille à une adolescente idiote, alors qu'elle aurait dû se trouver à la maison pour veiller à l'éducation de son fils. Toutefois qu'est-ce que quatre jours auraient changé? Elle avait toujours veillé sur ses enfants. Pourquoi cet injuste sentiment de culpabilité l'envahissait-il? Pourquoi Michael choisissait-il les mots qui lui faisaient porter l'entière responsabilité de la faute? Il voulait ainsi se venger de ce qu'elle lui avait tenu tête. Elle avait seulement, pour une fois, agi selon son bon plaisir; elle en avait le droit. Chacun faisait comme il l'entendait, pourquoi pas elle? Pour la première fois de sa vie, elle avait décidé de penser à elle avant de se consacrer aux autres. Elle en était maintenant punie.

— ... et depuis il n'a pas voulu m'adresser la parole.

Michael termina son monologue et s'assit, l'air affligé. Elle fit abstraction de sa réaction première: un indicible ennui devant l'égocentrisme dont il faisait preuve dans cette histoire. Il lui avait cependant fallu admettre qu'il avait giflé son fils dans un excès de colère. Le saint Michael avait perdu la maîtrise de soi, lui qui se vantait de toujours garder la tête froide et de ne jamais céder aux émotions.

— Michael!, s'exclama-t-elle en veillant à emprunter un ton chaleureux. Je suis navrée que tu aies dû faire face à tout ceci sans moi!

— Ne t'en fais pas pour moi. Ça m'a enfin permis d'y voir clair. Pendant toutes ces années, je t'ai reproché l'indulgence avec laquelle tu as élevé les enfants. Ne sois pas sur la défensive Deena. Je porte aussi la faute. J'étais trop occupé pour surveiller de près l'éducation que tu leur donnais. Je ne suis jamais entré dans sa chambre pour vérifier ce qu'il pouvait bien tramer avec ce maudit ordinateur. J'étais trop occupé. Moi aussi je suis responsable. Au moins autant que toi, sinon plus.

Il avait parlé d'un ton raisonnable. Deena le regardait étonnée, en écarquillant les yeux. Michael Berman ne cesserait jamais de l'étonner. Il avait réussi à jeter le blâme sur elle, à lui imputer une déficience qui n'était pas uniquement la sienne, et du coup il lui avait soi-disant pardonné. Elle le regardait en attendant de ressentir l'inévitable besoin d'implorer son pardon. Cette fois, il ne vint pas. Elle ne ressentit qu'un vide triste et amer. Elle se moquait bien de son pardon, au même titre qu'elle se moquait bien qu'il la tînt ou non responsable de ce qui s'était passé. Son opinion n'avait plus d'importance à ses yeux.

Elle songeait plutôt à son fils qui s'était enfermé pendant trois jours dans sa chambre et qui de surcroît avait dû supporter la présence de son père. Michael ne comprendrait jamais son point de vue. Michael ne voyait rien de cruel à enrôler son propre fils à l'académie militaire. Lui qui arrachait des larmes à son auditoire en dénonçant les régimes militaires, lui qui vouait une haine invétérée aux nazis, lui qui détestait par-dessus tout l'obéissance servile propre à l'armée. Que de belles paroles! Il s'attendait à la même obéissance de la part de son fils. Qui plus est, il se montrerait étonné qu'elle le lui fasse remarquer. Cela n'empêcherait certainement pas Deena d'agir; pas question de confier Saul aux militaires. Elle aspira une grande bouffée d'air pour se préparer au combat.

A ce moment retentit la sonnerie du téléphone. Elle se sentit sauvée in extremis. Mais qui donc pouvait téléphoner à une heure pareille?

— J'y vais, décréta Michael.

Ouf! Elle n'avait pas la tête à tenir une conversation téléphonique.

— On pense avoir trouvé von Erdheim en Bolivie, continua-t-il. A propos, on va me téléphoner à des heures indues. Je dormirai donc dans la salle de séjour. Il n'y a pas de raison que tu sois dérangée.

Il avait donc décidé de quitter le lit conjugal. S'il n'en tenait qu'à elle, Michael pouvait bien faire ce qu'il voulait. Elle voulait monter à la chambre de son fils. Puis Michael annonça d'une voix surprise:

— C'est pour toi!

Un appel d'Elaine. Dès qu'elle entendit la voix rauque de sa soeur, Deena fondit en larmes.

— Deena, qu'y a-t-il? Dis-moi...

Elle avait du mal à parler.

— ... Saul...

— Mon Dieu! Est-il blessé?

— Non.

Elle avala sa salive pour mieux contrôler sa voix.

— Il a de gros ennuis. Avec la police!

— J'arrive à l'instant, ne bouge pas!

Deena reçut ces mots comme un petit rayon de soleil. La visible inquiétude de sa soeur lui fit chaud au coeur après les reproches mesquins de son mari. Il s'apprêtait à lui enlever le soin d'élever son fils, à l'éloigner d'elle. Il voulait envoyer Saul à l'académie militaire malgré son désaccord et elle ne savait comment l'en empêcher. Elle se sentait impuissante et coupable, elle devait l'avouer. Elle avait besoin qu'on lui dise un mot gentil, qu'on l'embrasse, qu'on la prennne dans ses bras et qu'on lui sourie. Sa grande soeur n'avait pas hésité un seul instant pour annoncer qu'elle accourait à la rescousse.

— Lainie, dit-elle d'une voix chevrotante, merci beaucoup. Tu ne sais pas ce que ton offre me fait chaud au coeur. Je me sentais si seule.

Elle s'arrêta, incapable de parler devant Michael.

— Je suis toujours prête à t'aider, répondit Elaine. Mais si je comprends bien, tu ne souhaites pas que je me rende chez toi?

— Je ne crois pas que ce soit le moment. Mais ton offre m'a fait grand bien. Je te jure.

— Tu sais que je suis sérieuse.

— Je sais et je l'apprécie. Crois-moi.

Il y eut un long moment de silence puis Elaine ajouta:

— En fait, la raison pour laquelle je te téléphonais... Je présume que tu n'as pas envie de m'accompagner au bureau de papa demain après-midi. C'est au sujet de ce dont nous avons discuté.

— Lainie, je t'ai déjà dit ce que j'en pensais. Et maintenant...

— N'en dis pas plus. J'ai simplement voulu te mettre au courant. J'ai rendez-vous à quatre heures, au cas où tu changerais d'idée.

Déjà, Deena reconsidérait la proposition d'Elaine. Spontanément, sa grande soeur avait voulu lui venir en aide; elle semblait triste à présent. Un peu comme lorsqu'elles étaient gamines et qu'Elaine tenait tête à papa. Comment pouvait-elle refuser son aide à sa soeur après que celle-ci lui ait offert la sienne? Elles se connaissaient mieux que quiconque; elles avaient grandi ensemble et partagé tous leurs secrets. Marilyn était beaucoup plus jeune qu'elles; elle appartenait presque à une autre génération.

Deena avait du mal à comprendre pourquoi sa soeur voulait provoquer ainsi leur père. Elle ne voyait pas où Elaine voulait en venir. Sa soeur était ainsi. Elle ressentait le besoin de tout étaler au grand jour, de débrouiller les imbroglios et de vivre dans la sincérité. Elaine ne trouverait de repos que lorsque la situation serait éclaircie. Elle avait raison de s'objecter à ce qu'une étrangère fût en possession des actions de leur mère. Deena ne voulait surtout pas réfléchir à cet aspect de la question. Elle ne voulait pas voir la vérité en face. Leur père avait cependant commis une injustice envers leur mère. Et Elaine méritait bien qu'elle l'appuyât.

— C'est fait: j'ai changé d'idée, annonça Deena.

— Je t'adore! Je sais à quel point c'est difficile pour toi mais j'ai besoin de ta présence.

Deena se surprit à rire. Elle n'avait pourtant pas l'esprit à cela.

— Elaine, tu connais mon grand coeur de travailleuse sociale.

— Oui, oui. Mais c'est vrai que j'ai besoin de toi. J'apprécie beaucoup. Je ferais mieux de raccrocher avant de me mettre à pleurnicher. A demain ma chérie!

Deena posa l'appareil, stupéfiée. Elaine ne l'avait pas appelée «ma chérie» depuis l'école primaire lorsqu'elle l'avait sauvée de la brute qui tyrannisait les enfants au terrain de jeux. Elaine considérait-elle papa comme un tyran? Aurait-elle vécu pendant quarante-trois ans sans se rendre compte qu'Elaine et elle n'avaient pas eu le même père? Et dire qu'elle avait cru jusqu'alors connaître sa soeur! Elle s'appuya sur le comptoir de la cuisine en prenant soin d'éviter le regard de Michael. Si leurs regards se croisaient, il lui demanderait à coup sûr de justifier sa conversation avec Elaine. Elle n'avait pas envie de lui en parler. Elle évitait surtout d'y songer. Peut-être disparaîtrait-il si elle faisait comme s'il n'était pas là? Lorsqu'elle leva les yeux, il avait disparu.

chapitre vingt

Lundi 6 janvier 1986.

Elaine plissa les yeux en sortant de l'ascenseur. Elle se trouvait dans le dédale de miroirs qui délimitait la réception de Strauss Construction. Le puits de lumière, les glaces et les réflecteurs composaient une décoration un peu tape-à-l'oeil pour Elaine; elle la changerait lorsqu'elle aurait son mot à dire dans la marche de l'entreprise. Elle cessa soudain de songer à l'éventuel aménagement intérieur en apercevant Deena dans la salle d'attente. Elle semblait épuisée malgré un bronzage flatteur et son superbe manteau de fourrure. Pauvre Deena. Il n'était pas de plus grand malheur pour une mère que de savoir son enfant en difficultés. Surtout lorsque les forces de l'ordre devaient s'en mêler. Elle n'avait pas oublié l'épreuve que lui avait fait subir Noël l'année de ses seize ans, lorsqu'il avait voulu abandonner ses études. Elle avait craint de devenir folle. Sans la présence de Howard elle le serait peut-être devenue. Howard avait dialogué de longues heures avec son fils jusqu'à ce que ce dernier entende raison. Dommage que Deena ait toujours eu à s'occuper seule des enfants, particulièrement lorsque surgissaient les difficultés. Elle savait cependant à quoi s'attendre en épousant Michael, bien que son amour pour lui ait sûrement déréglé son jugement.

Elle embrassa sa soeur:

— Merci d'être ici. Je suis prête pour le combat... Je sais, je n'ai pas changé. Heureusement, je peux toujours compter sur toi. A propos, quoi de neuf?

Deena laissa échapper un soupir de lassitude.

— Saul fait la tête et refuse de me parler. Michael aussi. J'ai essayé de lui parler, pas moyen.

— De qui parles-tu?

Rires complices.

— Des deux. Mais je parlais surtout de Saul. J'ai frappé à la porte de sa chambre, je l'ai supplié de me laisser entrer, de me dire quelque chose. Ça n'a servi à rien.

Elle fondit en larmes.

— Je ne connais pas mon propre fils Lainie, c'est un étranger pour moi! Primo il a commis un vol, secundo il ne voit pas le mal qu'il a fait. Il regrette seulement de s'être laissé prendre la main dans le sac. Comment se fait-il qu'il soit ainsi? Ce n'est pas comme ça que je l'ai élevé. Je suis navrée, je recommence à me plaindre.

Elaine s'éloigna du bureau de Miss Harvey et se tint de manière à ce que sa soeur ne soit pas vue de la secrétaire.

— Vas-y Dee-dee... Je sais ce que tu ressens. Dommage que Michael ne soit pas là pour t'aider à passer ce mauvais moment.

— Il faut lui rendre ce qui lui revient. Ce matin il a téléphoné au bureau du magistrat-fédéral. Entends-tu ce que je dis? Le magistrat-fédéral! C'est trop pour moi, je ne peux pas faire face à ce genre de situation. Mon fils, figure-toi, est au milieu d'une affaire impliquant la police et le bureau du magistrat-fédéral. Je sais qu'il a eu des problèmes mais... Mon fils?

Elle garda le silence un instant, prenant une longue inspiration. Elle poursuivit:

— Ça suffit! Je n'ai pas envie de reparler de tout cela. Réglons un problème à la fois, telle est ma devise.

— Je tiens à ce que tu saches combien j'apprécie ta présence cet après-midi.

— A quoi servirait une soeur sinon?

Cette réplique était usée tant elle avait servi. Elle leur rappela cependant que l'une volerait toujours au secours de l'autre, malgré les différences considérables qui les distinguaient. De toute évidence, Miss Harvey avait prévenu le saint des saints. Elle leur annonça qu'elles pouvaient se rendre au bureau de leur père qui les attendait. Elles eurent droit au numéro habituel: en les apercevant, il se leva, leur ouvrit les bras, leur sourit de toutes ses dents et leur lança:

— Voilà les deux plus belles filles de New York! Venez embrasser votre père.

Ces effusions furent suivies de baisers mouillés, d'étreintes théâtrales, de pincements de joues et de sourires de ravissement. Elaine comprenait pourquoi tout le monde adorait son père, pourquoi les amies de sa mère le portaient aux nues. Si elle avait pu faire abstraction de ses émotions, elle aurait même compris la dévotion de Deena pour son père. Car Deena était la préférée. Elaine supposait que le chouchou de quelqu'un devait à son tour être à la dévotion de son protecteur. Elle ne pouvait que le supposer; elle n'en avait jamais fait l'expérience. A présent, il fallait songer au motif de leur visite, sinon papa se pavanerait tout l'après-midi devant elles. Il aurait dû savoir qu'elle était depuis longtemps immunisée contre son charme expert. De plus, elle ne se sentait pas la patience de supporter son numéro jusqu'à la fin. Elle avait envie de parler sérieusement. Pourrait-elle faire cesser sa représentation théâtrale durant quelques minutes? Elle lui sourit gentiment en disant d'un ton placide:

— Nous savons que tu es très occupé papa, alors ce ne sera pas trop long.

— Je reconnais bien ma Lainie! Toujours pressée. Vous pourriez au moins vous asseoir. Pourquoi pas une tasse de café? Non? D'accord, pas de café. Asseyez-vous! Elaine je sais ce qui t'agace et je te comprends. Linda a outrepassé ses droits. J'ignore pourquoi elle ne t'a pas confié les documents que tu lui demandais. Ne t'en fais plus, je les ai ici.

Il souleva une pile de documents et les lui montra avant de les reposer sur son bureau. Il continua:

— Tu trouveras tout au sujet du projet de la neuvième avenue. Tu peux les consulter seule dans la salle de conférences, tu peux même les emporter chez toi si tu veux.

Il se rassit dans son gros fauteuil de cuir et lui sourit en la regardant par-dessus ses lunettes.

— Qu'en dis-tu?

S'il croyait qu'il s'en tirerait aussi facilement, il se trompait. Elaine ne se sentait pas d'humeur à tomber sous le charme de son père. Elle n'était pas l'une des amies de sa mère pour vénérer le preux chevalier aux tempes grises. Elle secoua la tête.

— Il est trop tard, dit-elle en souriant à son père étonné. Ça ne marche pas.

Il prit une attitude d'homme blessé.

— Comment peux-tu me parler sur ce ton? Tu t'intéresses à la gestion de l'entreprise et moi je t'offre carte blanche... Je te donne accès à mes dossiers. Alors qu'est-ce qui ne va pas cette fois?

— Qu'est-ce qui m'assure que j'ai accès à la totalité des dossiers? Tu pourrais omettre ce que tu ne souhaites pas me montrer.

— Et pourquoi ferais-je une chose pareille?

— Je n'en ai pas la moindre idée! Tu fais preuve de tant d'enthousiasme à la perspective de notre éventuelle association...

— Allons Elaine!, objecta Deena. Tu n'accompliras rien de bon en adoptant cette attitude.

Encore la préférée de papa! Elaine avait toutefois besoin de sa présence; elle fit donc un sourire à sa soeur pour signifier son accord. Jack ne put s'empêcher de leur faire le numéro habituel. Il rit à gorge déployée et se tourna vers Deena pour lui dire:

— Ta soeur a utilisé ces tactiques féminines dans la lingerie. Alors ne la prive pas de ses moyens.

— Tu sais de quoi tu parles quand tu prononces le mot tactique!, aboya Elaine. Tu ne m'abaisseras pas en te moquant de mon commerce. Sous-estimer mon succès ne change rien au fait que Sexy Follies a fait un chiffre d'affaires de vingt-deux millions l'année dernière.

Elle le foudroya du regard.

— Tu ne m'inférioriseras pas en me traitant de tous les noms papa, pas à mon âge.

Elle fut visiblement satisfaite de le voir changer d'attitude. Il se cala dans son fauteuil et son regard d'acier se fit chaleureux.

— D'accord ma chérie! Tu gagnes. Je te fais mes excuses. Qu'en dis-tu? Nous irons donc droit au but.

Il consulta sa montre en ajoutant:

— Nous sommes tous les deux très occupés.

S'il croyait qu'il s'en sortirait en la flattant, il avait tort. Les cartes avaient changé de mains. Elle tenait un as. Lui renvoyant un doux sourire, elle déclara:

— Voici ce que je veux éclaircir: tu as pris les actions qui appartiennent à notre mère et tu les as données à Linda.

Etait-ce le fruit de son imagination ou avait-il eu un petit mouvement de recul? Le vieux lion était passé maître dans l'art de la négociation; il savait donner des réponses évasives.

— Nous voulons savoir pourquoi.

— A vrai dire, cela ne vous regarde pas. Mais vous êtes mes filles, mes enfants et mes partenaires dans cette entreprise. Je vous le dirai donc et avec plaisir! Linda possède des actions de l'entreprise parce qu'elle les a méritées. C'est celle en qui j'ai le plus confiance. Tu sais à quel point un patron et sa secrétaire sont proches... Excuse-moi, Simone de Beauvoir, je reprends: à quel point une personne et son assistante administrative doivent travailler de pair. Linda en sait davantage au sujet de cette entreprise que moi. Elle connaît par coeur tous les détails. Mon Dieu, je n'ai pas à vous dire depuis combien de temps elle travaille pour moi! Elle a mérité ses actions. Je les lui devais depuis longtemps. Voilà... vous savez tout.

Il se rassit avec suffisance, convaincu de n'avoir omis aucun détail.

— Corrige-moi si je me trompe, dit Elaine d'une voix neutre, mais tu essaies de nous faire avaler que tu as donné les actions de maman à Linda parce que c'est une employée modèle et dévouée?

— N'est-ce pas ce que je viens de dire?

— Je pourrais trouver un mot qui résumerait toutes tes paroles: foutaises!

Elle entendit Deena retenir son souffle. Quand sa soeur se réveillerait-elle et s'ouvrirait-elle les yeux? Jack pâlit.

— C'est ainsi que tu t'adresses à ton père?, demanda-t-il ébranlé.

Elle profita de cette faille pour l'ébranler davantage.

— C'est ainsi que je m'adresse à un père qui me raconte des foutaises! Une employée fidèle et dévouée! Accorde-moi un semblant d'intelligence. Linda a presque admis devant nous que l'appellation d'employée ne décrivait pas exactement son statut.

Il blêmit malgré son bronzage. Ainsi donc, c'était vrai. Elle ne put s'empêcher de se féliciter. Elle avait eu raison et Deena l'idéaliste suait à grosses gouttes.

— Peut-être le mot «maîtresse» conviendrait-il davantage?

A ce mot, ce vilain mot, son visage changea d'expression. Il relâcha la mâchoire et parut soudain très vieux. Toute sa vitalité avait disparu en moins d'une seconde. Puis, tout aussi rapidement, un sourire parut à ses lèvres et il ajouta:

— Allons Elaine! Deena, fais entendre raison à ta soeur. J'ai donné des actions à Linda et après? Tout ce que je possède appartient à ta mère et elle le sait. Elle recevra absolument tout lorsque je ne serai plus. Aurait-il mieux valu que j'enlève les actions à mes filles?

Deena comprenait qu'il avait simplement pris parti pour ses filles, comme il l'avait toujours fait. Cependant lorsqu'elle voulut exprimer sa pensée, Elaine secoua énergiquement la tête en disant:

— C'est faux! J'ai quarante-cinq ans papa, parle-moi comme à une adulte! Nous sommes au courant, alors cesse de faire semblant veux-tu?

Deena craignait que son père n'explose furieusement mais il n'en fit rien. Il inspira profondément, s'affaissa, baissa les paupières et contempla ses mains impuissantes. A leur complet ébahissement, il demanda d'une voix calme:

— C'est bon Elaine, que veux-tu de moi?

Deena n'apprécia pas le petit sourire sardonique de sa soeur. Etait-elle disposée à humilier son propre père pour obtenir le contrôle de l'entreprise? A user de tous les moyens pour parvenir à ses fins? Deena semblait agitée, mal à l'aise. Elaine se tourna dans sa direction:

— Pourquoi fais-tu cette tête-là Deena? Je ne suis pas malhonnête moi, je ne suis pas celle qui a menti, celle qui a trompé les siens!

Il ne trouva pas la force de se défendre, se contentant de murmurer:

— Viens-en au but!

Elaine se leva. Le sang qui affluait à son visage ajoutait à la rougeur de son fard à joues. En ce moment, Elaine triomphait. Deena n'appréciait pas cet instant de gloire.

— Premièrement, je désire m'occuper du projet de la neuvième avenue. je veux le contrôle absolu... Ne t'énerve pas, tu seras toujours le grand patron. Mais je tiens à être la directrice du projet, à n'avoir d'autre supérieur que toi. Pas d'intermédiaire, pas de Lawrence ni de Linda.

— Accordé.

— Ce qui me plairait par-dessus tout, ce serait de voir Linda licenciée.

A ces mots, le visage de Jack reprit ses couleurs.

— Je ne peux pas! Ne l'exige pas de moi.

Deena sut enfin que sa soeur avait raison. Linda avait donc été sa... petite amie. Peut-être l'était-elle encore? Cette seule pensée la dégoûtait. Au cours de toutes ces années, Linda s'était montrée si gentille avec les filles du patron; ce n'était qu'une façon détournée de plaire à leur père, de lui démontrer son instinct maternel. Comment avait-elle pu croire un seul instant remplacer Sylvia? Sa mère était-elle au courant? Se doutait-elle de quelque chose? Non, sûrement pas. Elle n'aurait pas supporté de vivre autant d'années aux côtés de son mari, de le choyer et de rire avec lui, et surtout de prétendre que tout était normal entre eux. Deena avait du mal à suivre la conversation. Ils parlaient de chiffres et de dates. Elle avait la migraine. Ils semblaient ne plus en avoir plus pour très longtemps. Tant mieux si elle avait manqué certains détails sordides!

— Et je veux que tu me signes un document attestant de tout cela par écrit, exigea Elaine.

— Allons chérie! Il ne s'agit pas d'une tractation bancaire mais d'une entente conclue avec ton père.

Il la suppliait en tendant les bras et le sourire figé sur ses lèvres souleva le coeur de Deena. Son père avait peur. Jamais elle ne l'avait vu craindre quoi que ce soit.

— Exactement!, répondit-elle d'un ton ironique empreint de cruauté.

— Elaine!, s'écria Deena. Ça suffit! Tu as obtenu ce que tu voulais. Laisse-le en paix pour l'amour de Dieu!

Elle ne pouvait en supporter davantage. Cette malheureuse scène n'aurait jamais dû avoir lieu. On venait d'échanger des propos indélébiles. Jack leva la main pour lui demander de se taire. Son regard ne quittait pas celui d'Elaine.

— Et si je refusais de signer un tel document? Si je te demandais de me faire confiance?

— Alors je serais obligée de tout dire à Sylvia!

— Elaine, tu n'y songes pas!, cria Deena avec horreur. Cesse, pour l'amour de Dieu! Tu causerais du mal à maman à cause d'un bout de papier?

— Chut! Deena, ordonna-t-il en baissant la voix. Elaine écoute-moi. Ta mère ne sait rien de tout ceci, crois-moi, rien du tout. Le plus important c'est qu'elle n'en sache jamais rien. Je n'ai jamais voulu lui faire de mal. Je le signerai ce document, si c'est si important pour toi. Je n'en suis pas à un bout de papier de plus ou de moins.

— Alors quand?

— Aussitôt que j'aurai un moment libre. Dans quelques jours. Bientôt.

Elaine se montrait obstinée. Elle secouait la tête pendant qu'il parlait.

— Jeudi matin, dit-elle d'une voix implacable. Je te laisse deux jours ouvrables. Je suis persuadée qu'il ne te faudra pas plus de temps, puisque tu as une secrétaire si fidèle et si dévouée!

Deena surveillait son père qui broncha à peine. Jamais elle ne l'avait vu en position de vulnérabilité. Elle demeura assise sans se soucier du geste de sa soeur qui l'invitait à la suivre. Elaine fit sa grande sortie seule. Deena considéra son père un moment. Elle était triste pour lui, elle ne savait que dire. Tout son univers venait de s'effondrer d'un coup. L'homme qu'elle avait devant elle, qui fuyait son regard, qui fixait ses mains, était cet homme qu'elle avait toujours admiré, respecté, vénéré. Il releva la tête en essayant de lui adresser un sourire. Il semblait pathétique. Elle rassembla ses forces pour lui dire:

— Papa, je suis si désolée!

— Ma petite, il n'y as pas de quoi fouetter un chat! Tu comprends que ton père est un être humain, un homme avec ses faiblesses, ses défauts et ses besoins. Un homme comme les autres. C'est vrai qu'à une certaine époque j'ai eu... que Linda... elle avait besoin de moi et je suppose que j'avais besoin d'elle. Elle était veuve, seule, je ne sais pas... je ne sais plus comment tout cela est arrivé. Je regrette seulement que mes filles aient dû l'apprendre ainsi. Tu me comprends Deena, n'est-ce pas? Deena? Dee-dee?

N'avait-il donc aucun regret? N'était-il pas tourmenté par le remords? Avait-il des sentiments? Elle avait la sensation d'avoir perdu quelque chose à jamais. Qu'adviendrait-il de leur famille à présent? Les relations humaines dépendaient d'un fragile équilibre qu'un rien pouvait rompre. Elle qui avait toujours trouvé refuge et sécurité auprès de son père sentait que leur complicité était en péril.

— Comprendre? J'essaierai mais j'ignore si j'y parviendrai. Quant à Elaine…

— Ah! tu connais ta soeur. Elle s'emporte pour un rien. Elaine comprendra, tu verras. Elle se calmera. Elle se calme toujours. C'est une femme pragmatique. De toute manière, c'est de l'histoire ancienne. Qu'est-ce que ça peut changer entre nous à présent?

Croyait-il vraiment que son geste n'avait plus d'importance parce qu'il était chose passée? Ses sentiments envers lui redeviendraient-ils les mêmes après une telle révélation? Elle regardait son visage de séducteur basané, avec les sillons creusés par les éclats de rire et ses yeux moqueurs. Fillette, elle avait été si fière qu'il fût son père parce qu'il était beau, grand et fort. Elle était persuadée qu'il était solide comme un roc, sûr, honnête et droit. Et tout ce temps il leur avait menti. Non seulement il avait trompé leur mère, il les avait trompées elles aussi. Elle le dévisagea sans mot dire et sans bouger. Elle ne réagirait pas à sa requête muette. Elle ne se lèverait pas pour aller se blottir dans ses bras, pour lui signifier que rien n'avait changé. Tout venait de changer, y compris Deena elle-même. Rien ne serait plus comme avant.

En voyant sa soeur sortir du bureau de leur père, cinq minutes plus tard, Elaine reçut un choc. Deena avait d'un coup vieilli de cinq années. Elle était en piteux état. Elaine lui prit la main, la conduisit à l'ascenseur et l'amena à la sortie de l'immeuble où elle héla un taxi. Elle ne cessa de parler durant tout ce temps.

— Viens ma fille! Je t'emmène chez moi et nous allons ouvrir une bonne bouteille d'Asti spumante.

Deena demeura muette jusqu'à ce que la voiture les dépose à Central Park West.

— Je ne peux pas accepter. Je n'accepterai jamais.

Puis elle s'isola de nouveau dans le silence.

Elaine se demandait pourquoi elle réagissait ainsi. Leur père avait eu une petite aventure alors qu'il était vert et vigoureux. Quel homme aurait pu lui jeter la pierre? D'autant qu'il avait à son service une jolie secrétaire qui n'avait d'yeux que pour lui. Fallait-il se surprendre qu'il ait été attiré par cette créature? Elle devinait ce qui s'était passé entre eux. Ils avaient dû tout d'abord se frôler dans l'étroit bureau; ensuite ils avaient échangé des regards furtifs trahissant leurs intentions; puis un déjeuner inoffensif, un dîner en tête-à-tête suivi d'un séjour dans une chambre. L'histoire ne variait pas d'une fois à l'autre. D'autant plus que Sylvia était une forte personnalité. Elle ne s'était jamais gênée pour donner des ordres et faire marcher les autres à la baguette. Un homme avait peut-être du mal à vivre avec ce genre de femme. Elle savait bien quel effet ce genre de conduite avait sur une petite fille. Papa avait folâtré avec sa secrétaire, rien d'étonnant. Elle aurait tant voulu pouvoir le dire à haute voix à sa soeur.

Elle-même avait quelque expérience de la chose. Howard et elle avaient connu des années houleuses. Elle regardait par la vitre du taxi sans toutefois discerner les formes floues qui déambulaient sur Central Park South. La voiture filait vers le West Side. Elle voyait le visage qu'elle avait juré d'oublier, celui de David. Il avait pleuré lorsqu'elle lui avait annoncé qu'elle ne désirait plus le revoir. Elle avait prétexté qu'elle était mariée à Howard et qu'elle entendait le rester. Elle ne voulait plus jouer double jeu. «Je croyais que nous deux c'était différent Elaine.» Ça l'avait été. Elle avait alors quarante ans, David en avait trente; leur relation aurait été impossible même si elle n'avait pas été mariée. David était rêveur et romantique. Un homme d'une grande gentillesse qui ne brillait hélas pas par son intelligence supérieure! Sur ce, elle éclata d'un rire sonore qui tira Deena de son état comateux. Elle demanda à Elaine ce qui la faisait rire ainsi. Elle choisit de mentir:

— Je viens d'apercevoir une prostituée plus grosse que moi qui porte des shorts en satin doré. Est-ce possible?

Elles entrèrent dans l'appartement et se débarrassèrent de leurs manteaux en bavardant, pendant qu'Elaine sortait la bouteille du réfrigérateur et deux verres à vin du buffet.

— On ne gaspillera pas ce bon vin en mangeant quelque chose, hein Deena?

— Non, je préfère me saoûler.

— Je lève donc mon verre à notre beuverie!

Elles sourirent, mais Deena avait triste mine.

— Secoue-toi un peu Deena. Ce n'est pas la fin du monde.

— Je ne crois pas que ce soit la fin du monde. Mais je sais que c'est la fin de quelque chose.

— La fin de ta naïveté, peut-être?

— Il nous a menti durant toutes ces années. Nous avions confiance en lui et il a trahi cette confiance.

— Je ne lui ai jamais accordé ma confiance. Je ne l'ai jamais idéalisé au point d'en faire un dieu.

— Cesse de dire ça! Je n'en ai pas fait un saint. Mais j'ai du mal à croire qu'il entretenait une relation avec Linda.

— Pourquoi parles-tu à l'imparfait? Je parie cent dollars qu'ils entretiennent toujours une relation, comme tu le dis si bien. Et ne va pas croire un seul instant que je lui pardonne. Je suis en colère comme toi, sauf que je ne suis pas déçue comme toi.

— Alors pourquoi es-tu fâchée?

— Parce qu'il s'est imaginé qu'il pouvait s'amuser avec sa petite copine même s'il devait pour cela négliger sa famille. Te rends-tu compte qu'au moment de la naissance de Marilyn- nous n'étions alors que des enfants- il n'était presque jamais à la maison? Mais quand j'ai commencé à fréquenter Howard, soudain il a pris son rôle de père au sérieux. Il injuriait Howard, m'imposait un couvre-feu à vingt ans et insistait pour connaître les moindres détails de notre intimité. Il ne voulait à aucun prix que je laisse Howard profiter de moi. Déjà je savais que ce n'était qu'un fumiste. Son attitude n'avait rien à voir avec la morale ou son amour pour moi; ce n'était qu'une question de pouvoir. De pouvoir et de contrôle de ma personne. Il me possédait et s'arrogeait des droits sur ma virginité, voilà tout!

Deena prit une gorgée de vin pétillant avant de parler:

— Pourquoi ne m'en as-tu rien dit avant ce jour?

Elaine éclata de rire.

— Jamais tu ne m'aurais crue Deena. Pense à ce temps-là. Papa avait une autre opinion de Michael. Il aurait léché les bottes de Michael. Michael était une proie de choix. Michael avait toujours raison. Autant il s'entêtait contre Howard, autant il désirait que tu épouses Michael.

— Mais enfin pourquoi?

— Je l'ignore. Je ne l'ai jamais su. Il le portait aux nues. Peut-être était-ce parce que Michael étudiait le droit? Je ne sais pas.

Deena leva son verre en esquissant un pâle sourire.

— On peut dire que papa a fait un bon choix. Michael lui est très dévoué. As-tu remarqué, le jour de l'Action de grâce, alors qu'il filmait la célébration? A l'instant où papa et toi avez commencé à vous disputer, Michael a cessé de filmer. Votre dissension ne devait pas passer à la postérité. Je crois que Michael aime encore plus papa que moi.

— Si tu veux connaître mon avis, je n'ai jamais compris ce que tu lui trouvais. Il est si froid, incapable d'émotions. Brrr...

— Pour moi il ne l'était pas. A mes yeux, il était mûr, sophistiqué, séduisant, d'une intelligence supérieure à la moyenne et inaccessible. Plus que tout inaccessible. Je l'ai poursuivi jusqu'à ce qu'il veuille de moi, dit-elle avec un petit rire amer. Par conséquent, jamais au cours de nos années de mariage je n'ai été assurée de son amour, de ses sentiments pour moi. Au moins, à cette époque il me désirait. Ça, j'en avais la preuve. Aujourd'hui, je ne sais plus.

Deena regarda sa soeur droit dans les yeux.

— Inutile de te le cacher, il dort dans la salle de séjour.

Elaine réfléchit un moment avant de verser deux autres verres de vin.

— J'ai toujours cru que tu épouserais Paul Mankewicz. Il était adorable. Et beau en plus! Intelligent!

Elaine poussa un soupir théâtral avant de poursuivre:

— Je me serais laissée choisir par lui avec grand plaisir. Pourquoi l'as-tu laissé tomber? Il y a des années que je veux te poser cette question.

—C'est simple, répondit Deena d'une voix légèrement ivre. Il était d'une extrême gentillesse; mais j'ai toujours pensé que la gentillesse est ce qu'il y a de plus ennuyeux. A présent, je donnerais tout ce que je possède pour qu'on me manifeste un peu de cette gentillesse que j'ai jadis refusée.

Les larmes lui montaient aux yeux.

— Tu as eu beaucoup plus de chance que moi. Je ne te l'ai jamais dit mais j'ai longtemps pensé que Howard était un pauvre type. Je devrais avoir honte.

— Ça ne me surprend pas du tout. Je connaissais très bien l'opinion de la famille au sujet de Howard. Veux-tu savoir pourquoi je l'ai épousé? Je n'étais pas follement amoureuse de lui. Au contraire, je n'étais pas amoureuse du tout. Cesse de me regarder avec ces yeux-là! Je ne suis coupable d'aucun crime. Howard est le seul homme qui ne m'a jamais dit que je serais ravissante si je perdais dix ou vingt livres. A ses yeux, j'étais plus belle qu'Elizabeth Taylor. Chacun des hommes que j'ai fréquentés ne s'est jamais gêné pour me parler de mon poids. Howard, jamais. De plus, je suis persuadée que ça ne lui viendrait pas à l'esprit. Howard m'aime telle que je suis, avec le corps, l'esprit et la personnalité que j'ai. Il m'a fallu peu de temps pour me convaincre que j'avais mis la main sur le prince charmant. Ne crois pas que notre union ait été sans heurts. Loin de là. Nous avons connu nos heures de conflits, nous nous sommes fait la guerre mais au bout du compte notre mariage a survécu.

Elle se cala dans son fauteuil et ajouta:

— Nous nous sommes mariés à la manière des familles royales, par négociations et arrangements. Il aura fallu plusieurs années de vie commune avant que je ne tombe amoureuse de mon mari. Tu te rappelles ma grossesse ectopique, l'année suivant la naissance de Noël? Non seulement Howard a pris soin de l'enfant et de moi, mais il s'est révélé un compagnon exemplaire lorsque le gynécologue nous a annoncé que je ne pourrais plus avoir d'enfant. Howard rêvait d'une maison bondée d'enfants. J'ai pensé qu'il me quitterait. J'étais une grosse bonne femme, stérile en plus, alors qui aurait voulu de moi?

— Lainie, ne dis pas cela!

— Hé! Ça fait un siècle maintenant. C'est de l'histoire ancienne.

Elles échangèrent un regard qui en dit plus long qu'aucun mot puis elles levèrent leurs verres.

— Ainsi donc, c'est un bébé qui t'a permis de tomber amoureuse de ton mari, reconnut Deena en avalant une gorgée de vin. En ce qui me concerne, c'est un bébé qui a causé la mésentente entre Michael et moi.

— Explique-toi.

— Facile à comprendre. Je ne désirais pas porter Saul. Michael y tenait. Pas besoin de te dire lequel des deux a obtenu gain de cause. En y songeant à présent, j'ai peine à croire que j'ai laissé Michael décider de l'emploi de mon propre corps. Mais les choses étaient en sa faveur: l'holocauste, son enfance malheureuse, sans parler de l'opinion publique qui décrétait que l'avortement était un meurtre et que les femmes n'avaient rien à redire.

— Pauvre Deena!

— Pauvre Saul plutôt! Voilà pourquoi sa dernière embardée me rend folle. Je ne désirais pas ce garçon; je m'en suis donc moins occupée que des autres. La nurse est restée chez nous durant des mois. Quelqu'un devait veiller sur lui pendant que je faisais du shopping.

Elle fit une pause et les deux soeurs eurent un rire nerveux.

— Je me sens coupable Lainie. J'ai l'horrible impression que Michael a raison et que tout cela est ma faute. J'enrage contre Michael!

— Ne sois pas ridicule voyons! Jessie a pris soin de Noël dès le jour où nous l'avons ramené de la pouponnière. Quel mal y a-t-il à engager une nurse à plein temps? C'est ce que j'ai fait et Noël n'a pas plus mal tourné que n'importe quel enfant gâté de son âge. La seule raison pour laquelle il n'a pas eu d'ennuis avec un ordinateur, c'est qu'il n'en possédait pas. Deena, tu es une bonne mère pour Saul. Ne te tourmente pas ainsi. Ça ne sera d'aucune utilité à ton fils... ou à ton mariage.

— Je dois avouer une chose: je me moque de ce qui peut advenir de mon mariage. Michael m'a acculée au pied du mur. J'ai déjà tout essayé. Michael se fout bien de moi!

— J'aimerais pouvoir t'apporter une solution. Mais que sait-on jamais de l'union des autres? Papa a toujours dit: «On ne sait jamais ce qui se passe dans la chambre à coucher».

Deena grimaça de douleur.

— C'est édifiant, entendre papa parler du bonheur conjugal. Faut dire qu'il est expert en la matière!

— Je t'y reprends encore! Moi je crois que papa et Sylvia font bon ménage. Je pense qu'ils sont heureux de l'engagement qu'ils ont pris. Ce que tu ne sais pas ne te fait aucun mal. Je crois que maman vit dans l'ignorance béate de ce qu'elle préfère ne pas voir, affirma-t-elle en riant. C'est peut-être un menteur, un tricheur et un salaud mais il semble avoir réussi à le lui cacher durant toutes ces années. L'important, c'est que ça demeure ainsi. Sylvia ne doit pas faire face à ce genre de situation à son âge. D'accord?

— D'accord!

— Bien. Mais il y a quelqu'un que nous devrions prévenir.

— Qui?

— Idiote! Qui crois-tu? Marilyn.

— Marilyn, répéta Deena en avalant une gorgée de travers. Pourquoi? Il n'y aucune raison d'ébruiter la chose. Pourquoi mettre Marilyn au courant?

— Parce qu'elle est notre soeur, pourquoi sinon?

— Parce qu'elle vit à trois cents milles d'ici, qu'elle montre peu d'intérêt pour ce qui nous arrive et qu'elle et papa ne se sont jamais bien entendus. Tu connais Marilyn? Elle va insister pour que nous disions tout à Sylvia. Tu sais combien elle tire fierté de sa franchise?

— Tu viens de me convaincre de ne pas lui téléphoner. A dire vrai, j'ignore toujours comment parler à Marilyn. J'allais te demander de lui téléphoner.

— Moi? Tu me connais mieux que ça. Je suis la pacificatrice, la colombe de la famille et surtout je suis poltronne.

Elaine éclata de rire.

— Je te reconnais là! Tu courais toujours te cacher dans ta chambre la tête sous l'oreiller chaque fois que nous regardions un film d'épouvante ou que l'on se disputait à table.

— Ouais! Si je pouvais faire l'autruche en ce moment... J'aimerais pouvoir me rentrer la tête sous le sable et ne plus voir mes ennuis.

— C'est impossible Deena.

Les deux soeurs se regardèrent un moment en silence. On entendait seulement leur respiration. Enfin Deena rompit le silence:

— Je sais. Mais qu'est-ce que nous allons faire?

— Ce que les femmes font tout le temps, Dee-dee.

Elle sourit à sa soeur en ajoutant:

— Nous encaisserons le coup comme un seul homme!

chapitre vingt et un

Samedi 21 janvier 1961.

Hors d'haleine, Deena ouvrit la porte de l'appartement. Elle essayait d'être silencieuse parce qu'elle n'aurait pas dû se trouver là. Elle s'appuya contre le chambranle de la porte pour reprendre son souffle avant de faire face à sa mère qui serait furieuse pour deux raisons: premièrement, Elaine ne l'avait pas invitée à cette soirée et elle était censée passer la nuit chez sa copine Ellen; deuxièmement, elle avait monté l'escalier au lieu d'emprunter l'ascenseur comme devait le faire une jeune fille bien élevée. Tant pis! Elle affronterait l'ouragan Sylvia. Elaine offrait une soirée à laquelle étaient conviés des étudiants universitaires et il lui semblait injuste de n'être pas invitée.

Depuis plusieurs semaines Elaine leur répétait qu'elle avait invité des étudiants en médecine et en droit. Elle avait fièrement annoncé à table quelques jours auparavant qu'ils avaient tous accepté l'invitation.

— Pourquoi auraient-ils refusé?, avait demandé le père. C'est la chance de leur vie. Je me souviens du sentiment qui me gagnait chaque fois que j'étais invité chez les Weinreb. Une maison où l'on trouvait seulement de belles filles... et un piano!

Il leva les yeux au ciel et fit un clin d'oeil à sa femme pour faire rire toute la tablée. Elaine avait ensuite regardé Deena en lui disant:

— A ma soirée, il y aura certainement un piano mais seulement une belle fille!

— C'est injuste!, avait gémi Deena.

Elle venait d'apprendre qu'on l'avait exclue de la liste d'invitation. Marilyn envenima la situation en ajoutant:

— Sylvia m'a donné la permission de me coucher plus tard afin de rencontrer tous les invités. Veux-tu dire que je ne suis pas invitée?

Elaine foudroya la benjamine du regard.

— Tu prendras les manteaux à la porte Moo Moo. Mais que je t'entende dire un seul mot à qui que ce soit!

Marilyn fit ensuite un numéro en mimant un portier muet et chacun éclata de rire, sauf Deena.

— Excuse-moi, dit-elle d'une voix douce, mais si tu t'imagines que je vais servir les canapés, j'ai une surprise pour toi.

— Tu ne seras même pas là, annonça Elaine.

— Quoi? Sylvia!

— Ça me semble injuste Elaine, dit la mère.

— Sylvia, écoute un peu. On ne parle pas d'une bande d'amis. Ces gars sont des hommes. C'est ma première soirée d'adulte, avec des cocktails et des canapés. Je n'ai pas envie de voir Deena se pendre à mes jupes et mes amis non plus.

Deena murmura entre ses dents:

— Je me fous bien de tes amis stupides! Ce sont tous des faux jetons. Ils se croient supérieurs à tout le monde parce qu'ils sont bacheliers ou parce qu'ils font leur maîtrise. Lainie, je n'apprécie pas du tout que tes amis se moquent de moi parce que je n'ai pas leur niveau d'instruction.

— Tais-toi!

— Ça suffit!, trancha Sylvia. Quant à toi Deena, ta soeur planifie cette réception depuis longtemps et tu n'y a jamais été invitée. Alors...

— Papa!, s'écria Deena en ultime recours.

Jack secoua la tête en disant:

— Ne compte pas sur moi. Je me sauve d'ici, crois-moi ça vaudra mieux. je vais faire une partie de cartes à mon club et je ne reviendrai pas avant qu'on me mette à la porte.

Il ne lui viendrait donc pas en aide. Elaine dit ensuite:

— De toute façon, je peux faire comme je l'entends parce que quelqu'un d'autre assis à cette table a célébré ses seize ans dans la salle de bal de l'hôtel Pierre, tandis que moi, on a oublié mes seize ans.

— Parce tu pèses deux cents livres et que tu craignais qu'aucun garçon ne veuille danser avec toi!

Un éclair meurtrier surgit dans le regard d'Elaine mais le père ordonna le silence.

— Ça suffit! Nous avons passé tout le dîner à nous quereller au sujet de cette réception. Je ne veux plus en entendre parler.

Le silence se fit. Deena rageait en voyant un petit sourire narquois sur les lèvres d'Elaine. Elle était si fière de pouvoir imposer sa volonté. Après le repas, Jack emmena Deena à l'écart et lui dit:

— Ne fais plus la tête, va.

Il fouilla sa poche et en sortit son portefeuille.

— Samedi tu inviteras tes amies au restaurant chinois. Ensuite vous irez au cinéma ou voir un spectacle à Broadway.

Il comptait les billets en parlant. Il remit une épaisse liasse à Deena avec ces mots de consolation:

— Crois-moi, tu t'amuseras davantage de cette manière qu'en côtoyant les invités d'Elaine. Tu es une belle fille et tu n'as besoin de personne pour rencontrer des garçons. Voilà pour toi! A présent embrasse ton père.

Il eut été inutile de répliquer. Elle suivrait sa tactique habituelle, c'est-à-dire faire semblant de consentir puis, en temps et lieu, agir comme elle l'entendait. L'important était de prouver à sa grande soeur Elaine qu'elle ne pouvait pas la rayer de sa liste d'invitations. Toujours elles avaient reçu ensemble parce qu'elles avaient les mêmes amis. Cette fois, elle ne se laisserait pas exclure! Plus Elaine s'entêterait, plus Deena serait déterminée à s'imposer.

Ainsi donc, après la projection d'un film en compagnie d'Ellen, Susan et Karen, et le dîner au restaurant Shanghai, Deena n'était pas rentrée chez sa copine Ellen. Elle était plutôt revenue chez elle en grimpant l'escalier à en vitesse pour que le garçon d'ascenseur ne remarque pas sa présence. Sur la pointe des pieds, elle se rendit à sa chambre. Le bruit des voix montait du salon et elle entendit son nouveau microsillon de Chubby Checker qui jouait sur le phonographe. Donc on se permettait d'emprunter ses disques après l'avoir bannie de la soirée. Elle avait pourtant demandé à Elaine de ne pas prendre ses disques. Sa soeur n'en avait pas tenu compte. Cela donnait donc à Deena le droit d'assister à cette réception.

Une fois dans sa chambre, elle se donna un coup de brosse, mit des boucles d'oreilles, enleva son pantalon et passa une jupe puis déboutonna les trois premiers boutons de son sweater en angora. Elle se ravisa et en reboutonna un. Il n'était pas nécessaire de causer des ravages; le seul fait de paraître à la réception suffirait. Elaine n'aurait sûrement pas le culot de l'engueuler en présence de ses invités. Du moins l'espérait-elle. Si sa soeur aînée tentait la moindre réprimande, Deena prendrait tous ses disques et s'en irait. Elle rit à cette idée.

Oh! Oh! L'un des invités venait de la repérer et une flamme brillait dans son regard. Elle le reconnut soudain. David Baum, la pire nouille qu'elle connaissait. Pourquoi Elaine l'avait-elle invité? Evidemment, il fréquentait la faculté de médecine. Peut-être la médecine en avait-elle fait un homme? Mais elle n'eut pas envie de le savoir. Il se dirigeait vers elle, la bouche fendue jusqu'aux oreilles, en disant:

— Laisse-moi te regarder!

Pas tant qu'elle vivrait! Elle ne laisserait pas David Baum l'approcher s'il n'en tenait qu'à elle. Elle fit semblant de ne pas l'avoir vu et se rendit à la cuisine. Six ou sept personnes s'y trouvaient qui fumaient, buvaient et conversaient. Une lourde odeur de parfum, de fumée de cigarettes et de bière avait envahi la pièce. Elle aperçut un garçon qu'elle ne connaissait pas. En réalité, c'était un homme. Il était grand et séduisant, les yeux brillants, la mâchoire volontaire. Il parlait avec tant de conviction que chacun l'écoutait. Il était si beau. Deena ne pouvait que le regarder. On aurait dit un acteur de cinéma. Même Susan, qui pourtant avait du succès auprès des garçons, n'avait rien connu de semblable. Mine de rien, Deena se dirigea lentement vers ce groupe. Grâce aux boucles d'oreilles, on pouvait aisément lui donner vingt ans. Comment capter l'attention de cet homme sans faire de gaffes? La meilleure manière serait de le regarder et d'écouter ce qu'il disait. Si elle le regardait constamment, il finirait par s'en rendre compte et la regarderait à son tour. Une fois qu'il aurait posé les yeux sur elle... Elle verrait à ce moment comment elle agirait.

Zut! Il parlait de politique. Elle ignorait tout de la politique; cela l'ennuyait. La politique et les affaires. Papa et ses amis en discutaient sans cesse. Rien que d'y penser, elle sentait déjà l'odeur de leurs cigares.

— ... serait la fin de l'apathie, disait-il. C'est exactement ce que prétendait Jessica Mitford. Je vous le dis: on sent quelque chose de différent en ce moment et nous le devons aux Kennedy.

L'un de ses auditeurs rit grossièrement:

— Kennedy! Tu es naïf Berman si tu le penses réaliste. C'est un politicien formé à l'école de Boston. Tu n'ignores tout de même pas qui était son grand-père?

— Je ne veux rien entendre au sujet de Honey Fitz. Je crois en cet homme. Je sens qu'un nouveau jour va se lever, et tant pis si ça vous semble utopique!

Quelqu'un ajouta:

— Michael, tu ne peux pas croire ce que dit ce type. Un équipe de rédacteurs rédige ses discours à sa place.

On entendit ensuite:

— Il est seulement plus jeune et plus séduisant que l'ancien président. C'est ce qui retient l'attention du public.

Alors le beau garçon qui s'appelait Michael Berman se tourna et dit d'une voix nonchalante:

— L'intelligence est ce qui retient mon attention Alexandre. Et je mets au défi quiconque de prétendre n'avoir rien ressenti lorsque le nouveau président a dit: «On vient de passer le flambeau à une nouvelle génération d'Américains».

— Eh bien, pas moi! Je ne me suis pas laissée prendre à ce jeu.

Plusieurs hommes éclatèrent de rire, sauf Michael Berman. Deena croisa les doigts avant de dire à voix haute:

— Je ne suis pas un homme mais j'ai eu froid dans le dos. Cela compte-t-il?

Ils se tournèrent tous vers elle. Elle aurait voulu se trouver six pieds sous terre; mais il était plus important qu'il remarque sa présence. Elle se tenait donc droite et fière, tout souriante. Celui qui s'appelait Alexandre posa la main sur son bras en disant:

— Ça par exemple! A qui avons-nous l'honneur?

Toutefois elle ne s'embarrassa pas de lui répondre. Michael Berman la regardait-il? Oui. Michael Berman souriait.

— Nous sommes-nous déjà rencontrés?, demanda-t-il. Je dois connaître votre nom pour dire au président Kennedy que vous êtes l'une de ses admiratrices.

— Deena Strauss!

Elle entendit alors l'un des garçons s'exclamer:

— Tu parles, c'est la petite soeur de l'autre! Je ne vous ai plus revue depuis votre troisième année. Qu'est-ce que vous avez grandi!

«Creuse ton trou et enterre-toi vivant!», songea-t-elle. Pourtant elle sourit et fit un mot d'esprit:

— Dommage qu'on ne puisse pas en dire autant de vous!

Michael Berman éclata de rire. Le plus bel homme que la terre ait porté riait de sa plaisanterie. Ils rirent ainsi quelques instants pendant que les garçons se disputaient l'honneur d'aller lui chercher un verre. Cependant, lorsqu'elle regarda en direction de Michael Berman, il participait déjà à une autre discussion. Il était question cette fois des défenseurs publics et des droits des pauvres, des manifestations sudistes et des examens au barreau. Il semblait décidément très intelligent, il avait des idéaux et semblait prêt à les défendre. Mais aimait-il les filles? Plus que tout, lui plaisait-elle? Soudain les garçons se dispersèrent pour aller se servir une chope de bière et Michael la regarda. Il s'approcha et lui adressa la parole.

— Qu'est-ce que vous en pensez? Notre système judiciaire est-il juste envers tous les citoyens ou a-t-il besoin de réformes pressantes?

Se payait-il sa tête à cause de son jeune âge? Cela n'avait aucune importance. Elle lui renvoya son plus charmant sourire, pencha un peu la tête et avoua:

— Vous êtes très convaincant, sauf que Morty avait raison. Si les citoyens ne couraient pas après les ennuis, ils n'auraient pas besoin d'un avocat pour assurer leur défense, n'est-ce pas?

— Lorsqu'on est pauvre, chère mademoiselle Strauss, il est très difficile de ne pas s'attirer d'ennuis avec la loi. C'est là que Morty a tort. Il ne se préoccupe que des gens privilégiés qu'il côtoie. Il appartient à une caste qui ne connaît rien de la réalité du monde.

Il ne s'adressait pas à elle comme à une inférieure; pas même après avoir appris qu'elle en était à sa première année à Barnard et qu'elle n'avait que dix-huit ans. Elle aurait préféré lui dire qu'elle avait vingt ans mais Elaine se serait fait un plaisir de rectifier l'erreur. Elle opta donc pour la vérité. Il ne sembla pas déçu. Ils discutèrent ainsi dans la cuisine pendant près d'une heure et demie. De la pauvreté, des droits des Noirs à l'égalité, du mode de gouvernement, etc. Il serait plus juste d'affirmer que Michael Berman parlait. Pour sa part, elle écoutait en hochant la tête, apparemment intéressée. Elle le dévisageait pour se remémorer ses traits et le décrire fidèlement à ses copines le lendemain.

Plus tard, quand Elaine entra dans la cuisine et se mit à tempêter, Michael vint à son secours. Il passa le bras sur son épaule- elle crut un instant s'évanouir- et décréta:

— Tout est ma faute Elaine. Elle est venue chercher quelque chose à boire et je lui ai tiré l'oreille. Elle était trop polie pour s'éclipser.

Puis il pressa son épaule. Elle se sentait si bien, blottie ainsi contre lui. Cependant son beau ramage ne sembla pas calmer l'ouragan Elaine. Heureusement, au même moment, la dernière conquête de sa soeur entrait dans la cuisine à sa recherche. Howard Barranger était un gentil garçon mais on ne pouvait rien dire d'autre à son sujet. Elaine en avait pourtant une haute opinion. Deena ne comprenait rien à ce qui motivait le choix de sa soeur. Elle avait connu tant d'autres garçons beaucoup plus séduisants et plus virils que lui. Dès son entrée dans la cuisine, Elaine se fit toute douceur. Elle châtierait Deena une autre fois.

Michael Berman ne la quitta pas de la soirée. Ils discutèrent longtemps et il l'invita à danser. Il n'était pas très à l'aise sur la piste de danse mais son eau de Cologne avait une odeur agréable et il la tenait pressée contre lui. Il était grand, beau et fort comme papa. Il prit congé vers deux heures du matin après avoir posé un baiser sur sa joue en disant:

— J'aimerais vous revoir Deena.

Elle était montée se coucher en marchant sur des nuages. Elle s'ingéniait à trouver ce qu'elle lui dirait lorsqu'il lui téléphonerait. Evidemment qu'il lui téléphonerait! Mais il ne l'appela pas. Elle lui donna quelques jours pour s'exécuter et son silence l'ennuya. Pourquoi ne lui téléphonait-il pas? Les garçons ne s'étaient jamais gênés pour l'appeler. Elle se sentait impuissante, d'autant plus que papa la retenait à la maison.

— Je suis désolé Deena, mais tu as défié mes ordres. Tu nous avais promis de ne pas assister à cette soirée et tu n'as pas tenu parole.

Elle était d'avis que sa désobéissance avait valu le coup car elle avait rencontré Michael Berman. Sa punition n'en était pas vraiment une puisqu'elle désirait se trouver à la maison s'il lui téléphonait. Deux semaines plus tard, elle faisait part de sa colère à Ellen.

— Zut! Il m'a dit qu'il voulait me revoir. Alors comment se fait-il qu'il n'ait pas téléphoné?

— Tu lui en veux, n'est-ce pas Deena? S'il t'avait appelée, tu aurais déjà rompu avec lui.

— C'est faux!

— Si, c'est vrai. C'est ainsi que tu procèdes avec les garçons. S'ils s'intéressent à toi, tu les envoies promener; sinon...

Deena lui répondit sans vergogne:

— Ils s'intéressent toujours à moi!

— Jusqu'à récemment!

Deena était de nouveau plongée dans l'incertitude. Elle était convaincue que Michael Berman avait oublié jusqu'à son existence. Mais cela n'était pas possible! Il n'aurait pas osé. Dans l'affirmative, elle n'aurait plus qu'à l'oublier. Mais elle en était incapable. Elle ne pouvait s'empêcher de songer à lui. Il avait semblé attiré par elle; ils avaient passé tant de temps ensemble. Il ne lui aurait pas tenu compagnie toute la soirée simplement pour se montrer gentil envers la petite soeur d'Elaine. C'était évidemment la version d'Elaine. Chose sûre, il n'avait pas encore téléphoné.

Elle n'eut d'autre choix que de lui téléphoner elle-même. Il lui fallut beaucoup plus de cran qu'elle n'en avait, et pourtant elle n'en manquait pas. Cependant, une fille ne téléphonait pas à un garçon. Une fille bien élevée, s'entend. Selon Sylvia, une fille bien élevée ne faisait rien de ce qui tentait Deena. Il ne fallait pas téléphoner aux garçons, ni leur laisser savoir qu'on était attirée par eux, pas plus qu'on ne devait flirter avec eux ou commander le mets le plus cher inscrit au menu; éviter aussi les sujets de conversation qui les ennuient et ne pas leur donner de «bonbon» avant le mariage. A son âge, Deena avait déjà contrevenu à presque tous ces règlements. Mais jamais elle n'avait téléphoné à un garçon. Son coeur battait la chamade. Elle faillit raccrocher en l'entendant répondre à l'autre bout du fil. Il était cependant trop tard pour reculer. Elle consulta les notes qu'elle avait griffonnées sur un bout de papier, prit une longue inspiration et se jeta à l'eau.

— Michael, c'est Deena. Deena Strauss. La soeur d'Elaine. Nous nous sommes rencontrés à la soirée chez mes parents, il y a deux semaines.

Elle attendit sa réponse. Pendant toute une éternité.

— Je me souviens. Comment ça va?

Ce fut ensuite à lui d'attendre une réponse. Zut!

— Ai-je fait quelque chose qui vous ait déplu?

— Je ne comprends pas très bien…

Quelle idiote elle faisait! Elle aurait dû l'inviter à un concert ou au théâtre; cela lui aurait fourni un bon prétexte pour lui téléphoner. Il était trop tard à présent.

— Vous m'avez dit que vous aimeriez me revoir et vous ne m'avez pas téléphoné. Moi aussi j'aimerais vous revoir Michael, mais je n'aime pas attendre indéfiniment. Si vous êtes fâché ou si vous n'êtes pas intéressé, dites-le moi tout de suite. Ainsi je n'attendrai plus votre appel.

Elle avait vraiment dit cela sans flancher. Elle avait tenu le coup. Elle avait espéré se sentir soulagée mais il n'en était rien. Elle était très mal à l'aise.

— Deena, je veux te revoir mais j'ai été retenu par mes occupations.

Il semblait perplexe; elle s'en voulait d'avoir agi comme une adolescente capricieuse. Aucune des femmes qu'il connaissait n'oserait à coup sûr lui téléphoner pour lui demander s'il était fâché. Comment avait-elle pu se montrer si sotte? Il continua son explication:

— Je me concentre sur mes études en vue des examens finaux. J'aurai terminé dans deux semaines. Que faites-vous le six février? Accepteriez-volus de dîner avec moi?

Ses jambes devinrent molles. Elle le fit patienter pour ne pas trahir sa hâte. Elle lui répondit enfin d'une voix détachée, presque adulte:

— Pour le dîner? Attendez voir... oui je suis libre le six. Ça me semble approprié.

Dès qu'elle eut posé le combiné, elle composa le numéro d'Ellen. Elle était impatiente de tout lui raconter. Evidemment, elle lui tairait qu'elle avait pris l'intiative de lui téléphoner. Jamais elle ne l'avouerait à qui que ce soit, pas même à sa meilleure amie.

chapitre vingt-deux

Samedi 6 mai 1961.

Ils formaient un duo adorable, ce grand gaillard au sourire irrésistible et ce petit garçon qui lui renvoyait la balle en marquant les points. Etait-ce le père et le fils? Peut-être bien. Mais rien n'était moins assuré. En réalité, ils ne se ressemblaient pas. Toutefois, le garçonnet copiait avec fierté les gestes de l'adulte.

— Voilà qui est bien Lawrence! Où as-tu appris à lancer la balle de cette manière?

Il attrapa la balle et la relança en disant:

— Voici un lancer au champ gauche et Lawrence McElroy se précipite et voilà qu'il attrape la balle!

L'homme fouilla sa poche, en sortit un cigare qu'il déballa avant de le porter à ses lèvres.

— J'aime beaucoup mon nouvel équipement, oncle Jack. Attends que les garçons de ma troupe voient ça! Notre chef scout est du tonnerre. Il prétend que les enfants des villes doivent pratiquer des sports dignes de la ville. Nous jouons aussi à la crosse. Oncle Jack, est-ce que tu jouais à la crosse quand tu avais mon âge?

— Tu parles! J'étais champion.

Il consulta sa montre et s'exclama:

— Oh! J'ai bien peur que la partie ne soit terminée, mon petit. Je dois te reconduire chez ta mère avant quatre heures.

— Zut alors!

— Ne te mets pas en peine. Un homme doit faire son devoir avant tout; ensuite il peut s'adonner à ses plaisirs. Souviens-toi de cela Lawrence.

Le petit garçon accourut à ses côtés et prit sa main.

— Je m'en souviendrai. Oncle Jack?

— Oui?

Ils se dirigèrent lentement vers la sortie du terrain de jeux.

— Les scouts font une...

— Regarde Lawrence, le marchand de glaces! Ne m'as-tu pas dit que tu voulais une glace à la pistache?

— Oui, hâtons-nous!

— Vas-y vite. J'ai passé la quarantaine, je ne cours plus, dit-il en sortant un billet de son portefeuille. Apporte-moi une glace à la pistache.

Le garçon murmura quelque chose d'inaudible qui impatienta Jack.

— Quoi? Que dis-tu? Parle plus fort!

— Je ne veux pas.

— Qu'est-ce que c'est? Tu ne veux pas demander une glace au marchand? Qu'est ce que ça signifie? Tu as dix ans mon garçon. Allons, vas-y. Montre-moi de quoi tu es capable. Tu n'as qu'a lui demander deux glaces à la pistache et à lui remettre l'argent.

— Je ne sais pas combien ça coûte.

— Ne t'inquiète pas pour cela. Tu as suffisamment d'argent. Il te rendra la monnaie.

— Et s'il ne le fait pas?

— Lawrence, je perds patience. Tu ne parles pas comme le garçon que je connais. Tu parles comme une mauviette.

— Je ne suis pas une mauviette, répondit l'enfant avec entêtement.

— Je sais. Mais tu dois me le prouver. Allons. Tu dois apprendre tôt ou tard à faire des transactions.

Il rit en caressant le dos de l'enfant.

— Ecoute-moi Lawrence: tu ne feras jamais rien de bon si tu n'apprends pas à t'exprimer clairement et à faire connaître tes idées. C'est ainsi que je suis parvenu là où je suis.

— Oui, oncle Jack.

— Dans ce cas, vas-y!

Il regarda Lawrence s'éloigner un peu à contrecoeur et faire la queue avec les autres enfants. Il revint quelques minutes après, fier d'avoir accompli sa mission.

— Brave garçon! Tu peux conserver la monnaie, en guise de récompense. Qu'en dis-tu?

Ils déambulaient lentement sur la quatorzième rue où pullulaient les passants en ce samedi après-midi. Les clients s'attardaient devant les vitrines, les familles ramassaient des provisions, une ribambelle d'enfants roulaient à bicyclette.

— Regarde, oncle Jack! J'aimerais avoir une bicyclette comme celle-là!

— Tu as déjà une bicyclette.

— Je suis devenu trop grand. Elle est trop petite, elle a rouillé et les autres enfants ont tous une bicyclette neuve, tandis que moi...

— Qu'est-ce que j'entends? Des jérémiades? Agis comme un homme, veux-tu? Il n'y a que les filles qui pleurnichent.

— Est-ce que tes filles sont geignardes?

— Elles se plaignent sans cesse.

L'enfant sembla hésiter. Il fronça les sourcils et rit à son tour.

— Tout de même, oncle Jack. J'aimerais beaucoup avoir une nouvelle bicyclette.

— Alors prends la monnaie que je t'ai donnée et dépose-la à ton compte en banque. Tu dois réaliser des économies si tu veux t'offrir cette bicyclette. C'est ce que ferait un bon homme d'affaires. On n'est jamais trop jeune pour apprendre les choses de ce monde, Lawrence.

— Oui, oncle Jack.

— Tu sais quoi? Si tu es un bon élève, je te prendrai au service de ma compagnie lorsque tu seras grand. Tu pourras peut-être même trouver un emploi d'été lorsque tu feras tes études secondaires. Qu'est-ce que tu dirais de ça?

— Ce serait super, oncle Jack! Es-tu vraiment sérieux?

— Te mentirais-je, mon enfant? Evidemment que je suis sérieux! Mais il te faut d'abord démontrer ta bonne volonté.

— Oh oui!, oncle Jack.

259

Jack regarda le visage de l'enfant plein d'admiration. Il lui sourit et caressa ses cheveux.

— Tu es un brave gamin, Lawrence. Le sais-tu? N'importe quel homme serait fier d'être ton père.

— Oncle Jack?

— Oui?

— Est-ce que je peux te demander une faveur?

Jack prit le bras de l'enfant pour traverser la rue.

— Bien entendu. De quoi s'agit-il?

Le garçon prit une longue inspiration et dit tout d'un trait:

— La fraternité scoute organise un dîner pour les pères et leurs fils. C'est la semaine prochaine et je sais que tu es probablement trop occupé, mais je recevrai trois médailles de mérite et chaque garçon aura son père à ses côtés. Je serai le seul à ne pas venir accompagné.

— Non! Il s'agit d'une rencontre père-fils. Je ne peux pas y assister; je ne suis pas ton père.

— J'ai demandé au chef. Tu peux venir. Je peux emmener qui je veux.

— Il vaut mieux que ce ne soit pas moi, Lawrence. Je ne peux absolument pas. A présent, cesse de pleurnicher. Un homme ne pleure pas pour quelque chose d'aussi puéril. Demande à l'un de tes instituteurs de t'accompagner. Il doit bien s'en trouver un que tu préfères aux autres?

— Dans ce cas, je demanderai à oncle Fred, murmura l'enfant. J'aime bien oncle Fred. Il m'emmène partout.

Jack changea soudain de ton.

— Qui est cet oncle Fred qui t'emmène partout? Je n'ai jamais entendu parler de lui.

— Il habite notre immeuble. L'appartement face au nôtre. Il vient souvent chez nous.

— Vraiment? Il faudra que je pose des questions à ta mère à son sujet. Je ne voudrais pas qu'il soit indigne de t'accompagner à un dîner aussi important.

Ils arrivaient à l'arrondissement qui conduisait à Stuyvesant Town et marchaient en silence. Lorsqu'ils furent parvenus devant l'immeuble où habitaient Lawrence et sa mère, Jack se râcla la gorge avant de dire:

— Il est temps de se dire au revoir. Lawrence, si tu te fais tant de soucis à propos de ce dîner scout... J'irais volontiers si je le pouvais. Ne pleure plus à présent. Un homme ne pleure pas lorsqu'il connaît une petite déception. Allons, tu ne veux pas causer de soucis à ta mère, n'est-ce pas? Sèche tes larmes. Ça suffit! Voilà, gentil garçon.

Il caressa de nouveau les cheveux du petit, puis il ajouta:

— Sait-on jamais? Tu trouveras peut-être une bicyclette rouge flambant neuve un de ces quatre? Qu'en dis-tu?... même si tu as déjà reçu ton cadeau d'anniversaire. Viens m'embrasser!... Voilà mon garçon!

chapitre vingt-trois

Dimanche 29 octobre 1961.

La lumière dorée se réfléchissait sur les vitres des fenêtres de la cuisine. Une brise vivifiante faisait voler les rideaux de cretonne, s'insinuait vers la table et soulevait les pages du *Times* pour ensuite les éparpiller dans toute la pièce. Jack prit une gorgée de café noir en regardant Marilyn courir dans le tourbillon des feuilles de papier journal. Elle essayait tant bien que mal de les récupérer mais ne réussissait qu'à trébucher.

— Vois comme elle essaie de vaincre le *New York Times*! Marilyn, tu dois premièrement mettre le pied sur les feuilles. C'est bien... A présent, tu dois les ramasser une à une.

Il but la dernière gorgée en indiquant à Sylvia qu'il désirait une autre tasse de café.

— Ne t'en fais pas ma mignonne, il a fallu cinq années à ton père avant d'apprendre à plier ce journal comme le font ceux qui empruntent le métro.

Il en fit la démonstration en pliant le journal dans le sens de la longueur, sur deux colonnes.

— Quelquefois encore, c'est le journal qui a raison de ma patience.

Jack semblait de bonne humeur. Il faisait beau, hier il avait conclu le marché au sujet des immeubles de la soixante-sixième rue, les bagels étaient réellement frais et, après avoir fait sa toilette, il se rendrait à son club pour faire sa partie hebdomadaire de mah-jong. Pour quelle raison aurait-il bougonné? Même Marilyn était une délicieuse créature ce matin, elle qui d'ordinaire le rendait fou à lier avec ses constantes revendications en faveur des animaux maltraités. Elle avait l'habitude de rapporter à la maison des chiens égarés, des chats perdus, elle avait même rapporté un lapin avec une seule oreille trouvé sur un sentier dans Central Park. Ce matin tout respirait le calme et la sérénité.

— Quelle belle journée!, chantonnait-il en feuilletant les pages de la section des sports.

Elaine entra dans la cuisine à ce moment. Elle sortait de la douche, ses cheveux mouillés formaient déjà des boucles rebelles et elle portait un peignoir de ratine brodé aux initiales de son père.

— Ta mère et toi ne faites pas suffisamment de shopping? Tu n'as pas de robe de chambre à te mettre? Alors comment se fait-il que, chaque mois, je reçoive des notes astronomiques de chez Saks, de chez Bendel et de chez Bloomingdale's?

— Elle était pendue au crochet de notre salle de bain, répondit Elaine. Veux-tu que je l'enlève?

— Elaine, pourquoi parler sur ce ton? Ton père ne t'a pas demandé de l'enlever. Il ne t'a adressé aucun reproche, dit Sylvia avec douceur.

Elaine grommela quelques mots puis s'excusa. Elle se versa une tasse de café et se rendit au comptoir sur lequel Sylvia avait étalé les victuailles qui constituaient le déjeuner du dimanche: des bagels au sésame, du pain de seigle noir, du fromage à la crème, du saumon fumé écossais, des confitures, des tranches de tomates et d'oignon espagnol, un chauffe-plats gardant à la bonne température des oeufs brouillés, un pichet de jus d'orange et un bol de macédoine de fruits. Elaine se servit.

— Tu es rentrée très tard cette nuit après avoir passé la soirée avec ce type.

Elaine lança sans même lever la tête:

— Il s'appelle Howard et tu le sais très bien!

— Elaine, protesta la mère. Ce n'est pas une façon de s'adresser à son père.

— Ça n'a aucune importance. Où as-tu perdu ton sens de l'humour Elaine? Chez ce type?

Elaine leur tournait le dos mais visiblement cette remarque l'avait fait tressaillir. Elle s'abstint de répondre aux railleries de son père et vint s'asseoir à table.

Son père se pencha dans sa direction, examina le contenu de son assiette et se cala derrière son journal.

— Bon, dit Elaine au bout d'un moment. Qu'est-ce qu'il y a?

— Rien du tout. J'avais simplement cru t'entendre parler de réduire...

— C'est ce que je fais.

— Réduire tes portions? Il y a suffisamment de nourriture dans ton assiette pour nourrir l'armée russe au complet.

— Jack, supplia Sylvia, tu avais pourtant promis!

— Laisse tomber Sylvia, dit Elaine d'une voix monocorde. C'est sa façon de faire de l'humour. Ça ne me dérange plus. Howard m'aime telle que je suis.

Elle avait parlé avec bravoure, ce qui ne l'empêcha pas de pousser son assiette.

— Howard est un rien du tout! Et une mauviette de surcroît! De quoi se mêle-t-il, lui qui passe sa vie dans ce trou à rats sur Orchard Street? C'est peut-être la raison pour laquelle tu lui plais tant... Car enfin cet homme vend des gaines et des corsets!

Il riait de bon coeur, faisant fi de la main de Sylvia sur son bras et de ses signes désapprobateurs. Marilyn quitta la table et s'affaira à ranger les aliments sur la desserte. Elle revint aussitôt à table et présenta à sa soeur une assiette qui contenait un bagel beurré, tartiné de fromage à la crème, quelques tranches de saumon fumé et une rondelle d'oignon.

— Pour toi Lainie.

Sa voix était douce. Elle se pencha vers sa soeur et lui murmura à l'oreille:

— C'est toi que j'aime le plus et je te trouve très belle.

— Ma chérie!

Elaine serra sa petite soeur contre elle.

— Merci. C'est une belle assiette et je vais tout manger à l'instant même.

Elle porta le sandwich à sa bouche, en croqua une grosse bouchée et la dégusta avec des onomatopées témoignant de son appréciation.

— J'ai raison, dit Jack. Te voilà heureuse à présent.

— Merde enfin! Fous-moi la paix, veux-tu? Pendant une seule journée. Est-ce trop demander?

La voix endormie de Deena se fit entendre.

— Je m'en irai, dit-elle en posant les mains sur ses oreilles, si vous ne cessez pas de vous disputer. Je vous entendais de ma chambre. C'est à vous couper l'appétit.

— Ça ne marche pas avec ta soeur!

De nouveau, Jack rit de sa propre plaisanterie.

Deena rétorqua:

— Papa, ce n'est pas drôle!

Au même moment, Elaine aboya:

— Il n'a aucun respect de mes sentiments.

Chacun haussait le ton et Deena porta à nouveau les mains à ses oreilles.

— Je retourne à ma chambre.

Jack se cala sur sa chaise.

— Je vis entouré de prima donna. Elle ne supporte pas les plaisanteries, dit-il en désignant Elaine. Elle lui donne à manger, continua-t-il en montrant Marilyn, et tu menaces d'aller te cacher sous ton oreiller! C'était mignon lorsque tu avais quatre ans, mais à ton âge? Reviens ici, assieds-toi et prends ton déjeuner. Ça suffit à présent.

Deena emplit son assiette avec tout ce qu'il y avait à manger et vint s'asseoir à table. Son père attendit qu'elle porte les oeufs brouillés à sa bouche avant de dire:

— Alors Dee-dee? Tu es rentrée très tard cette nuit. J'ai regardé l'horloge; il était plus de deux heures.

Deena réagit en plaisantant:

— Et que faisiez-vous debout à pareille heure, jeune homme? Si vous ne faites pas preuve de plus de sagesse, vous gâterez ce beau teint frais!

— Où Michael t'a-t-il emmenée hier soir?

— A la nouvelle boîte Israeli. Tu sais, je t'en ai déjà parlé. Le *New York Times* leur a réservé une critique élogieuse.

— Ce Michael est si cultivé! Il connaît tous les endroits à la mode.

Elaine sembla dégoûtée par de tels propos.

— Si Howard m'invitait au club Israeli, tu lui demanderais pourquoi il a l'intention de me faire boire de l'alcool.

Elle ignora le plaidoyer silencieux qu'exprimait le regard de sa mère et poursuivit:

— C'est la stricte vérité! Il semble que Michael soit un saint.

— Michael est un gentil garçon, dit Jack. Un avocat, un professionnel. Sais-tu combien de firmes de Wall Street voulaient l'engager? Il vient de recevoir son diplôme et déjà il gagne très bien sa vie. Pour quelle raison n'aurais-je pas de l'admiration pour lui? Il fera son chemin celui-là.

— Tu n'as pas à lui lécher constamment les bottes.

— Je ne lui lèche pas les bottes et, de plus, c'est un charmant garçon. C'est plus fort que moi, je ne peux m'empêcher de le répéter. Ta soeur peut s'estimer très heureuse de lui avoir plu.

— Deena a toujours plu à un tas de garçons très gentils. Et moi aussi. Tu ne l'as peut-être pas remarqué, mais les soeurs Strauss sont des filles très populaires auprès de la gent masculine.

Elaine rougissait d'indignation.

— Michael est davantage qu'un gentil garçon. C'est un homme et, comme je l'ai dit, il fait son chemin. Deena aurait pu s'amouracher d'un moins que rien. Si elle est intelligente, elle fera tout pour ne pas le perdre.

— Jack, de quoi parles-tu?, protesta Sylvia. Deena n'épousera personne dans un avenir immédiat. Elle n'a que dix-huit ans. Deena doit terminer ses études universitaires avant de songer au mariage. Tu le sais Jack.

— Je n'en vois pas la nécessité. Regarde-la bien. Elle n'a pas besoin d'un diplôme pour avoir tout ce qu'elle désire. Elle n'a qu'à demander.

Deena interrompit son père, visiblement ravie d'entendre de telles flatteries à son sujet.

— Papa, est-ce que ça signifie que tu me permettrais de me marier tout de suite?

Elaine ricana comme une hyène.

— C'est la seule manière dont tu pourras quitter cette maison. Sinon, tu ne le pourras jamais.

— Tu reviens sur ce sujet Elaine. Tu veux partir? Eh bien va-t-en!

Le père commençait à enrager. Il ajouta d'un ton agressif:

— Trouve-toi un appartement. Fais ce qui te plaît. Fais savoir au monde entier quel genre de fille tu es! Brise le coeur de ta mère...

— Ça suffit Jack! Elaine désire au moins terminer ses études. Deena, écoute-moi. La meilleure chose que mon père ait faite pour moi, ce fut de me laisser poursuivre mes études. J'ai toujours regretté de n'avoir pas complété d'études universitaires.

— Je viens d'avoir une idée Sylvia. Inscris-toi à l'université!

— Ne réplique pas lorsque ta mère te parle, lança Sylvia non sans humour. Tu n'es pas trop vieille pour avoir une gifle, tu sais! Je suis sérieuse. Termine tes études supérieures. Ensuite il sera temps de te marier, si tu ne peux pas vivre sans Michael. S'il t'aime vraiment, il attendra. Promets-le moi.

Deena soutenait le regard de sa mère en répondant:

— Je ne veux pas faire de promesse que je ne pourrai pas tenir.

Elle avait parlé avec entêtement.

— Laisse-la Sylvia! Tu ne vois pas que notre fille est amoureuse?

Il se leva, se plaça derrière Deena et posa les mains sur ses épaules.

— Sylvia, tu ne te souviens pas du temps où nous étions follement amoureux l'un de l'autre? Tu ne voulais pas vivre une seule journée sans moi. Tu n'aurais certainement pas pu patienter trois ou quatre années.

Il se pencha afin de poser un baiser sur le front de sa femme.

— Evidemment que tu t'en souviens!

— Et moi?, demanda Elaine. J'ai presque terminé mes études, je suis amoureuse et je songe à me marier.

— Pas tant que je vivrai!, cria Jack d'une voix impérieuse. Je ne le permettrai pas. Il est plus petit que toi Elaine.

— C'est la plus mauvaise objection que j'aie jamais entendue. Ce n'est même pas intelligent!

— De plus, tu pèses davantage que lui!

— Jack! Ça suffit.

— Espèce de s...!

Elaine ravala ses mots d'injure. Elle avait les yeux pleins de larmes.

— Tu es injuste!

— Tu l'as bien cherché. En te levant ce matin, tu avais envie d'une dispute. Eh bien,tu l'as eue! Je te défends d'épouser ce type. Aucune de mes filles n'épousera une mauviette.

Elaine éclata d'un rire qui n'était pas joli à entendre.

— Ce que tu peux être loin de la vérité! Tu crois que Howard Barranger est homosexuel? Tu te mets le doigt dans l'oeil jusqu'au coude!

Le visage de son père se durcissait.

— Et qu'est-ce qui te permet de l'affirmer avec autant de certitude?

— Qu'est-ce que tu crois? Ça fait six mois que nous couchons ensemble!

Elle sortit précipitamment de la cuisine, laissant là ses parents ébahis et Deena stupéfaite. La petite Marilyn courut à sa suite, curieuse de connaître la signification de ses dernières paroles.

chapitre vingt-quatre

Mardi 14 janvier 1986.

A deux heures de l'après-midi en janvier, les rues de New York sont bondées, bruyantes, sales et congestionnées par la circulation. Elaine demanda au chauffeur de la déposer, bien qu'elle fût à un coin de rue de la neuvième avenue et de la trente-huitième rue. Elle irait plus vite en marchant. Le chauffeur du taxi résuma sa philosophie par un mot: «New York City!» Elle s'apprêtait à sortir du taxi, vit au dernier moment le tas de neige boueuse, l'enjamba et s'enfonça dans la neige sale et fondue.

— Merde alors!, s'écria-t-elle.

Un livreur de pizza qui passait au même moment à bicyclette lança:

— Dis-nous ta façon de penser, mama!

Elaine n'apprécia pas du tout la plaisanterie. Elle avait les pieds dans la gadoue froide et cela la dégoûtait. De plus, ses bottes en veau de chez Maud Frizon étaient tachées d'eau et de calcium; elles seraient sûrement bonnes pour les poubelles. Qu'est-ce qui lui avait pris de porter de pareilles bottes par ce sale temps? Elle jeta un bref coup d'oeil au cuir détrempé; trois cents dollars à l'eau! Davantage que le salaire hebdomadaire de sa secrétaire.

En cet instant, ses pieds n'avaient pourtant qu'une importance relative. Elle avait pris congé pour l'après-midi malgré un emploi du temps chargé afin de vérifier certaines choses qui l'ennuyaient. Elle n'aurait su comment les qualifier: vol, larcin, appropriation ou escroquerie. Elle savait toutefois que quelqu'un convoitait son bien. Elle se fraya un passage dans la cohue de l'heure du déjeuner qui affluait sur la neuvième avenue, pourtant peu fréquentée d'ordinaire. Si le projet de Jack Strauss se concrétisait, cette rue minable deviendrait bientôt une avenue huppée où emménagerait la classe aisée. Jack obtiendrait sûrement gain de cause et pour cela Elaine admirait son père. Il fallait rendre à César ce qui lui revenait. Il était parvenu à ses fins dans Lower Broadway, dans le district financier, sur Park Avenue South et récemment dans Old Seaport Village.

Elle venait de Seaport Village, plus convaincue que jamais du flair de son père en ce qui concernait les goûts du public en matière d'habitation. Elle ignorait comment il procédait, mais sa méthode était infaillible. Un matin pendant le petit déjeuner, il levait l'oeil de son journal et lançait:

— Vous savez ce qui conviendrait à tous ces yuppies qui cherchent à se loger?

Il nommait alors un quartier souvent minable où l'on ne songerait jamais à élever sa famille. Le projet de Old Seaport Village était né de cette manière. Par un beau dimanche après-midi, il avait emmené Elaine et Sylvia en promenade dans ce sinistre voisinage. Elaine s'en souvenait très bien car elle était convaincue à priori qu'un tel projet était voué à l'échec.

— Papa, c'est un endroit effroyable. On ne trouve aucun service public dans ce coin, aucune boutique où faire ses achats, aucune boîte de nuit et, comble de l'horreur, il y règne une odeur de poisson pourri!

Jamais elle ne s'était fourvoyée à ce point! Toutes les habitations avaient été vendues avant d'être achevées; les studios avec petite cuisine et salle de bain se vendaient cent cinquante mille dollars.

— Quel est ton truc?, lui demanda-t-elle.
— C'est un art, ma chérie. Je pourrais même te l'enseigner.

Bientôt, elle lui rappelerait son offre et s'inscrirait à l'université paternelle. Enfin elle était arrivée à la neuvième avenue! Le numéro 575 avait été rebaptisé «The West View» et l'affiche indiquait: appartements de prestige en copropriété, terrasses, cheminées, vue sur le fleuve, appartement-témoin pour visites, bureau des ventes au rez-de-chaussée ouvert de huit heures à vingt heures à partir du premier février. Elle entra dans une vaste pièce qui serait un jour le vestibule. Les travaux de réfection n'étaient pas terminés mais l'endroit était propre et les indications sur le bureau des ventes précises. Achèterait-elle un appartement dans cet immeuble? Serait-elle attirée par son aspect extérieur? Aurait-elle envie d'y entrer? Elle n'aurait su le dire. L'endroit ne lui répugnait pas, mais il n'avait pas l'attrait de l'Upper West Side. Elle se trouvait en pleine neuvième avenue et pour les gens de sa génération, ce quartier était minable.

Elle coupa court à ces réflexions, s'estimant incompétente pour en juger. Elle était novice en la matière et les travaux étaient presque terminés, de toute façon. Dans six semaines, on pourrait emménager dans les appartements. Elle avait mieux à faire que de s'interroger sur le bien-fondé de cette construction; pour l'instant, elle devait trouver un dénommé Frank Malone. Cet homme était l'homme invisible. Elle était venue à plusieurs reprises pour le rencontrer au cours des semaines précédentes et chaque fois il était absent. Elle avait une liste de factures au sujet desquelles elle désirait l'interroger. Malone était le responsable du chantier; il devrait répondre de ses décisions.

Elle avait d'abord remarqué quelque chose en vérifiant la comptabilité. Elle s'était rendu compte que ce projet était beaucoup plus coûteux que celui de Seaport Village et pourtant les travaux étaient similaires. En étudiant le dossier de près, elle s'aperçut que les prix du ciment et des structures métalliques avaient légèrement augmenté, probablement à cause de l'inflation; toutefois, les coûts du bois de charpente étaient devenus astronomiques. Elle avait décidé de vérifier de quoi il retournait. Autrefois, elle aurait demandé à papa. Plus maintenant. Elle découvrit que le prix du bois avait augmenté à un taux supérieur à celui de l'inflation mais cette explication ne la satisfit pas. Elle consulta donc les dossiers du projet Seaport et apprit que leur fournisseur n'était plus le même. On avait partagé la commande entre l'ancien marchand de bois et un autre. Elle voulait savoir pourquoi. D'autant plus que les services du premier fournisseur étaient satisfaisants. Papa lui avait dit que l'on s'adressait à un deuxième fournisseur seulement lorsque le premier ne pouvait fournir la marchandise. Ce n'était pas le cas. Le marchand de bois chez qui ils se fournissaient exerçait presque un monopole dans la région métropolitaine. Elle découvrit ensuite qu'aucun certificat de livraison n'avait été émis au nom du second fournisseur. Elle avait demandé à son père pourquoi une liasse de tels certificats manquait au dossier. Il avait eu un geste impatient en expliquant:

— Ces satanés certificats! Laisse-moi t'expliquer comment ça fonctionne: le camion arrive, les hommes déchargent le bois. Malone vérifie la commande, le conducteur lui demande une signature et lui remet un coupon de la grandeur d'un billet de loterie. Malone le glisse dans la poche de son blue-jeans et, s'il n'a pas un trou dans le fond de sa poche, si le coupon ne passe pas à la lessive, si Malone ne se saoûle pas le vendredi soir, alors peut-être le coupon aura-t-il quelque chance de parvenir au bureau. Je sais qu'en principe chaque commande devrait correspondre à un certificat de livraison. Mais la réalité est tout autre. Si j'avais pu toucher dix sous pour chaque certificat de livraison perdu, je me serais retiré des affaires il y a vingt ans!

Elle s'était contentée de lui sourire, ne l'avait plus embarrassé de questions pertinentes et avait poursuivi autrement. Elle décida de vérifier les commandes et les certificats de livraison d'un autre fournisseur, quel qu'il soit. Ses doutes s'étaient ainsi précisés. Par exemple, il manquait six certificats de livraison de chez De Luca & Fils mais elle les trouva cependant tous au dossier, bien qu'ils aient assurément subi la cuite du vendredi soir et la lessive de madame Malone. On avait du mal à les lire, mais ils existaient. C'était l'important. A partir de là, elle avait une question à poser à monsieur Malone. Pourquoi n'existait-il aucun certificat de livraison en ce qui concernait le second fournisseur de bois de charpente? Elle ne lui poserait pas la question directement. Elle était venue à trois reprises sur le chantier et elle avait appris une chose: les ouvriers n'aimaient pas répondre aux questions qu'on leur posait. Elle avait rarement été aussi frustrée. Ils ne lui auraient pas même donné l'heure. Personne ne savait quoi que ce soit.

Elle ne s'en étonnait pas, on l'avait prévenue. Toute sa vie elle avait entendu son père répéter: «Mes hommes ne parlent pas aux étrangers. Ils savent qu'ils ne s'attireront pas d'ennuis s'ils savent tenir leur langue.» Même si elle était la fille du patron, elle n'était pour eux qu'une femme, c'est-à-dire une quantité négligeable. Une étrangère en pays masculin. On lui avait maintes fois répété qu'elle devait s'adresser à Malone. Cependant lorsqu'elle avait demandé à le rencontrer, il était parti déjeuner ou alors en réunion, quelque part dans l'immeuble et jamais on ne pouvait le trouver. Elle s'était donc résolue à faire officiellement les choses; elle lui avait téléphoné et avait pris rendez-vous avec lui. Monsieur Frank Malone n'avait plus qu'à se présenter sinon, il serait dans le pétrin.

Il était là, en grande conversation de surcroît. L'un des ouvriers le désigna du doigt lorsqu'elle demanda à le voir, sans plus. Elaine ne savait trop que faire. Il était retenu par une conversation d'affaires, concernant une cuisine qu'elle apercevait par une porte entrebâillée. Il se trouvait en compagnie de deux ouvriers, tous coiffés du casque réglementaire, et tous trois consultaient les plans. Elle avait appris depuis sa tendre enfance à ne pas déranger un homme qui consulte un plan d'architecture. Elle prit patience et flâna pendant quelques minutes. Une fois terminé, ce serait un bel appartement. Beaucoup plus spacieux que ceux qu'on trouvait d'habitude dans ce quartier. Cette réflexion la fit sourire. Depuis le début des travaux, elle était obsédée par les appartements rénovés. Elle avait visité des immeubles en réfection en compagnie d'acheteurs éventuels, elle avait appris à connaître les dimensions d'une pièce d'un seul coup d'oeil, elle était devenue experte. Pourtant elle ne s'asseyait pas sur ses lauriers et continuait d'apprendre. Aujourd'hui plus que jamais. L'un des murs de la salle de séjour était en brique; elle avait rencontré suffisamment d'agents immobiliers pour savoir qu'un tel atout augmentait la valeur de l'appartement d'au moins dix mille dollars.

Elle jeta un coup d'oeil à sa montre. Déjà deux heures trente. Elle avait dit à Howard qu'elle reviendrait au magasin avant quatre heures. Elle n'était plus certaine de pouvoir respecter cet engagement. Il lui avait dit de prendre tout le temps nécessaire.

C'était gentil de le dire, mais elle savait qu'il préférait qu'elle n'en fasse rien. En l'absence de l'un d'eux, l'entière responsabilité de la marche de l'entreprise était dévolue à l'autre. Elle ne voulait pas tirer avantage de la gentillesse de son mari. Cependant, elle ne pouvait se permettre une seule erreur car papa ne lui ferait jamais de nouveau confiance. Ses bottes à talons hauts lui faisaient mal aux pieds, d'autant plus qu'elles étaient mouillées. Elle se mit à regarder le dos de Malone. On lui avait appris dès son jeune âge à attirer l'attention de quelqu'un en concentrant son regard sur la nuque du sujet. Cette tactique marchait à tout coup. Cette fois ne fit pas exception. Malone s'étira un peu et se tourna vers elle, l'air étonné. Puis il lui adressa un sourire poli.

— Bonjour madame Barranger!

— Bonjour monsieur Malone! J'ai peine à croire que vous êtes devant moi.

Il s'approcha d'elle en tendant la main.

— On m'a dit que vous étiez venue à quelques reprises. J'en suis désolé.

Ils échangèrent une brève poignée de mains puis il enchaîna:

— Que puis-je pour vous? Votre vieux... votre père m'a demandé de vous apporter mon entière collaboration.

Elaine s'étonnait encore de tant de sexisme. Si elle s'occupait de lingerie, une femme n'avait pas besoin de son père, de son mari ou de son fils pour avoir quelque crédibilité. Mais dans le monde de la construction elle n'avait aucune chance d'être entendue, à moins d'être entourée de tous les corps de marine. Elle entendait changer cela. Enfin une femme gagnerait le respect de tous ces hommes. Elle répondit à sa question:

— Vous pourriez m'apporter quelques précisions, mais en privé.

— Bah!, fit-il en désignant de la main les deux ouvriers qui consultaient les plans. Ils n'entendront rien.

— Dans ce cas, parlez-moi donc du second fournisseur de bois de charpente.

Il secoua la tête en enlevant le casque protecteur et se gratta le crâne.

— De qui s'agit-il?

— Downtown. Sur Gansevoort Street.

A nouveau il secoua la tête.

— Jamais entendu parler. Vous êtes certaine?

— Absolument! N'ont-ils pas livré des lattes et des voliges pour la rénovation de cet immeuble?

— Nous commandons tout à Joseph. Votre père a toujours fait affaire avec lui. C'est le meilleur en son genre.

Sa dernière phrase était teintée d'une humeur belliqueuse.

— Ne soyez pas inquiet monsieur Malone, je ne suis pas venue pour congédier qui que ce soit.

Il l'interrogea du regard mais elle ne broncha pas. Il haussa les épaules et dit simplement:

— Je ne suis pas inquiet. Je sais seulement que Joseph est le plus important fournisseur. On trouve chez lui tout ce qu'il nous faut, de la meilleure qualité, et les livraisons se font dans les délais. Croyez-moi, cela vaut de l'or. Vous voyez les gars là-bas? Ils auraient dû terminer les cuisines la semaine dernière. Si on avait pu compter sur le fournisseur de matériaux de plomberie!

Il rit devant son impuissance et se dirigea en traînant les pieds vers les deux ouvriers qui l'attendaient.

— Je sais que vous êtes très occupé, monsieur Malone. Mais il a fallu que je me déplace à trois reprises avant de vous trouver. J'ai encore quelques questions à vous poser.

— Allez-y!

— Qui signe les certificats de livraison?

— Il se trouve sous vos yeux.

— Et s'il en manque?

— … Si vous savez à quoi ils ressemblent, vous savez aussi qu'on peut les perdre facilement, expliqua-t-il en souriant. Ne vous inquiètez pas. je vérifie personnellement chacune des livraisons. Vous en aurez pour votre argent tant que Francis Malone fera son boulot.

— C'est ce qu'on prétend, répondit-elle gentiment en réfléchissant à ce qu'elle venait d'apprendre. Je ne vous retiendrai pas davantage… Oh! Encore un détail. Passez-vous vous-même la commande?

— Jamais! C'est Lawrence qui s'en charge. Je le préviens de ce qu'il nous faut. C'est mon travail de tout superviser. Mais personne ne passe de commande, hormis votre vieux... votre père ou Lawrence. C'est habituellement Lawrence qui s'en occupe.

Elaine lui renvoya un beau sourire. Elle avait la nette impression que sa patience et ses efforts seraient récompensés.

— Merci de m'avoir accordé cet entretien, monsieur Malone. Je ne manquerai pas de dire à mon vieux que vous avez coopéré avec moi.

Il pinça les lèvres et fit un effort pour ne pas rire. Il ignorait si elle avait plaisanté. Depuis quelques mois qu'elle se mêlait de leur boulot, il avait appris à se méfier d'elle. Elaine redescendit aussitôt et ne songea pas à retourner à son bureau. Howard devrait se passer d'elle pour le reste de l'après-midi. Elle avait une tâche urgente à accomplir. Lorsque le taxi se fut frayé un chemin dans la dense circulation jusqu'au siège social de Strauss Construction près de Rockefeller Centre, il était trois heures trente. Elle dut traverser le bureau de Linda McElroy et subir des effusions de gentillesse uniquement destinés à découvrir ce que cherchait la fille du patron. Elaine sourit à Linda jusqu'à en avoir mal à la mâchoire, consulta les dossiers dans les classeurs pendant que la secrétaire faisait les cent pas derrière son dos en répétant qu'elle pourrait l'aider si elle savait ce qu'elle cherchait. Elle réussit à soustraire les dossiers au regard expert de Linda et s'enferma dans la salle de conférences dont la porte fermait à clef. Il fallait remonter à la source du problème. Elle sortit l'annuaire commercial de Manhattan et chercha les marchands de bois. Elle parcourut la liste entière. Il y avait Doric Bois de construction puis Dynamic-Matériaux de construction. Elle regarda de nouveau. Doric, puis Dynamic. Il n'y avait aucune compagnie appelée Downtown. Elle regarda sous la lettre «F» afin de consulter la liste de tous les fournisseurs; sous la lettre «C» afin de vérifier sous Construction, et enfin sous «B» pour le mot «bois». Il s'agissait peut-être d'une nouvelle entreprise, bien qu'elle en doutât. Elle téléphona au service de renseignements de la compagnie de téléphone et la standardiste confirma ses doutes: la compagnie Downtown n'existait pas.

Elle demeura assise au bout de la longue table polie sans réagir pendant quelques minutes. Elle réfléchissait et n'appréciait pas les soupçons qui lui traversaient l'esprit. Mais Elaine Strauss-

Barranger ne se contenterait pas de demeurer dans le noir sans agir. Elle retrouva ses esprits, rangea les dossiers sans éveiller la curiosité de Linda, adressa de charmants sourires à la secrétaire et s'en fut aussitôt vers l'ascenseur. Quand les portes s'ouvrirent, elle faillit bondir comme une lionne. Lawrence McElroy se tenait devant elle, l'air débonnaire selon son habitude et usant de son charme.

— Elaine? Quelle surprise! Quel bon vent vous amène?

— Les affaires Lawrence. Quoi d'autre? J'apprends tous les rouages de l'entreprise, vous le savez.

— J'ai prévenu Malone de se trouver sur les lieux lors de votre visite. A-t-il suivi mes instructions?

Quel toupet il avait! Elle essaya tant bien que mal de faire preuve de gentillesse et murmura entre les dents:

— Je l'ai vu, si c'est ce que vous voulez savoir.

— J'espère qu'il vous est venu en aide.

Il s'agissait d'une question. Telle mère, tel fils. Ils mouraient d'envie de savoir ce qu'elle cherchait. Elle leur souhaitait bonne chance. Personne ne lui tirerait les vers du nez tant qu'elle n'aurait pas toutes les preuves en mains. Elle lui sourit. Encore et encore. A la fin de la journée, elle aurait un sourire imprimé sur les lèvres.

— Malone est un bon employé, à n'en pas douter, lança-t-elle en entrant dans l'ascenseur.

Elle lui fit un signe de la main pendant que se fermaient les portes, puis elle s'appuya contre le mur en réfléchissant aux questions qu'elle poserait au sujet de cette compagnie bidon. Avant cela, elle se rendrait à l'adresse indiquée. Mais elle ne trouva jamais le numéro civique. Elle demanda au chauffeur du taxi de remonter la rue d'est en ouest, malgré ses protestations:

— Ecoutez madame, il y a trente ans que je conduis un taxi. Je viens tous les jours dans ce quartier et je vous dis que votre adresse, elle n'existe pas. Elle n'a jamais existé!

Elaine regardait les édifices décrépits qui longeaient Gansevoort Street. Aucune enseigne témoignant de l'existence de la compagnie Downtown Cela signifiait que cette compagnie n'avait jamais livré de marchandises pour la réalisation des travaux du Seaport Village et de West View. Par conséquent, quelqu'un avait falsifié les commandes et avait mis l'argent dans ses poches.

Cette personne avait délibérément volé son employeur et elle croyait savoir de qui il s'agissait. Elle commença mentalement à dresser des listes: détails à vérifier, preuves à obtenir, documents à consulter. Il lui fallait s'assurer de tout. Ce travail demanderait une semaine ou deux, au bout desquelles papa ne serait pas content. Elaine, elle, le serait!

chapitre vingt-cinq

Vendredi 24 janvier 1986.

«Rien n'est aussi doux que la peau d'une jeune fille», songeait Lawrence en caressant le flanc de Zoé. Les muscles étaient fermes sous sa main fureteuse. Elle sentait bon le talc ou la poudre d'iris florentine. Elle était novice à ces jeux, ce qui ne gâchait rien, loin de là. Elle geignait de plaisir à chaque toucher. Il les aimait bien lorsqu'elles étaient avides, dociles et impatientes. Car enfin le rôle actif revenait à l'homme. Il les aimait jeunes et innocentes. Ce sourire de ravissement le comblait. Il prenait plaisir à caresser une jeune fille et à surveiller ses réactions lorsqu'il abordait ses zones érogènes. Il faisait un léger massage à son clitoris et la regardait arquer les reins pour s'offrir davantage. Lawrence lui souriait, bien qu'elle ne le vît pas. Ses paupières étaient closes, ses joues rouges et son sexe moite. Elle avait vraiment envie de lui à présent; elle le suppliait:

— Je t'en prie, prends-moi mon chéri! Prends-moi!

Lawrence lui répondit par un grognement de plaisir. Il n'avait pas voulu effrayer cette gazelle innocente qui en était à ses débuts. Il avait donc décidé de prendre son temps. Il ne le regrettait pas à présent. Cette transformation du petit chaperon rouge en louve avide de plaisir l'étonnait chaque fois.

— Tu en es sûre?, murmura-t-il à son oreille tout en s'étendant doucement sur son corps.

Elle semblait si fragile couchée ainsi sous lui, toute menue malgré ses seins volumineux et ses hanches bien galbées. Dans cette position elle ressemblait beaucoup à sa mère; il eut presque peur que ce fût elle. Il se serait cru en train de faire l'amour à Deena. Holà! rien de tel. Il devait cesser de fantasmer au sujet de la mère alors qu'il possédait la fille. Il devait faire preuve d'un peu de sérieux, et pourquoi pas de sincérité. Il ne la laisserait pas tomber du jour au lendemain. Pas une fille de la famille Strauss.

— Tu en es sûre?, répéta-t-il.

Elle prit une longue inspiration puis expira lentement. Son souffle brûla le cou du jeune homme. Elle prit son visage entre ses mains et porta ses lèvres à sa bouche. Le fruit était mûr! La gazelle était ô combien consentante!

— Oui Lawrence. Je t'aime. Je te veux. Prends-moi, je t'en prie!

Dans ce cas... Il était suffisamment excité. Son sexe était dur comme le roc. S'il n'entrait pas en elle bientôt, il éjaculerait avant d'avoir commencé. Elle n'était pas vierge. Il pénétra en elle. Puis elle cria comme toutes les autres, parce que le phallus de Lawrence était énorme. Son vagin était étroit, chaud et humide. Elle se déhanchait pour tanguer à son rythme; l'instant d'après Lawrence ne songeait plus à rien. Seul son pénis le guidait, érigé, le rapprochant chaque instant d'un gouffre délicieux, le retenant, le poussant plus au bord, l'y faisant basculer...

Quand cessèrent ses ardeurs et qu'il s'assoupit sur elle, Zoé lui susurra à l'oreille:

— Je t'aime, je t'aime, je t'aime!

Elle était vraiment chouette, sans blague. Une gentille enfant, mais une enfant tout de même. Elle n'avait pas atteint l'orgasme; il le savait. Elle, cependant, l'ignorait. Elle avait encore beaucoup à apprendre. Elle aurait pu trouver pire maître que Lawrence McElroy! Avec le temps elle deviendrait une amante de choix. Une véritable juive inassouvie, comme il l'avait imaginée! A coup sûr, elle s'avérerait à la longue une excellente maîtresse. Et si sa performance ne s'améliorait pas, il n'aurait aucune difficulté à la remplacer. Les candidates étaient nombreuses.

Il ne fallait cependant pas précipiter les choses. On aviserait en temps et lieu. Il roula sur le dos en gémissant et lui donna un baiser.

— C'était merveilleux, ma chérie.

Zoé fondait, il le savait à son regard. Elle était amoureuse. Il n'avait plus qu'à la cueillir.

— Lawrence, je t'aime tant! As-tu vraiment aimé ça? Je ne veux qu'une chose: te plaire.

Il posa un autre baiser sur ses lèvres.

— Tu y réussis, ma chérie.

Il demeurèrent étendus côte à côte et s'abandonnèrent à la somnolence. Au bout d'un moment, elle sembla hésitante:

— Lawrence?

— Hum?

— Est-ce que... tu m'aimes?

— Bien sûr que oui.

Il ouvrit les bras et elle vint se pelotonner contre lui.

— Tu ne me l'as pas dit.

— Hum?

— Lawrence!

— Bien sûr que je t'aime ma chérie! Je suis légèrement assoupi, c'est tout.

— Je suis si idiote. Tu t'endors et voilà que je t'embête avec mes questions. Mais je ne peux m'empêcher de songer à ce que diront mes parents lorsque je leur dirai pour nous deux.

En dépit de sa somnolence, il devait lui parler.

— Zoé, ma chérie... Faut-il vraiment que tu le leur dises? Pourquoi ne pas laisser les choses telles qu'elles sont? Tu retourneras bientôt au collège et...

— Je ne veux plus me cacher comme si j'étais une criminelle. Nous avons profité du fait que Saul était dans la mélasse jusqu'au cou. Ils courent comme des poules décapitées et s'engueulent comme c'est pas permis, et maman... Eh bien! la plupart du temps elle n'est plus à la maison; lorsqu'elle y est, elle s'isole dans un autre monde. Elle se moque bien de ce que je peux faire ou ne pas faire. Mais ça ne durera qu'un temps.

Le sommeil gagnait du terrain. L'esprit de Lawrence s'envolait vers une autre dimension. Il ne pouvait s'en empêcher; cela se produisait après chaque rapport sexuel. Il devait cependant écouter ce qu'elle disait. Son avenir en dépendait. Le moindre événement qui marquait la vie de cette famille pourrait s'avérer important pour lui. La famille Strauss... Sa vie était inextricablement liée à la leur depuis le jour de sa naissance, voire même avant. Quel lien avait-il avec eux? Il n'aurait su le dire. Aussi loin qu'il se souvienne, le vieux avait toujours été son oncle Jack. Mais qu'est-ce que cela signifiait en fait? Enfant, il avait cru que Jack était son tuteur, un substitut du père qu'il n'avait pas; mais cela n'était qu'un voeu pieux. Jack venait souvent les visiter sa mère et lui, il l'emmenait jouer au parc et lui avait montré à jouer au Monopoly. Jack lui avait offert sa première bicyclette, lui avait enseigné à la conduire et à jouer au base-ball. Il lui avait ensuite acheté ses premiers complets chez Brooks Brothers. Il ne l'avait cependant pas accompagné au magasin; maman s'en était chargée. Jack lui avait recommandé de s'adresser à Monsieur Samuel, le tailleur qui se chargeait de ses propres habits. Monsieur Samuel les attendait, un petit juif trapu et soigné de sa personne qui portait une moustache aussi fine qu'un trait de crayon. Lawrence avait pu acheter un complet bleu marine, une paire de pantalons de flanelle grise, une veste de tweed, trois chemises et quelques cravates assorties. Il n'avait plus porté de vêtements aussi bien coupés jusqu'à ce qu'il puisse se les offrir avec son premier chèque de paye.

Lawrence avait souffert en apprenant que Jack n'était pas son père, que jamais il n'avait été le fils de quelqu'un. Alors que tous les gamins de son quartier partageaient une activité avec leurs papas, lui demeurait seul. Toujours seul. Seul au sein de la troupe scoute et seul à l'école. Maman s'occupait bien de lui, mais leur relation ne pouvait être celle d'un père avec son fils. Aucune mère ne remplacerait jamais la présence paternelle. Il n'avait pas oublié la honte éprouvée en première année lorsque soeur Loretta avait demandé à tous les élèves de parler de l'occupation de leurs pères; il avait dû se résoudre à admettre devant les autres qu'il était orphelin de père. Ses compagnons de classe avaient éclaté de rire et soeur Loretta l'avait davantage embarrassé en lui posant quelques questions et en expliquant à la classe que son père était un héros de guerre. Cela l'avait marqué à jamais. Toujours il serait l'enfant sans père.

Vers l'âge de dix ans, il en avait voulu à sa mère de ne s'être jamais remariée. Il savait alors qu'un lien privilégié l'unissait à l'oncle Jack. Il était encore trop jeune et trop naïf pour déterminer la nature de ce lien, mais oncle Jack était le seul homme dans la vie de sa mère. Chaque soir avant de s'endormir, il priait le ciel pour que sa mère rencontre un homme qu'elle finirait par épouser pour qu'il ait un père. Il espéra même pendant quelque temps qu'elle épouserait l'oncle Jack. Il n'avait évidemment pas songé que son oncle était déjà marié. C'était stupide de sa part, d'autant plus qu'il connaissait toute sa famille, sa femme et ses filles.

Sa mère s'était toujours dévouée pour lui et avait fait de nombreux sacrifices personnels pour qu'il reçoive une bonne éducation, qu'il soit vêtu convenablement et qu'il accompagne ses amis à la colonie de vacances durant l'été. Mais elle aurait mieux fait de se remarier. Elle aurait dû s'occuper de lui trouver un père. Elle l'avait ainsi privé d'une enfance normale. Car en y songeant bien, l'oncle Jack n'était ni un père, ni un tuteur, ni même un oncle pour lui! A quelques reprises, Lawrence lui avait demandé de bien vouloir partager une activité avec lui. Par exemple, le week-end de canoë et de camping avec la troupe scoute l'été de ses quatorze ans. Il avait rassemblé tout son courage pour l'inviter à l'accompagner car les pères y étaient conviés. Il ne voulait pas être l'orphelin de ce voyage. Celui dont devait toujours se charger le chef scout. Celui qui inspirait la pitié. Il avait horreur de ce rôle.

L'oncle Jack avait refusé. Il trouva quelque mauvais prétexte en lui refilant un billet de vingt dollars pour qu'il achète une bricole. Cet argent n'avait toutefois pas compensé sa déception. Cette nuit-là, il s'était endormi en pleurant. Il avait serré les poings en jurant de ne plus rien demander à qui que ce soit. Sauf peut-être à sa mère. Il fit le voeu de ne plus pleurer ainsi. Il sut alors qu'il ne pouvait compter sur l'aide de personne, qu'il était seul au monde. Il ne pouvait se fier qu'à lui et qu'à lui seul. Sa philosophie n'avait pas changé depuis. Si son père avait vécu, c'est probablement ce qu'il lui aurait dit. Voilà ce que signifiait être un homme.

Il s'en était plutôt bien sorti. Il avait travaillé d'arrache-pied, bien que Jack fût son supérieur. Il savait que Jack ne lui accorderait aucune faveur. Il l'avait engagé à cause de sa compétence, et d'elle seule. Il avait passé le baccalauréat en ingénierie civile et avait acquis deux années d'expérience à l'emploi des autorités portuaires. Il avait fait son entrée dans la compagnie avec deux lettres de recommandation et quelques années d'expérience. Jack n'avait jamais regretté de l'avoir embauché. Si son entreprise avait pris autant d'expansion depuis la dernière décennie, il le devait à J. Lawrence McElroy. Jack lui avait accordé tant d'augmentations de salaire que Lawrence avait cessé de compter. Que de fois Jack lui avait dit d'un ton énigmatique:

— Mon garçon, ta compétence parle pour toi. Evidemment, avec le...

Mais Jack ne terminait jamais sa phrase, et lorsque Lawrence lui demandait ce qu'il entendait par ces mots Jack feignait de n'avoir rien dit. Les liens du sang étaient cependant plus forts que tout. Lorsque Jack avait songé à vendre l'entreprise, il ne s'était pas tourné vers sa mère ou vers lui. Alors sa compétence ne comptait plus. Pas plus que le nombre des années au cours desquelles sa mère avait fait plaisir à Jack, l'avait accepté dans son lit, l'avait consolé, apaisé, lui avait fait la cuisine sans rien lui demander en retour. Sans compter le travail qu'elle faisait pour lui au bureau. Toutes ces années de loyauté étaient réduites à néant. Maman s'était douté de quelque chose. Jack avait eu le culot de ne rien lui confier même après qu'elle eût pris ses rendez-vous avec des acheteurs potentiels. Lawrence avait attendu que Jack lui fasse part de son intention, l'assure de sa position au sein de l'entreprise, lui confie quelques actions. Mais il n'en avait rien fait. Jack avait conservé un silence de conspirateur. Il n'avait de respect que pour les membres de sa famille. Tout cela était si injuste! C'est à ce moment que, lui, Lawrence avait commencé à prendre ce qui lui revenait de droit. Si Jack n'avait pas la décence de lui donner la part qui lui revenait, il la prendrait sans la lui demander. Et cela s'était fait sans difficultés; c'était à peine croyable. Il s'agissait de dactylographier une facture, de louer un casier postal et de ramasser les chèques. Il devrait bientôt mettre fin à ce stratagème. Il ne pourrait devenir un membre de la famille Strauss et continuer ce jeu dangereux. La présence de la grosse chipie au bureau l'avait quelque peu alerté. Elle était déplaisante mais il fallait lui accorder qu'elle faisait preuve de détermination, comme toutes les matrones juives qu'il connaissait.

Il n'y avait jamais pris plaisir. Pourtant, il le fallait. En vérité, il était soulagé de devoir y mettre fin. Aujourd'hui il s'était rendu pour la dernière fois à Gansevoort Street, y avait ramassé le chèque- seulement douze mille dollars, était ensuite passé à la banque pour y faire le dépôt. Le compte était au nom de Downtown Lumber et J. Lawrence McElroy en était président. Il projetait de fermer ce compte la semaine prochaine et ainsi Downtown Lumber diparaitraît de la carte. Cette perspective le fit sourire.

— Qu'y a-t-il mon chéri?

Il se tourna vers Zoé, l'esprit de nouveau bien éveillé. Jolie donzelle, charmante, folle de lui, riche à craquer, sans compter ses seins plantureux comme il les aimait. Il se pencha et posa un baiser mouillé sur l'un des mamelons. Elle prit sa tête entre ses bras et le rapprocha d'elle. Il la trouvait adorable. Elle ne cherchait qu'à lui plaire, à lui donner ce qu'il désirait. Pas une once d'égocentrisme chez cette fille. Elle avait fait tout le boulot afin qu'ils se rencontrent, elle avait menti et s'était dérobée, et toujours elle avait été heureuse d'agir ainsi car elle désirait plus que tout être avec lui. Il avait remarqué la lumière de son regard dès l'instant où elle avait posé les yeux sur lui. Un moment magique. Quel sentiment merveilleux que d'être sûr d'être aimé à ce point!

Sa mère aussi était folle de lui. Elle était prête à tout pour son fils. Mais sa mère était un ange; les mères étaient toutes ainsi envers leur propre chair. Sa relation avec Zoé avait cependant quelque chose de particulier. Elle devenait différente en sa compagnie. Il semblait évident qu'à ses yeux il était le plus beau, le plus gentil, le plus intelligent et le plus viril des hommes que la terre ait portés. Il caressa le creux de ses reins. Comme sa peau était douce! Il se sentait bien auprès d'elle. Elle agissait selon la coutume qui voulait qu'une femme fût là juste pour plaire à son homme, le reste étant secondaire. Au diable les suffragettes! Il aimait les femmes soumises. Il croyait entendre ses amis se vanter de changer les couches de leurs enfants et autres corvées du genre. Pauvres idiots! Il appréciait qu'une femme se comportât comme Zoé. Il aimait prendre les décisions. Toutes les femmes s'adressaient à l'oncle Jack comme à leur souverain et c'était ainsi qu'il entendait se faire respecter d'elles! Zoé lui vouait ce genre d'admiration. Il en restait encore une dans ce monde!

La gentille chose assoupie dans ses bras s'étira paresseusement. Elle était si douce, si avenante et surtout elle était à lui. Il avait enfin de la veine. Il se promit d'être un bon mari pour Zoé, il ferait un effort pour ne pas la tromper et se montrerait un amant attentif à ses désirs. Il prendrait grand soin d'elle parce qu'elle était sincèrement amoureuse de lui. Il la serra dans ses bras avec beaucoup d'affection. Zoé eut un petit rire lascif.

— Qu'y a-t-il mon chéri?

— Je pense à la chance que j'ai, dit-il.

— A cause de moi?

— A cause de toi, ma jolie petite...

Les mots se confondirent en un grognement de plaisir alors qu'il léchait son cou, le lobe de ses oreilles et qu'elle pressait son corps de satin contre le sien. Zoé ne put s'empêcher de rire en disant:

— Lawrence, je vois la tête de papa lorsqu'il découvrira la vérité à notre sujet!

S'il n'en avait tenu qu'à lui, ils auraient pu brûler tous en enfer. Il se promettait bien de remporter la partie, que cela leur plaise ou non. Grâce à lui, Jack Strauss aurait un premier petit-fils. Et alors Lawrence McElroy triompherait définitivement.

chapitre vingt-six

Samedi 18 janvier 1986.

En entendant résonner la sonnerie du téléphone, Deena crut qu'il s'agissait de sa mère. Celle-ci lui demanderait probablement d'apporter quelque chose à la réception qu'elle offrait. C'était peut-être aussi Marilyn, venue du Vermont, et qui était descendue chez l'une de ses copines à Westchester, à quelque trente milles au nord de New York! Dans l'esprit de Deena, aucun être civilisé n'habitait un endroit isolé comme Westchester. De plus, Marilyn n'avait pas de voiture. Michael et elle seraient obligés de passer la prendre à la gare centrale. Si sa soeur songeait un seul instant à lui demander de venir la chercher à Westchester, elle se trompait. D'autant plus que Deena n'avait pas envie de faire une telle randonnée seule avec Michael. Surtout pas aujourd'hui.

Ce n'était cependant pas Marilyn qui téléphonait, mais le docteur Dick Seltzer, psychiatre de profession. C'était aussi le père de Kevin, le meilleur ami de Saul. Elle avait téléphoné à son bureau la veille et laissé un message à sa secrétaire. Elle ne s'attendait toutefois pas à ce qu'il la rappelle au cours du week-end.

— Dick! Comme c'est gentil à vous de me rappeler si vite. Bonne et heureuse année!

— A vous aussi Deena! Je suis au courant en ce qui concerne Saul. Je présume que c'est la raison pour laquelle vous m'avez téléphoné. Déjà Kevin se demande ce qu'il fera sans votre fils pour lui tenir compagnie... Deena, si je puis faire quoi que ce soit... Saul est venu dîner chez moi des centaines de fois et je l'aime bien. Je l'aime beaucoup. Alors, que puis-je faire pour vous aider?

Deena avait des larmes dans la voix:

— Dick, vous ne savez pas à quel point je vous suis reconnaissante...

Il l'interrompit aussitôt:

— Je sais Deena. Vous n'avez pas à me remercier. Dites-moi seulement ce que je dois faire.

Elle fut si soulagée de pouvoir tout lui raconter sans omettre le moindre détail. Elle parla de sa terrible dispute avec Michael à bord du voilier, de son départ précipité, de son retour, seule, et de sa confrontation à la triste vérité, des décisions prises concernant son fils sans qu'elle soit consultée.

— Je ne crois pas que l'académie militaire soit la solution, Dick. Je pense qu'il a besoin de nous plus que jamais. Qu'en pensez-vous?

— Je préfère demeurer évasif car je ne connais pas tous les détails de cette affaire. Mais il me semble, d'après ce que j'entends, que Saul aurait avantage à s'éloigner de la maison, quelque temps, répondit-il. Il fit ensuite une pause. C'est peut-être la tension qui règne chez vous... Il a peut-être agi en fonction de ses angoisses suscitées par votre relation tendue avec Michael. Ceci dit, il ne s'agit que d'une conjecture de ma part.

— Dick, permettez-moi de vous dire que votre hypothèse se rapproche davantage de la réalité que vous ne le croyez.

— A mon avis, il est très important que Saul sache que vous l'envoyez là-bas, non pas parce que vous le rejetez ou parce que vous désirez le punir, mais plutôt parce que...

— C'est ce que je désire éviter Dick!

Sa voix devenait plus aiguë à mesure que montait son agitation.

— En ce qui concerne Michael, il s'agit d'une expédition punitive. Il ne se soucie nullement du bien de son fils, il n'écoute rien de ce que je dis, il cherche seulement à prouver qu'il a raison.

— A qui diable peux-tu bien raconter ce qui se passe ici?

S'ils ne s'étaient pas trouvés seuls à la maison, jamais elle n'aurait reconnu la voix de son mari déformée par la rage. Etonnée, elle se tourna afin de protéger le combiné avec sa main. Sur ce, il accourut, se saisit de l'appareil et raccrocha avec fracas.

— Comment oses-tu?, grommela-t-il en serrant les poings. Tu n'as pas à parler de nos ennuis personnels à qui que ce soit. Et surtout pas dans mon dos!

— Ce n'est rien. Je parlais de Saul à un psychiatre.

— Je n'ai pas entendu le nom de Saul, mais le mien! Tu ne parlais pas contre Saul mais contre moi. Alors n'essaie pas de me faire croire le contraire.

La dernière phrase avait été prononcée d'une voix de soprano. Nul doute, il avait voulu se moquer d'elle. Elle le gifla davantage à cause de sa condescendance que des mots prononcés. Il sembla aussi perplexe qu'elle. Ce geste avait été impulsif, comme si son bras avait répondu à une volonté autre que la sienne. Il la gifla à son tour. Des larmes de colère et de frustration roulèrent sur ses joues rougies de Deena.

— Espèce de goujat!

— Réaction typique chez toi. Tu cries des insultes comme une enfant plutôt que d'assumer tes propres responsabilités. Je ne sais plus quoi faire de toi.

— C'est peut-être à cause de cela que Saul a fait ce qu'il a fait. Y as-tu seulement songé? Peut-être que ton fils a voulu te passer un message.

Il esquissa un sourire dédaigneux et lança dans un faux éclat de rire:

— C'est ça que ton cher psy t'a dit?

— Ça va Michael, cesse de faire le schnoque! Je parlais à Dick Seltzer. Tu n'a que des éloges à faire à son sujet. Selon toi, il n'existe pas meilleur psy au monde.

— Tu n'avais aucun droit de parler de nos ennuis personnels à qui que ce soit.

— Michael, si tu m'adressais la parole je n'aurais peut-être pas à recourir aux services d'un professionnel. Tu m'as exclue de toute cette affaire. Pourtant j'ai pris soin de Saul durant de nombreuses années, sans recevoir beaucoup d'aide de ta part. Je n'ai pas l'intention de le confier à ta garde sans avoir droit de parole.

— Je ne pourrai certainement pas faire pire que toi! Comment le pourrais-je? Un garçon a besoin de la constante surveillance d'un homme. Voilà ce qui ne va pas chez notre fils.

— Michael tu rêves! Crois-tu sincèrement qu'un adolescent vole simplement parce qu'il a besoin de surveillance masculine? Rien n'est aussi simpliste Michael. Surtout pas en ce qui concerne un enfant qui a grandi malgré un père absent. Ne me fais pas ces yeux-là! Tu n'as jamais eu de temps à consacrer à aucun de tes enfants. Tu n'as jamais changé une seule couche, tu n'as jamais partagé leurs jeux, tu n'as jamais assisté à leurs séances récréatives à l'école. Tout ce qui t'intéresse, c'est que nous posions tous ensemble dans le salon pour le photographe. Tu ne désires qu'une chose: que nos invités aperçoivent sur la console de marbre les photos de Michael Berman et de sa famille modèle. Comment oses-tu me reprocher l'éducation que j'ai donnée à Saul? Au moins, je me suis intéressée à lui. Tu as fait une crise lorsque j'ai parlé d'avortement. Mais Michael, j'ai porté cet enfant pendant neuf mois et je n'ai cessé de m'en occuper depuis. Toute seule! Je suis fatiguée de tout faire seule. En dépit du fait que je pourrais t'assassiner parce que tu l'exiles ainsi, en dépit du fait qu'il va terriblement me manquer, je suis heureuse Michael car je serai enfin seule durant quatre mois!

— Ha! Ha! Enfin la vérité!

Deena commençait à trembler. Sa voix n'était plus qu'un souffle.

— Michael, n'ajoute rien. Je te préviens. Un autre mot condescendant , un autre «Ha! Ha!» et je ne réponds plus de mes gestes.

Sans faire de pause, elle ajouta:

— Si nous ne partons pas dès à présent, Marilyn devra nous attendre par ce temps froid.

* * *

Aussitôt qu'elle fut montée à l'arrière de la Mercedes noire de Michael, Marilyn constata son erreur. Un sentiment étouffant de colère emplissait l'air. Elle regrettait à présent d'avoir accepté l'offre de son beau-frère qui avait pourtant insisté. Marilyn se serait accomodée d'un taxi mais il s'y était opposé. Michael était un bon garçon qui s'empressait de faire de bonnes actions dans l'éventualité où Dieu le père le regarderait! Elle se demandait comment sa soeur pouvait le souffrir.

Deena ne faisait cependant aucun effort en ce moment. Marilyn essayait de faire la conversation. Elle s'informa de leur santé, de leurs vacances, de leurs enfants. Pour toute réponse on l'envoya promener, surtout lorsqu'il fut question de Saul. Elle savait ce qui s'était passé; Sylvia se chargeait de lui apprendre tous les potins familiaux, que cela l'intéresse ou pas. Marilyn aurait cependant voulu savoir comment Saul se portait. Il valait mieux ne pas y songer pour l'instant. Elle renonça à toute conversation après quelques minutes et se contenta de regarder par la fenêtre. Elle ne voyait rien de joli. Le vent soufflait dans les couloirs entre les immeubles et la cime des gratte-ciel se perdait dans la grisaille. Elle avait toujours détesté New York. A bord du train qui l'avait amenée de Westchester, elle avait aperçu l'auréole de brouillard qui enveloppait en permanence la métropole et ses banlieues cossues. La neige entassée le long des rails était sale. Les rues des villes avoisinantes lui avaient semblé aussi vides que leurs boutiques, aussi vides de sens que la vie de leurs habitants.

Quel contraste avec la vie au Mont Hebron! Là-bas on bénéficiait encore d'espace, de lumière et d'air pur. Même par ce sale temps, le paysage n'était pas souillé. Avant hier, lorsqu'elle était partie, ses pas avaient marqué la neige vierge entassée par la rafale. Son patelin du Vermont baignait dans le calme et la tranquillité. Elle avait toujours abhorré le tumulte de Central Park West. Pourtant ses soeurs semblaient convaincues qu'elles habitaient le plus beau quartier de la terre; Marilyn s'était souvent demandé pourquoi elle ne l'appréciait pas. Jusqu'au jour où elle était allée camper au Vermont durant l'été avec sa classe. Elle avait alors trouvé sa terre de prédilection; à huit ans! Dès lors elle avait su qu'un jour elle partirait de la grande ville pour s'installer dans cette belle nature. Elle l'avait fait. Sa famille avait bien sûr critiqué ce choix mais sa famille critiquait toujours ses choix.

Elle savait par exemple que sa mère désapprouverait sa tenue. Sylvia était une femme tenace. Elle se demanderait ce qu'elle avait fait pour mériter une fille vêtue d'une jupe de denim et d'une chemise à carreaux alors que les autres femmes porteraient des robes du soir à sa réception. Marilyn n'y avait pas songé jusqu'alors mais elle se pencha pour voir ce que sa soeur portait. Des talons hauts, une robe écarlate sans doute confectionnée chez un grand couturier et un manteau de fourrure. Cela lui seyait à merveille. Deena était toujours élégante. Deena était jolie et s'intéressait à la mode. Marilyn n'accordait aucune importance au choix de ses vêtements, pourvu qu'ils soient confortables. Elle n'avait pas l'impression d'être mal habillée pour autant. Tant pis si c'était le cas! Elle ne se préoccupait pas des modes changeantes et des styles dictés par les maisons de couture; elle n'en avait pas le temps. Elle passait ses commandes par catalogue et ses achats la contentaient. Tant pis pour ce que Sylvia dirait!

Ils arrivèrent enfin chez leurs parents. Chaque année, l'appartement était surchauffé et bondé d'invités lors de la réception du nouvel an. Sylvia embrassa Marilyn, recula d'un pas, passa l'inspection selon son habitude et s'exclama:

— Que c'est joli, Marilyn! J'adore ce que tu portes. Evidemment, une femme avec un buste comme le mien ne pourrait pas se permettre pareille excentricité!

Sylvia se tourna ensuite vers Deena, laissant Marilyn décontenancée. Cette dernière se rendit au salon où elle compta trois invitées qui portaient des jupes semblables à la sienne. Elle avait peine à croire qu'elle pût porter un vêtement à la mode. Ce clin d'oeil du hasard la ravit. A son propre étonnement, l'approbation de sa mère lui était douce. La soirée ressemblait à toutes celles offertes chez les Strauss. On avait invité trop de monde, chacun faisait des efforts délibérés pour montrer qu'il s'amusait, et son père racontait une anecdote en parlant fort et en gesticulant devant un public idolâtre. Il se tenait comme un monologuiste devant une foule impatiente de rire de ses plaisanteries. Ses histoires n'amusaient pas Marilyn; elle le connaissait trop bien. La galanterie dont il faisait preuve envers les femmes et la généreuse hospitalité qu'il prodiguait à ses hôtes ne constituaient qu'une façade du personnage public qu 'il s'ingéniait à jouer. Elle avait l'impression d'être celle qui savait que le roi avait mis sa culotte à l'envers, sauf qu'elle n'avait jamais eu le courage de le dire à haute voix. Elle ne chercha pas à savoir si Jack l'avait aperçue; cela ne changerait rien. Personne n'existait lorsqu'il était en présence d'un auditoire attentif. Que lui.

Elle n'en souffrait plus. Elle s'y était résignée longtemps auparavant. Elle avait appris à accepter son père tel qu'il était: un fumiste de la pire espèce doublé d'un sexiste de premier ordre. Que personne ne le vît sous son vrai jour dépassait l'entendement de Marilyn. Sa mère avait été bien sotte de souffrir ses pitreries durant tant d'années, sans autre réactions que de petites rosseries et l'exutoire que lui offraient ses rencontres à la synagogue. Sa mère était probablement une femme qui avait besoin du mariage pour mieux régler son existence, mais elle aurait tout de même pu exiger certains changements de comportement chez son mari. Au même titre qu'elle aurait pu obtenir le diplôme universitaire dont elle parlait tant. Quel modèle croyait-elle offrir ainsi à ses trois filles?

Marilyn se rendit au bar dressé près de la salle à manger et se servit une coupe de champagne. Elle balaya l'assistance de son regard. Se trouvait-il quelqu'un à qui elle se sentait obligée de parler? Non. Il y avait si longtemps qu'elle s'était dissociée de ces mondains. Ils étaient tous guindés dans leurs habits de soirée, et pour quelle raison? Pour se tenir droit chez Jack et Sylvia, pour faire étalage de leur richesses matérielles, pour boire, manger et être vus. Sylvia et ses amies se téléphoneraient le lendemain pour critiquer les toilettes des autres femmes, pour discuter de leurs coiffures, pour déterminer lesquelles avaient eu recours durant l'année à la chirurgie esthétique, quels mariages semblaient en danger et pour se plaindre des femmes qui avaient passé la soirée à potiner!

Ils étaient trop nombreux les diamants et les cabochons de rubis, trop évidentes les griffes des grands couturiers, trop lourdes les fourrures étalées sur le lit dans la chambre des maîtres, trop futiles les conversations qui meublaient l'existence inutile de ces gens. Elle était à peine arrivée depuis dix minutes et déjà elle s'ennuyait. Chaque année elle perdait ainsi son temps en vaines mondanités et pourtant elle continuait d'assister à cette soirée parce qu'elle ne pouvait opposer un refus à ses parents. Elle se mit en quête de Saul, son neveu préféré. Elle avait reconnu cet autre mésadapté alors qu'il n'avait que six ans. Noël n'était qu'un enfant gâté malgré son intelligence supérieure et les autres étaient des nullités aux yeux de Marilyn. Toutefois, Saul faisait preuve d'anticonformisme au sein d'une famille autoritaire et cette qualité l'apparentait à elle. Marilyn partit à sa recherche. Il ne se trouvait pas dans le salon, pas plus que les autres enfants. Ils étaient probablement tous assis devant le téléviseur en train de se gorger de caviar et de strudels aux épinards. La quantité de nourriture que pouvait déglutir cette maisonnée aurait suffi à enrayer la famine en Afrique!

Elle entendit au passage quelques bribes de conversations fort ennuyeuses. On se targuait de connaître le cours de l'or, les résultats du championnat de tennis; on parlait croisière et présentations de collections; on échangeait quelques tuyaux boursiers; on se plaignait des domestiques, de la hausse des prix, et quoi encore? Elle aurait mieux fait de se désister. Elle avait quitté ses amis, sa maison, ses animaux, ses activités pour venir chez ses parents. Elle s'était aussi éloignée de ses patients. Surtout de cette fillette qui avait peut-être contracté le virus du sida lors d'une transfusion sanguine. Elle était porteuse de tous les symptômes, bien qu'elle eût recouvré la santé après une brève pneumonie; mais Marilyn n'avait pas encore reçu le résultat des tests. L'annonce de pareille nouvelle avait éprouvé sa famille et ces gens avaient besoin d'elle. Ils n'osaient se confier à qui que ce soit. Marilyn poussa un soupir de lassitude. L'entière communauté du Mont Hebron serait effrayée en apprenant que cette terrible maladie avait frappé à ses portes. Ces pauvres gens devaient envisager seuls cette situation désespérée; Marilyn téléphonait tous les jours à la mère pour lui apporter quelque réconfort. Un tel soutien moral était pratique courante dans un hameau isolé; cet apport personnel motivait Marilyn plus que tout. Elle se sentait étrangère à New York, à l'appartement de ses parents, à leurs invités. Elle aurait mieux fait de rester chez elle.

Mais puisqu'elle était venue jusqu'ici, elle pourrait peut-être venir en aide à ce pauvre Saul. Elle fit le tour des pièces et le trouva enfin dans la cuisinette où on servait d'ordinaire le petit déjeuner. Il grignotait un biscuit au chocolat et faisait semblant de suivre un match de football sur un mini-téléviseur japonais.

— C'est donc ici que tu te caches!, dit-elle avec enthousiasme bien que la vue de son teint terreux lui causât aussitôt du souci.

Elle diagnostiqua un besoin de suppléments vitaminiques et d'exercice. Quand il vit sa tante, une lueur éclaira son regard; visiblement, il avait besoin de parler à quelqu'un. Elle prit place à ses côtés sur la banquette.

— Si je gagne une autre livre, je ne pourrai plus m'asseoir ici!

— J'en sais quelque chose, lança-t-il en tapotant sa panse bien garnie.

C'était juste; l'adolescent était beaucoup trop gras.

— Alors mon ami...

— Tu es la seule personne dans ce monde qui m'appelle encore son ami, admit-il en riant nerveusement. Tu sais que j'ai commis un crime contre l'humanité. En guise de punition, on va m'envoyer dans l'armée.

Il ajouta d'un ton sarcastique:

— Rambo va me remettre dans le droit chemin!

Marilyn considéra son neveu: obèse, malheureux, blême, brouillon, désemparé. Malgré tout, il n'avait pas perdu le sens de l'humour.

— As-tu songé qu'un séjour loin de la famille te serait bénéfique? Que tu y prendrais même plaisir?

— J'y ai songé. Mais, Moo Moo, comment réagirais-tu si tu savais que tes parents veulent se débarrasser de toi? Et qu'ils ne s'en cachent même pas? Pourrais-tu alors te convaincre que c'est pour ton bien?

— Tu crois que tes parents veulent se débarrasser de toi?, dit-elle d'une voix amusée.

— Moo Moo, tu parles comme un psy dans les films de Woody Allen! Tu répètes la phrase qu'a prononcée le patient. Oui, mes parents sont pressés de se débarrasser de moi. Surtout lui.

— Saul n'es-tu pas injuste envers ton père?

—Mon père se fout bien de moi! Il ne s'est jamais préoccupé de moi. Tu sais ce qui importe pour lui? Son standing, la honte que j'ai jetée sur son nom. Son maudit nom! Il ne cesse pas de me répéter que je suis la honte de son nom. Il ne s'est jamais préoccupé de moi. Il ne sait même pas qui je suis. Il est trop occupé pour cela, il n'est jamais à la maison. Lui et ses satanés nazis! Quand il n'est pas retenu à cause de l'holocauste, c'est à cause de son travail. En fait, je n'ai jamais eu de père.

— Je suis convaincue que ton père t'aime beaucoup, dit-elle en cherchant des mots de réconfort.

En certaines occasions, la vérité valait mieux que les pieux mensonges porteurs de bonnes intentions; elle permettait de conserver sa raison.

— Pourtant, ajouta-t-elle en touchant son bras, je sais par quoi tu passes. J'ai eu la même relation avec mon père.

— Avec grand-papa?, demanda-t-il étonné.

— Oui, avec ce merveilleux être humain. Ton cher grand-père! Crois-le ou non, il m'a complètement ignorée; il était trop occupé pour prendre soin de moi, il n'était jamais là. Alors je lui ai fait sentir ma présence en m'absentant et en déménageant au Vermont.

Elle riait et Saul sourit à son tour. Elle voyait dans son regard qu'il réfléchissait à ses paroles.

— Ecoute-moi Saul... C'est difficile d'accepter un père distant mais cela nous force à trouver notre propre chemin. C'est le côté positif de la situation.

— Regarde le chemin sur lequel je me trouve!

Il joua de la prunelle à la manière de Deena.

— Veux-tu en parler? Pourquoi un garçon aussi intelligent que toi commet-il un geste si stupide?

Il posa sur elle un regard troublé. Il avait les yeux de Deena, empreints de la même douceur et de vulnérabilité. Saul n'avait rien d'un criminel endurci; il n'était qu'un adolescent troublé à qui manquait la présence de son père. Il haussa les épaules:

— Je ne sais pas, Moo Moo. C'est stupide, je le sais...

— Ça te semblait pourtant une bonne idée?

— Ouais!

Il esquissa ensuite un faible sourire.

— Ce n'est pas n'importe quel crétin qui aurait pu réussir un pareil coup, tu sais. Si je n'avais pas loué un casier postal si près de chez moi, jamais ils ne m'auraient découvert.

Marilyn fronça les sourcils.

298

— Dorénavant, peut-être useras-tu de ton intelligence pour faire quelque chose de brillant? Hein? Que dis-tu de ça? Nous savons tous que tu es très malin. Tu n'as pas à le prouver en transgressant les lois. Etudier à l'académie te fournira l'occasion de prouver à ton père que tu peux réussir.

Saul s'amusa de cette idée.

— Décroche, veux-tu? Ce n'est pas la raison pour laquelle on m'envoie là-bas. Ils veulent éloigner la honte de leurs vies. Et, poursuivit-il alors qu'elle s'apprêtait à lui répondre, ils ne tiennent pas à ce que je sois témoin de leur brouille.

— Que veux-tu dire?

— Ils se querellent sans cesse. Je les entends. Ils croient que je suis à l'abri de leurs cris dans ma chambre, mais je les entends. Ils se détestent. Ils font même chambre à part. Je me demande pourquoi ils persistent à habiter sous le même toit. Alors ils se vengent sur moi. Saul leur sert de bouc émissaire. Envoyons-le en prison ou, mieux encore, à l'académie militaire. Si je n'aime pas cette école, je te préviens, je me sauverai là où personne ne pourra me trouver!

— Saul, te sauver ne règlera rien. Voici ce que je te propose: pourquoi ne viendrais-tu pas vivre chez moi et étudier dans un collège au Vermont?

— Sérieusement?

— Aussi vrai que je suis là!

A ce moment, Michael fit son apparition. Son air de parfait gentleman s'évanouit à la vue de son fils. Marilyn décida de foncer.

— Michael, viens faire une promenade avec moi. Je dois te parler.

Il était près de quatre heures lorsque Michael et Marilyn revinrent de leur promenade; la brise glaciale qui soufflait dans Central Park l'avait frigorifiée. Le miroir du vestibule lui renvoya le reflet d'une femme aux joues rougies, la goutte au nez; elle fit la moue, sachant que sa mère trouverait à redire en l'apercevant ainsi. Elle suivit Michael dans le salon déserté, dans la salle à manger vide jusqu'à la salle de séjour où se trouvaient réunis les quelques intimes qui restaient. Les femmes avaient enlevé leurs souliers à talons hauts, les hommes avaient les pieds posés sur le pouf et chacun racontait une vieille histoire. La famille était au complet, à l'exception de Nathan. Quelqu'un avait apporté le plateau de pâtisseries. Marilyn avait faim. Elle salua ses congénères en se dirigeant vers la desserte pour se servir une part de strudel aux pommes. Sylvia approuva d'un signe de tête en disant:

— J'ignore ce que vous êtes allés faire tous les deux dans le parc par cette température mais ça me dépasse!

— Tu ne tiens sûrement pas à le savoir, lança Deena.

Une note acidulée teintait sa voix, ce qui n'échappa pas à Marilyn. Deena semblait vexée. Elle avait raison de l'être car ils auraient dû l'inviter à les accompagner. Marilyn s'était cependant dit que Michael représentait le principal obstacle et qu'il lui fallait obtenir son assentiment avant de convaincre sa soeur.

— Michael et moi devions discuter d'un important projet, confia-t-elle à Sylvia. Vous serez tous tenus au courant dès que j'en aurai parlé à Deena.

— Bien!, lança Elaine. Tu dois parler à Deena et Deena et moi désirons te parler. Adieu tout le monde, nous allons dans ma chambre.

— Tu entends, Sylvia?, demanda Jack en riant. Il y a vingt-six ans qu'elle n'habite plus avec nous et elle a encore une chambre ici!

Marilyn discerna un sentiment de fierté dans la remarque de son père. Il aimait jouer au patriarche. Ce rôle lui seyait. Le bon vieux temps lui manquait peut-être. A sa place, elle aussi aurait éprouvé une certaine nostalgie. La chambre d'Elaine avait été redécorée à la manière d'un boudoir anglais de la fin du XIXe siècle et lorsqu'elles y entrèrent, cette dernière ouvrit les bras et déclara dans un geste grandiloquent:

— Bienvenue dans mon boudoir! N'aurait-elle pas pu choisir un papier moins fleuri?

— C'est tout de même moins baroque que ma chambre, s'exclama Deena. Des rayures saphir, émeraude et pourpre. Que dites-vous de ça? Je me demande ce qui lui est passé par la tête ce jour-là. Tu devrais t'estimer heureuse de n'avoir droit qu'à des bouquets de lavande et de roses.

— Vous ne m'avez tout de même pas amenée ici pour me faire une conférence privée sur le choix d'un papier peint!, s'exclama Marilyn. Du moins, je l'espère. Parce que je peux vite vous résumer mes connaissances au sujet du papier peint. S'il est déjà posé au mur, je n'ai pas d'objection! A présent que nous nous sommes entendues sur cette question esthétique, qu'avez-vous de si important à me dire?

— Tu es vraiment drôle, avoua Deena. Vraiment drôle.

— Une fois au cours de mon séjour, dit Marilyn d'une voix sèche. C'est le moins que je puisse faire pour ma famille. Alors que se passe-t-il?

— Allons Deena, confions à Marilyn la raison pour laquelle nous voulions lui parler, commença Elaine en attendant que sa soeur prenne la relève.

Marilyn se tourna vers la cadette dont l'attitude démentait soudain ce qu'elle avait dit à ses amis de la Nouvelle-Angleterre, c'est-à-dire que les femmes de sa famille ne connaissaient ni la gêne ni la timidité. Elle prit un plaisir évident à laisser ses soeurs s'empêtrer dans leurs explications. Elles parlaient en même temps, s'interrompaient mutuellement et bafouillaient à qui mieux mieux. Mais deux noms sortaient souvent de cet embrouillamini: papa et Linda.

— Oh! Ça?, lança-t-elle étonnée. Est-ce qu'ils s'amusent encore à ce jeu? J'aurais pourtant cru que deux adultes de leur âge... d'autant plus que l'un d'eux s'est fait enlever la prostate.

Deena ne put résister à un mot d'humour:

— Lequel?

Au même moment, Elaine demanda:

— Encore? Ainsi, tu étais au courant?

Sans le vouloir, elle venait de faire sensation. Incroyable!

— Bien sûr que j'étais au courant! Depuis longtemps. L'ignoriez-vous?

— Evidemment, depuis longtemps!, répliqua sèchement Deena. Tu l'as probablement appris le mois dernier.

— J'ai du mal à le croire. Vous voulez dire que vous ne le saviez pas?

— Si on l'avais su, répondit Elaine en colère, crois-tu qu'on t'en parlerait seulement maintenant?

— Ne me parle pas sur ce ton Elaine! J'ai déjà dit que je vous croyais au courant.

Elle avait treize ans à l'époque. Le jour du vendredi saint, elle s'était rendue chez la grand-mère d'Angela dans le quartier italien. Elle aimait rendre visite à la famille De Vito parce que le père était pâtissier et que les filles avaient de nombreux cousins avec qui elle flirtait. Elle comprit plus tard que les liens privilégiés qui unissaient les membres de cette famille en faisaient tout le charme. Elle rentrait chaque fois à la maison triste et désolée de n'avoir pas une famille comme la leur.

Ce jour-là, elle avait décidé de rendre visite à son père dont le bureau se trouvait à cinq coins de rues. Peut-être cette fois serait-il heureux de la voir? Peut-être ne ferait-il pas semblant de l'embrasser avant de la confier aux soins de Linda? Peut-être. Elle se trouvait à un coin de rue de l'immeuble lorsqu'elle les aperçut: papa et Linda, enlacés, qui s'embrassaient. Ils se trouvaient dans l'ombre d'une entrée déserte, mais elle n'aurait pu confondre leurs silhouettes avec celles d'un autre couple d'amoureux. Elle se figea sur place, incapable de respirer. Elle se répétait que cela n'était pas possible. Pourtant elle reconnaissait son père et Linda qui s'embrassaient comme les amoureux qu'elle avait vus au cinéma et cela signifiait qu'ils étaient amoureux. Cette idée était insupportable. Elle se sauva, ne sachant que faire d'autre. Elle n'aurait pas dû se rendre au bureau à l'improviste. C'était sa faute, aussi.

Elle savait que cela était mal, que cela était terrible, qu'il n'en faudrait rien dire. Elle était convaincue que cela signifiait la fin du mariage de ses parents. Chaque soir, elle attendait dans la crainte le retour de son père qui leur annoncerait son départ. Il les quitterait à jamais, elles se retrouveraient seules au monde, qu'adviendrait-il d'elles? Cette insoutenable perspective ne la quittait jamais. Au bout de deux semaines de torture morale, elle était à bout de nerfs. Jack s'en rendit compte un soir à table et lui dit de méchante humeur:

— Encore fâchée Marilyn? Je ne sais pas ce que tu as mais tu me coupes l'appétit. Ressaisis-toi, veux-tu?

Elle fondit en larmes, se leva de table et courut à sa chambre, claqua la porte et se jeta sur le lit. Sylvia vint frapper à sa porte en demandant si elle pouvait entrer et, devant l'absence de réponse, elle fit comme si la réponse était affirmative. Marilyn respira l'agréable parfum de sa mère, elle sentit la chaleur de ses bras autour d'elle et elle pleura à chaudes larmes. Les mains froides de Sylvia essuyaient les pleurs sur ses joues brûlantes.

— Qu'y a-t-il ma petite? Dis-le à maman, je comprendrai. Est-ce à cause d'un garçon?

Cette question à la fois si proche et si éloignée de la réalité redoubla les larmes de Marilyn. En même temps elle réfléchissait à ce qu'il conviendrait d'avouer à sa mère qui se rapprocherait de la vérité. Lorsque les pleurs se firent moins abondants, elle réussit à dire quelque chose:

— Je suis si malheureuse! Mon amie Carla... elle a vu son père embrasser une autre femme et elle a peur que ses parents divorcent. Elle... elle m'en a parlé et moi aussi j'ai peur!

Ce prétexte suffisait-il? Marilyn n'en était pas assurée. Les bras de sa mère se fermèrent sur elle comme un étau. Sylvia dit enfin d'une voix irritée:

— Elle n'aurait pas dû te raconter cela. On ne parle pas de ces choses-là.

Sa voix s'était adoucie alors qu'elle caressait distraitement le dos de Marilyn.

— Les hommes... Comment pourrais-je t'expliquer? Quelquefois, quand un homme se sent vieillir, il éprouve le besoin de se prouver qu'il est encore séduisant et, quelquefois, il embrasse une autre femme. Mais dis à ton amie Carla de ne pas s'inquiéter. Un baiser n'entraîne pas obligatoirement un divorce. Un baiser n'est qu'un baiser. Elle a peut-être surpris un baiser d'amitié.

Marilyn secoua la tête sans dire un mot.

— Non? Qu'est-ce qu'une enfant de douze ans peut bien comprendre à ce qu'elle voit? Le divorce n'est pas la seule possibilité, mon ange. Et, surtout, elle ne devrait jamais dire un seul mot de ce qu'elle a vu. Pas un seul. C'est la même chose pour toi. Ne dis rien à personne. Ce que tu pourrais dire entraînerait un tas d'ennuis et sans raison aucune. Tant que son père rentre tous les soirs à la maison et qu'il s'occupe de sa famille comme c'est son devoir, elle n'a rien à craindre. Tu me comprends?

Marilyn s'accommodait très bien de cette explication, d'autant plus qu'elle préférait oublier cette histoire. Cela lui fut cependant impossible. Elle cessa de se faire du mauvais sang; elle se trouvait soulagée d'avoir confié son chagrin à sa mère. Elle fit donc abstraction de ce qu'elle avait vu mais jamais elle n'oublia. La seule vue de Linda lui remettait tout en mémoire. Elle se mit à détester la secrétaire de son père. Elle se mit à le détester lui aussi. Il s'était emporté contre elle après lui avoir causé tant de chagrin. Après avoir embrassé Linda. Elle le détestait parce qu'il avait choisi d'aimer Linda plutôt qu'elle.

— J'avais treize ans lorsque je l'ai découvert, expliqua-t-elle à ses soeurs. Vous étiez plus vieilles que moi, plus averties, j'ai vraiment cru que vous ne m'en aviez pas parlé à cause de mon jeune âge.

Elles se regardèrent l'une l'autre pendant quelques secondes sans se parler. Marilyn aurait voulu savoir à quoi elles songeaient. Elle ne connaissait pour ainsi dire pas ses soeurs. Elaine et Deena étaient toutes deux mariées lors de cette pénible aventure. Qu'avait-elle en commun avec ses aînées?

— Eh bien, s'exclama Elaine, voilà qui règle le problème! Je me demandais comment apprendre gentiment la nouvelle à ma petite soeur.

— Comment peux-tu plaisanter sur un tel sujet Lainie? Quel choc pour Marilyn! J'ai été sidérée en apprenant la chose et j'ai quarante-trois ans; elle n'en avait que treize. Pauvre Moo Moo! Et tu n'en as rien dit durant toutes ces années?

Elle traversa la chambre pour serrer sa soeur dans ses bras. Un geste gentil mais vain. Marilyn répondit avec douceur:

— Merci Deena, mais il y a longtemps de cela et je n'en souffre plus.

— Dans ce cas, commença Elaine de sa voix de femme d'affaires, si ce problème est résolu, passons à l'ordre du jour. Primo, je pense que nous nous entendons pour que Sylvia n'ait jamais vent de cette histoire...

Elles acquiescèrent.

— Ensuite...

Elle se mit à donner une profusion d'explications au sujet de l'entreprise paternelle, de la comptabilité, de quelques irrégularités, d'un type nommé Malone, d'une société bidon et d'un tas de détails qui n'intéressaient aucunement Marilyn.

— Je veux me rendre au bureau lorsque le chien de garde prénommé Linda sera absent pour y faire des photocopies de tous les documents pertinents.

Marilyn ne put s'empêcher de sourire.

— On dirait un roman d'espionnage!

— Ris tant que tu veux, mais je veux que vous m'accompagniez toutes les deux au cas où...

— Quoi?, s'exclama Marilyn en songeant au temps qu'elle devrait passer à New York pendant qu'Elaine ferait son coup. Pourquoi as-tu besoin de moi?

— Il ne faut pas que l'on puisse prétendre que j'ai inventé cette histoire. Vous serez mes deux témoins.

— Mais Deena sera là!

— Marilyn, il est temps que tu t'intéresses un peu à l'entreprise familiale, ne crois-tu pas? Je comprends fort bien qu'être médecin te permet de t'asseoir à la droite de Dieu, mais tu demeures l'une des actionnaires. Il est ici question de vol. Je crois savoir qui détourne des fonds de la compagnie, ce sera une épreuve de force que de le démontrer et ce ne sera pas de la rigolade. Plutôt que de nous glisser entre les doigts comme c'est ton habitude, j'aimerais que tu prolonges un peu ton séjour. Un jour ou deux. Tes patients sauront bien se passer de toi pendant quelques jours.

— Tu ne sais rien de mes patients et de leurs besoins!

Deena se faisait conciliatrice et plaidait en faveur de sa benjamine qui parlait en même temps qu'elle:

— Et j'exige des excuses pour ce que tu as dit au sujet de Dieu!

— D'accord, je suis désolée. Je suis vraiment navrée. J'ai fait cette enquête sans l'aide de qui que ce soit et mes nerfs en ont pris un coup.

Elaine fit une pause avant d'ajouter:

— Resteras-tu un peu?

— Je devrais rester ici et te suivre pendant que tu joueras à Mata Hari? Pas du tout! Je t'accorderai mon appui du Vermont mais j'ai du travail à faire et j'ai des patients qui ont besoin de moi.

Elle se prit à penser qu'elle disait juste. Elle réalisa qu'elle n'avait pas à rester. Elle était libre de partir. Puis elle songea à Saul. Elle n'avait pas encore parlé de Saul à Deena et de son intention de l'emmener vivre au Vermont pour qu'il puisse respirer de l'air pur et bénéficier d'une nouvelle chance.

— Alors tu choisis de te sauver?

Elaine était vraiment furieuse. Tant pis! Marilyn esquissa un petit sourire.

— Oui Elaine, je pars. Mais je ne me sauve pas, comme tu le prétends. Je rentre simplement chez moi.

— Tu seras toujours un membre de cette famille.

Marilyn pensait que sa soeur serait fort étonnée d'apprendre combien elle se sentait étrangère à sa famille, à l'exception de son neveu.

— A vrai dire, j'aimerais discuter d'une affaire de famille avec Deena. Seule à seule!

Elaine pencha la tête vers l'arrière comme elle le faisait en ce genre de circonstance.

— Que peux-tu dire à Deena que tu ne puisse dire devant moi? Vous êtes dans ma chambre, ne l'oubliez pas.

Elaine avait essayé de plaisanter, sans résultat.

— C'est une affaire strictement personnelle.

— S'il s'agit de la famille, nous sommes toutes concernées.

Marilyn commençait à s'impatienter. Elaine s'obstinait à ne pas comprendre.

— Ça ne te regarde pas!

La voix de Marilyn monta de quelques décibels. Ce phénomène se produisait seulement dans sa famille. Elle continua:

— Tu as toujours tyrannisé Deena et je veux qu'elle prenne la décision, pas toi.

— Que diable veux-tu dire par là? Ce que tu viens de dire est faux! Je ne tyrannise personne. J'ai une forte personnalité et je tiens à mes opinions, je l'admets. Mais je ne force personne à les accepter. Demande à Deena.

Fidèle à elle-même, sans attendre que Marilyn puisse énoncer sa question, elle se tourna vers Deena afin de lui demander:

— Est-ce que je te tyrannise Deena?

— Non. Bien sûr que non. Marilyn, ne fais pas cette tête-là. Elaine parle souvent à ma place, j'en conviens. Mais elle appuie ce que je dis; il ne s'agit pas de dictature. A moins que tu n'aies une raison valable pour lui demander de sortir, je n'ai aucune objection à ce qu'elle reste. Ne t'en fais pas pour moi. Je peux très bien prendre une décision sans elle.

Zut, zut et zut! Elle s'était mis les pieds dans les plats et n'avait réussi qu'à les contrarier toutes deux. Trop tard à présent. Les dés étaient jetés. Elle plongea.

— Voici de quoi il s'agit. J'ai longuement discuté avec Saul. Il est très malheureux à l'idée de partir pour l'académie militaire.

— Crois-tu que je l'ignore?

Marilyn eut un geste d'impatience.

— Evidemment pas!

Elle fit une courte pause. Comment parler avec délicatesse? Il n'y avait pas de manière délicate.

— Voici: il m'a avoué qu'il était malheureux à la maison. La situation entre Michael et toi l'ennuie beaucoup.

Elle attendit l'inévitable dénégation qui pourtant ne vint pas. Elle poursuivit donc:

— Il m'a dit que vous vous querellez sans cesse et que vous faites chambre à part. Il prétend que la tension est insupportable.

Marilyn regardait sa soeur qui s'efforçait de camoufler un malaise évident. «Tu l'as voulu, songea-t-elle. Tu as insisté pour qu'elle reste, eh bien, elle a tout entendu.» Un sentiment de supériorité l'envahissait. Pendant leur enfance ses soeurs lui avaient dicté leurs goûts, avaient décidé de sa garde-robe, de son comportement et même de ses opinions. Elle s'était appliquée à penser comme elles jusqu'à ce qu'elle soit en âge de s'apercevoir qu'elle était différente d'elles et qu'elle ne souhaitait surtout pas leur ressembler.

— Saul se sent prisonnier chez vous. On ne peut pas entraîner un adolescent dans les problèmes conjugaux. A cet âge...

— Je suis au courant de ce qui caractérise son âge! Saul est mon quatrième enfant, pas mon premier. Qu'est-ce que tu connais au sujet des enfants? Tu n'as jamais été mariée. Toutes les unions connaissent leurs bons et leurs mauvais moments. Nous traversons une mauvaise période, voilà tout.

Deena fit une pause afin de reprendre son souffle et reprit de plus belle:

— Saul n'a aucun droit de raconter nos problèmes familiaux à qui que ce soit! Oh! Seigneur, j'ai peine à croire que c'est moi qui parle ainsi, ajouta-t-elle d'un autre ton. Ce sont les exactes paroles de Michael lorsqu'il a appris que j'avais consulté un psychiatre.

Deena rit douloureusement.

— Dire que je l'ai engueulé!

Marilyn enchaîna:

— Il semble que personne ne porte attention à ce que Saul a à dire.

— Tu as du culot Marilyn! Tu nous rends visite un jour par année et tu prétends avoir la solution à tous nos problèmes.

— J'ai l'habitude de prendre soin des gens et Saul a besoin que l'on s'occupe de lui. J'ai aussi l'expérience d'une adolescence vécue au sein d'un foyer où tout ne tournait pas rond.

A sa honte, sa gorge se serra et des larmes roulèrent au coin de ses yeux.

Deena se précipita auprès de sa soeur et la serra dans ses bras pour lui apporter un peu de réconfort. Marilyn supporta l'étreinte pour se montrer polie puis elle se dégagea. Il était trop tard pour s'inquiéter de ses émotions. Elle dit à haute voix:

— L'important pour l'instant est de nous occuper de Saul. Cinq minutes en sa compagnie m'ont suffi à réaliser qu'il avait besoin de changer d'air. je crois avoir trouvé une solution.

Elle soumit ensuite son projet d'emmener Saul au Vermont, de l'inscrire à l'école de sa paroisse et de lui confier du travail à la clinique. Cela fait, elle attendit les réactions. Elaine était évidemment vexée; elle seule avait le droit d'apporter toutes les solutions à tous les problèmes. Elle émit quelques vagues protestations: Saul était un enfant de la ville, il s'ennuierait à mourir à la campagne, les nombreuses occupations de Marilyn l'empêcheraient de le surveiller de près, il détesterait la rigueur de l'hiver, etc. Lorsque Marilyn en eut suffisamment entendu, elle rabroua sa soeur:

— Tais-toi Elaine! C'est pour cette raison que je préférais parler seule à seule avec Deena. Je lui ai fait une offre et je suis prête à aller jusqu'au bout. Je souhaite que Saul vive avec moi et il a accepté. Même Michael est d'accord. Alors Deena, qu'en dis-tu?

— Est-ce que mon opinion a de l'importance? Je me sens plutôt mise devant le fait accompli.

Elle était souriante. Elle accepterait. Bien! Marilyn avait décidé d'emmener son neveu quoi qu'il advienne, mais le consentement de Deena faciliterait les choses. Deena leva la main avant de parler:

— Voici comment la situation m'apparaît: si Saul va à l'académie militaire, tout le monde s'entendra pour dire que la punition correspond à la gravité de son crime, et j'en serai félicitée. Mais s'il part pour le Vermont, où il sera probablement heureux, on dira que sa mère n'a pas su l'élever. Que diront les gens, étant donné que sa mère est conseillère auprès des étudiants de l'école Clayton? La bonne, gentille et intelligente madame Berman. Comment aurait-elle pu mal élever son propre fils?

De chaudes larmes roulaient sur ses joues mais elle n'avait pas cessé de sourire.

— Alors Elaine? Tu n'as pas de réponse à m'apporter cette fois?

— Cesse de porter tout le blâme Deena. Tu as été une mère exemplaire. Les adolescents sont ainsi faits. Saul passe une mauvaise période et, si tu veux mon avis, il s'en sortira au Vermont aussi bien qu'ici.

— Elaine, dit doucement Marilyn, tais-toi!

Puis elle se tourna vers Deena.

— Alors, c'est décidé? Bien. Nous ferions mieux de nous mettre au travail. J'ai des patients qui ont besoin de moi.

— Attends! Tu dois savoir certaines choses à son sujet. Il n'aime pas le poisson. Il faut mettre des heures à le convaincre de prendre une douche et ensuite il ne veut plus en sortir. Il ne doit pas manger de chocolat. Et...

Marilyn riait à son tour.

— Hé! Je n'ai pas décidé de devenir son esclave. Je ne jouerai pas à la mère avec lui. Je l'emmène vivre chez moi, sans plus. Une fois qu'il sera à la maison, ce sera à lui de se conformer à mon mode de vie, sinon il devra partir. Il mangera ce qui sera servi à table, il prendra part aux corvées, il suivra à ses cours et fera ses travaux scolaires, il ne s'attirera pas d'ennuis sinon il en entendra parler! Alors cesse de te faire du souci pour lui. Viens embrasser ton fils. Et, Deena, laisse-le partir. Fais-le pour lui.

chapitre vingt-sept

Lundi 5 mai 1952.

Ça valait la peine de souffrir autant. Trois mois de nausées matinales, les enflures aux chevilles, la longue solitude, les moments de doute, l'agonie de l'accouchement. Pourquoi le docteur O'Brien ne l'avait-il pas prévenue des terribles douleurs? Rien de cela n'importait plus à présent qu'elle était la mère d'un beau petit garçon. On le lui avait apporté ce matin, après sa toilette. Un gentil poupon enveloppé dans ses langes. Le bracelet qu'il portait au poignet ne portait qu'un nom: «l'enfant McElroy». C'était son bébé, son fils, son enfant qu'elle chérirait toute sa vie et qui le lui rendrait bien.

A la première absence de menstruations, elle n'avait pas voulu envisager la possibilité d'être enceinte. Elle s'était rassurée; ce n'était pas la première fois qu'une chose pareille se produisait. Elle avait pris soin de n'en rien laisser paraître; elle devait faire preuve de sérénité et de doigté envers Jack. Toutefois, le mois suivant, elle en était certaine. Déjà sa taille épaississait, l'odeur de la viande l'écœurait, et elle somnolait l'après-midi. Elle connaissait la vérité sur son état et cela la terrifiait. Elle n'avait pas envie de consulter un gynécologue de crainte qu'il confirme ce qu'elle savait pourtant. Elle avait dû s'y résigner. Si elle portait en son sein l'enfant de Jack, il fallait le lui avouer.

Au sortir du cabinet du docteur O'Brien, par un bel après-midi de septembre, elle se sentait lasse et inquiète. Elle avait cependant décidé de la manière dont elle apprendrait la nouvelle à Jack. Il se rendait au bureau tous les samedis après-midi; Elaine l'accompagnait quelquefois. Souvent ils profitaient de leur intimité pour faire l'amour sur le canapé. Il avait semblé étonné d'apprendre qu'elle avait un autre engagement cet après-midi-là mais il n'avait pas posé de question.

En route vers le bureau, elle espérait l'y trouver, de sorte qu'elle n'ait pas à patienter jusqu'à lundi pour lui apprendre la nouvelle. Elle n'aurait pas supporté une si longue attente. Il était encore là. Dès qu'il l'aperçut, il fronça les sourcils et s'inquiéta.

— Qu'est-ce qui ne va pas? Tu n'as pas l'air bien. Assieds-toi et dis-moi de quoi il s'agit.

Il n'y avait rien d'autre à faire que d'aller droit au but.

— Je suis enceinte de toi Jack!

— Que diable me dis-tu là? Tu m'avais pourtant dit que tu utilisais un diaphragme.

— C'est la vérité Jack! Je ne t'ai pas menti. Je ne sais comment l'expliquer. Je te jure! Je ne sais pas...

— Merde! Merde et re-merde!

Il se leva de son fauteuil et se mit à arpenter la pièce. Elle aurait voulu qu'il vienne vers elle, qu'il la prenne dans ses bras et qu'il l'embrasse pour lui montrer qu'il ne lui en voulait pas. Elle n'était pas responsable.

— Ce n'est pas ma faute Jack. Le médecin a dit... Il prétend qu'un diaphragme n'est pas à l'épreuve de tout.

— Alors tu as vu un médecin et il a confirmé que...

Il perdit la voix.

— Je suis enceinte Jack. Enceinte. Qu'allons-nous faire à présent?

— Je vais te le dire ce que nous allons faire. Tu vas sauter à bord du premier avion en partance pour San Juan et tu vas te faire avorter! Ne fais pas cette tête! Je vais tout arranger. Je paierai tous les frais. Cesse de pleurer Linda. Je ne t'enverrai pas chez un boucher qui va te charcuter. A Puerto Rico, on trouve de charmantes petites cliniques où l'on ne fait que cela. On y trouve des médecins compétents, des infirmières qualifiées... Ça n'a rien à voir avec ce qu'on lit dans le *Daily News*. Cesse de pleurer, veux-tu?

— Mais je croyais... Tu avais dit... J'étais persuadée que nous nous marierions.

— Nous marier? As-tu perdu la tête? Je n'ai jamais parlé de mariage Linda! Pour l'amour de Dieu, je suis déjà marié. T'en souviens-tu? J'ai trois petites filles et une femme dont je suis amoureux.

Il l'avait blessée. Elle savait combien les larmes lui faisait horreur mais elle avait du mal à se contrôler. Elle sanglota comme une gamine. Ses rêves et ses espoirs s'étaient envolés en un seul instant. C'est le moment qu'il choisit pour s'approcher d'elle, pour la prendre dans ses bras et la soulever à sa hauteur.

— Tout doux... Il n'y a pas de raison de pleurer ma jolie... Tu vas aller à Puerto Rico et, puisque tu y seras, tu prendras une semaine de vacances. Tu descendras dans un hôtel prestigieux avec vue sur la mer, et je pourrai peut-être me libérer et venir passer quelques jours avec toi. Pourquoi dire non?

— Non, dit-elle en s'étranglant de pleurs. Pas question d'un avortement!

Elle se défit de son étreinte et cessa de pleurer.

— Jamais je ne me ferai avorter!

— Allons Linda! Il n'y a pas d'autre solution.

— Mais c'est un péché mortel!, lança-t-elle en faisant le signe de la croix.

— Qu'est-ce que ça veut dire?, protesta-t-il. Je croyais que tu avais abandonné la religion.

— Pas besoin d'assister à la messe tous les dimanches pour savoir qu'un avortement est un meurtre!

— Je suis navré, dit-il après quelques minutes de silence. Je ne vois pas d'autre solution. Car, enfin, je ne peux pas t'épouser.

Linda demanda en pleurant à chaudes larmes:

— Jamais?

— Jamais!

— Dans ce cas, tout est fini entre nous!

Elle lui tourna le dos en retenant ses pleurs. Elle ne lui donnerait pas cette satisfaction. Elle rassembla tout son courage et réussit à sortir du bureau sans se retourner, tandis qu'il l'appelait. Il devrait changer d'idée s'il désirait qu'elle revienne. Il saurait où la trouver. En ce qui la concernait, jamais plus elle ne remettrait les pieds dans ce bureau. Elle prit l'ascenseur en refoulant ses larmes et, lorsqu'elle fut au rez-de-chaussée, elle se mit à courir sans se préoccuper de sa destination. Bientôt elle fut hors d'haleine et ralentit le pas, fatiguée, inquiète et lasse; elle avait transpiré, ses cheveux collaient à son front et elle faisait un effort pour ne pas pleurer. Elle se trouvait devant l'église St-Ignatius, érigée entre deux immeubles. Elle y pénétra et respira l'odeur d'encens, de cierges brûlés et d'encaustique. Elle s'agenouilla devant une statue de la Madone entourée de bougies scintillantes. Elle récita un «Je Vous Salue Marie» et fit ensuite une prière personnelle en demandant conseil. Devait-elle porter l'enfant et vivre dans la honte pour le reste de ses jours? Devait-elle remettre le fruit de ses entrailles à une société d'adoption? Elle redevint triste en songeant au père de cet enfant. Comment Jack pouvait-il se montrer si cruel? Cet enfant était aussi le sien. Pourtant il était prêt à les abondonner tous les deux à leur sort. Les hommes portaient le mal en eux. Elle regarda le visage de la Madone et le sourire béat de l'Enfant-Dieu. A cet instant elle sut que la maternité était bénie du Ciel. Elle porterait son enfant à terme et elle l'éleverait.

Elle avait pris la ferme résolution d'aller au bout de son geste. Elle savait qu'il lui faudrait bientôt songer à trouver du travail, mais pour le moment elle devait planifier les prochains mois de sa grossesse. Son téléphone sonna tous les jours de la semaine. Chaque fois elle raccrochait en entendant la voix suave de Jack, chaque fois son pouls s'accélérait et ses tempes bourdonnaient.Elle ne retournerait pas vers lui, pas plus en tant que secrétaire qu'en tant que maîtresse, même si pour cela elle devait souffrir.

Le jeudi suivant elle ne savait pas encore quoi faire. Elle songea même à demander conseil à sa mère qui habitait Norfolk. Celle-ci était pourtant la dernière personne à qui elle devait s'adresser; elle ne manquerait certes pas de la fustiger. Ce jour-là, elle reçut une enveloppe provenant de Strauss Construction. Elle eut envie de la jeter à la poubelle sans l'ouvrir mais quelque chose l'en retint; elle reconnut l'écriture de Jack. Une lettre accompagnait une liasse de billets de vingt dollars et son chèque de paye. Le billet disait simplement qu'il était navré de sa réaction, qu'il avait prévenu le personnel qu'elle était en congé de maladie et qu'elle recevrait sa paye par le courrier. Tout était donc terminé entre eux! Il ne changerait pas d'avis et ne lui reviendrait pas. Elle en eut le coeur brisé. Ses bras musclés ne la presseraient plus contre son coeur, ils ne feraient plus l'amour, ils ne dîneraient plus au restaurant, ils n'auraient plus de rendez-vous cachés, tout cela était terminé. Elle posa le front sur la petite table de la cuisine et laissa couler des larmes amères.

Son coeur bondit dans sa poitrine lorsque résonna la sonnerie du téléphone. Il s'agissait sûrement de lui; il allait s'excuser d'avoir agi comme il l'avait fait et lui demander pardon. C'était plutôt Frannie qui téléphonait de Long Island.

— Tu devais me téléphoner hier et tu ne l'as pas fait! A ton bureau, on m'a dit que tu étais en congé de maladie. Qu'est-ce que tu as décidé?

— Hein? Quoi?

Frannie éclata de rire.

— Ce week-end, tu dois venir chez nous. A Garden Village. Tu ne l'as pas oublié? Tu devais téléphoner pour nous prévenir de l'heure d'arrivée de ton train. Est-ce que quelque chose ne va pas?

Elle fut soulagée de tout raconter à son amie. Elle réussit même à sourire lorsque Frannie lui dit:

— A présent, il nous faut décider comment agir. Viens nous rendre visite comme prévu. Ne t'en fais pas, je ne dirai rien à Ed. Motus!

Linda appréciait la solidarité de son amie. Quelqu'un se souciait enfin de ce qu'elle ressentait. Frannie avait épousé le gentil policier qu'elles avaient rencontré dans le parc à l'heure du déjeuner. C'était un grand rouquin jovial mais Linda n'appréciait pas ce type d'homme. Elle avait espéré faire un mariage plus avantageux que celui de Frannie. Devenir femme d'un policier new-yorkais! Frannie était très amoureuse de lui et ils semblaient très heureux. A chacun ses goûts. Ils avaient acheté l'une des maisons que Jack avait construites dans le projet domiciliaire de Garden Village à Long Island. Ils habitaient une propriété sur Deena Road, dans le voisinage de Linda Court, de Sylvia Street et d'Elaine Way. Jack avait donné aux rues les prénoms des membres de sa famille et de ses employés. Grâce à l'intervention de Linda, Fran et Ed s'étaient retrouvés en tête de la liste d'attente; ils avaient acheté leur maison avant la naissance de leur fille, prénommée Barbara-Linda.

Elle prit quelques vêtements de sport et monta à bord du train en partance pour Long Island. Ed passa la prendre à la gare avec la familiale. Il prit sa valise, posa un baiser amical sur sa joue et s'excusa de devoir la déposer rapidement car ses amis l'attendaient au club de bowling.

— Je ne devrais même pas m'excuser. Vous avez toujours tant de choses à vous raconter, dit-il en riant. Même si vous passez dix heures par semaine au téléphone!

Le salon de Frannie semblait confortable avec son mobilier en érable de style Early American et son grand tapis tressé ovale posé devant la cheminée de fausses briques; mais ce décor n'avait aucun raffinement. Malgré tout, Linda s'exclama en apercevant la nouvelle table basse et fit des guili-guili à la petite Barbara qui vagissait.

— Elle est épuisée, expliqua Frannie à Linda qui constatait que la mère avait elle aussi les traits tirés en dépit de la rondeur de son ventre.

Frannie semblait radieuse lorsqu'elle revint de la nursery où elle avait déposé l'enfant dans son berceau.

— Je prépare des *screwdrivers* et ensuite nous irons nous asseoir sur le patio afin de potiner à notre aise.

— Des *screwdrikvers*! Ma foi, tu deviens sophistiquée. De mon temps on disait de la vodka-jus d'orange.

— J'aime mieux ça qu'un martini. Je n'ai jamais aimé le gin!

Linda sourit en avouant:

— Autrefois, je me serais sentie provinciale si j'avais commandé autre chose qu'un dry martini.

— Moi aussi.

Elles se considérèrent avec beaucoup d'affection. Linda songea qu'à cette amie elle pouvait tout dire. Elles étaient assises l'une à côté de l'autre sur le sofa de rotin; Frannie posa sa main sur celle de Linda dans un geste de sympathie. Elle n'avait pas formulé la question mais Linda sentit le besoin d'y répondre.

— Je vais avoir cet enfant et je le garderai.

— Linda! Est-ce bien la solution?

— Tant pis si ça ne l'est pas! Je suis allée à l'église, j'ai prié et j'en ai décidé ainsi. Je ne peux pas l'abandonner, c'est mon enfant.

— Le sien aussi, corrigea Frannie. Et que fait-il pour t'aider, j'aimerais bien le savoir?

— Il m'a envoyé de l'argent, presque mille cinq cents dollars. Il m'a assurée que je toucherais ma paye chaque semaine. C'est donc possible!

— Le salaud! Désolée Linda, mais en ce qui me concerne je considère qu'il t'achète. Je t'avais prévenue...

— Je t'en prie Frannie!, supplia-t-elle la larme à l'oeil. Pas maintenant. Je sais ce que tu m'as dit et tu avais probablement raison. Mais je suis amoureuse de lui.

— Ne me dis pas que tu l'aimes encore? Pas après qu'il ait refusé la paternité de son propre enfant!

— Frannie, tu ne dois pas oublier que Jack a une femme et trois enfants. Il ne peut pas les quitter, ça lui est impossible.

Elle était étonnée de s'entendre prendre la défense de Jack, en le citant de surcroît.

— Tu ne peux pas comprendre Frannie, tu mènes une autre vie. Tu as un bon mari, une jolie maison, une petite fille, tu attends un autre enfant...

— Tu pourrais avoir tout cela Linda. Tu es encore jeune et jolie.

— Ne me parle pas d'avortement Frannie. Et encore moins d'adoption!

Frannie se cala dans le fauteuil de rotin et laissa échapper un long soupir.

— D'accord. Tu auras cet enfant et tu l'élèveras seule. Il ne nous reste donc qu'à inventer une histoire plausible à laquelle tout le monde croira.

A présent Linda était détendue. Elles élaborèrent divers scénarios jusqu'à la tombée de la nuit puis elles entrèrent dans la cuisine et s'attablèrent avec des feuilles de papier et des crayons. Lorsque Ed Hollister rentra chez lui à onze heures cinq, Linda était devenue la veuve éplorée du sergent Lawrence McElroy de l'armée de terre américaine, tué en Corée moins d'un mois après que son bataillon fût arrivé au front.

— Vous n'avez passé qu'un seul week-end ensemble, expliqua Frannie, avant qu'il ne soit envoyé outre-mer. Vous vous êtes mariés à la hâte à l'hôtel de ville. Pour le reste, tu n'as pas à donner de raison à qui que ce soit. Ce genre de choses se produit souvent en période de guerre.

Elles avaient songé à tout: il était originaire de l'Oklahoma, il n'avait que vingt-six ans lorsqu'il fut tué, il avait les yeux et les cheveux bruns.

— Tu sais pourquoi cela?, demanda Frannie à son amie.

Linda acquiesça d'un signe de tête en baissant les paupières. Elle voulait éloigner d'elle l'image de Jack. Elle devait à tout prix croire à l'existence de ce sergent Lawrence McElroy, âgé de vingt-six ans, qui n'était pas très grand malgré de fortes épaules, et qui avait un sourire charmeur. Il lui fallait se convaincre de son amour pour lui et de la mort qui lui avait arraché son amour. Ainsi elle aurait de bonnes raisons de pleurer, si jamais elle se laissait aller à son chagrin en public.

Elles étaient appuyées l'une contre l'autre et sirotaient leurs boissons. Frannie avait préparé un pichet de jus d'orange et vodka; chaque fois que le verre de Linda était à moitié vide, elle le remplissait de nouveau. Vers neuf heures, Linda se sentait beaucoup plus confiante. Elles se laissèrent emporter par leur imagination au sujet du sergent McElroy: ses trois soeurs, Suzie, Margie et Ellie, étaient mannequins ou actrices; les McElroy de Tulsa étaient des princes du pétrole qui possédaient un vaste ranch et une immense fortune.

— De cette manière, ils n'auront jamais de rapport avec moi, expliqua Linda.

Frannie acquiesçait en riant, puis elle ajouta:

— Ils sont vexés qu'il se soit marié sans obtenir leur permission!

— Ils l'ont déshérité en l'apprenant!

— Ils ont rayé son nom de leur testament!

— Ils doivent se trouver mesquins, à présent qu'il est décédé!

— Mais ta fierté t'empêche de leur téléphoner pour les prévenir que tu es enceinte, car ils pourraient croire que tu désires leur soutirer de l'argent.

Cette histoire les amusait follement. Elles riaient comme des hystériques à en perdre le souffle. Linda s'écria finalement:

— Nous devrions avoir honte de rire ainsi, alors que mon mari vient d'être tué au front pour l'honneur de son pays!

Frannie se leva et la serra dans ses bras.

— Linda, tu en seras capable. Je le sais. Tu pourras t'en sortir tant que tu conserveras ton sens de l'humour.

Elle avait cependant pleuré autant qu'elle avait ri au cours de ces longs mois de réclusion dans la solitude de son appartement. Elle ne regrettait rien à présent que tout était terminé. Jack se trouvait agenouillé à côté de son lit d'hôpital, le regard embué de larmes. Il embrassait ses doigts et jetait sur elle des regards de tendresse. Il répétait sans cesse:

— Un fils. Mon fils. Tu m'as donné un fils. Je te promets de toujours en prendre soin. De toi aussi, de vous deux.

Il était revenu, comme elle s'y attendait. Il parlait sans cesse de ce fils tant désiré comme si elle lui avait offert le plus beau présent de sa vie. En vérité, il n'avait pas tort!

— L'as-tu vu?

— Avant de venir à ta chambre. Il est si beau!

Elle fut prise d'un élan amoureux qui s'adressait aux deux hommes de sa vie.

— Comment devrait-on l'appeler, mon chéri?

— Appelle-le selon ton coeur.

— Alors ce sera Jack!

— Surtout pas!

Les mots fusèrent de sa bouche tandis qu'il se relevait en moins de deux.

— Jack?

— Je te l'interdis. Il n'en est absolument pas question. Veux-tu que les gens s'interrogent... se doutent de quelque chose? Non!

— Personne ne se doutera de quoi que ce soit Jack. Je suis veuve et tu es un patron très généreux à mon égard. Quoi de plus naturel?

— Peut-être. Quoiqu'il en soit, les juifs ne nomment jamais un enfant d'après un parent qui n'est pas décédé. Je serais mal à l'aise. Choisis un autre prénom.

Elle sembla hésitante.

— Dans ce cas, je pourrais lui donner le prénom de mon père... ou du tien. Qu'en dis-tu Jack? Comment s'appelait-il?

— Non Linda, ça ne se fait pas. Ce serait beaucoup trop évident. Imagine un peu: Saul Salomon McElroy!

Il n'avait pas tort mais voilà qu'elle se sentait blessée. Moins d'une minute auparavant, il lui embrassait les mains en la remerciant de lui avoir donné un fils. Il remarqua le changement de son attitude car il posa un baiser sur son front et lui dit d'un ton sérieux:

— Linda, je pense ce que je t'ai dit. Je ne peux pas reconnaître ma paternité et tu comprends pourquoi. Mais je m'occuperai toujours de vous deux. Il aura tout ce qu'un garçon peut désirer. Je viendrai le visiter souvent et je serai son oncle, en quelque sorte. Nous l'enverrons à l'université et je l'engagerai au sein de l'entreprise lorsqu'il en aura l' âge. Qu'en dis-tu?

— Eh bien...

— Ecoute bien cette idée Linda. J'ai trouvé! Pour son prénom. Comment s'appelle ton sergent? Ton... mari?

— Larry.

— Lawrence. Parfait! Quoi de plus normal que de donner au garçon le prénom de son père?

Cette idée semblait beaucoup lui plaire. Il l'embrassait sur le visage et sur le cou. Elle ne pouvait lui résister lorsqu'il la comblait ainsi de baisers.

— Jack?

— Oui?

— Es-tu heureux que Frannie t'ait téléphoné?

— Heureux? Je suis le plus heureux des hommes! Je lui enverrai des fleurs. Evidemment que je suis heureux!

— Parce que c'est un garçon?

Elle crut déceler un instant d'hésitation, pourtant elle n'en était pas certaine.

— Bien sûr! Je ne peux pas mentir; je suis heureux d'avoir enfin un fils! Mais pourquoi toutes ces questions? Je suis là, n'est-ce pas? Et je suis heureux de te voir. Tu m'as beaucoup manqué, tu sais.

Il plongea son nez dans son cou et murmura:

— J'ai hâte de te serrer de nouveau dans mes bras- si tu vois ce que je veux dire!

Le coeur de Linda se fit plus léger. Il était encore amoureux d'elle. Il était encore son homme et il lui avait promis de s'occuper d'eux. Les choses s'arrangeaient.

chapitre vingt-huit

Dimanche 10 août 1952.

La voiture familiale roulait sur le Taconic Parkway. Sylvia baissa la vitre pour laisser entrer la chaude brise. Elle éprouvait un sentiment de liberté à dévaler ainsi les collines de Westchester plantées d'arbres fruitiers dont les branches étaient lourdes de grappes odorantes. En ce jour d'août, la lumière avait les reflets dorés des tableaux de la Renaissance et la chaleur portait le parfum sucré des fruits. Sylvia inspirait l'air à pleins poumons. Elle regrettait presque de n'avoir pas acheté de bungalow à Wicopee comme l'avaient fait Flo et ses amies.

Mais elle avait bien fait. Elle avait passé à Wicopee trois étés successifs lorsqu'Elaine et Deena étaient fillettes et ces séjours ne lui avaient pas particulièrement plu. Il ne lui semblait pas normal que des femmes seules en compagnie de leurs enfants y passent la semaine entière loin de leurs époux. Ces derniers arrivaient en horde le vendredi soir, épuisés et grognons. Ils s'attendaient tous à passer un week-end de rêve incluant pique-nique, partie de base-ball, natation, golf, tennis, entourés d'enfants propres et obéissants, de femmes aimables, sans oublier une température idéale. Tout cela devait leur être présenté sur un plateau d'argent, sans qu'ils aient le moindre effort à fournir pour l'obtenir. Il ne fallait surtout pas que la vaisselle soit sale, qu'un gamin soit malade ou qu'il pleuve!

Sylvia avait horreur de voir Jack faire les cent pas devant la baie vitrée au moindre signe de pluie, enfumant le salon avec ses cigares et bougonnant contre le sale temps qui l'empêchait de faire sa partie de golf. Elle avait chaque fois l'impression que c'était sa faute. Sans même l'énoncer, il jetait le blâme sur elle qui assumait la responsabilité des caprices météorologiques. Au bout de trois étés porteurs de tension nerveuse chaque fois qu'un cumulus pointait à l'horizon ou qu'un steak n'était pas suffisamment bleu ou qu'il l'était trop, elle avait décidé de mettre fin à ces séjours bucoliques.

Le pire tourment qui l'assaillait durant ces vacances à la campagne était la nette certitude que Jack la trompait pendant ce temps à New York. Elle n'en avait aucune preuve mais elle le savait. A la fin du troisième été, elle prétexta que ses filles souffraient d'allergies pour ne plus y retourner. Il s'était amusé de cette ordonnance:

— Je dois être le seul homme de tout Manhattan qui doit garder ses enfants dans cet enfer sous prétexte qu'il y va de leur santé!

Il n'avait cependant pas exigé de tests médicaux.

Elle avait l'obligation impérieuse d'assister au pique-nique annuel de la compagnie au parc Mohansic. Jack était parti plus tôt à bord du camion qui transportait les tonnelets de bière, les charcuteries, les saucisses, le charbon de bois et les assiettes de carton, tandis que Leroy conduisait Sylvia et les filles dans la familiale. Elles emportaient les salades de pommes de terre et de chou mariné. Sylvia se tourna vers ses filles assises sur la banquette arrière. Elles partageaient un jeu avec le bébé qui riait. Sylvia sourit en voyant ce tableau. Le rire franc de Marilyn était contagieux. Il était gage de bonheur. Heureuse enfant qui connaissait la pureté d'un bonheur sans ombre.

Sylvia avait déjà connu un bonheur semblable. Son enfance heureuse l'avait amenée à croire aveuglément tout ce que prétendaient ses parents. Ils lui avaient souvent répété combien elle était belle, lui avaient prédit qu'un jour elle deviendrait amoureuse, qu'elle se marierait et qu'elle serait heureuse jusqu'à la fin des temps. Elle avait grandi en entendant vanter son intelligence, son charme et son caractère exceptionnel. Tout cela n'était pourtant pas la vérité mais elle finissait par y croire. Son père lui avait fait une réputation de rebelle dont elle n'était pas peu fière.

En y songeant bien, s'était-elle jamais rebellé contre quoi que ce soit? Ma foi non. Bien sûr elle avait occupé un emploi. Ce geste avait redoré son blason à l'époque mais, à vrai dire, elle avait été l'employée de son père et le salaire qu'elle touchait aurait pu lui être versé sous forme d'allocation hebdomadaire. Elle avait habité sous le toit paternel, elle avait fréquenté des garçons choisis par ses parents, elle ne sortait pas sans l'une de ses soeurs et n'avait jamais remis en question la discipline imposée. Elle s'était leurrée en se disant indépendante. Elle avait quitté le domicile familial pour celui de son mari.Etait-ce cela l'indépendance?

Dès qu'elle fut mariée, elle s'était vite rendu compte qu'elle se trouvait à des millions d'années-lumière de toute tentative de rébellion. Jack Strauss était le seul maître à bord. Point à la ligne. Son mari avait de hautes exigences et s'attendait à ce qu'elle s'y conforme. Lui aussi se targuait d'avoir épousé une petite rebelle; ce n'était que des paroles en l'air. Jack dictait sa loi et elle devait user d'intelligence pour contourner les règlements. Ce à quoi elle s'appliqua avec beaucoup de discernement. Par exemple, cette histoire d'allergies. De cette manière, elle pouvait l'avoir à l'oeil durant l'été. Fini pour lui le célibat estival! Elle ne comprenait pas pourquoi les hommes ne songeaient qu'au sexe. Ce n'était somme toute qu'un sport durant lequel on se souillait, on transpirait et pourquoi donc? Pour cinq minutes de halètement intensif! Les hommes ne se souciaient pas des besoins des femmes. Ils ne cherchaient que leur propre plaisir au moment où ils en avaient envie. Elle savait cependant que si elle désirait conserver son homme, il lui fallait faire preuve de bonne volonté. Quelquefois elle avait même envie de tels rapports, mais une femme devait-elle l'avouer à son mari? Elle l'ignorait. Elle s'était donc appliquée à lui démontrer son amour d'autre manière. Il ne devait pas la quitter.

Elle avait besoin de lui. Et pourquoi? Parce qu'elle avait peur. Que craignait-elle? Il valait mieux se demander de quoi elle n'avait pas peur. Elle craignait pour ses enfants; elle se faisait du souci pour Jack; elle s'inquiétait du manque d'argent; elle redoutait qu'il la quitte: que ferait-elle alors? La plus grande crainte qui la rongeait demeurait l'éventualité d'un divorce.

Que ferait-elle en se retrouvant seule? Que diraient sa famille, ses amies, ses parents? Comment vivrait-elle avec trois enfants à sa charge? Le seul mot divorce l'effrayait. Elle connaissait la réputation que l'on faisait aux femmes divorcées. Elle serait la proie de tous les chauds lapins et ils étaient légions! Aucune de ses amies ne l'inviterait, de crainte qu'elle ne séduise le mari. Il lui faudrait emménager dans un petit appartement d'un quartier populaire. Quel genre de racaille fréquenteraient ses filles? Décidément, un divorce n'était pas la solution.

Il ne rentrait pas dîner tous les soirs; beaucoup d'hommes ne dînaient pas à la maison. Elle pouvait s'en arranger. De temps en temps, elle trouvait dans ses poches de chemise une serviette de table ou un carton d'allumettes provenant d'un bar ou d'un night-club. Quand cela se produisait, elle déchirait l'objet révélateur et le jetait au panier sans plus y songer. Ce genre de détails n'importait guère. Peut-être disait-il vrai? Un rendez-vous d'affaires. La mère de jeunes enfants devait accepter cette explication. Tant et aussi longtemps qu'il ne l'embarrasserait pas devant ses amies. Il s'en garda bien. Jack Strauss savait user de prudence. Devant elle, il n'était que gentillesse et courtoisie, rapportant gerbes de fleurs et bonbonnière. Jack ne tarissait jamais de présents; il demandait aux petites de fouiller ses poches ou de fermer les yeux pour deviner la surprise qu'il leur réservait. Sans compter qu'il ne s'agissait pas de vétilles. Il avait offert à Sylvia un sautoir de perles un jeudi soir, alors que la veille il était rentré tard dans la nuit.

Il n'en faisait cependant pas une habitude. Du moins, il ne rentrait pas plus tard que les autres hommes. Elle se satisfaisait de leur union. Elle le laissait à ses affaires et il veillait à son confort. Les hommes éprouvaient des besoins qui différaient de ceux d'une femme. Il importait plus que tout qu'il l'aime, qu'il aime les enfants et que la famille ne soit pas séparée.

Le jour du pique-nique revêtait beaucoup d'importance. Elle avait habillé les filles pour les présenter aux employés à Westchester; chacun mangerait à sa faim, jouerait au ballon, s'amuserait en société. Les enfants conserveraient longtemps le souvenir d'une telle journée. Elles grandiraient en sachant combien leur père était vénéré, admiré et aimé de ses employés. Leurs fillettes seraient l'objet d'attentions durant tout le jour et Sylvia considérait qu'elles ne s'en porteraient que mieux. Leur père était le président de la compagnie. Pourquoi n'auraient-elles pas pleinement bénéficié des avantages qu'une telle position impliquait? Quelle raison Jack aurait-il eu de travailler d'arrache-pied, de passer autant de temps dans les bois de Long Island, de se quereller avec les fournisseurs, de négocier avec les syndicats, si ce n'était pour le bien-être de sa famille?

Leroy gara la voiture sur le terrain de stationnement. Au même moment, sept personnes apparurent comme par magie pour transporter les récipients de salades et les aider à sortir de l'auto. Tous leur souhaitaient la bienvenue et s'exclamaient de joie devant les adorables fillettes vêtues de façon identique.

Bien sûr qu'elles étaient mignonnes avec leurs jupes à plis jonquille et leurs chemises blanches à col Claudine. Elaine et Deena portaient des chaussettes blanches garnies d'un noeud de ruban jaune et des sandales de cuir roux. Marilyn avait à ses pieds menus une paire de bottines blanches. La bambine avait pleuré avant le départ car elle n'avait pu enfiler des sandales comme les grandes. A présent qu'elle attirait l'attention de toutes les femmes, elle gazouillait de ravissement et avait oublié les inconvénients de son jeune âge.

On leur avait réservé une grande table à l'ombre d'un chêne centenaire. Les secrétaires et les épouses d'employés semblaient ravies de disposer les victuailles selon les instructions de Sylvia. Quelqu'un s'offrait toujours pour surveiller bébé Marilyn que l'on dorlotait comme si elle était une poupée vivante. A l'instar de ses soeurs, c'était une enfant précoce qui usait d'un vocabulaire étonnant pour une enfant de deux ans. Ses aînées charmaient leur entourage par leur humour et leurs sourires. Elles amusaient tout en inspirant le respect; aucune parole vulgaire dans la bouche des filles de Sylvia.

Sylvia observait autour d'elle: la lumière dans le feuillage, les femmes portant des robes aux tons pastel découvrant leurs épaules nues, les effusions de rire et le déjeuner sur l'herbe. Jack arriva du terrain de base-ball en compagnie d'autres hommes; il s'approcha d'elle tout sourire et l'embrassa chaleureusement. Elle se sentit fière et forte. Il se permettait peut-être quelques petits écarts mais elle demeurait sa femme. Voilà ce qui importait plus que tout: la position sociale. Elle n'oublierait jamais l'odeur de son corps chaud qui dégageait des effluves d'eau de Cologne, la rugosité de sa barbe d'un jour, la force de son bras musclé qui la retenait contre lui. Le monde était témoin de son affection pour elle.

Elle s'étonna de voir surgir, à l'orée du bocage, Linda qui portait son enfant.

— Que fait-elle ici?, demanda Sylvia.

Elle ajouta avec empressement:

— Je la croyais en congé de maternité.

Linda remplissait la fonction de secrétaire particulière de Jack depuis au moins une dizaine d'années. Jack ne voulait jamais entendre de commentaire négatif à son sujet mais quelque chose empêchait Sylvia de lui témoigner de la sympathie. Elle n'appréciait guère sa froideur que cachait mal son charme de fille du sud; surtout elle se montrait trop possessive envers son patron. Depuis longtemps déjà, Sylvia devait lui disputer la faveur d'une conversation téléphonique avec son mari; puis un jour elle s'en était ouverte à Jack et l'avait sommé de remettre cette fille à sa place.

— Je ne te téléphone que pour les choses importantes, avait-elle dit. Lorsque je désire te parler, elle n'a qu'à passer l'appel sans poser de question.

Ce genre d'incident ne s'était jamais reproduit. Elle comprenait qu'une certaine complicité unissait un patron et sa secrétaire particulière; il lui accordait son entière confiance car elle connaissait tous les aspects de l'entreprise. Cela allait de soi. Elle ne désirait pas ennuyer Jack en se montrant jalouse. Elle était toujours cordiale envers Linda; d'ailleurs elle lui avait envoyé un magnifique présent à la naissance de son fils.

Elle poursuivit:

— Nous aurons enfin l'occasion de voir son bébé. Comment s'appelle-t-il?

— Lawrence.

Linda s'avançait vers le groupe de femmes en pinçant les lèvres. Elle salua Jack et Sylvia ne lui donna pas la chance d'en dire davantage. Elle se précipita vers elle bras ouverts en s'exclamant:

— Laissez-moi prendre le bel enfant!

Elle n'aurait pu l'affirmer, mais il lui sembla que Linda avait hésité. Quoi qu'il en soit, Linda lui remit le poupon endormi en demandant:

— Et où donc sont vos jolies fillettes? J'ai apporté trois cordes à sauter.

Les petites accouraient déjà; elles adoraient Linda. On n'aurait pu leur en vouloir. Linda avait pour elles des attentions excessives et partageait leurs jeux avec patience des heures durant. Une telle ardeur ajoutait à son pouvoir personnel mais Sylvia n'avait pas la force de se battre sur ce terrain. Encore quelques instants avant qu'elle puisse observer le visage de l'enfant endormi dans ses bras. Sylvia adorait les nouveaux-nés; ils respiraient la bonté avec leurs visages de chérubin! Lawrence ouvrit les paupières et Sylvia le dévisagea, au point que plus rien n'existait d'autour d'elle. Elle eut l'impression de vivre un mauvais rêve car le bruit des voix de son entourage ne lui parvenait qu'en sourdine.

Lawrence, le fils de Linda, avait le même visage que ses filles. Elle aurait aussi bien pu tenir l'une d'entre elles qui gesticulait, qui bavait en faisant des bulles et qui tournait vers elle de grands yeux gris bordés d'une épaisse frange de cils. Elle sut tout de suite qu'il s'agissait du fils de Jack.

Elle essaya ensuite de se persuader qu'il n'en était rien, qu'une telle pensée était absurde, qu'elle avait une imagination trop fertile. Elle ferma les paupières et les rouvrit. La lumière lui avait sûrement joué des tours. Il n'aurait pas fait cela. Pas avec Linda. Pas après l'avoir suppliée de porter un troisième enfant pour lui faire plaisir. Pas après neuf mois de grossesse au cours desquels elle avait vomi matin et soir alors que ses jambes enflaient que son corps devenait difforme et son visage bouffi. Pour lui elle avait souffert. Parce qu'il désirait plus que tout un fils, un héritier qui prendrait un jour la direction de l'entreprise, qui travaillerait à ses côtés.

329

Chaque homme désirait un fils. Elle avait perdu en couches l'enfant mâle qu'elle avait conçu et portait depuis le fardeau de sa culpabilité. Jack était convaincu qu'elle portait de nouveau un garçon. Elle s'était dit qu'un autre enfant ajouterait de la vie à leur grande maison. Deena avait six ans et fréquentait l'école toute la journée. Quant à Elaine, depuis le berceau qu'elle n'en faisait qu'à sa tête. Les fillettes avaient un emploi du temps plutôt chargé. Elle avait envie d'avoir dans ses jupes un autre enfant qui la suivrait tout le jour en lui posant d'adorables questions comme ses soeurs l'avaient fait.

Elle avait réussi à oublier combien elle détestait apprendre à lacer des bottines et jouer à la poupée. Elle s'était enfin convaincue qu'elle désirait un autre enfant, alors qu'en réalité elle répondait au désir de son mari. Tout au long de sa grossesse, elle avait prié Dieu soir et matin pour qu'il lui accorde un fils. Elle n'avait pu réprimer sa déception lorsque le médecin lui avait appris la naissance d'une fille. Elle avait fondu en larmes et le docteur Lewis l'avait consolée:

— Allons, allons! C'est simplement nerveux. Vous avez une belle fille en santé. Vous cesserez de pleurer dès que vous l'aurez dans vos bras.

Jack lui avait ensuite avoué:

— Evidemment j'aurais aimé un garçon, mais l'important c'est que la mère et l'enfant soit en parfaite santé!

Elle l'avait cru; elle n'avait d'autre choix que de croire en lui. Elle avait fait preuve de gratitude et de soulagement. Elle lui avait donné une autre fille mais il ne la quitterait pas pour autant. Jusqu'à présent, elle n'avait jamais eu quelque raison de le penser. Il avait toujours surnommé Marilyn sa «Golden Girl», en prétendant que son père était probablement le laitier car la blonde enfant ne pouvait être issue d'une famille de gitans. Il était fier d'être vu en sa compagnie, fier des commentaires flatteurs qu'elle suscitait.

Maintenant, Sylvia était à bout de souffle. Elle ne supporterait pas une telle trahison! Non seulement il avait trahi les voeux échangés lors de leur mariage, les valeurs qu'elle défendait et le bonheur auquel elle avait droit, mais il avait aussi trahi chacune de leurs filles. Elle avait toujours été assurée de son amour, malgré les ennuis, les angoisses et les incertitudes de leur vie conjugale. Elle s'était grandement trompée. Elle avait été dupe.

Elle regardait le visage de l'enfant endormi au creux de ses bras. Il lui semblait si familier qu'elle ne pouvait plus souffrir sa présence. Son regard glissa; elle veillait à ne pas révéler sa fureur et sa douleur. Que lui restait-il à faire? Ce n'était pas le moment de songer à cela; elle se trouvait en public, au milieu de ses employés et de leurs familles. Ce n'était ni le lieu ni l'endroit pour faire un esclandre.

Elle craignait de ne pouvoir regarder Jack, lui parler et se comporter normalement en sa présence. Elle craignait de ne pouvoir vivre le reste de sa vie avec lui. De vivre rongée par cette douleur.

Les rires sonores de ses fillettes et les exclamations des spectateurs de la partie de base-ball la sortirent de ses sombres pensées. Elle devait agir. Elle devait éloigner ce bébé. Elle se rendit à son landau et l'y déposa avec des gestes de pantin, le posant sur le ventre, le couvrant bien, plaçant l'oreiller, abaissant la mousseline, berçant le landau pendant quelques minutes, et s'éloignant enfin de l'attroupement comme une criminelle. Le fils de Jack se trouvait dans cette voiture d'enfant. Cette pensée lui était insupportable. Que pourrait-elle faire?

Le rire rauque de Deena parvint à ses oreilles, ce rire qui l'avait toujours fait sourire. Cette enfant avait une voix de basse, ce qui surprenait d'abord chez une petite fille. Jack adorait le son de cette voix. Il prétendait qu'à défaut d'avoir un garçon, l'une de ses filles en avait la voix. La douleur montait de nouveau dans sa poitrine; elle dut s'arrêter afin de respirer calmement. Les fillettes étaient assises sur une couverture posée à l'ombre d'un grand arbre, en compagnie de cette salope qui volait les maris des autres! Même Moo Moo se tenait tranquille alors qu'elles tressaient des torsades des marguerites. Elle éprouvait l'envie d'accourir et d'enlever ses filles à la garde de cette femme. Linda soulageait sa conscience en les amusant.

Elle se rendit compte cet après-midi-là de la difficulté de son rôle mais elle apprit aussi qu'elle pouvait le tenir. Elle sourit, s'amusa, plaisanta et conversa avec chacune, y compris avec cette salope! Linda se montra aimable et lui confia même quelques détails au sujet de son mari mort au front. Mort au front! Et cette salope eut même le toupet d'essuyer quelques larmes. Le sergent Lawrence McElroy de la division de terre était mort au front en Corée avant d'avoir su qu'il avait un fils. Une terrible tragédie.

Elle avait failli hurler en entendant pareils mensonges. Linda lui avait même montré une photo jaunie d'un séduisant jeune homme en uniforme. Il aurait pu s'agir de n'importe qui. Linda avait-elle véritablement connu ce sergent dont elle montrait la photo? Ou avait-elle mis la main sur une photo quelconque? Sylvia avait regardé la photo de ce soldat inconnu et avait eu froid dans le dos. Quelqu'un quelque part avait pris cet instantané de lui et il avait souri à la personne qui tenait l'appareil-photo. Il s'agissait peut-être de sa femme ou de sa fiancée. Cet homme avait existé et la salope se servait de sa vie pour justifier ses mensonges.

Sylvia devait pourtant faire bonne figure. En tant qu'épouse du patron, elle devait assumer son rôle. Elle était l'hôtesse de ce pique-nique, la mère des trois bambines qu'il lui fallait protéger. Les coupables seraient châtiés. Mais il valait mieux n'y plus songer à présent. Elle inspira une longue bouffée d'air et défroissa sa jupe. Ses mains étaient moites. Elle devait chasser ces pensées noires de son esprit. Demain elle aurait tout le temps de réapprendre à vivre.

chapitre vingt-neuf

Vendredi 31 janvier 1986.

La cuisine exhalait un délicieux arôme de pâte feuilletée, de beurre doux et de cannelle. Sylvia inhalait par grosses bouffées l'odeur toujours exquise du strudel aux pommes. La préparation de cette pâtisserie requérait beaucoup de patience et de minutie; il fallait abaisser la pâte et veiller à ce qu'elle ne brise pas, l'étendre à plat sur la table et répéter cette délicate opération. Ce matin plus que jamais, Sylvia avait besoin de s'occuper à une besogne manuelle qui lui laissât du temps pour réfléchir. Elle avait un besoin urgent de s'absorber dans ses réflexions.

Hier soir, Elaine avait téléphoné. Sylvia était censée l'ignorer; Jack avait pris l'appel dans son bureau en lui hurlant de raccrocher l'appareil de la cuisine. Elle avait cependant eu le temps d'en entendre suffisamment. Elaine avait découvert que quelqu'un détournait des fonds dans l'entreprise et Jack n'avait pas voulu en entendre mot. Il avait poussé les hauts cris! Elle connaissait la signification de telles jérémiades. Plus il se sentait pris au piège, plus il hurlait. Elaine avait dû découvrir quelque chose de sérieux, si elle en jugeait par les cris qui venaient du bureau de Jack. Il ne s'en était pas rendu compte mais le son de sa voix avait porté jusque dans la cuisine, bien que les portes soient fermées.

— On ne doit parler d'affaires qu'au bureau... Je ne veux plus en entendre parler pour l'instant... Combien de fois dois-je te répéter... Tu vas nuire à ma digestion... Comment peux-tu en être sûre?... Je ne veux pas que tu ennuies ta mère avec ce genre de salade...

En général, Jack discutait avec elle de ses affaires. Après l'annonce d'une nouvelle fâcheuse, il venait à la cuisine pour rouspéter et se confier à elle. Cette fois, il se mit à table et dîna sans dire un seul mot, comme s'il ne s'était rien passé entre Elaine et lui. Pas un son. Il s'agissait donc d'un secret. Elle sut aussitôt qu'il était question de cette femme et de son fils. Elle ne se laissait pas berner si facilement.

Au dessert, elle lui servit une tarte à la noix de coco dont il raffolait et demanda d'une voix innocente:

— Que voulait Elaine?

Il se contenta de hausser les épaules.

— Ta fille Elaine! Un jour, crois-m'en sur paroles, un jour elle ira trop loin!

Elle savait qu'elle ne gagnerait rien à lui chercher querelle. Elaine n'avait jamais su comment prendre son père. Depuis son jeune âge elle l'agaçait à l'inverse de Deena qui, d'un sourire, faisait de lui ce qu'elle souhaitait. Pourtant, c'était facile d'amadouer Jack. Se montrer gentille, le faire rire, l'embrasser sur le front, lui laisser l'impression qu'il était le roi de la maison. Combien de fois avait-elle conseillé Elaine? Mais autant s'adresser à un mur. Elaine agissait toujours à sa manière. Sylvia poussa un long soupir. Elaine n'était plus la fillette qui cherchait protection contre le courroux paternel en se réfugiant sous les jupes de sa mère. C'était une femme intelligente et indépendante. Il valait mieux que Sylvia ne se mêle pas de cette histoire.

Elle posa une portion de pâte sur la table et se mit à la pétrir. Cet exercice lui apportait un soulagement physique. Il était indéniable qu'Elaine était intelligente, mais peut-être l'était-elle trop. Elle aurait tôt fait de découvrir la vérité, dût-elle se rendre souvent au siège social. Alors les véritables questions surgiraient! Elle remuerait ciel et terre pour découvrir la vérité. Qu'adviendrait-il alors de la famille?

La triste vérité surgirait-elle après tant d'années de mensonges? Réveillerait-on sa vieille douleur? Cette fois, elle ne tiendrait pas le coup. Il lui fallait prétendre ne rien voir, ne rien entendre, ne rien connaître qui soit de nature à laisser éclater le scandale.

Chaque été lors du pique-nique de la compagnie, elle avait observé le garçon, lourde du terrible secret, et n'en avait jamais rien laissé paraître. Chaque fois, la seule vue de Lawrence lui avait déchiré le coeur. Quand il ne se trouvait pas en sa présence, elle parvenait à oublier son existence. Elle parvenait presque à oublier les liens qui unissaient Jack à cette femme. Mais les ans avaient ajouté au poids du secret et son coeur était meurtri à tel point qu'aucun baume ne pourrait plus le cicatriser.

Pourquoi diable Jack avait-il engagé ce Lawrence? Pourquoi s'attacher ainsi sa présence? Pour quelles raisons ne lui avait-il pas trouvé du travail chez un autre employeur? Elle pouvait à la rigueur comprendre pourquoi il avait gardé Linda à son service. Cette situation lui déplaisait mais elle se gardait bien d'y faire allusion car alors Jack saurait qu'elle savait. Elle ne voulait pas jouer les trouble-fête. Elle avait mal en songeant à Jack et à cette femme. Toutefois, ils avaient eu ensemble trois filles qu'il adorait; c'était avant tout un homme pour qui la famille importait plus que tout. Quel aurait été son intérêt à perturber cet équilibre? Elle était donc restée muette et acceptait que Linda travaille chez Strauss Construction, qu'elle partage un bureau avec Jack, qu'elle achète les cadeaux d'anniversaire de ses filles au nom de leur père.

Mais, pourquoi avait-il mêlé Lawrence à leur vie? Physiquement, ils étaient différents; toutefois, la ressemblance de leur caractère ne trompait pas. En agissant ainsi, il courait le risque que quelqu'un découvre le pot aux roses et les démasque. Elle n'avait jamais cru à la compétence professionnelle de ce Lawrence. A d'autres! Il occupait ce poste pour la seule et unique raison que Jack l'avait engagé. Et, ce faisant, elle estimait que Jack avait commis une lourde erreur. Jack lui avait fait gravir tous les échelons, obtenir toutes les promotions et voilà comment il en était récompensé! Lawrence avait accédé au sommet afin de pouvoir tromper et voler plus facilement son protecteur.

Elle haïssait ce Lawrence. Il était bien le fils d'une mère cupide sous ses airs séducteurs. Ses sourires et ses bonnes manières n'étaient que calcul. A l'instar de sa mère, Lawrence étudiait chacune de ses politesses et le moindre de ses gestes. Tout sonnait faux chez ces gens. Sylvia ne voyait en eux que deux sangsues camouflées sous forme humaine. Elle n'était pas étonnée qu'ils aient entrepris de voler l'entreprise de son mari. Mais le plus grave, c'est qu'en volant Jack ils s'attaquaient à ses filles et à ses petits-enfants.

Elle fit le tour de la table pour étirer la pâte de façon égale, dans un geste machinal. Rien de cela ne serait arrivé si Jack n'avait pas fait preuve de faiblesse envers cette femme maudite. Plutôt non! Rien de cela ne serait arrivé si elle n'avait pas fait une fausse couche entre Elaine et Deena.

Jamais elle ne l'oublierait. Elle se trouvait seule dans le grand appartement; Elaine faisait la sieste. Soudain d'atroces douleurs au ventre la conduisirent aux toilettes. Elle craignait un empoisonnement alimentaire car Elaine et elle avaient partagé un sandwich au thon pour déjeuner. Mais la douleur était trop intolérable; elle n'avait pas eu le temps d'aller s'assurer que la petite allait bien. Elle s'était assise sur le siège, pliée par les crampes qui propageaient la douleur dans tout son corps. Elle suait à grosses gouttes en tremblant de peur, craignant pour Elaine. Qu'adviendrait-il si elle ne parvenait pas à se rendre à la chambre de l'enfant? Toutefois la fillette n'avait pas poussé un cri. Elle ne sut jamais combien de temps elle avait passé ainsi aux toilettes, étourdie et couverte de sueur. Lorsqu'elle regarda dans la cuvette, elle vit le foetus qui flottait. Elle se mit à hurler. Son enfant était mort! Elle avait fait une fausse couche en croyant avoir mal à l'estomac.

L'enfant était de sexe masculin. Le fils que Jack désirait. Le fils qu'elle aurait dû porter à terme. Elle avait mis plusieurs années à se débarrasser d'un sentiment de culpabilité; elle l'avait tout de même porté pendant quatre mois, elle l'avait senti bouger en elle. Puis elle avait fini par accepter. Jamais elle n'avait privé ses filles d'affection pour autant.

Jack aurait mieux fait de se débarrasser de Linda en apprenant qu'elle était enceinte. A l'époque, son obsession d'un fils dominait sa raison. Dorénavant, il était trop tard pour la renvoyer.

Il avait patienté neuf mois pour voir si Linda produirait un héritier mâle. Que pouvait-il tant reprocher à ses filles? Sylvia avait pleuré en silence tant et tant de fois.

Il valait mieux ne pas remuer le passé. Sylvia se tenait au milieu de sa cuisine silencieuse et se frappa la poitrine. Elle avait encore mal. Elaine et Deena n'avaient pas suffi à leur père; il avait voulu un troisième enfant. Et la belle Marilyn n'avait pas réussi à combler ses espérances!

Le coeur de Sylvia s'était durci le jour où elle avait reconnu le regard de Jack dans celui de l'enfant de Linda. Personne n'était au courant; personne ne l'apprendrait jamais de sa bouche. Dès lors, elle s'était employée à favoriser l'autonomie de ses filles afin que jamais elles n'aient à dépendre de la volonté d'un homme. Elle croyait avoir réussi avec Marilyn. La benjamine était médecin, faisait preuve d'indépendance et savait mener sa vie à sa guise. Toutefois, Sylvia estimait que la vie de Marilyn demeurerait incomplète tant qu'elle n'aurait pas d'enfant. Sylvia appartenait à la vieille école et croyait qu'une femme sans enfant n'était pas une femme complète.

Elle-même s'était mariée pour avoir des enfants. Elle avait voulu épouser un homme intelligent et séduisant comme son père, et dont elle serait profondément amoureuse. Quant à la sexualité, une jeune fille de son temps n'y aurait jamais songé. Sa mère ne lui en avait jamais touché mot, se contentant d'y faire quelques vagues allusions. La veille de son mariage, sa mère lui avait dit en évitant de croiser son regard:

— Sylvia, en ce qui concerne ta nuit de noces...

— Oui maman?

— Tu es amoureuse de Jack, n'est-ce pas?

— Bien sûr que oui!

— Bien. Lui aussi est amoureux de toi. Souviens-t'en demain soir lorsque vous serez seule à seul. Dans la chambre... Il va vouloir te... Les hommes manifestent certains instincts que nous les femmes n'avons pas. Je parle de l'acte conjugal, ma chérie. Au début, ça te paraîtra étrange. Mais laisse-le faire, tout va bien se passer. Je connais Jack, c'est un brave garçon!

Ces quelques phrases avaient constitué toute son éducation sexuelle. L'avertissement de sa mère l'avait rendue nerveuse plus qu'il ne l'avait rassurée. Qu'est-ce qui lui paraîtrait étrange? En fait, tout lui avait paru étrange: le lit double, sa chemise de nuit en dentelle, Jack qui s'était déshabillé dans la salle de bains et qui en était sorti parfumé d'eau de Cologne. Il s'était ensuite glissé sous les draps et l'avait prise dans ses bras. Elle s'inquiéta de ce qu'elle devait faire ensuite. Elle n'eut cependant pas à y songer; il fit seul tout le travail.

Lorsqu'elle y pensait, elle ne pouvait réprimer un fou rire. On pouvait maintenant en apprendre davantage en regardant cinq minutes d'un film à la télé qu'elle n'en avait appris au cours des cinq premiers mois de leur mariage. A cette époque, elle se sentait très gênée; elle aurait préféré être six pieds sous terre. Jack lui avait longtemps fait mal; elle s'était bien gardée de s'en plaindre. De temps en temps, elle avait éprouvé du plaisir à ses caresses. Elle avait appris à s'abandonner lorsqu'il faisait preuve de délicatesse. Certaines des caresses qu'il lui prodiguait lui plaisaient particulièrement, mais jamais elle ne se serait permis de lui en faire mention. Elle n'aurait pas même su comment le dire!

Elle était sûre d'avoir été une bonne épouse, aimante, compréhensive et patiente. Ses filles étaient aussi de bonnes épouses; elles avaient passé la quarantaine et elles étaient toujours mariées au même homme. De nos jours, cela tenait du miracle!

Elle se demanda toutefois si cette affirmation tiendrait longtemps en ce qui concernait Deena et Michael. Quelque chose n'allait plus entre eux. Il l'avait quittée en pleine croisière. Ce voyage devait être leur seconde lune de miel. Sylvia secouait la tête en abaissant de nouveau la pâte de son strudel. Cela ne présageait rien de bon. Il était toutefois heureux que Michael soit rentré plus tôt que prévu pour s'occuper de Saul. Encore un coup dur! Un si gentil garçon- et intelligent comme pas un!- qui s'était mis dans de mauvais draps. Comment Deena avait-elle pu se montrer aveugle à ce point? C'était pourtant une mère attentive et dévouée.

On ne pouvait en dire autant d'Elaine qui était retournée travailler tout de suite après ses couches, confiant la garde de son bébé à une étrangère. Elaine n'était tout de même pas une mère indigne. Noël était peut-être un peu casse-pied, mais d'une intelligence!... Il faisait des études à Princeton où il réussissait bien, autant ses cours que ses activités athlétiques. Il avait le physique de sa mère et la douce nature de son père. Le meilleur des deux. Deena n'avait jamais travaillé à l'extérieur, du moins pas avant que Saul n'ait eu treize ans; il s'agissait en fait d'un emploi à temps partiel à l'école de son quartier. A l'école que fréquentait son fils. De toute évidence, quelque chose n'allait pas chez cet enfant.

Elle posa la pâte roulée sur une plaque à biscuits graissée, et saupoudra la pâtisserie de cannelle moulue et de noix hachées. Quelque chose ne tournait pas rond entre Deena et Michael. Y avait-il une autre femme? Sûrement pas. Pas Michael! Il ennuyait tout le monde avec ses discours sur l'éthique et la morale. Elle avait voulu croire que Deena avait trouvé en lui un mari qui ne la décevrait pas. A dix-neuf ans, Deena était une jolie fille pleine de gaîté qui attirait tous les garçons. Pourquoi avait-elle manifesté tant de hâte à se marier? Pourquoi aurait-elle préféré mourir plutôt que de ne pas épouser Michael? Sylvia l'avait toujours considéré comme un garçon trop guindé. Certes séduisant, intelligent mais très distant. Elle n'en avait jamais rien dit à Deena, mais elle s'était toujours demandé ce qu'une belle femme comme sa fille trouvait à ce pédant!

Jack avait été pour quelque chose dans la décision de sa fille; elle le lui avait reproché:

— Pourquoi précipites-tu Deena dans les bras de ce garçon?, lui avait-elle demandé à l'époque. Premièrement, elle est trop jeune pour s'attacher ainsi à quelqu'un; deuxièmement, je ne crois pas que ce garçon lui convienne.

Avait-il seulement entendu ses objections? Aux yeux de Jack, elle n'était qu'une femme, par conséquent inférieure à lui, et il considérait Michael comme un jeune homme sérieux et responsable. Sylvia s'était dit que Jack ne voyait pas en Michael un rival capable de lui ravir l'estime de sa fille. Somme toute, une femme choisissait son compagnon en dépit de l'opinion d'autrui et surtout sans se soucier des bonnes intentions de sa mère. Deena était folle de Michael comme on ne l'est qu'une fois dans sa vie. Plus il se défilait, plus elle s'entêtait dans son choix. Inutile de tenter de la raisonner! Elle ne désirait aucun des beaux garçons qui tournaient autour d'elle; elle désirait Michael Berman, et lui seul.

Sylvia posa la plaque à biscuits dans le four, frotta ses mains enfarinées sur son tablier et regarda distraitement par la fenêtre. Elle regrettait de n'avoir pu dialoguer avec ses filles, de n'avoir pas su trouver les mots pour parler des choses de la vie. De son temps, on récitait une petite fable à ses enfants au sujet du mariage. En fait, on passait son temps à raconter des histoires à tout le monde, y compris à soi-même. On croyait à ce qu'on racontait; on croyait à son mariage heureux. On répétait à ses enfants qu'une fois marié, on devait mettre de l'eau dans son vin.

On leur cachait qu'on mettait toujours de l'eau dans son verre de vin et que lorsque quelque chose n'allait pas, on devait en assumer l'entière responsabilité. On ne parlait pas de ces choses à une jeune fille amoureuse. Aurait-elle seulement entendu? Et qu'advenait-il au bout du compte? Autrefois, on se faisait un devoir d'endurer toutes les épreuves. Les choses avaient changé. Le *Times* d'avant-hier rapportait une épidémie de divorces aux Etats-Unis. Sylvia avait alors pressenti que Deena divorcerait bientôt. Qu'est-ce que cela lui apporterait? Le bonheur était-il accessible à une femme qui ne partageait pas la vie d'un homme?

Si Deena lui demandait conseil, elle ne saurait quoi lui répondre. Il lui faudrait avouer qu'elle ne connaissait pas une seule divorcée qui soit heureuse et qui ne soit pas à la recherche d'un autre époux. Elle devrait se contenter d'avouer son ignorance. Il lui faudrait dire: «Je ne sais pas Deena. Je suis une femme mariée et somme toute heureuse de l'être!»

chapitre trente

Samedi 1er février 1986.

Au sortir de la station de métro, une rafale glaciale emportait les piétons et balayait la cinquante et unième rue. Sale temps! Linda McElroy remonta son col de castor (le manteau était un cadeau de Jack) et se réchauffa les oreilles dans la douce fourrure. Rien n'y fit; un frisson lui parcourut l'échine. Les wagons bondés étaient surchauffés et nauséabonds; elle détestait y monter. Durant de nombreuses années, Jack lui avait reproché sa mesquinerie. «Pourquoi ne prends-tu pas un taxi, pour l'amour du ciel? Il ne t'en coûtera que quelques dollars!» Evidemment, pour lui, cela représentait peu d'argent; mais elle appartenait à la classe ouvrière et subvenait seule à ses besoins. Son fils se montrait attentionné mais jamais elle ne lui aurait demandé quoi que ce soit. Lawrence devait vivre sa vie.

Ses joues ressentaient la morsure du froid et la brise hostile projeta une poussière dans son oeil, de sorte qu'elle se mit à l'abri d'un porche pour chercher un mouchoir dans son sac à main. L'achat de ce manteau ne s'avérait pas judicieux. Elle aurait dû recevoir un manteau de fourrure. Il aurait dû lui donner suffisamment d'argent pour qu'elle soit en mesure d'acheter une fourrure. Voilà un présent qu'elle n'appréciait pas du tout, pas plus qu'elle ne prisait la manière dont il le lui avait remis: il lui avait tendu cinq billets de cent dollars en lui intimant l'ordre d'aller acheter un manteau neuf. Elle s'était sentie rabaissée, achetée; elle n'avait pu supporter le regard de Jack. Jamais auparavant il ne lui avait donné d'argent sonnant. Il avait l'habitude de lui offrir des cadeaux emballés avec goût. L'année où il lui avait offert un réfrigérateur- il y avait de cela très longtemps- il avait choisi le modèle au magasin, l'avait fait livrer et il avait couru chez elle avant son retour afin de poser un gros noeud de ruban rouge sur la porte du réfrigérateur. Il était si romantique à cette époque!

Elle remit le mouchoir dans son sac et sentit une oppression familière sur sa poitrine. «Ne songe pas à lui au passé», corrigea-t-elle. Elle avait cependant du mal à s'en empêcher. Il avait changé ces derniers temps. Elle ne savait quoi penser et chaque fois la nausée lui montait à la gorge. Il n'était venu chez elle qu'à deux ou trois reprises pendant les six derniers mois. Leurs rapports physiques avaient pour ainsi dire cessé depuis longtemps; elle en concluait que la sexualité ne l'intéressait plus. Ce qui ne lui déplaisait pas, loin de là; ça ne l'avait jamais passionnée. Les rapports sexuels étaient appréciés par les hommes et ceux-ci étaient prêts à tout pour satisfaire leur vorace appétit. Elle avait appris à s'y conformer très jeune. Elle avait su quand ne rien offrir et quand s'abandonner. Ce savant doigté lui avait permis de prendre Jack au piège. La seule pensée de son nom aviva la douleur dans sa poitrine. Elle craignait de l'avoir perdu. L'angoisse pesait lourdement sur tout son être lorsqu'elle envisageait cette éventualité. Que ferait-elle sans lui? Elle ne le supporterait pas.

Il ne la quitterait pas, voilà ce qu'elle venait de décider! Il n'en serait rien. Cela expliquait pourquoi elle se rendait au bureau par ce froid sibérien alors qu'elle aurait dû se trouver à bord d'un yacht voguant dans les Antilles françaises. Chaque année, en février, elle s'envolait vers des cieux plus cléments; elle économisait à cette fin. Elle voyageait généralement en compagnie de Marianne Clemente, une veuve qui habitait la même rue. Elle jouissait ainsi d'un peu de liberté. Si un gentil monsieur l'invitait à dîner et à danser, elle ne refusait certes pas sa galante compagnie. Elle avait connu quelques aventures passagères au cours des années et toujours elle y avait mis fin en posant pied à terre

342

afin de revenir vers Jack. Elle était son égérie, du moins le préten-
dait-il. Il valait mieux qu'elle ne songe plus à cela.

Elle était arrivée au siège social de la Strauss Construction.
Son coeur battait la chamade, ses mains étaient moites malgré
le froid. Elle n'était pas fière de ce qu'elle faisait. Pourquoi se
rendait-elle ainsi au bureau en espérant le surprendre en compagnie d'une autre femme? Quand il avait eu le béguin pour une
fille, elle avait simplement fait preuve de patience et fait semblant
de l'ignorer. Chaque fois il lui était revenu. Elle avait toujours
su qu'il en serait ainsi. Leur relation était privilégiée. Ils étaient
amoureux l'un de l'autre. Elle lui avait donné un fils. Il lui avait
même avoué:

— Si seulement je t'avais rencontrée la première, Linda!...
Qui sait?

Alors pourquoi l'espionnait-elle ainsi? Elle avait annulé ses
réservations à la dernière minute car elle craignait qu'à son retour
il ne lui annonce leur rupture définitive. Elle implorait le ciel
qu'il n'en fasse rien. Il vaudrait mieux faire volte-face, retourner
à la station de métro, faire le trajet en sens inverse, monter à
bord de l'autobus et rentrer chez elle en oubliant tout ceci. Mais
elle en était incapable. Les choses étaient différentes à présent.
Jack faisait preuve de froideur à son égard. Il se montrait pourtant
courtois, mais une femme sent ces choses-là. Il oubliait leurs
rendez-vous, ils ne dînaient plus régulièrement ensemble chaque
mercredi; elle avait croisé son regard et n'avait pas aimé ce qu'elle
y avait lu. Des petits riens mais qui en disaient long. Elle avait
voulu savoir quel crime elle avait commis pour mériter un tel
châtiment, il avait éludé la question, prétextant ignorer de quoi
elle voulait parler.

Lundi dernier, après que les autres employés eurent quitté
le bureau, elle était entrée dans son cabinet de travail; il avait
levé les yeux du dossier qu'il était en train d'étudier et l'avait
regardée avec tant d'animosité qu'elle n'avait pu ignorer cette
hostilité.

— Qu'ai-je fait Jack? Que se passe-t-il?

— Que veux-tu dire?

Elle lui avait confié ses angoisses mais il l'avait interrompue:

— N'avions-nous pas établi une règle à propos du travail?

— Mais tu te comportes si durement envers moi!

— Nous en parlerons une autre fois!

Il s'était replongé dans ses dossiers. Elle aurait pu disparaître de la surface terrestre, il n'y aurait pas prêté attention. Les choses en étaient à ce point entre eux. Elle avait d'abord cru que la cause de cette froideur pouvait être la petite escarmouche entre Elaine et elle. Il lui tenait peut-être rigueur d'avoir refusé quelque chose à ses filles. Elle avait souvent songé à cette confrontation au cours de laquelle elle craignait avoir révélé trop de choses, mais il ne lui en avait pas parlé. Pourtant Jack Strauss n'était pas un homme timoré quand il s'agissait d'éclaircir une situation.

Il devait donc s'agir d'une autre femme. Aussi invraisemblable que cela paraisse, c'était la seule hypothèse plausible. Elle avait donc décidé de passer à l'action. Elle franchit le hall d'entrée et s'engouffra dans la cage d'ascenseur. Elle ne laisserait pas tomber si facilement après quarante années d'entière dévotion, de sacrifices personnels et de don de soi. Elle surveilla le reflet que lui renvoyait le miroir de l'ascenseur; elle recoiffa quelques mèches de ses cheveux coupés à la manière des pages d'autrefois. La coiffure que Jack préférait. Personne ne lui aurait donné cinquante-neuf ans. Elle n'avait pas subi de chirurgie esthétique; elle utilisait un savon doux, un hydratant et se maquillait avec discrétion. Après la quarantaine, une femme devait user de sobriété pour mettre en valeur sa féminité.

Elle fit un sourire forcé pour s'assurer que ses dents n'étaient pas tachées de rouge à lèvres. Rien ne désavantageait autant une femme qu'un sourire souillé par un mauvais fard. Les soins apportés à la toilette comptaient pour beaucoup. Linda était jolie. Oui, jolie. Plus encore. Elle était belle. La plupart des blondes avaient la peau ridée à son âge. Ce n'était pas son cas. Qui plus est, la couleur de ses cheveux était naturelle. Elle faisait évidemment usage d'une teinture, mais le ton de miel qu'elle utilisait ressemblait fort à celui de la mèche de boucles blondes que sa mère lui avait coupée à trois ans. Sa blondeur était sa fierté. Elle était fière aussi de ses yeux verts qu'un léger strabisme voilait de mystère, et des longs cils qui bordaient ses paupières. Ses parents l'avaient surnommée «La Belle» et l'avaient baptisée Linda car ce prénom signifie «beauté».

Elle était aussi belle qu'au jour de leur rencontre; aucune femme de son âge n'avait pareille allure. Si elle avait fait la croisière comme prévu, une dizaine d'hommes lui auraient fait la cour. Jack n'aurait aucun intérêt à la laisser tomber, même pour une femme plus jeune qu'elle. Quelle autre femme le connaissait mieux qu'elle? Qui lui aurait donné autant d'affection? Aucune femme ne saurait la remplacer. Il en était certainement conscient.

Pourtant, en ce moment, elle avait le coeur chaviré et pouvait à peine déglutir. Il était encore temps de s'en aller. Quelquefois, il valait mieux tout ignorer. Mais elle ne pouvait rester dans le doute. Ils éclairciraient la situation, comme ils l'avaient fait au début de leur relation.

Ils travaillaient, un samedi, en prenant soin de ne pas se toucher lorsqu'ils manipulaient les dossiers et la correspondance. Chacun était conscient de la sensualité de l'autre. Elle se souvenait de chaque instant, de chaque geste, de chaque regard, le moindre soupir était gravé dans sa mémoire.

Soudain Jack s'était levé en frappant son bureau d'un coup de poing; elle s'était retournée, étonnée. Jamais elle n'oublierait le feu qui brûlait alors dans son regard.

— Linda!, avait-il dit d'une voix méconnaissable. Venez ici.

Elle avait obéi comme une automate. Quand elle fut assez proche de lui, il avait ouvert les bras, l'avait étreinte et embrassée en la serrant si fort qu'il lui avait fait mal. Elle n'avait toujours pas oublié le goût de ce premier baiser. Puis il avait levé la tête en se lamentant:

— Non! Nous ne devons pas. Il ne faut pas!

Sur ces paroles, il l'avait repoussée. Cet été-là, il avait envoyé sa famille à la campagne. C'est à ce moment que leur relation débuta vraiment. Cependant, c'est seulement au cours de l'après-midi d'un samedi d'hiver qu'ils avaient fait l'amour pour la première fois. Un jour comme aujourd'hui.

Elle traversa le vestibule sur la pointe des pieds. Elle vit un rai de lumière jaune sous la porte du bueau de Jack. Elle avait la gorge sèche. Elle refusait d'y croire. Pourtant il était là. Elle allait tourner lentement la poignée de la porte, l'ouvrir prestement et puis...

Que ferait-elle ensuite? Elle avait prévu un prétexte dans l'éventualité où il serait seul. Elle se montrerait étonnée de le trouver là et elle ferait semblant d'avoir oublié quelque chose. Rien de plus facile. Cependant que dirait-elle s'il se trouvait avec une autre femme? Elle écouterait ce qu'il allèguerait pour sa défense. Elle saurait alors ce qu'il lui resterait à faire. Elle agirait sous l'impulsion du moment.

Elle demeura quelques instants sans bouger, prit une longue inspiration et se prépara mentalement à affronter le pire. Elle trouva enfin le courage de tourner la poignée de la porte. Elle ouvrit d'un coup, entendit le mumure d'une voix, une voix fémi-nine. Elle agit ensuite sans penser, envahie par la colère. Elle donna un coup de pied dans la porte et cria en faisant irruption dans le bureau:

— Que diable se passe-t-il...?

Elle s'arrêta net. Sainte Marie mère de Dieu! Ce n'était pas Jack, mais plutôt Elaine et Deena.

— Mais que diable faites-vous ici?, leur lança-t-elle.

Elaine et Deena étaient complètement absorbées par leur travail. Elles avaient pris place de chaque côté de l'imposant bureau de palissandre du patron et elles rassemblaient ses docu-ments. Ce travail ne requérant aucun effort intellectuel, elles bavardaient en l'effectuant. Elles étaient arrivées vers onze heures dans le grand immeuble silencieux et blafard. Deena se sentait nerveuse.

— J'ai l'impression d'être une voleuse, avait avoué Deena en cherchant à tâtons le commutateur.

— Vraiment Deena!, s'était exclamé Elaine.

— J'ai l'impression de venir fouiner.

Elaine avait éclaté d'un grand rire.

— Mais c'est exactement ce que nous venons faire, idiote! Dee-dee, ne me regarde pas avec ces yeux-là! Nous avons une bonne raison d'agir ainsi.

— Je dois te croire sur parole, puisque je ne comprends rien à la situation.

— Il s'agit de détournement de fonds. Voilà qui résume la situation! On nous vole et nous sommes ici pour mettre la main sur le voleur. Lorsque papa verra ce que j'ai découvert...

— Tu y prends plaisir, Elaine! Tu t'amuses à ce jeu.

— A qui le dis-tu!

Pourquoi aurait-elle eu mauvaise conscience? Elle était le cerveau qui avait découvert le pot aux roses. Papa s'obstinait à croire qu'elle n'avait pas la poigne nécessaire pour gérer ses affaires, tandis que Lawrence l'escroc faisait la pluie et le beau temps dans ce bureau! Papa ouvrirait bientôt les yeux et serait confronté à la dure vérité. Elle ne put réprimer un rire de satisfaction.

Evidemment, Deena dénonça un tel comportement.

— Tu sembles ravie. Quelqu'un nous a volé notre bien et tu te frottes les mains comme un affamé qui va se régaler, en gloussant et en riant sans te cacher.

— Mais je vais me régaler!

Elaine était passée dans la salle de documentation et cherchait le dossier manquant. Elle ne vit donc pas le regard désapprobateur de Deena. Elle entendit cependant sa soeur rechigner:

— Tout ça ne me dit rien de bon!

— Je sais que tu désapprouves mes méthodes et j'en suis désolée. Mais tu oublies continuellement Dee-dee que toi et moi n'avons pas eu le même père. J'ai attendu toute ma vie cette occasion de lui prouver à quel point il se trompe à mon sujet. Crois-tu que ces problèmes financiers fassent mon bonheur? Détrompe-toi! Je suis heureuse d'avoir découvert le bobo et d'être celle qui réprimera le mal. Ainsi papa devra cesser de se montrer condescendant à mon égard. Cette fois, il devra admettre à la face du monde que je peux très bien diriger cette entreprise même si je ne suis pas son fils.

Cette explication satisfaisait le coeur tendre de Deena.

— Après tant d'années, ta rancoeur ne s'est pas envolée?

— Est-ce que la sienne n'est pas demeurée? Deena, je t'interdis de continuer à croire qu'il est le maître du monde.

— C'est faux!... Peut-être as-tu raison?

Elles rirent à cette contradiction.

— Etre l'enfant de quelqu'un est très difficile, commença Elaine qui désirait clore cette discussion; être un parent l'est encore plus. Noël revient de l'école, il m'embrasse, me dit qu'il s'est ennuyé de moi, qu'il veut dormir, manger et être avec sa famille. Bien. Ensuite il va et vient durant toute la soirée, je ne le vois plus, reviens du bureau le deux janvier et je trouve un mot disant qu'il est parti à Cambridge avec son copain Josh. Seigneur! Il était revenu de Californie la veille du nouvel an. Ce que j'essaie de te dire Deena, c'est... Deena, que se passe-t-il?

Deena se tordait les mains en silence, comme elle en avait l'habitude lorsque quelque chose n'allait pas. Elle demanda poliment:

— Noël est parti aussi souvent que cela?

Elaine étala sur le bureau les documents dont elle avait besoin, en regardant les dates pour les classer par ordre chronologique.

— Je ne croyais pas que les déplacements de Noël te préoccupaient à ce point!

Il y eut un moment de silence, puis Deena demanda d'une voix inquiète:

— Zut! Elaine, quelque chose ne va pas avec Zoé. Depuis son retour de Stowe, elle rentre très tard tous les soirs. Ce n'est pas cela qui me cause du souci; mais elle m'a laissé croire qu'elle sortait avec Noël. Evidemment que je l'ai crue. Ces deux-là sont comme deux doigts de la main.

— Tu sais ce qui lui arrive? Elle a rencontré quelqu'un sur les pistes de ski.

— Peut-être... Mais elle n'a jamais été cachottière. Au contraire, elle avait tendance à se montrer un peu trop ouverte. J'en sais davantage au sujet de sa vie sexuelle qu'une mère ne devrait en connaître, tu vois ce que je veux dire? Sauf que cette fois... Je ne saurais te dire, mais je n'aime pas ça... S'il s'agit d'un nouveau prétendant, pourquoi me le cache-t-elle? Dieu sait si j'ai entendu parler de chacun des prédécesseurs!

— C'est ce que tu crois ma fille. Deena, as-tu oublié tes années d'adolescence? Penses-tu que ta fille va tout te confier?

— Je ne lui demande jamais rien; elle me raconte tout parce qu'elle le veut bien. J'en ai même parlé à Judy, la copine avec qui elle est allée skier. Elle m'a répondu que Zoé n'était pas sortie le soir; cette fois Judith Eleanor Berman a brisé tous les coeurs. Zoé s'est couchée tôt tous les soirs et elle était la première à dévaler les pentes le matin. Je ne sais plus quoi penser, Elaine... Sans compter que j'ignore ce que je dois faire.

— Facile. Tu n'as qu'à le lui demander.

— Tu ne comprends pas... Je crains qu'elle ne mente.

— Une fille, mentir à sa mère? Et il faudrait s'en étonner? Allons Deena! Les enfants font leur propre éducation, tu sais. Ils nous laissent l'illusion que nous y sommes pour quelque chose. Je ne me souviens même pas d'avoir enseigné à Noël à se rendre aux w.-c. Un jour il faisait pipi dans son pantalon et le lendemain il savait dire zizi et se rendait lui-même aux cabinets! Je ne lui ai jamais demandé ce qu'il faisait tard le soir depuis ses seize ans.

— Nous sommes différentes, voilà tout.

— Veux-tu savoir ce que je pense? J'estime que tu te soucies trop de tes enfants. Tu te fais du mauvais sang à propos de tout et de rien. Quand vient pour eux le moment de se défaire d'une mauvaise habitude, elle leur passe, crois-moi. Je me souviens du temps où Noël ne disait pas deux mots de vrai... Il ne faisait qu'inventer au gré de son imagination. Puis un jour, il a cessé de fabuler.

Durant quelques secondes, Elaine sentit un petit pincement au coeur. Quelquefois encore Noël arrangeait la vérité, il l'enveloppait de son charme et en faisait une création personelle. Il ne faisait pas toujours la juste part entre la réalité et la fiction. Il ne fallait toutefois pas s'en inquiéter. Noël était un jeune homme excessivement intelligent qui laissait déborder son trop-plein d'imagination. Car enfin, il étudiait bien à Princeton, non? On ne fréquentait pas cette vénérable institution sans être supérieur à la moyenne. Deena lui demanda soudain:

— Tu ne te fais jamais de souci au sujet de ton fils?

— Jamais. Pourquoi m'en ferais-je? Il se porte très bien, merci. Deena, c'est toi qui parles sans cesse du droit des enfants à leur intimité, à leur vie privée, à leur individualité... Je t'ai eue, n'est-ce pas? Ne t'en fais pas au sujet de Zoé. Elle est probablement amoureuse pour la première fois et elle ne sent trop bien pour tout gâter en le racontant à sa mère.

Elles riaient gaiement au moment où Linda entra en défonçant la porte, le visage rouge de colère et rugissant comme une hyène. Elle paraissait tout à fait ridicule.

— Que faites-vous ici?

Doucement, sans doute avec l'espoir de ramener la pression artérielle de Linda à la normale, Elaine répondit:

— Nous travaillons. Papa m'a donné une clef. Vous l'aviez oublié?

Le sang-froid d'Elaine exaspéra Linda qui tentait malgré tout de se maîtriser. «Elle couvre les documents pour que je ne voie pas de quoi il s'agit. Elle ne dupera pas aussi facilement Linda McElroy!»

— Vous travaillez?, répéta-t-elle avec sarcasme. Vous ne m'en voudrez pas de croire que vous semblez bien coupables pour deux femmes censées travailler.

Elaine poussa un long soupir théâtral. «Lawrence a raison, songea Linda, une vraie vache à talons hauts! Elle s'est toujours crue supérieure à son entourage. Elle n'a pas même la décence de cacher son mépris. Même enfant, un seul regard de ses yeux bleus calculateurs pouvait mettre un adulte mal à l'aise. Elle avait dû s'exercer sur les genoux de sa mère, sans aucun doute.»

Mère et filles méprisaient ceux qui n'étaient pas des leurs. Que de fois Jack lui avait répété: «Sylvia a épousé un homme bien au-dessous de sa condition, en vérité.» Il l'avouait chaque fois en riant et en feignant de ne pas s'en préoccuper. Mais elle connaissait Jack. Ce détail devait encore chatouiller son orgueil. Imaginez la vie en compagnie de quatre pimbêches qui se donnent de grands airs!

— Vous avez tort, rectifia Elaine. Nous sommes étonnées, voilà tout. Car enfin, Linda, c'est une entrée retentissante que vous venez de faire là. Vous ne pouvez nous en vouloir si nous sommes éberluées. En fait, que faites-vous ici?

— Moi? Je... J'ai oublié quelque chose. Je suis revenue le chercher.

— Dans le cabinet de travail de mon père?

Ce sourire obséquieux faisait enrager Linda. Elle aurait tout donné afin de pouvoir gifler Elaine! Elle se croyait vraiment d'intelligence supérieure.

— Non, pas dans le cabinet de votre père. Mais lorsque j'ai vu de la lumière sous la porte, sachant que personne n'est censé s'y trouver le samedi, je me suis...

— Vous vous trompez, Linda. Je suis bel et bien censée me trouver ici. Et le samedi de surcroît, étant donné que je gère une autre entreprise durant la semaine.

Elle poursuivit sur ce ton son discours. Linda se moquait bien de la raison pour laquelle elles se trouvaient là. Jack avait commis une grave erreur en confiant la direction d'un projet aussi important à sa fille qui ne connaissait pas l'ABC du métier d'entrepreneur. C'était l'opinion de Lawrence et elle la partageait entièrement. Jack avait donné à ses filles un nouveau joujou et il avait eu tort. D'autant plus que son choix était injuste. La direction de tous les projets aurait dû être confiée à Lawrence. A maintes reprises, il avait prouvé sa compétence. Il était injuste que cette grosse vache ait soudain le droit de faire irruption à toute heure dans le bureau et qu'elle piétine de ses talons hauts tous ceux qui se trouvaient dans son chemin. Elle se comportait avec condescendance comme si elle était propriétaire de l'entreprise et fouinait dans les dossiers confidentiels. Inutile d'en parler à Jack; celui qui s'y risquerait mettrait sa tête sur le billot.

Elle avait souffert tant d'années, se mettant en frais pour ses petites pestes, partageant leurs jeux idiots et leur offrant des cadeaux qu'elle n'avait pas les moyens d'acheter; à aucun moment, la vue de la «véritable» famille de Jack n'avait cessé de lui faire mal. Tout ce temps, elle avait cru les promesses d'avenir commun que lui faisait Jack. Ce mince espoir lui avait donné l'énergie d'accepter le sacrifice de soi sans rien demander en retour.

Elle n'espérait rien, sinon que son fils- leur fils- acquerrait les droits que sa naissance lui octroyait. Les filles de Jack avaient eu tout ce qu'elles désiraient, et plus encore, tandis que Lawrence avait trimé toute sa vie. Comme si tout cela ne suffisait pas encore, elles se plaisaient à l'humilier, à le traiter de haut et à lui causer du chagrin. Combien de fois l'avaient-elles blessé par simple méchanceté, lui qui valait cent fois mieux qu'elles!

— Mon père m'a confié la gestion du projet de la neuvième avenue et je dois me montrer diligente. Je dois prouver ma compétence, vous le savez bien, dit Elaine en souriant.

Il était presque impossible de ne pas lui rendre son sourire. Elle avait beaucoup de charme, comme toutes ses soeurs. Elles tenaient cette qualité de leur père.

— Me voici donc à la tâche le samedi! Je passe la comptabilité au peigne fin. Nous avons presque terminé. Alors ne vous faites pas de souci. Nous verrouillerons la porte en sortant. Et nous éteindrons!

La Mère Supérieure ne la congédierait pas si facilement. Linda répondit avec calme:

— J'espère que vous ne sous-entendez pas que Lawrence fait mal son travail.

— Nous ne sous-entendons rien du tout, répondit Deena. Ne vous énervez pas! Elaine ne cherche pas à détrôner Lawrence.

Linda n'en croyait pas ses oreilles.

— Que diable cherche-t-elle à faire sinon?

— Linda!

Cette Deena aux grands yeux de biche innocente! Linda McElroy ne se laissait pas duper de la sorte. On cherchait à les expulser, son fils et elle, après tant d'années de loyaux services.

Lawrence lui avait conseillé de ne pas se mêler de cette histoire.

— Maman, cesse veux-tu?, lui avait-il dit l'autre soir. Il n'y a pas de quoi fouetter un chat. J'ai déjà trop de travail et ce projet ne m'a causé que des ennuis jusqu'à présent. Personne ne veut investir autant pour un appartement dans la neuvième! Tu sais ce qui fait face à l'immeuble? Un bordel, et très fréquenté!

Il avait ajouté en riant:

— Je propose que nous laissions la grosse vache s'empêtrer dans cette aventure. Elle aura maintes difficultés à essayer de vendre quoi que ce soit. Je lui laisse tout le terrain.

Lawrence était un saint homme avec une patience d'ange; mais elle connaissait bien son fils et savait qu'au tréfonds de lui-même il était blessé.

— Vous pouvez cesser ce petit jeu toutes les deux!, dit Linda. Me prenez-vous pour une idiote? Jack a le droit et le devoir de confier la gestion de ses projets à Lawrence!

Elle avait haussé la voix mais c'était plus fort qu'elle; elle ne pouvait s'en empêcher. Elaine perdit le sourire mais sa voix était teintée d'une amabilité sirupeuse.

— Calmez-vous Linda! Nous savons que Lawrence a travaillé comme dix pour cette entreprise et que papa a beaucoup estimé sa participation à...

Comment osait-elle dire «a beaucoup estimé»? Comment osait-elle parler de son fils au passé? Qu'est-ce qui lui en donnait le droit? Si Lawrence et elle étaient écartés, Jack Strauss devait au moins avoir le courage de le leur apprendre lui-même plutôt que d'en charger ces deux chipies!

— Pour l'amour de Dieu!, hurla-t-elle.

Quelque chose en elle l'avertissait qu'elle irait trop loin, mais elle ne s'en soucia guère à cet instant. Elle tremblait de colère et de joie à la fois. Enfin elle agirait comme bon lui semblait!

— «A beaucoup estimé»? Espèce de peau de vache! C'est lui que Jack estime le plus parmi tout son entourage. Qu'il estime plus que tout, vous m'entendez? C'est lui que Jack aime plus que tout au monde. Que je ne vous entende pas prononcer un seul autre mot contre mon fils!

La fureur lui brûlait les joues, montait en elle comme une flamme qui consumait tout son être. Ces filles n'hésiteraient pas à retirer à Lawrence les avantages auxquels lui donnait droit sa naissance.

— Lawrence est celui que Jack préfère. C'est lui qui devra lui succéder, son héritier présomptif. Et voulez-vous savoir pourquoi? Je vais vous le dire. Parce qu'il est son père. Lawrence est son fils, son fils unique!

Elle éclata d'un grand rire devant les visages stupéfaits de ses interlocutrices.

— Et qu'avez-vous à ajouter?, demanda-t-elle triomphante.

Un silence terrible pesait sur elles. Linda se sentit prise de panique. Elle ignorait de quoi ces femmes étaient capables. Useraient-elles de violence? Impossible de prévoir les réactions d'une juive! Toutefois elle ne s'attira qu'un commentaire de la part d'Elaine.

— Vous mentez!

— Mentir? Moi? Mais je suis en mesure de prouver ce que j'avance. Je possède l'extrait de naissance.

— Et le sergent McElroy?

Cette fois encore, Linda ne put retenir un grand éclat de rire. Elle était fière de les avoir trompées durant autant d'années. Même Lawrence n'y avait vu que du feu.

— Le sergent McElroy, commença-t-elle d'un ton sarcastique, est le fruit de mon invention. Une créature imaginée par moi. Un portefeuille râpé ramassé dans une poubelle, à l'intérieur duquel se trouvait le polaroïd. Exactement ce dont j'avais besoin. On distinguait à peine le visage, mais il s'agissait d'un soldat en uniforme et c'était la preuve qu'il me fallait. C'est étonnant, la facilité avec laquelle les gens acceptent ce qu'on dit en leur montrant une photo! Eh oui! mes chères enfants...

Elle avait parlé en les dévisageant l'une et l'autre, figées comme en songe.

— Eh! oui... Lawrence est le fils de Jack. Notre enfant. Le fruit de notre amour.

Elle était fière de l'effet créé par ses mots.

— Ma chère Elaine, vous pouvez dès à présent élaborer d'autres projets d'avenir. Vous et votre mère, d'ailleurs... Parce que c'est moi, Linda McElroy, qui ai donné à Jack Strauss le fils qu'il a toujours désiré!

Elle ne put s'empêcher de rire à gorge déployée devant leurs mines déconfites. Elaine s'approcha d'elle; Linda se sentait toute petite à côté de cette femme corpulente qui la gifla avec tant de force qu'une vertèbre de son cou craqua.

— Putain!, s'écria Elaine. Putain! Comment osez-vous?

Elaine prit sa soeur par le bras et l'entraîna à sa suite.

— Viens! Nous partons. Une affaire urgente nous appelle. Et quant à vous, madame pseudo-McElroy, vous feriez bien de vous taire! Si ma mère entend un seul mot de cette sale histoire, je vous tuerai de mes propres mains. Vous m'entendez?

Elles étaient parties. Linda dut prendre un siège car ses jambes ne la portaient plus. Mon Dieu! Qu'avait-elle dit?

chapitre trente et un

Samedi premier février 1986.

— Non, je ne peux pas. N'exige pas cela de moi, plaida Deena.

— Il le faut.

Deena secouait obstinément la tête. Elle ne pouvait songer à rien d'autre.

— Non, répéta-t-elle. Pas tout de suite.

— C'est maintenant qu'il faut agir.

Elaine se montrait implacable.

— Pourquoi? Ne vaudrait-il pas mieux attendre? J'ai du mal à remettre mes idées en place. Pourquoi ne pas attendre que nous soyons plus calmes? Nous serions alors en mesure de juger de la manière d'agir.

— Quarante années se sont déjà écoulées, Deena. Je ne veux pas attendre dix minutes de plus.

Elles se trouvaient à bord d'un taxi. Deena ne se souvenait plus y être montée. Elle avait tout oublié à partir du moment où elles avaient quitté le bureau. A présent, elle était pelotonnée sur la banquette arrière de cette voiture et elle implorait le Ciel pour qu'Elaine cesse de parler et la laisse rentrer chez elle. Mais une force titanesque animait sa soeur lorsqu'elle avait une idée en tête.

— Ça ne nous regarde pas, Elaine. Je ne souhaite pas m'occuper de cela pour l'instant.

— Tu refuses toujours de t'occuper des choses qui te dérangent. Mais chacune de nous est concernée par cette histoire. Que ça te plaise ou non.

Elaine s'exclama ensuite:

— Dire qu'au cours de toutes ces années, je traitais Lawrence de «bâtard»! Ça tenait de la prémonition.

— Elaine! Comment peux-tu plaisanter à propos d'une chose pareille?

Deena se recroquevilla contre la portière et posa son front brûlant de fièvre sur la vitre givrée. Elle avait la nausée. Elle avait ignoré une part importante de la vie de son père, toutes ces années vécues dans le mensonge. Comment lui faire confiance à présent? Il fallait dorénavant tout remettre en question. A partir de ses souvenirs d'enfance heureuse.

— Je suis perdue, murmura-t-elle. Perdue dans un étrange endroit.

— Rien d'étonnant à cela! Le sale menteur! Nous avoir ainsi trahies! Tu te sens perdue? Moi je me sens dupe. J'ai toujours su qu'il désirait un fils plus que tout. Ça m'a même fait rire. C'est un idéal caractéristique des hommes de sa génération. Pourquoi ai-je fait des études pour obtenir un diplôme que je ne désirais pas? Simplement parce que je souhaitais lui prouver que je pouvais agir et penser comme un homme; peut-être avoir autant de mérite qu'un homme! Et durant tout ce temps il l'avait son fils! Tout ce temps, il m'a fait avancer avec une carotte au bout d'un bâton; il m'a menti et trompée. Merde enfin, il savait qu'il ne tiendrait jamais sa promesse. Et pourquoi, je vous le demande? Parce qu'il avait déjà le fils tant désiré. Un bâtard! Le traître. Comment a-t-il osé agir ainsi avec nous toutes? Comment a-t-il pu me mentir à ce point? Chaque embrassade n'était qu'un baiser de Judas. Quand je songe à sa comédie du mari fidèle et du père exemplaire, j'ai envie de vomir. J'ai envie de le tuer!

Les mots de sa soeur résonnaient au loin, sans que Deena puisse les assimiler à la réalité.

— Pauvre Marilyn, gémit-elle.

— Pourquoi pauvre Marilyn? Veux-tu me dire?

Deena ouvrit les paupières et regarda son aînée. La douleur brûlait ses yeux, elle retenait ses larmes.

— S'il est vrai que papa désirait tellement un fils, alors la naissance de Marilyn a dû être une immense déception.

— Ah! C'est ce que tu crois? Marilyn n'est jamais parmi nous. Marilyn est toujours absente. Au diable Marilyn! Cette affaire nous concerne toi et moi. Il en a toujours été ainsi.

Deena poussa un long soupir d'impuissance. Elle se sentait lasse. Epuisée comme si elle rentrait de guerre. Un regard à sa montre lui apprit qu'il n'était qu'une heure trente.

— Pourquoi nous faut-il agir maintenant Elaine? Qu'as-tu l'intention de lui dire?

— Tu veux rire? J'ai un tas de choses à lui dire et il ne s'agit pas de mots doux, tu peux me croire! Il m'a menti, il m'a trompée et il devra répondre de ses actes sur-le-champ, devant tous ses copains du club.

Deena grimaça de douleur. Lorsque Elaine s'emportait ainsi, plus rien ne pouvait l'arrêter.

— Je ne crois pas que cela soit nécessaire. Pour l'instant, tu es en colère. Pas moi. Je suis blessée, déçue… mais je ne suis pas fâchée. En tout cas, pas suffisamment pour me rendre à son club et tempêter devant tous ses amis. Alors tu y vas si tu y tiens, tu fais une scène, et moi je me chargerai bien de m'expliquer avec lui quand le moment sera venu. Peu importe la manière dont il a agi, nous n'avons pas le droit de l'humilier ainsi en public. Je refuse d'y prendre part.

Elaine inspira par les naseaux une longue bouffée d'air.

— D'accord Dee-dee! Si tu ne tiens pas à ce qu'il soit humilié en public, alors je te conseille de m'accompagner. Parce que moi j'ai l'intention de le crucifier! Je te jure. Tu sais à quel point je m'emporte facilement.

Deena n'avait pas besoin d'un dessin pour comprendre. Elle songeait à son pauvre père qui, sans avertissement préalable, recevrait tout le venin d'Elaine.

— Tu gagnes, dit-elle. Je t'accompagne. Mais seulement si tu promets de bien te tenir.

— J'essaierai. Je ne peux rien promettre de plus.

Le West End Club logeait dans un ancien hôtel particulier. Les murs lambrissés de chêne et les fauteuils de cuir marron baignaient dans la lumière tamisée des lampes Tiffany; une odeur de cigares cubains y stagnait. Le vieux portier sommeillait sur sa chaise à l'entrée; il s'éveilla soudain et sembla très étonné de voir deux femmes pénétrer dans le dernier sanctuaire de la gent masculine. L'accès de ce club était exclusivement réservé aux membres masculins. Il mit peu de temps à les reconnaître.

— Vous êtes les filles de monsieur Strauss, n'est-ce pas? En ce moment, il se trouve dans le sauna.

Elaine ne prêta aucune attention aux propos du vieil employé. Elle se leva sur la pointe des pieds afin de regarder par-dessus son épaule, puis elle s'écria:

— Il n'est pas dans le sauna. Je le vois d'ici. Il se trouve dans le salon.

George esquissa une grimace. Il devait les laisser entrer; aucun règlement ne l'interdisait. Il n'en avait cependant pas l'intention. Elaine passa outre et fonça vers le salon. Deena la suivit comme un frêle esquif dans le sillage d'un transatlantique.

Elles se tenaient dans l'embrasure de la porte du salon. Rien ne leur interdisait de pénétrer dans ce lieu, mais les femmes n'y étaient pas les bienvenues. Elles se trouvaient en territoire strictement masculin, avec son mobilier massif, son bar d'acajou verni, sa collection de crachoirs antiques, ses tableaux de chasse et ses portraits d'ancêtres aux épais favoris. Les derniers vestiges du machisme étaient assemblés dans ce sanctuaire du pouvoir de l'Homme.

Deena entendit la voix de son père avant de l'apercevoir. Il riait grassement. Elle le vit à ce moment, accoudé au bar, les cheveux humidifiés par un séjour dans le sauna. Vu ainsi de dos, il paraissait encore jeune. Il racontait une histoire qui faisait rire ses compagnons. Deena l'étudiait sans être vue de lui, comme si elle voyait cet homme pour la première fois. Il lui était devenu étranger. Elle avait l'impression de voir une autre version de l'homme qu'elle croyait connaître. «Je ne le connais pas, songea-t-elle à ce moment. Je ne le connais pas du tout.»

Il les aperçut alors. Il ne termina pas sa phrase, se leva de son tabouret et vint immédiatement à leur rencontre.

— Qu'y a-t-il?, demanda-t-il en élevant la voix. Qu'est-il arrivé? Est-ce que Sylvia...?

— Non, ne t'en fais pas. Il n'est rien arrivé à Sylvia, répondit Deena avec précipitation.

Elle ne pouvait supporter la panique qui se lisait sur le visage de son père. Elaine toutefois la fusilla du regard. «Je ne dois pas me montrer tendre envers lui», pensa Deena.

— Venons-en aux faits, grogna Elaine qui se tourna vers Jack en lui disant: nous devons te parler. Tout de suite!

— Je suis tout à vous, lança-t-il en ouvrant les bras. Alors parlez. Mais avant, que diriez-vous d'embrasser votre vieux père?

— Pas cette fois, répondit sèchement Elaine.

Cependant Deena s'était aussitôt précipitée vers lui afin de poser un baiser sur sa joue. Elle n'avait toutefois ressenti aucune émotion. Son étreinte ne l'avait pas touchée.

— Deena, nous avons des choses à régler!

— Y aurait-il un endroit où nous pourrions discuter en privé?, s'enquit Deena avant qu'il ait le temps de poser une question gênante.

— Mais nous sommes en privé. Ces gens sont tous mes amis. Personne ne nous gênera.

Elaine surenchérit:

— Pour ce dont nous avons à discuter, il nous faut une intimité totale.

Il fronça les sourcils puis ajouta en souriant:

— La dernière fois que tu as insisté à ce point Elaine, tu avais des ennuis avec les garçons. As-tu de nouveau des ennuis avec les garçons?

Son sourire disparut lorsqu'il rencontra le regard implacable d'Elaine. Il se tourna vite vers Deena qui ne souriait pas. Il lui demanda, perplexe:

— Toi non plus Dee-dee? D'accord. Vous voulez une stricte intimité, vous l'aurez!

Ils traversèrent le hall d'entrée et elles entrèrent à sa suite dans une pièce dépouillée. Les murs étaient blancs, le plancher de céramique portugaise; des stores vénitiens voilaient les fenêtres et le mobilier était en matière plastique.

— Une salle de conférences, expliqua-t-il. Nous la louons à divers organismes.

D'un geste, il désigna les chaises mais personne ne s'assit. Il demeura debout en s'appuyant contre la table. Elaine se tenait droite, les jambes légèrement écartées; elle avait la solidité d'un chêne. Sans même y songer, Deena s'avança et se posta à mi-chemin entre eux deux. Elle se sentait terriblement mal à l'aise. Ne sachant que faire de ses mains, elle les enfonça dans les poches de son manteau de fourrure.

Elaine débuta aussitôt, sautant du coq à l'âne et parlant tantôt de son intention de travailler chez Strauss Construction, remontant à sa plus tendre enfance, tantôt des visites qu'elle avait faites à monsieur Malone, de son diplôme universitaire, du jour de ses noces, etc. Ses paroles déferlaient à un tel rythme que Deena ne suivait plus. Jack non plus. Il l'interrompait sans cesse:

— Que veux-tu dire? Le jour de ton mariage?... De quel projet parles-tu?

Deena savait évidemment qu'il faisait semblant d'ignorer ce qu'Elaine racontait. Il n'était vraisemblablement pas disposé à élucider quoi que ce soit. Il essayait de gagner du temps et s'entêtait à ne pas comprendre.

— Je ne vois pas où tu veux en venir, Elaine. Si tu ne te ressaisis pas...

Deena avait envie de lui dire que le jeu était terminé, qu'il devait parler d'égal à égale avec Elaine. Pour la première fois, Deena commençait à entrevoir ce que sa soeur détestait en lui. Ce fut Deena qui lâcha le mot. Elle ne supportait plus de le voir fuir ainsi.

— Papa, dit-elle d'une voix forte et claire, nous sommes au courant. Voilà ce que Lainie essaie de te dire. Nous savons tout.

— Tout, quoi?

— Papa, ne rends pas les choses plus difficiles qu'elles ne le sont.

— Je ne comprends rien à ce que vous dites. NI l'une ni l'autre.

Deena fit signe à Elaine de se taire.

— Linda est venue au bureau ce matin, alors que nous y étions. Je t'expliquerai après pourquoi. Nous avons eu une explication et finalement nous savons tout. Au sujet de Lawrence.

Elle étudia la réaction de son père. Il changea aussitôt d'attitude, comme un acteur entrant dans la peau d'un autre personnage. Il adopta un comportement empreint de froideur. Il modifia sa musculature faciale de façon à paraître sérieux. Il se mit ensuite à parler. C'était un beau parleur, Deena en était consciente et elle avait envie de verser des larmes devant autant d'adresse. Il semblait si sincère. C'était de cette manière qu'il réglait ses affaires, celles de sa famille, sa vie tout entière. Jusqu'à cet instant, jamais elle n'avait douté de sa sincérité. Jusqu'à cet instant.

— Allons les filles, je ne suis pas parfait. Je n'ai jamais prétendu l'être. Je suis seulement un être humain. J'ai toujours essayé de vivre ma vie de façon décente. Et je pense avoir réussi. Arrête de ricaner Elaine! Tu me dois encore le respect. J'ai toujours essayé de me montrer juste et équitable. Elle était catholique. Elle était seule. Elle avait peur. Jamais je n'ai eu l'intention de quitter votre mère. Jamais! C'est la plus merveilleuse créature que j'aie rencontrée. Jamais un mot plus haut que l'autre, jamais de vilaine pensée, jamais de commentaires négatifs au sujet de qui que ce soit! L'idée ne me serait pas venue de quitter une femme comme elle. J'étais amoureux d'elle et je le suis encore.

Il fit alors une pause et les regarda toutes deux. Deena songea: «Il s'attend à ce qu'on le félicite pour sa preuve d'amour!» Elaine éclata d'un rire cruel:

— Si elle était si merveilleuse, et si tu l'aimais à ce point, pourquoi l'as-tu trompée?

— Je ne suis qu'un homme. Je ne suis pas un saint. Nous passions nos journées ensemble au bureau; Linda était jeune et jolie, elle était folle de moi. Oui, je l'admets, ça me plaisait qu'il en soit ainsi! De plus, elle était veuve...

— C'est de la foutaise! Elle nous a avoué que le sergent McElroy n'a jamais existé.

— Ça va, ça va. Oubliez cela! Mais pour le reste, c'est comme que je vous le dis.

— D'accord. Acceptons pour un instant que tu te sois laissé emporter. Tu l'as baisée. Bien. Pourquoi ne pas t'en être tenu à cela? Pourquoi ne pas lui avoir trouvé un autre emploi, dans une autre ville? Pourquoi ne pas avoir mis fin à votre relation?

— Comment aurais-je pu envoyer une femme seule dans une ville étrangère, sans personne pour veiller sur elle? Elle pleurait. Je perds tous mes moyens lorsque j'entends une femme pleurer. Et puis elle est devenue enceinte. Elle est presque devenue folle quand je lui ai parlé d'avortement... J'avais peur. De plus, c'était dangereux à cette époque. Elle aurait pu mourir entre les mains d'un boucher. Plusieurs femmes en sont mortes, tu sais. Je ne pouvais pas la traiter comme si elle n'était qu'un détritus.

— Et comment m'as-tu traitée, moi?, demanda Elaine en grimaçant. Laisse tomber. Je ne m'attends pas à ce qu'un jour tu comprennes ce que tu m'as fait. Pourquoi as-tu continué à la revoir après qu'elle ait accouché de son bâtard?

Il serrait les lèvres à présent:

— Attention à la manière dont tu parles à ton père!

— Pourquoi devrais-je mettre des gants blancs pour te parler? Tu nous as menti pendant toutes ces années… Tu as favorisé ton bâtard au détriment de ta propre fille; tu lui as confié la gestion de l'entreprise qui me revenait de droit; tu l'as pris sous ta protection et tu lui as tout enseigné. A ce comédon qui séduit les petites filles!

— Elaine, je te préviens! Tu vas trop loin.

— Préviens qui tu voudras! Tu as toi-même détruit ta propre crédibilité. D'accord, prétendons qu'elle n'ait pu se passer de ton aide; admettons qu'il était extrêmement difficile pour une femme célibataire d'avoir un enfant à cette époque. Malgré tout, tu n'avais aucun droit de la garder dans ton bureau. Tu aurais pu lui trouver un autre emploi, n'importe où. Et par-dessus le marché, tu le prends, lui, à ton service! Pourquoi? Pourquoi les as-tu gardés près de toi alors que tu savais que nous devrions les rencontrer chaque jour de notre vie?

— Ça m'a semblé la meilleure solution. A vrai dire Elaine, ça ne te concerne aucunement. Je sais que j'ai pris la bonne décision. Je le crois encore.

— Je n'en crois pas un mot! Tu les as gardé dans ton entourage pour baiser la mère quand bon te semblait!

Deena savait qu'Elaine n'aurait pas dû dire cela. mais avant qu'elle ait eu le temps de réagir, de faire quoi que ce soit, Jack s'était précipité vers Elaine et lui avait donné une paire de gifles. Elaine avait crié:

— Non papa!

Mais en vain. Il se tenait cramoisi devant Elaine qui soutenait son regard en essayant de ne pas pleurer. L'empreinte de la main paternelle sur sa joue la brûlait comme si elle avait été marquée au fer rouge. Jamais ils n'en étaient venus aux coups auparavant. Les coups et les cris étaient l'apanage des goyim. A présent, chacun avait blessé l'autre. Deena ne pouvait souffrir ce moment. La famille faisait naufrage.

Deena s'interposa entre son père et sa soeur.

— Comment oses-tu porter la main sur elle?

Elle-même fut la première surprise. Jamais elle ne s'était confrontée au courroux paternel. Ils se regardèrent droit dans les yeux. Le regard de son père était chargé de fureur puis il devint glacial. Il semblait choqué que sa petite Deena prenne ainsi la défense de sa soeur et lui tienne tête. Puis il ferma les paupières. Elle savait ce que ce geste signifiait; il s'apprêtait à lui faire du charme pour la calmer. Il avait besoin qu'elle se range à ses côtés. Pas cette fois.

Il secoua la tête, comme pour chasser un étourdissement.

— Etrange, dit-il. Je ne me sens pas bien...

Derrière son dos, Elaine lança:

— On peut comprendre pourquoi! Mais je te préviens: ça ne marchera pas avec nous.

Agissant comme s'il ne l'avait pas entendue, il alla s'asseoir sur l'une des chaises en expliquant sur le ton de la conversation:

— Ce n'est rien. Ça s'est déjà produit.

— Laisse tomber, je te dis! Toi et moi devons discuter du pétrin dans lequel tu nous as mises.

— Elaine!, objecta Deena.

Il était inutile de jeter de l'huile sur le feu.

— Tais-toi Deena! Tu es toujours prête à embrasser ton ennemi, peu importe ce qu'il t'a fait. Tu prends plaisir à dissimuler tes ennuis sous le tapis, comme s'ils allaient disparaître de cette façon. Je suis désolée de t'apprendre qu'il n'en est rien. Les ennuis restent toujours sous le tapis. Alors ferme-là!

Deena était bouche-bée. Elaine était sur le sentier de guerre et quiconque se trouverait sur son chemin serait scalpé. Elle regardait sa soeur avancer droit vers leur père. Assis, il semblait rétréci devant la forte carrure d'Elaine.

— Entends-moi bien Jack Strauss! Tu vas te débarrasser d'eux une fois pour toutes. Tous les deux. Et tout de suite. Dieu sait que tu as déjà trop attendu!

Il dit en faisant un signe de la main:

— Je m'en occupe, j'y veillerai.

— Linda s'en va, est-ce entendu?

— J'ai dit que j'y veillerai.

— Est-ce bien entendu, je te le demande?

Elle le dominait à présent, attendant que le vieil homme acquiesce d'un signe de tête. Elle précisa:

— A partir de lundi, ils ne sont plus à ton emploi.

— D'accord. J'en m'en charge.

— Lawrence aussi.

— Attends un peu Elaine. Il est inutile de poser un geste irréfléchi. Il serait injuste de le punir, lui. Son seul crime est d'avoir vu le jour. De toute manière, j'ai besoin de lui. J'ai veillé à son entraînement; il est très compétent et loyal surtout. Depuis quelque temps, il se charge de plus en plus...

Sa voix se brisa. Elaine posait sur lui un regard meurtrier.

— Je sais qu'il a pris de plus en plus de place, cher papa. Voilà où je veux en venir. Tu as refusé de m'écouter lorsque je t'ai téléphoné jeudi dernier. Mais voilà au moins un an qu'il détourne des fonds. Peut-être davantage. Deena et moi en avons la preuve; le document est photocopié. Penses-y un peu: ton garçon si loyal t'a dupé durant tout ce temps!

Jack tressaillit en entendant ces mots. Il porta la main à son visage. «Dommage, songea Deena, mais il est trop tard. Plus moyen de s'en tirer à présent.» Entêtée, Elaine continuait:

— Lawrence est licencié à partir de lundi matin. Accepte pour l'amour de Dieu!

— J'y veillerai. Je te l'ai déjà dit. Je ferai tout ce que tu voudras, pour l'amour de ta mère.

— Et je ne veux plus jamais revoir aucun des deux, qu'il s'agisse de ta putain ou de ton bâtard! Est-ce clair entre nous? Plus jamais!

Lorsqu'il se leva, il paraissait tout à coup très vieux, très ridé, très fatigué.

— Ça suffit Elaine!, intervint Deena. Tu as gagné. Tu as obtenu tout ce que tu voulais. Ça suffit!

— Ne t'en fais pas, Deena chérie! Je survivrai; même à ta soeur...

Le vieux Jack refaisait surface. Il essaya tant bien que mal de sourire en répétant:

— Je lui survivrai, tu verras!

chapitre trente-deux

Samedi premier février 1986.

«Rien de cela n'est de ma faute, se disait Linda. Je n'y peux rien si elles sont venues fourrer leur nez dans notre paperasse un samedi. Ça ne se serait jamais produit si elles n'avaient pas été là.»

Aussitôt entrée dans son appartement, elle brancha la bouilloire électrique. Elle était glacée; une tasse de thé brûlant lui ferait grand bien. Elle était en train d'ébouillanter la théière lorsque soudain la porte d'entrée s'ouvrit. En moins de deux, apportant dans son sillage la brise hivernale, Jack faisait irruption dans la cuisine.

— Mon chéri! Que se passe-t-il? Assieds-toi.

Les deux salopes étaient-elles déjà allées tout lui raconter en espérant qu'il lui tourne le dos? Cela semblait l'évidence même. Elle se précipita vers lui pour le débarrasser de son paletot et l'incita à se calmer. Oh! Dieu du ciel, qu'adviendrait-il à présent? Elle n'avait pas eu le temps de préparer sa répartie; il lui faudrait une explication spontanée. Avant tout, elle devait user de prudence.

— Jack?, dit-elle à nouveau en s'éloignant de lui. Je prépare du thé. Je rentre à l'instant. Cinq minutes plus tôt, tu ne m'aurais pas trouvée. Ne crois pas que je sois déçue. Tu sais bien que j'adore te voir à toute heure du jour. Mais il y a tellement longtemps que tu n'es pas venu chez moi un samedi... Ça doit bien faire... plusieurs mois, peut-être un an. Laisse-moi t'offrir un verre...

Soudain, elle cessa de s'affairer et le regarda en face. Sa voix ne fut plus alors qu'un souffle. Tant de haine émanait du regard de Jack! On aurait dit qu'il souhaitait sa mort. Un long frisson parcourut l'échine de Linda.

— Jack, ça ne peut pas être catastrophique! Passons au salon, ce sera plus confor...

— Linda, ferme ta gueule!

Stupéfiée par sa vulgarité, elle demeura immobile. Son coeur battait à tout rompre dans sa poitrine. «Sainte Marie, mère de Dieu, priez pour moi maintenant et à l'heure de ma mort. Amen.»

— Je dois te dire quelque chose. Tu as trahi ma confiance. Surtout ne m'interromps pas; ferme-la. Je souhaitais que tu ne t'interposes jamais entre ma famille et moi. Tu connaissais cette règle tacite; ne jamais ennuyer ma famille. Cela était entendu depuis le premier jour de notre relation. Quant à moi, je t'ai promis de veiller sur toi et sur le garçon; j'ai tenu mon engagement durant tout ce temps. Et tu n'as pas pu te taire!

Linda le dévisageait pendant qu'il parlait. Elle revit soudain l'expression de son regard d'autrefois, lorsqu'il ne pouvait s'empêcher de poser les mains sur elle. Il était venu frapper à sa porte en criant son nom, et lorsqu'elle avait ouvert il l'avait prise dans ses bras pour la porter au lit. Souvent, ils n'avaient pas pris le temps de se déshabiller complètement avant de s'étreindre; il plongeait alors en elle comme dans un gouffre et le sourire sur ses lèvres en disait long. Il n'était pas prêt à mordre comme aujourd'hui. Ses lèvres découvraient ses canines. Il avait l'air dangereux.

Il ne s'était fâché qu'au jour où il la soupçonna de flirter avec d'autres que lui. Elle s'était déjà liée d'amitié avec le voisin d'en face. Ils étaient amis sans plus; ils prenaient le thé ensemble et se rendaient quelquefois au cinéma le dimanche après-midi. Rien que d'inoffensif dans tout cela. Car enfin, que devait-elle faire pendant que Jack était en famille? Elle avait tout de même le droit de fréquenter un ami. Mais Jack s'était montré catégorique.

— Tu es à moi!, grognait-il en la pressant contre lui. J'ai besoin de savoir que tu es ici et que tu m'attends.

A un autre moment, alors qu'ils étaient au lit, il avait avoué:

— Linda, je suis malade à la seule pensée que tu puisses seulement sourire à un autre homme.

L'exclusivité qu'il exigeait d'elle la rendait sottement fière car, dans son esprit, il fallait qu'un homme l'aime follement pour exiger d'elle un tel esclavage. Son propre orgueil la plaça sous le joug de Jack.

Elle avait cependant devant elle un homme différent de celui qu'elle connaissait. Le sang affluait à son visage, il serrait les poings et la haine filtrait à travers son regard.

— Je me suis toujours montré juste envers toi. Je ne t'ai jamais rien promis que je ne pouvais accomplir. J'ai songé t'envoyer vivre à Chicago après la naissance de Lawrence... Je ne te l'ai jamais avoué, je crois... La vie aurait été plus simple pour moi, mais j'ai d'abord songé à toi. A toi et à lui!

«Lorsque j'ai donné naissance à Lawrence, tu t'es mis à genoux devant moi et tu m'as remerciée de t'avoir donné un fils. Il te ressemblait et tu en étais fier», pensait-elle. Linda aurait pu lui rappeler qu'en ce jour il lui avait fait jurer de ne jamais exiger quoi que ce soit de lui.

— Je t'ai donné ma jeunesse Jack!, lança-t-elle avec un trémolo dans la voix. Tu avais besoin de moi semblait-il, mais je présume que tu l'as oublié. Tu m'as bercée de fausses espérances durant toutes ces années. Surtout, ne le nie pas. Tu m'as fait marcher, tu as exigé que je ne fréquente personne que toi, tu m'as laissé croire qu'un jour nous nous marierions. J'étais à ton service, voilà ce que j'étais!

— Je n'ai jamais dit que je t'épouserais. Jamais! Au contraire, je t'avais prévenue dès le début de notre relation. Je ne t'ai pas fait le coup du gars marié à une épouse incompréhensive. Je t'ai dit que je ne pouvais pas quitter Sylvia et mes enfants.

— A quoi bon s'obstiner sur ce que tu as dit et ce que tu n'as pas dit à cette époque? Tu avais promis de reconnaître ta paternité et tu ne l'as jamais fait. Te souviens-tu Jack de ta déception à la naissance de Marilyn? Encore une fille! Tu prétendais que ta lignée s'éteindrait avec toi. Tu m'as alors dit: «Si au moins j'avais un fils!» Et je t'ai fait un fils. Je t'ai donné ce fils tant désiré et qu'avons-nous eu, lui et moi, en retour? Tu nous as traités comme des êtres inférieurs qui quémandaient sans cesse ton attention. Jamais je n'ai pu lui avouer le nom de son père et, quant à lui, il répondait rarement à tes exigences.

Son visage était marbré de veines mauves. Elle l'avait vu maintes fois en colère mais jamais de cette façon. Il était pourpre de dépit et de colère.

— Ton fils ingrat m'a prouvé qu'il n'était qu'un bon à rien! Il me vole depuis longtemps. Etais-tu au courant? Est-ce qu'il avait prévenu sa maman?

Il avançait vers elle en brandissant un poing menaçant. Linda reculait. Elle craignait une réaction violente.

— Te voler?, demanda-t-elle en relevant le menton. Il ne peut pas te voler. C'est ton fils! Il n'a jamais reçu ce qu'il était en mesure d'espérer de toi. Toute sa vie il a dû se contenter des restes. Tu as cru qu'un garçon qui avait du sang irlandais ne méritait pas de porter ton nom. Ne me parle pas de ce qu'il a pu faire, je m'en fous. Tu m'entends? Je m'en fous! Peu importe ce qu'il a fait, je demeure convaincue qu'il ne t'a rien volé.

Les muscles de sa mâchoire se crispèrent.

— Ainsi tu étais au courant? Tout ce temps, tu savais? Tu savais que ton cher fils me volait à gauche et à droite, et tu ne m'en as rien dit? Tu m'as trahi de toutes les manières, espèce de sale putain!

— Espèce de sale juif!

Elle le détestait à présent de tout son être avec une telle intensité qu'elle souhaitait sa mort.

Soudain ce fut le cauchemar. Alors que la haine lui plissait les yeux, le regard de Jack devint d'un coup vitreux. Le temps d'un éclair, la panique s'empara de lui, puis plus rien. Son regard était absent. Le vide qu'elle voyait dans ses yeux la terrifiait. Ces yeux étaient le miroir de son âme. Il trébucha avant de tomber face contre terre.

Elle invoquait tous les saints chrétiens. Elle était incapable de bouger. La peur paralysait toute réaction. Il ne fallait pas... Cela était impossible... Elle ne trouva pas le mot. Elle fit un effort pour s'agenouiller auprès de lui, se pencha et souleva sa tête. Une lourdeur de cadavre. Il ne fallait pourtant pas penser ainsi. Il ne pouvait pas mourir. Pas lui. Il marmonna quelque chose tandis qu'elle retenait son souffle. Elle fut soulagée. Le Ciel soit loué! Ses yeux étaient révulsés mais il respirait. Un simple évanouissement.

Elle se releva pour aller humecter une serviette à l'évier. Les compresses froides n'eurent cependant aucun effet. Elle répétait son prénom en lui demandant de répondre, sans résultat.

— Parle-moi, je t'en prie, gémissait-elle.

Elle était effrayée. Désemparée aussi.

Il lui fallait toutefois réagir. L'hôpital. Elle devait téléphoner aux ambulanciers. Quel était le numéro réservé aux urgences? Pourquoi ne s'en souvenait-elle pas quand il le fallait? Le cent dix-neuf. Non. Plutôt le neuf cent onze.

Elle se releva, prit une grande inspiration et recula jusqu'au téléphone, de sorte qu'elle ne quittait pas Jack des yeux. La standardiste était calme. Elle ne posa aucune question embarrassante, se contentant de demander ce qui s'était passé et à quelle adresse.

— L'ambulance arrivera dès que possible, précisa la standardiste. On le conduira à l'hôpital le plus proche.

Il s'agissait donc de l'hôpital Saint-Joseph. Elle devait le sortir de cette situation. Pourquoi donc ne s'éveillait-il pas? Il était inconscient depuis un bon moment déjà. Il y avait quelque chose de morbide à le voir inanimé, lui qui d'ordinaire était toujours enjoué. Elle ne devait pas se mettre pareille idée en tête. Elle devait conserver son calme et songer à ce qu'elle dirait aux gens, à ce qu'elle devrait dire à Sylvia.

Il était passé la voir afin de prendre certains rapports qu'elle avait complétés. Les deux garces n'oseraient jamais confier la vérité à leur mère. Elle pouvait dormir tranquille. Linda connaissait les sentiments qu'elles éprouvaient pour leur mère. Pour Jack aussi. Malgré tous leurs défauts, ils formaient une famille unie.

Elle composa le numéro de sa résidence. Elle le connaissait par coeur, évidemment. «Il est passé prendre des documents et il s'est évanoui. Ne vous en faites pas...», répéta-t-elle mentalement. «Il s'en sortira indemne. On l'emmène à l'hôpital Saint-Joseph pour s'assurer qu'il va bien.» Voilà ce qu'elle dirait. Puis elle raccrocha soudain.

Qu'adviendrait-il ensuite? Que se passerait-il s'il mourait? Ou s'il ne mourait pas? D'une manière ou de l'autre, quel sort lui serait réservé à elle? Il finirait tôt ou tard par se rappeler le but de sa visite chez elle. Jack ne pardonnait pas facilement. Il fallait aussi songer à Lawrence et au pétrin dans lequel il était. Elle l'aiderait à trafiquer les livres, de sorte que personne ne puisse prouver quoi que ce soit. Il pourrait peut-être se livrer à leur merci en prétextant avoir agi dans l'intérêt de la compagnie. Il pourrait prétendre avoir mis cet argent de côté pour assurer la survie de l'entreprise. Jack dépensait beaucoup trop depuis quelque temps. On pourrait même faire valoir qu'il avait agi à la demande de Jack. Pourquoi pas? Jack ne nierait pas; il avait horreur de se faire duper. Il n'admettrait jamais publiquement que deux êtres inférieurs comme Linda et Lawrence lui aient soutiré une forte somme à son insu. Ainsi, ils ne seraient plus jamais inquiétés.

Elle priait afin qu'il ne meure pas. Que deviendrait-elle sans lui? Il avait été sa raison de vivre. L'existence sans lui n'aurait plus aucune signification. Elle l'avait tant et tant aimé... Qu'était une femme sans l'homme de sa vie? Elle composa un numéro familier.

Elle fut soulagée en entendant son fils plutôt que le message d'un répondeur téléphonique.

— Oh! Je suis si soulagée que tu sois là. Un terrible malheur vient de se produire, Lawrence. Je n'y suis pour rien...

chapitre trente-trois

Lundi 3 février 1986.

Déjà l'obscurité assombrissait la ville bien qu'il ne fût que quatre heures trente. La chambre d'hôpital baignait dans l'ombre; seule une faible ampoule éclairait le fauteuil de Sylvia qui brodait une taie d'oreiller. Elle essayait de s'occuper, feignant d'ignorer son mari, son Jack, qui reposait sur le lit trop blanc. Elle n'osait regarder les minces fils de plastique qui reliaient le patient endormi à un moniteur dans le poste de l'infirmière de garde; elle préférait ne pas les voir.

Ses pensées étaient cependant toutes concentrées sur Jack. «Il ne paraît pas plus de soixante ans, avec son épaisse chevelure et son teint basané. Il a encore toutes ses dents et presque tous ses cheveux! Il est encore jeune et vigoureux; il se remettra vite. Il sera bientôt sur pieds. Je l'aiderai à s'en sortir et de nouveau il sera lui-même.» En vérité, il paraissait moins de soixante ans car le sommeil profond qui l'engourdissait avait effacé rides et pattes d'oie. Il ressemblait à l'homme qui l'avait courtisée. Elle se rappelait un pique-nique à Prospect Park- il s'était assoupi après une partie de base-ball; assise à l'ombre d'un sorbier, elle avait veillé son sommeil pénétrée du bonheur d'être à ses côtés. Aujourd'hui, rien n'avait changé. Elle était toujours heureuse d'être près de lui.Cette sérénité correspondait à l'idée que Sylvia se faisait de l'amour- pas l'amour fou des jeunes années, ni celui des premières années de vie conjugale, mais la tendresse. Ensemble ils avaient affronté les tempêtes.Elle avait vécu avec lui le meilleur et le pire; des affrontements et des réconciliations était née cette grande tendresse.

Un doute l'agaçait encore qui remettait en question sa décision de taire ce qu'elle avait découvert. Mais, ne sachant rien, ses enfants n'avaient jamais souffert. Voilà qui suffisait à justifier son mutisme. De plus, toute vérité n'est pas bonne à dire. Qu'il lui suffise de se rappeler Dot, la soeur de Jack. Elle était belle, charmante et gaie. Pourtant elle avait épousé ce bon à rien de Jonah Golodny. Un Rouge, un agitateur qui manifestait en faveur des masses ouvrières. Il n'avait pas pu se résoudre à un petit mensonge, prêter allégeance à la Constitution et qu'on n'en parle plus! Pas Jonah Golodny. Non. Il avait fallu qu'il se lève et qu'il clame bien haut ses opinions au vu et au su de McCarthy. Il s'était évidemment attiré des ennuis, il avait dû démissionner de son poste d'instituteur et fuir Washington.

Heureusement que Jack avait de l'affection pour sa soeur. Il lui avait offert un emploi fort bien rémunéré. Le mari aurait pu s'en montrer reconnaissant- Dot ne tarissait pas de remerciements- mais il n'en fit rien. A son avis, son devoir ne consistait pas à assurer la subsistance de sa femme et de ses trois bambins. Monsieur avait pour mission d'éveiller la conscience des travailleurs. Jonah Golodny demeurerait fidèle à ses principes, dussent-ils détruire les siens. Ce qui ne manqua pas de se produire. Lui-même étant recherché par les agents du F.B.I., sa famille dut s'enfuir et prendre une nouvelle identité. Alors la vérité...

Sur le lit, à demi-éveillé, le patient engourdi se plaignait déjà.

— J'ai soif!

Il avait du mal à articuler, sa langue étant encore paralysée.

Sylvia se leva aussitôt, s'assit sur le lit, remplit un verre d'eau fraîche, le lui tendit et tenta de l'apaiser par de douces paroles. Elle lui parlait comme à un enfant. Il lapait bruyamment, il respirait en soufflant fort, il déplaçait les couvertures à grands bruits. Les hommes n'étaient pas préparés à affronter la maladie, surtout la leur.

— Mon bras! Je ne le sens pas.

— C'est rien Jack. Le médecin a dit que tu serais engourdi quelque temps.

— Puisque je te dis que je ne le sens pas du tout!

— C'est pour ça que tu devras faire de la physiothérapie, continua-t-elle comme s'il n'avait rien dit.

— Plutôt mourir que de m'astreindre à ce régime d'enfer!

— Jack, tu feras ce qu'ordonneront les médecins. Et cesse de rouspéter; cela t'empêche d'aller mieux.

— Je suis très malade, gémit-il. J'ai du mal à bouger la langue.

— Tu n'iras pas en physio dès aujourd'hui mais lorsque tu en seras capable. Tu dois vivre un jour à la fois. Désolée d'avoir parlé de physiothérapie. Il est encore trop tôt.

— Jamais je ne sortirai d'ici!

— Bien sûr que si! Tu vois? Déjà tu t'exprimes avec plus de facilité. Tu peux t'estimer très heureux. Tu as eu un léger infarctus mais les médecins affirment que tu te remettras bien.

— Un léger infarctus? C'est comme être un peu enceinte!

— Tu vois? Déjà tu plaisantes. Le médecin m'a tout expliqué. Il y a différentes sortes d'infarctus. Le tien était léger. Regarde-toi: tu te remets comme un jeune homme. Tu as eu de la chance, Jack.

— Dans ce cas, peux-tu me dire pourquoi je me sens si délabré? J'ai la langue enkylosée et je suis sur le dos comme un hareng crevé.

— Jack, tu te plains continuellement. Mais tu peux compter sur moi. Je veillerai à ce que tu sortes d'ici en étant redevenu l'homme que tu étais. Tout se passera bien, tu verras.

— Bonjour monsieur et madame Strauss!

Le neurologue se tenait dans l'embrasure de la porte, imposant comme un géant. Sylvia se leva en hâte- elle ignorait si les règlements permettaient de s'asseoir sur le lit- et reprit place dans le fauteuil.

— Ne vous dérangez pas madame Strauss. J'en ai pour une minute. Je viens constater les progrès que fait mon patient.

Le médecin était extrêmement grand; ses cheveux prématurément blanchis et ses lunettes d'écaille ajoutaient à son charme. Sylvia ne se rappela pas son nom tout de suite. Le docteur Kopmar.

Joseph Kopmar. Un homme très gentil, d'agréable compagnie. Elle se sentait réconfortée par sa présence. Jack, lui, ne faisait que rouspéter. Pourquoi le spécialiste était-il si bavard? Pourquoi répétait-il sans cesse que tout allait bien? Pourquoi cette eau de Cologne au parfum féminin? Pourquoi posait-il toujours la main sur l'épaule de Sylvia? Pourquoi Jack ne pouvait-il pas voir son généraliste?

Elle avait la réponse à toutes ses récriminations.

— Le docteur Levinson est un merveilleux médecin, Jack, mais il n'est pas neurologue. Il n'appartient pas au personnel de cet hôpital. Mais il connaît bien le docteur Kopmar. Il prétend que c'est le meilleur neurologue de la ville, sinon du monde entier. Alors je t'en prie...

Le neurologue tenait le poignet de son patient et l'invitait à faire quelques exercices, comme rouler les yeux, fermer les paupières, etc. Il parlait avec une extrême gentillesse.

— Très bien. Vous faites beaucoup de progrès monsieur Strauss. Voilà qui devrait faire votre bonheur, non? Je reviendrai vous voir demain. Nous serons peut-être alors en mesure de décider si vous pouvez quitter la section les soins intensifs. Vous ne serez pas fâché, n'est-ce pas?

— Docteur, voilà d'excellentes nouvelles! s'était exclamé Sylvia; mais aussitôt la voix de son mari avait couvert la sienne.

— Si tôt? Qu'est-ce qui vous presse, doc? N'est-il pas trop tard pour aller jouer au golf?

— Mes balles de golf sont phosphorescentes avait répondu le neurologue en souriant. Puis il avait fait un clin d'oeil complice à Sylvia avant de quitter la chambre.

— Voilà de bonnes nouvelles, dit-elle. Et tu le sais mieux que moi. Les choses ne sont pas aussi sombres que tu voudrais nous le faire croire.

— Je n'apprécie pas le voir flirter avec toi, grommela-t-il. Ce n'est pas parce qu'il est neurologue qu'il a le droit... Surtout quand je suis sur le dos.

— Il est normal que tu sois couché, après ce qui t'est arrivé. Mais déjà tu vas mieux qu'hier et c'est ce qui compte, n'est-ce pas?

Elle reprit place à ses côtés, sur le lit, en lui tenant la main. Elle était ravie. Quelle femme de soixante-dix ans pouvait se vanter d'avoir un mari jaloux lorsqu'un autre homme lui manifestait de l'attention?

— Marilyn arrivera bientôt. Elle s'est entretenue avec Levinson, de sorte qu'elle connaît ton dossier médical. Deena est venue te rendre visite pendant que tu dormais. Elaine supervise la marche de l'entreprise. Chacune de tes filles fait en sorte que tu te rétablisses le plus vite possible.

Il murmura d'inaudibles paroles en lui souriant. Elle tenta de tirer parti de sa bonne humeur revenue.

— Jack, demanda-t-elle enfin après quelques instants de silence, le médecin me pose sans cesse la même question...

— A propos de quoi?- il avait parlé d'une voix lourde de sommeil.

— A propos de ce qui s'est passé juste avant... Avant que tu perdes connaissance, avant l'infarctus.

Les paupières de Jack étaient closes.

— Rien du tout. Je t'ai déjà raconté. J'étais passé prendre un dossier chez Linda. A l'improviste.

— Chéri, c'est important...

— Je suis si fatigué, si tu savais...

— Evidemment, pardonne-moi.

Elle était navrée de ce qui était arrivé; elle l'était plus encore de n'être pas parvenue à lui arracher la vérité. Quel âne il faisait, pauvre Jack! Il savait pourtant qu'il avait épousé une femme intelligente. Tant et tant de fois il s'en était vanté. Dans ce cas, pourquoi sous-estimait-il ses facultés intellectuelles? En dépit de la gravité de la situation, elle avait envie de rire des prétextes accumulés au long des années, de toutes ces soirées au cours desquelles il prétendait faire des heures supplémentaires, de la certitude avec laquelle il s'imaginait qu'elle avait gobé ses mensonges. Comment avait-il pu croire qu'elle prendrait cet enfant dans ses bras sans reconnaître que c'était le sien?

Elle savait ce qui l'avait amené à l'appartement de Linda samedi dernier, et il ne s'agissait pas de paperasse. La blessure s'était rouverte. Elle croyait que leur liaison était chose passée. Depuis quelques années, il ne cherchait plus de prétexte pour rentrer tard. Elle avait cru qu'il n'y avait plus rien entre eux. Mais il était passé la voir samedi après-midi, alors qu'il devait se trouver à son club. L'ancien Jack avait soudain refait surface. Elle avait mal. Plus encore que la première fois.

«Cela n'a plus d'importance, se disait-elle. Il repose sur un lit d'hôpital. Ce n'est pas le moment d'examiner tes blessures. Il a besoin de toi plus que jamais.»Elle prendrait soin de lui comme personne ne le ferait. personne ne connaissait son Jack aussi bien qu'elle. Personne ne l'aimait autant qu'elle. Il en aurait la preuve à présent.

Elle sentit une autre présence dans l'embrasure de la porte et se tourna.

— Marilyn! Te voilà enfin!

Des larmes de soulagement embuaient son regard. Elaine et Deena étaient formidables mais elles n'avaient aucune compétence pour ce genre de situation. Elle se leva pour embrasser Marilyn dont le manteau de tweed conservait un peu du froid extérieur.

— Sylvia, tu me serres tant que tu m'empêches de respirer. Désolée d'arriver si tard. J'ai rencontré le docteur Kopmar dans le couloir et nous avons bavardé. Ensuite j'ai téléphoné chez moi. Je l'avais promis à Saul. Celui-là s'énerve autant que sa mère, je te jure. Il était convaincu que mon avion devrait se poser à Totowa. Il neigeait un peu lorsque je suis partie, expliqua-t-elle. Alors, comment se porte-t-il?

Elle s'était dirigée vers le lit, le visage dénué d'émotions comme tous les professionnels de la médecine.

Elle prit la main de son père pour tâter son pouls. Sylvia était fière de voir sa fille agir comme le docteur Kopmar. Elle savait que Marilyn était médecin mais jamais elle ne l'avait vue en consultation, de sorte qu'il s'agissait pour elle d'une révélation. Cette femme qui avait été une enfant dans ses langes, une adolescente pleurant dans sa chambre ses amours blessées, était devenue médecin. Un docteur en médecine. Tenant le poignet de son père, elle faisait davantage que se pencher sur lui pour s'assurer qu'il allait mieux. Elle vérifiait le travail d'un de ses collègues pour connaître l'état de santé de son père. Sylvia s'assit pour mieux remuer cette idée. Quelques minutes plus tard, Marilyn s'adressa à sa mère:

— Je crois que ça va aller.

Une voix lança de l'oreiller:

— Evidemment que tu me crois en meilleure forme! Tu passes ta vie auprès des malades. Pour toi, un macchabée a bonne mine!

— Voilà que tu vas mieux, papa! Le docteur Kopmar m'a dit qu'il a toutes les raisons de croire que tu recouvreras la santé très rapidement.

— Qu'est-ce que ça signifie? Un médecin ne peut donc rien révéler? Vous craignez tellement de parler, ça devient insupportable à la fin. Dis-moi clairement quel est mon état, lança-t-il en se tenant sur les coudes. Soudain il se laissa choir et Sylvia accourut à son chevet.

— Tout va bien mon chéri. Repose-toi. Puis elle ajouta en direction de Marilyn: tu vois comment il s'emporte? Ensuite il se plaint de la fatigue.

La mère et la fille échangèrent un regard puis Marilyn ajouta:

— Il se rétablit très bien. Tout me semble normal.

— Quel médecin tu fais! grommela-t-il. J'ai eu un infarctus, il ne s'agit pas d'un rhume de cerveau.

— Cesse de t'énerver, tu veux bien? Sylvia a raison. Tu vas t'épuiser à te plaindre comme tu le fais. Non, non, tu n'as pas à répliquer. Je suis médecin, tu te souviens? Un excellent neurologue s'occupe de toi, tu es dans l'un des meilleurs hôpitaux du pays et, si tu ne rends pas Sylvia folle, tu sortiras bientôt d'ici. Et quant à vous, madame dit-elle en s'adressant à sa mère, vous n'avez pas à accourir à son chevet dès qu'il pousse un soupir. Il est tout à fait capable de vous faire savoir quand il a besoin de vous.

Sylvia ne dit rien, se contentant de penser: «Tu comprendras ma fille lorsque tu auras été mariée aussi longtemps que moi.» Elle sourit à Marilyn. «Elle est très intelligente ma fille médecin, mais si aveugle pour certaines choses. On dirait que les enfants ne vieillissent jamais.»

— Tes soeurs m'ont demandé de les prévenir de ton arrivée.

Sylvia s'excusa et s'en fut à la cabine téléphonique située dans le corridor. Elle composa d'abord le numéro d'Elaine puis celui de Deena. Aucune d'elles n'était à la maison. Bizarre. C'était pourtant l'heure du dîner. Elle aurait dû les trouver chez elles. Elles avaient toutefois passé beaucoup de temps à l'hôpital; peut-être étaient-elles allées au cinéma pour se distraire? Elles lui avaient pourtant demandé de leur téléphoner. Où diable pouvaient-elles donc se trouver?

chapitre trente-quatre

Lundi 3 février 1986.

Deena contracta ses abdominaux avant de regarder son profil dans la psyché. Pas mal pour une femme de son âge, pas mal du tout. Elle venait de donner cinquante coups de brosse à sa chevelure; le déshabillé de satin pêche acheté pour la seconde lune de miel et qu'elle n'avait pas encore porté lui allait à ravir. Le décolleté moulait bien les seins, la couleur rosée ajoutait à sa pâle carnation un reflet que pouvaient lui envier bien des jeunes femmes. Comme elle s'admirait ainsi devant la glace, ses mamelons durcirent, ce qui la fit bien rire. Elle ressemblait à une vamp prête à se mettre en chasse, ce qui correspondait assez bien à la vérité. Elle venait de prendre un bain parfumé en formant le projet de descendre au salon pour séduire son mari. Du moins, elle essaierait. Il fallait ramener à la vie ce mariage agonisant. Elle le ferait pour plaire à son papa. Jack avait beaucoup d'affection pour Michael, qui remplaçait ce fils qu'il aurait tant aimé avoir.

Elle étudiait le reflet que lui renvoyait la glace. Elle ne faisait certes pas son âge. Elle jouerait le grand jeu de la séduction, favorisée en cela par un éclairage tamisé qui dissimulerait les marques de l'âge. «Mes jambes sont superbes. On dira ce qu'on voudra mais j'ai de très belles jambes» songea-t-elle. Etait-ce l'avis de Michael? Ce genre de détail lui importait-il? Elle l'ignorait et s'en moquait pas mal.

Sûre de son image, elle procéda à la descente du grand escalier. Depuis longtemps elle n'avait pas éprouvé ce besoin de se rapprocher de son mari. Depuis longtemps, à vrai dire, ils n'avaient pas fait l'amour. Qui plus est, il lui devait un mot d'excuse. Ses excuses et une bonne étreinte. Une heure entière au cours de laquelle le monde n'existerait plus.

A cette unique fin, elle n'était pas allée à son cours. Elle ne verrait pas Luke ce soir. Michael était rentré plus tôt que prévu du bureau en la prévenant qu'elle le trouverait au salon si elle le cherchait. L'idée lui était venue à ce moment. La vie ne pouvait continuer ainsi, à s'ignorer, sans se parler, sans se toucher. Michael ne ferait assurément pas le premier geste. Elle devait donc agir.

Si ce soir il la repoussait, elle jouerait de politesse, quitterait les lieux, assisterait à son cours, sortirait ensuite avec Luke et elle engagerait un avocat spécialisé dans les causes de divorce. Dans l'éventualité où il répondrait à ses avances... il s'agirait peut-être d'un recommencement. Du recommencement de quoi? Elle l'ignorait mais après vingt-trois années de mariage, elle ne pouvait sauter du lit du capitaine à celui de Luke sans tenter une dernière fois de sauver son mariage.

A présent elle devait mettre ses charmes à l'épreuve. Elle trotta silencieusement sur la pointe des pieds jusqu'à la cuisine pour sortir le champagne, elle fit sauter le bouchon, prit deux flûtes en cristal et se dirigea vers le salon.

Il s'y trouvait toujours. La chaîne stéréo diffusait une symphonie de Beethoven. Il était assis à son secrétaire, concentré sur d'interminables dossiers, si distrait par sa paperasse qu'il ne remarqua pas la présence de Deena. Elle glissa discrètement jusqu'à lui, posa les bras autour de ses épaules et l'embrassa sur le cou.

— Quoi?

Il était étonné- elle n'avait pas prévu cette réaction- de sorte que les prémisses n'étaient pas celles qu'elle avait espérées. Il sursauta et tourna la tête et dit en se renfrognant:

— Tu m'as fait peur. Je ne t'ai pas entendue...

Il recula ensuite son fauteuil pour la regarder attentivement.

— Oh! la la... Et qu'est-ce que tu as là?

Elle s'assit sur ses genoux et dit en souriant:

— Du champagne.

Elle sentit le sexe de Michael durcir sous ses fesses mais elle fit mine de rien.

— En veux-tu?

— Oublie le champagne, murmura-t-il.

Déjà la lubricité se lisait dans le regard de Michael. Il caressa le satin de sa chemise de nuit en s'attardant sur la poitrine, agaçant les mamelons durcis. Il mordit sa bouche en un baiser. Comme c'était bon! Elle avait oublié le goût de sa bouche, l'odeur de son corps, le plaisir de ses mains. Ses lèvres charnues engloutissaient la bouche avide de sa femme. Elle caressa son épaisse chevelure en se souvenant du temps où elle atteignait l'orgasme simplement à l'embrasser avec autant de passion.

Il posa la main sur son genou en remontant le pan de satin. Elle grogna de plaisir lorsque son doigt toucha la chair chaude et humide. Il mangeait littéralement sa bouche et Deena était heureuse de pouvoir encore partager cette intimité presque bestiale avec lui. Alors elle ne put songer à autre chose qu'à sa main audacieuse qui explorait son corps, qu'à cette main qui lui enlevait la chemise de nuit.

Ils roulèrent ensemble sur le tapis. Quatre mains impatientes dévêtirent Michael à la hâte. Elle fut ravie de le voir ainsi, érigé comme un pieux, rouge de désir. Il y avait si longtemps. Elle voulut caresser son sexe mais il la retint. Pas tout de suite. Il s'assit sur ses talons pour la regarder alors qu'elle écartait les jambes. Il lécha ses lèvres en souriant; Deena frissonnait.

Il courba la tête et l'enfonça entre ses cuisses. Il lécha son sexe comme s'il s'était agi d'une glace au chocolat, mordilla les lèvres de sa vulve, grognant de plaisir tandis qu'elle se rapprochait de lui pour décupler son plaisir. Elle n'eut rien à demander tant il était avide de son corps. Sa langue pointue, tordue, inquisitrice lui donnait autant de plaisir que la conscience qu'elle avait de son désir. Elle était emportée par une vague d'orgasmes successifs, un peu comme l'incessant va-et-vient du flux et du reflux qui déferlent sur une grève. Elle avait la gorge sèche, le souffle haletant, ses jambes tremblaient, elle avait du mal à respirer. Elle était étouffée. *Etouffée.* Elle chercha son souffle un moment, Michael releva la tête et pénétra en elle.

La force de son phallus de divinité africaine frappa d'une douleur aiguë le sexe moite de Deena. Elle cria comme une vierge au moment de la pénétration en offrant ses reins afin de recevoir le cher pénis. Il se retira délibérément et attendit de délicieuses secondes avant de s'insinuer à nouveau en elle. Leurs bassins tanguèrent à ce rythme pendant longtemps. Chaque fois il se retirait et la pénétrait plus à fond, la faisant se rapprocher chaque fois de l'extase. Elle retint l'orgasme final jusqu'à trembler de tous ses membres. Elle saisit ses fesses, entra un doigt dans son anus et le rapprocha davantage de son corps afin qu'ils ne fassent plus qu'un, unis, bénis dans ses eaux épaisses et tièdes, prisonniers de leurs désirs. Il commença alors son sprint final, labourant ses reins de plus en plus vite jusqu'à l'écoulement de sa semence. Il cria son plaisir comme un animal repu. Il continuait à la pénétrer en lui murmurant d'inaudibles propos, moite de sueur, s'agrippait à son corps, bécotait son cou, la retenait par les cheveux, cherchait enfin son souffle.

Elle mit quelque temps à reprendre une respiration normale. Elle se sentait bien, couchée ainsi sous lui, les jambes enroulées autour de ses reins, le sachant satisfait. Elle écoutait sa respiration qui peu à peu redevenait régulière. Puis...

Elle se tortilla sous lui. Il avait la lourdeur d'un poids mort. Il dormait comme un loir. Autrefois, ce moment privilégié était celui de la confidence. Ils se disaient ce qu'ils avaient aimé du rapport sexuel, réitéraient leur serment d'amoureux, se remerciaient mutuellement du plaisir reçu et sonné. Jamais il ne s'était endormi à pareil moment. Il dormait profondément du sommeil du nouveau né; elle décida de le laisser dormir ainsi, dans ses bras. Elle le réveillerait lorsque ses muscles seraient endoloris par les crampes. Pauvre Michael! Il était si fatigué. Il avait vraiment besoin de son sommeil.

Aïe! Ces vaines excuses lui semblèrent trop familières. Elles les avaient toujours à portée de la main. Elles servaient à excuser sa froideur, son désintérêt et ses priorités qui n'incluaient ni sa famille ni sa femme. Chaque fois trop fatigué, trop occupé, trop pris par son travail.

Elle revoyait en pensée une querelle avec sa mère lorsqu'elle avait dix-huit ans. Sylvia lui disait:

— Deena, lorsqu'un garçon te donne rendez-vous à huit heures, il n'a qu'à se présenter ici à huit heures. Ou alors il doit téléphoner. Ça ne me dit rien qui vaille Deena. S'il est vraiment amoureux de toi...

Deena ne se souvenait plus si sa mère avait terminé cette phrase. Probablement pas. Elle n'avait pas envie d'entendre la fin de cette phrase, elle préférait l'oublier. Elle se souvenait cependant d'avoir pris la défense de Michael

— Il étudie beaucoup Sylvia. Allons, ne sois pas injuste envers lui. Il finira premier de sa classe. Ce n'est pas sa faute s'il oublie l'heure.

Elle reposait inerte sous le poids de Michael. Son esprit faisait cependant des bonds. Tout ce temps, elle avait excusé sa conduite. Elle avait élevé au rang de fierté ses sacrifices personnels, ses problèmes et sa solitude. Elle s'était montrée fière d'agir seule dans l'adversité, au nom de la force et de l'indépendance. Elle n'avait pas été la seule mère qui fréquentait le terrain de jeux à se retrouver dans pareille situation. Elles étaient toutes les épouses d'un courtier, d'un banquier, d'un professeur ou d'un avocat jeune, dynamique et ambitieux. Toutes elles avaient l'habitude de se débrouiller seules. A cette époque, elle avait eu la légèreté de se montrer fière lorsque Michael disait « Nous avons fini les premiers de la classe.» Elle souriait d'un air resplendissant. Quelle idiote! A présent il était difficile de croire que les femmes aient accepté qu'on leur fasse prendre tant de vessies pour des lanternes. Elle aurait mieux fait d'étudier pour obtenir son propre diplôme, comme Sylvia le lui conseillait.

Irritée par ces pensées, elle essaya de se libérer du fardeau du corps inanimé de Michael. Il murmura quelque plainte parce qu'on le dérangeait dans son sommeil. «Michael, tu es trop lourd!» Un mensonge qui valait pourtant mieux que la vérité. Elle n'avait plus envie qu'il la touche.

Il se réveilla soudain, se dégagea de sa femme, bâilla, s'étira, prit une profonde inspiration et se leva en partant à la recherche de ses vêtements. Elle était outragée qu'il lui tourne ainsi le dos sans même un baiser, sans la regarder, sans paraître remarquer sa présence.

— Michael!

— Oui?

Il aurait pu s'adresser à sa secrétaire ou à une étrangère dans la rue.

— Où cours-tu ainsi?

Déjà il enfilait son pantalon.

— J'étais en train de faire quelque chose d'important.

— Tu es sans cesse en train de faire quelque chose d'important. Tu m'évites pour t'enfermer dans ton univers.

Il pinça les lèvres.

— J'ai horreur que tu prononces des mots lourdement chargés d'émotivité Deena. Je ne te demanderai pas ce que tu veux dire par là. J'ai trop de choses à faire en ce moment.

— Exactement ce que je disais!

Il poussa un soupir de découragement.

— Pourquoi agis-tu de cette façon? Nous venons de faire l'amour alors pourquoi me chercher querelle?

Il venait de lui parler avec un tel air de supériorité qu'elle préféra demeurer figée car son premier geste aurait été de l'étrangler. Il se comportait toujours ainsi, comment avait-elle pu l'oublier? Jamais elle ne pouvait lui confier qu'elle était malheureuse. Jamais. Il ne voulait surtout pas l'entendre. Il prenait ce triste aveu pour de l'agressivité féminine. Elle voyait clair à présent. Rien de ce qu'elle dirait ne changerait quoi que ce soit. Déjà il était loin d'elle, l'esprit ailleurs, à l'abri des complications du cerveau féminin. Elle aussi en avait ras le bol. Elle était épuisée d'essayer de sauver du naufrage un mariage qui coulait volontairement vers le fond. Elle en avait assez de lui. Quelque chose en elle venait de se rompre à tout jamais.

Elle passa en revue leur vie à deux. Que dirait la rédactrice d'un courrier du coeur si elle lui révélait le piteux état de leur mariage? Restait-il quelque espoir?

— Tu sais Michael? songea-t-elle à haute voix. Comme dirait ma mère, «ce n'est pas une vie pour une petite juive.»

— Quand mûriras-tu Deena? Dis au moins le fond de ta pensée.

— Ce n'est une vie pour aucun de nous.

— Je ne sais pas de quoi tu parles. Moi je suis heureux!

Elle prit une longue inspiration avant de lâcher:

— Moi je ne le suis pas.

— Deena si tu cherches à me provoquer, tu as réussi. Ce n'est pas le moment de discuter. Je dois assiter à un meeting très important et je suis en retard.

— Qu'est-ce que je pourrais ajouter? Va à ton meeting très important, dit-elle en se dirigeant vers la porte.

— Tous les ménages ont leurs bons et leurs mauvais moments, pour l'amour de Dieu! Il faut y faire face et non pas se défiler. Nous sommes amoureux, c'est ce qui compte!

— Parle pour toi Michael. Je ne sais plus quels sont mes sentiments.

— Deena j'en ai déjà trop supporté pour ce soir.

«Quant à moi, songea-t-elle, j'en ai déjà trop supporté, point.» Elle avait maintenant l'entière conviction qu'ils ne seraient plus jamais heureux ensemble.

— C'est bon, dit-elle. Je vais à mon cours.

Elle sortit de la pièce sans se retourner alors qu'il criait dans son dos:

— Ne va surtout pas croire que les autres ménages sont plus heureux! Tu ferais erreur.

Elle se présenta évidemment en retard à son cours et se retrouva en plein grabuge. Tous les étudiants parlaient et criaient en même temps. Un lourdaud assénait des coups sur son pupitre, tandis que Luke les rappelait tous à l'ordre. Quand les esprits furent calmés, il s'expliqua:

— C'est bon Welburn, je suis célibataire. Et qu'est-ce que ça change? Je ne crois pas aux mots que vous avez mis dans la bouche de l'épouse. Vouloir se donner la mort simplement parce que son mari l'a trompée une seule fois. Non, je n'y crois pas, dit-il en secouant la tête.

Le débat orageux reprit de plus belle car chacun des participants lui répondait en même temps. Luke porta enfin deux doigts à sa bouche et émit un sifflement strident pour les inciter au silence. Tous se turent immédiatement. Il rit de son effet.

— C'est mieux ainsi. Je répondrai à toutes vos questions et j'écouterai tous vos commentaires, à condition que vous parliez un par un. Oui madame Berman? Nous sommes heureux que vous ayez décidé de venir au cours ce soir.

Elle n'osait poser les yeux sur lui, de sorte qu'elle fixait un point au-dessus de sa tête.

— J'ai une question et un commentaire. Primo, comment parvenez-vous à siffler comme vous le faites? Un rire communicatif se propagea à toute la classe tandis qu'elle continuait: Pourquoi prenez-vous l'adultère à la légère? C'est un geste très grave.

— Ça pourrait l'être, mais je doute que l'on porte toujours autant d'attention à l'adultère dans le monde actuel.

D'autres commentaires fusèrent de l'assemblée.

— Tromper c'est tromper! lança une femme. Si un homme trompe ses associés, il est passible d'une peine d'emprisonnement.

— Vrai. Mais si un homme ne fait que tromper une pauvre femme, continua Deena en regardant Luke, alors des gens comme vous prétendent qu'il n'y a pas de quoi fouetter un chat.

— Qui a dit que je parlais spécifiquement des hommes? demanda-t-il à son tour. Parler de l'adultère, est-ce parler seulement d'un homme qui trompe sa femme? Dans la scène dont nous discutions, l'adultère était commis par le mari. Mais qu'en est-il si l'épouse est mise en cause? Verrons-nous les choses sous un autre angle?

Il s'ensuivit un moment de silence que vint rompre un étudiant:

— Voici ce que j'en pense. Etant donné que les hommes ont davantage besoin de sexe que les femmes...

Il n'alla pas plus loin, empêché par le chahut de la classe. Luke parla d'une voix douce:

— En fait, on a prouvé le contraire: les femmes ont un plus grand besoin de sexe que les hommes. Peut-être nous semble-t-il plus «normal» qu'une femme soit adultère?

Les hommes hurlaient à présent. Deena s'assit confortablement sur sa chaise. Elle avait la nette impression que Luke lui livrait un message. Elle en était ravie, elle qui avait pris une douche et s'était changée à la vitesse de la lumière pour se présenter en classe avant la fin du cours.

Voilà qu'ils parlaient de l'amour et du mariage comme si les deux allaient de pair. Elle se souvenait y avoir cru. L'un des étudiants prétendait que l'adultère du mari dans la scène n'était pas en cause. Cet écart était accidentel alors que son amour pour son épouse était éternel.

Deena sauta sur ses pieds.

— Rien en ce monde n'est éternel! Rien.

Puis elle se rassit, se sentant ridicule. Elle aurait préféré se taire. Elle contemplait ses bottes sur le linoléum sali, étonnée d'avoir la larme à l'oeil. Elle se sentait diminuée, petite, seule et effrayée. Tant de choses dans sa vie s'effritaient. Elle qui avait eu quatre enfants craignait à présent pour son avenir. Tant de gens parlaient de l'éternité sans savoir ce que cela signifiait. Qu'en savaient-ils au juste? Leur père n'était pas allongé sur un lit d'hôpital, affaibli, désarmé, soudainement devenu vieux. Elle préférait ne pas y penser. Elle serra les poings. Elle ne devait pas avoir de telles pensées. «La vie continue.» N'était-ce pas ce qu'on disait en de telles occasions? «La vie continue.»

De nouveau Luke la regarda droit dans les yeux.

— Je suis d'accord avec vous madame Berman. Croire en l'amour éternel c'est faire preuve de naïveté. Même un engagement pris de bonne foi peut s'avérer néfaste. A ce moment précis la cloche indiquant la fin du cours sonna, ce qui fit dire au professeur: Sauvé par la cloche!

Quelques rires montèrent de l'assistance et chacun se mit à ramasser ses affaires et à enfiler son manteau. Luke lança à Deena un regard qui lui demandait de rester là. Elle attendit donc que tous aient quitté les lieux.

Où irait-elle ensuite? Chez elle? Vers Michael? Retournerait-elle à son échec? Probablement pas. Irait-elle à l'hôpital où des appareils électroniques mesuraient chaque souffle de la vie de son père? Elle frissonna. Elle devenait morbide et ne pouvait s'en empêcher.

Luke arriva à ses côtés, solide et fort. Elle avait envie de s'appuyer contre lui, de se fondre à sa peau. Il commença à marcher, elle le suivit à petits pas précipités sans le regarder, en se demandant si elle aurait le courage d'aller jusqu'au bout.

Trente minutes plus tard, elle avait la réponse à son interrogation. Oui. Lorsqu'ils furent devant sa porte, il se tourna vers elle, l'étreignit et l'embrassa passionnément. Ils soupirèrent d'aise lorsque se touchèrent leurs lèvres; une décharge électrique passait entre eux. Il se défit de l'étreinte, déverrouilla la porte de son atelier et la fit entrer. Ils se jetèrent l'un dans les bras de l'autre, portés par le désir de leurs bouches, par les caresses de leurs mains empressées.

Elle prenait plaisir à ce désir fou qui jaillissait soudain et grâce auquel plus rien n'existait. Elle s'abandonna aux sensations qui la traversaient, le laissant la dévêtir et lui retirant ses vêtements afin de le voir nu, toujours debout devant la porte d'entrée, marmonnant et soupirant en explorant leurs corps avec le sentiment de l'imminence d'une communion ultime.

Des sensations mêlées se rassemblaient en une seule, envahissante, qui excitait la sensualité de Deena et réveillait son goût du plaisir. Il la prit par derrière, il la prit par devant, sous les jets drus et bouillants de la douche, elle tomba à genoux devant lui, lapa son sexe à petit coups, goûta la saveur salée de la sueur sur sa peau. Il l'aida à se relever et plongea en elle en libérant un cri de plaisir. Sans prendre le temps de s'éponger, il la conduisit sur le tapis et la prit comme un animal à genoux. Ensuite il la pénétra par derrière en s'agrippant à ses seins. Toujours il la labourait, chaque étreinte plus profonde que la précédente, plus délicieuse aussi, à tel point que Deena en devint ankylosée, puis inconsciente.

Elle ouvrit les paupières comme après un songe merveilleux, sans savoir où elle se trouvait. Puis elle s'éveilla en apercevant les premières lueurs de l'aube à la fenêtre. Elle se sentit prise de panique: «J'ai passé la nuit ici. Seigneur! Michael. Et papa qui se trouve à l'hôpital!»

Un bras d'homme reposait sur son ventre, une jambe était enlacée à la sienne. Luke, l'homme au phallus de géant, à l'énergie illimitée, à l'imagination fertile, l'homme aux mille baisers. Elle s'éloigna de lui, ce qui eut pour effet de l'éveiller. Dans un geste, il la ramena vers lui.

— Tu es belle, soupira-t-il sur son épaule nue.

— Je n'ai probablement plus aucun maquillage. Luke, cesse. J'ai passé toute la nuit ici... Je t'en prie, ne recommence pas. Mon père se trouve à l'hôpital; on a dû tenter de me contacter.

Il la laissa aussitôt.

— Mon Dieu! Pourquoi ne pas m'en avoir parlé?

Elle lui renvoya un sourire.

— Je pensais à autre chose.

La glace de la salle de bain lui renvoya l'image d'une femme radieuse malgré une tête échevelée et un visage sans aucune trace de maquillage. Elle semblait rajeunie de dix ans, même sans fond de teint. Elle avait l'air d'une femme heureuse alors qu'elle aurait dû se sentir honteuse. Elle avait réussi l'impossible; elle avait fait l'amour avec deux hommes différents au cours de la même journée. Chose inconvenante pour une dame qui se respecte. «Je présume que je ne suis plus un dame», songea-t-elle en riant. Appuyée contre le lavabo, elle se regardait dans le miroir. Elle avait tellement aimé ça... jamais elle n'avait connu une nuit pareille, pas même aux premiers temps de son mariage avec Michael.

Cette union était à présent dissoute. Elle ne valait plus les efforts qu'il faudrait investir pour la sauver. Deena s'en trouvait soulagée. Son coeur s'allégea d'un poids qu'elle portait depuis trop longtemps. Elle n'avait plus l'obligation morale de tout sacrifier pour que Michael demeure son époux. Plus rien ne la retenait. Elle en était effrayée, cependant pas autant qu'elle l'aurait cru. Elle aurait toutefois quelque difficulté à convaincre Michael du bien-fondé de sa décision. La seule pensée de cette éventuelle confrontation lui déplut. Elle passerait à l'action, bientôt. Très bientôt.

chapitre trente-cinq

Lundi 3 février 1986.

Howard et son fils Noël arrivèrent à la salle de présentation de Sexy Follies vers sept heures trente; l'endroit était donc désert et silencieux. Le ménage était déjà fait, les lumières étaient toutes éteintes. Sauf une, à l'extrémité opposée.

— Ta mère est là, dit Howard

«Pauvre Elaine, songea-t-il, elle a tant à faire. Toute sa famille se tourne vers elle pour être réconfortée. Elaine ne refuse jamais. Cette femme est Wonder Woman, la vraie, l'authentique.»

— J'ai faim, avoua Noël.

— Moi aussi. Mais, tu comprends ce qui la retient si tard ici. Elle se croit obligée de faire tout ce qu'elle a toujours fait, même si la maladie de grand-papa ajoute à sa charge.

— Grand-papa se remettra-t-il? Dis-le moi avant que je voie maman.

Howard était fier de son fils, si prévenant. Noël s'entendait bien avec tout le monde, il ne comptait que des amis. Il était séduisant, athlétique, d'une intelligence supérieure, brillant dans ses études. Il représentait tout ce qui fait la fierté d'un père. Howard aurait peut-être aimé avoir d'autres enfants mais il était inutile de se torturer avec cette idée. Elaine avait tant pleuré lorsque le gynécologue lui avait appris la nouvelle: «Je devrais pouvoir te donner autant d'enfants que tu désires,» avait-elle gémi. Howard l'avait rassurée en disant qu'un enfant comme Noël suffisait grandement à son coeur de père. Il n'y avait pas songé depuis et il avait eu raison. Noël aurait suffi amplement à qui que ce soit.

— Grand-papa se remet très bien. On l'a amené à l'hôpital il y a deux jours à peine et déjà il se lamente à propos de tout et de rien!

Ils rirent ensemble; cela valait mieux que de pleurer.

Ils s'étaient frayé un chemin dans l'obscurité; Howard ouvrit la porte du bureau. Elaine était assise à sa table, penchée sur ses papiers, enveloppée d'une lumière dorée. Elle écrivait d'une main preste. Il s'était toujours émerveillé de la vitesse à laquelle elle accomplissait chaque tâche. Elle avait conclu tant de transactions simplement parce que les détaillants avaient sous-estimé les capacités d'une femme corpulente qui devait selon eux tomber de lassitude. Il s'amusait en songeant à toutes les fois qu'Elaine avait fait son numéro de mégère obèse pour mieux rebuter des indésirables.

— Ma chérie!

Elle leva la tête et son visage s'illumina d'un sourire. Elle se leva en apercevant Noël.

— Bienvenue, mon trésor.

Elle l'embrassa sur les deux joues, tint son visage entre ses mains et le regarda avec un ravissement qu'elle ne chercha pas à dissimuler.

— Quel bon garçon! Faire tout ce trajet pour rendre visite à son grand-père.

— Je ne suis qu'à Princeton dans le New-Jersey, tu te souviens? Comment pourrais-je ne pas accourir au plus tôt alors que grand-papa a subi un infarctus?

Elaine laissa échapper un soupir.

— Ne t'inquiète pas. Ton grand-père a la couenne dure.

Elle lança un regard à son mari qui demanda aussitôt:

— Quoi de neuf?

Elle répondit en secouant la tête.

— Sylvia devait téléphoner. Je ne veux pas l'importuner à l'hôpital en l'appelant sans cesse. Je tenterai de la rejoindre ce soir à la maison.

Howard lui donna un baiser et une caresse.

— Elle a probablement téléphoné chez nous. Là où tu devrais te trouver.

— Howard, comment faire autrement? Je dois m'occuper de l'impression du catalogue, je dois terminer ce projet pour papa, sans compter que je dois me familiariser avec les dossiers de l'entreprise avant- elle jeta un coup d'oeil en direction de son fils- ... que tout ne devienne trop embrouillé.

Howard comprit. Elle voulait dire avant le départ de Linda qui s'entêtait à se présenter chaque jour au travail, à s'asseoir derrière son bureau de grand style et à attendre que quelque chose se passe. Linda savait très certainement ce qu'il adviendrait d'elle dès qu'Elaine n'aurait plus besoin de ses services.

— Ensuite, continua-t-elle, je dois prendre mon tour de garde à l'hôpital.

Howard rit tout doucement. Il devait se montrer très patient envers Elaine; elle était surmenée et avait tendance à broyer du noir.

— Rien ne t'oblige à faire tout cela. Demande à Deena de passer plus de temps au chevet de votre père. Elle n'a pas un emploi à temps complet.

— Deena a ses problèmes qui sont pires que ceux du bureau.

Leurs regards se croisèrent. Cette fois Noël s'en aperçut.

— Que se passe-t-il au bureau? Qu'arrive-t-il à tante Deena? Il poursuivit en riant: Je sais. On en reparlera plus tard, lorsque je serai grand. Vous ne m'avez jamais dit quel âge je devrais avoir...

Voici qui avait changeait le sujet de la conversation. Ils rirent de bon coeur pendant qu'Elaine allait chercher une bouteille de vin dans le réfrigérateur.

— Buvons quelque chose. J'aimerais jeter un coup d'oeil sur certains dossiers,Howard, si tu n'y vois pas d'inconvénients. J'en ai pour une minute.

Sa voix était chaleureuse et pétillante. Howard savait qu'elle abhorrait parler de Lawrence et de Linda. C'était une épine à son pied. Leur présence lui était cependant encore nécessaire. Howard avait usé de patience pour la convaincre de cette nécessité, préférable à une vendetta personnelle.

— Tu finiras par lui mettre la main au collet, avait-il promis. Tu pourras l'accuser n'importe quand, si c'est ce que tu désires. Tu peux lui mettre ton poing sur le nez. Mais attends encore une semaine ou deux. A ce moment, tu seras en mesure d'agir comme tu l'entends.

Tous trois prirent place autour du magnifique secrétaire en acajou qu'Howard avait offert à Elaine lors de son quarantième anniversaire, un modèle Art Nouveau déniché chez un antiquaire parisien. Elle l'avait désiré dès qu'elle l'avait aperçu dans la vitrine, puis elle avait renoncé à l'acheter sous prétexte qu'il était trop coûteux, à juste titre d'ailleurs. Howard était cependant si follement épris d'elle qu'il s'était éclipsé pour retourner chez l'antiquaire et faire livrer le précieux meuble à New York. La surprise d'Elaine le jour de la livraison valait à elle seule les millions de francs dépensés.

Elle corrigeait les bleus du prochain catalogue pour s'assurer qu'aucune erreur ne s'était glissée dans les prix. Chaque page était déjà raturée au crayon rouge. Généralement Howard confiait ce travail à Elaine et n'y jetait qu'un coup d'oeil rapide; elle était perfectionniste et il était rare qu'Howard ne soit pas de son avis. Mais elle était surmenée depuis quelque temps.

Il prit une chaise, s'y assit, but une gorgée de vin et vérifia chacune des pages en écoutant ce que disait Elaine: les prix avaient augmenté, l'imprimeur était un vieil idiot maladroit, le typographe demeurait incompétent, bref les mêmes commentaires revenaient chaque année. De plus, elle manifestait beaucoup de mécontentement envers l'un des mannequins.

— Regarde-la un peu. Page après page elle a une mine sévère. Non mais qu'est-ce qu'elle croit? Qu'elle pose pour Ralph Lauren?

Elle avait raison. Madeleine avait l'air maussade sur chacune des photos. Il scruta attentivement l'un des clichés et se cala dans son fauteuil en éclatant de rire.

— Qu'y a-t-il de si drôle? demandèrent en choeur la mère et le fils.

— Rien mais je crois savoir pourquoi Madeleine a l'air renfrogné. Elaine, vois comme elle rentre le ventre. Jamais elle n'a eu à le faire. Je te parie tout ce que tu voudras qu'elle est enceinte.

Elaine examina scrupuleusement le cliché; elle rit à son tour et acquiesça:

— Ma foi tu dis vrai! Zut! Il faudra avoir une longue conversation avec elle. Nous devrons lui trouver un bon médecin et il faudra peut-être la remplacer. Te rends-tu compte du temps qu'il faudra pour refaire toutes ces photos?

— Allons maman! Elle est magnifique. Noël s'était levé pour admirer les photos publicitaires derrière l'épaule d'Elaine. Très sexy, très attirante. Ta clientèle n'est pas seulement constituée de petites vieilles qui veulent voir sourire les midinettes. De plus, elle n'a pas du tout l'air d'une femme enceinte. Laisse-la tranquille!

— Tu crois? Qu'est-ce que t'en dis Howard? On laisse passer?

Howard acquiesça. La cover-girl faisait la moue mais n'était-ce pas la nouvelle tendance? Personne ne trouverait à redire. Pourvu que la marchandise soit mise en valeur, le reste importait peu. Noël vit l'occasion de lancer une pointe d'humour.

— Certains sont d'avis que mannequin et marchandise ne font qu'un. Les copains à l'université s'imaginent que toutes ces filles défilent dans mon lit. Quand je rends visite à mes parents, je suis censé être entouré de belles filles en petites tenues.

Le rire les secoua une fois encore. Howard se demandait si son fils savait qu'ils étaient au courant de la manière dont il avait perdu sa virginité à l'âge de dix-sept ans. Avec Sandra, l'un des top-models de l'année. Elle portait du quarante et elle avait attiré Noël dans son lit. Un excellent début pour un adolescent; Sandra était chaude, voluptueuse, inventive et insatiable. Howard savait de quoi il retournait. Il en avait lui-même fait l'expérience l'année où Elaine avait fait une fugue. Jamais son fils ou sa femme ne l'apprendraient, pas plus qu'ils ne sauraient qu'Howard était intervenu auprès de Sandra pour qu'elle attire Noël dans ses filets. Que de passions réprimées chez cet enfant! Jamais garçon de dix-sept ans n'avait eu un tel besoin de faire l'amour que lui. Ils étaient peu nombreux les pères qui faisaient preuve d'autant de générosité envers leurs fils.

Sandra lui manquait quelquefois. Elle détestait la carrière de mannequin, se moquait bien d'être belle et de récolter tous les bons contrats. Elle n'avait qu'un désir: peser cent dix livres. Elle y était parvenue, quitte à se détruire. L'anorexie mentale est une terrible maladie. Peu à peu, elle avait perdu ses cheveux, et ses dents, mais elle était mince. Comme un fil. Dans quel monde de fous vivaient-ils tous? En publicité, une femme aux proportions normales était considérée trop grosse. Pourtant, la plus belle femmes du monde à ses yeux, la maîtresse du jeu, portait du quarante-quatre. Peut-être davantage. Il l'ignorait et s'en moquait éperdument.

La correction des épreuves terminée, Howard aida sa femme à se lever en disant:

— Ça suffit! Tu n'es pas venue à notre rendez-vous et nous sommes affamés à présent. Ton pauvre enfant va mourir de faim. Il a parcouru tout le chemin de Princeton sans manger autre chose que deux sacs de croustilles et quelques biscuits aux brisures de chocolat. Est-ce que je ferais bien d'appeler pour avoir des nouvelles de Jack avant que nous partions? Je ne dérangerai pas ta mère; je vais téléphoner à Deena.

— Deena a un cours ce soir. Elle a passé la journée au chevet de papa et elle voulait y passer aussi la soirée. Je lui ai dit de ne pas trop en faire.

— Comme toi! murmura-t-il dans son cou parfumé pendant que, d'une main discrète, elle empoignait sa verge.

— Je lui ai conseillé d'assister à son cours de scénarisation. Moi, c'est le travail qui me sert de thérapie; Deena, elle, va à l'université. La pauvre! Elle subit tant de coups du destin à la fois. Tiens! ça me revient... Noël, qu'est-ce que Zoé a derrière la tête?

— Que veux-tu dire m'man?

— Pendant les vacances, elle sortait très tard tous les soirs, après son retour de Stowe. Et elle laissait croire à sa mère qu'elle était avec toi.

— Ça ne pouvait pas être moi!

— Je sais. Tu étais en Californie. Alors avoue. Où était-elle? Ne fais pas l'innocent. Zoé et toi n'avez aucun secret.

— M'man, n'exige pas ça de moi. Je lui ai promis de ne rien dire.

— Ta tante se fait beaucoup de soucis. Rien ne peut surpasser en horreur ce qu'elle imagine. Crois-moi!

Il sembla hésitant, grognon pour la forme puis il lâcha:

— Oh! Ce n'est rien. Elle fréquente ce type et ne tient pas à ce que ses parents l'apprennent car ils n'approuveraient pas.

— Pourquoi? Qu'est-ce qui ne va pas?

— C'est le bossu de Notre-Dame, dit Noël en riant. C'est un meurtrier à la scie mécanique! Il disait cela en faisant d'abominables grimaces. Et, continua-t-il, êtes-vous bien assis? Il a plus de trente-cinq ans!

— Ce n'est pourtant pas une catastrophe. Il est vrai que ce n'est pas ce dont rêve une mère pour sa jeune fille, mais ce n'est pas terrible. Alors, dis-moi tout. Comment s'appelle-t-il?

— A vrai dire... c'est Lawrence. Lawrence McElroy.

Howard crut un instant qu'Elaine serait foudroyée à son tour par un infarctus. Il fallait cependant avouer que la nouvelle était renversante. Elaine réagit comme si on l'avait agressée. Elle s'assit lourdement, se releva aussitôt en s'agrippant aux coins de son secrétaire et renversa son verre de vin. Elle reçut le coup comme une bête blessée, se rendant compte du véritable pétrin dans lequel ils se trouvaient cette fois.

— Tu te fais du mauvais sang parce qu'il n'est pas juif, n'est-ce pas? C'est indigne d'une femme comme toi. Personne ne passe un tel jugement de nos jours. Pour l'amour de Dieu! Soit, il n'est pas juif et il est un peu plus âgé qu'elle. Il est intelligent, beau garçon, il gagne beaucoup d'argent et grand-papa n'a que des éloges pour lui. Alors qu'est-ce qui est si tragique?

Elaine se laissa choir dans son fauteuil.

— Surtout ne me le demande pas, dit-elle en posant son front sur ses bras croisés. Howard vint la réconforter.

— Où est donc le problème? redemanda Noël d'une voix qui devenait anxieuse. Qu'est-ce qui se passe ici à la fin? Est-ce que quelqu'un aurait l'amabilité de me mettre au courant?

Howard prit une longue inspiration en essayant d'imaginer les mensonges qu'il allait devoir raconter à son fils, cet enfant qui pourtant ne se laissait jamais duper par qui que ce soit. Noël eut la générosité de leur lancer un regard complice qui les soulagea. Il ne s'agissait toutefois que d'une trêve.

— Je sais, je sais, dit-il. Plus tard, lorsque je serai grand. Alors allons-y! Je meurs de faim. Je mangerais les barreaux de la chaise. Oubliez Zoé et songez à l'estomac de votre fils.

Les parents se regardèrent à l'insu de Noël. Ils se posaient tous deux la même question: comment mettrait-on fin à cette aventure sans avoir à révéler l'horrible vérité?

chapitre trente-six

Samedi 8 février 1986.

De gros flocons de neige tombaient en virevoltant. Marilyn se tenait au pied de la piste de ski; elle regardait les skieurs faire leur dernière descente de la journée. Elle cherchait Saul qui portait une longue écharpe de laine rouge. Pas de veine. Impossible de distinguer un skieur de l'autre sur ces vastes flancs enneigés.

Seize heures quinze. L'obscurité commençait à s'étendre. Marilyn avait pourtant prévenu Saul le matin même qu'elle passerait le prendre à seize heures précises. Il avait acquiescé avec nonchalance, comme quelqu'un qui s'en moque et qui sait l'heure de toute façon. Elle connaissait la rengaine. Voilà qu'il était en retard et elle commençait à perdre patience. Elle était debout depuis six heures du matin car elle recevait les patients de sept heures à une heure de l'après-midi, les samedis. De plus, John était passé à la maison, fidèle à son habitude du samedi et ils avaient fait l'amour comme des dieux païens pendant une heure entière. Elle n'avait pas eu envie de quitter son lit chaud dans une maison chaude, sauter dans une Jeep glaciale et venir jusqu'ici pour attendre indéfiniment.

A cet instant, un imbécile vint l'éclabousser de neige boueuse en terminant sa descente sous son nez. D'ailleurs, il faillit la frapper.

— Hé! protesta-t-elle, vous ne savez donc pas que...

Elle demeura interdite. Saul riait comme un fou.

— Très drôle, dit-elle en brossant son blouson du revers de la main. Trois semaines sur les pistes et déjà tu deviens casse-cou.

Déjà il déchaussait ses skis et s'apprêtait à monter à bord du véhicule tout-terrain, le sourire fendu jusqu'aux oreilles. Comme il était fier de lui-même!

— Pas étonnant que je n'aie pas réussi à te trouver, continuait-elle. Je t'avais prêté cette écharpe rouge pour te repérer facilement. Evidemment, tu la portes dans ta poche.

Saul ramassait ses skis.

— Désolé, Moo-moo, mais j'avais l'air d'un crétin avec cette écharpe.

— Voilà une bonne excuse! Alors ne la porte surtout pas autour du cou. Nous verrons à quoi tu ressembleras avec une bonne pneumonie.

Saul lança à Marilyn un regard sérieux.

— Dis donc, tu es drôle! fit-il en lui piquant deux doigts dans les côtes, geste équivalant chez lui à un embrassade.

Elle avait songé à lui en venant. On ne pouvait pas parler de miracle, prétendre que l'adolescent maussade et renfrogné était devenu un garçon docile et rieur. Loin de là. Mais après trois semaines de grand air, Saul menait une vie qui convenait davantage à un garçon de seize ans.

Ils étaient arrivés à la station de Snowcap un dimanche soir alors qu'il ne lui avait pas adressé la parole, pas plus qu'à John d'ailleurs. Pendant une dizaine de jours ils n'avaient pu tirer un mot de lui. Seulement des grognements. Des regards vides. Plusieurs fois on avait entendu une porte claquer. Il avait refusé maintes fois sa nourriture sans donner d'explication, murmuré trop de réponses inaudibles.

Un soir, après-dîner, Marilyn et John faisaient leur comptabilité à la table de la salle à manger. Elle frissonnait; il ne fallait pas s'en surprendre, le feu mourait dans le vieux poêle. Il ne restait plus de bûches. Saul était recroquevillé sur le divan, un chat roulé en boule sur les genoux; il lisait une bande dessinée.

— Saul, dit-elle, nous manquons de bois. Irais-tu en chercher s'il te plaît?

Il répondit sans lever les yeux:

— Je suis occupé.

Alors John s'en mêla:

— Chacun doit faire sa tâche ici. Tu as entendu ce que t'a dit ta tante? Debout, et tout de suite!

Saul le dévisagea et l'envoya promener. Marilyn réussit à maîtriser le ton de sa voix:

— Saul, tu n'ignores pas qu'ici nous ne parlons à personne de cette manière.

— Ici, répéta-t-il hargneusement, je ne me plais pas ici.

John enchaîna:

— Tu ne te plais pas? Alors pourquoi ne pars-tu pas?

Saul lui répondit:

— Toi va-t'en! Tu n'as pas à me dire quoi faire. Tu n'es rien à mes yeux. Moo-Moo et toi n'êtes pas mariés.

Marilyn s'apprêtait à lui dire sa façon de penser mais John fut plus rapide:

— Holà! Primo je ne t'ai pas dit quoi faire; je t'ai dit ce que nous faisons. Secundo si je ne suis rien pour toi, je ne peux pas en dire autant. Je t'aime beaucoup, figure-toi. Tertio nous ne sommes pas mariés parce que Marilyn ne veut pas de moi pour époux. Mais il y a longtemps que je ne lui ai pas réitéré ma demande. Il se tourna vers Marilyn et lui demanda avec beaucoup de sérieux: Marilyn veux-tu m'épouser? Saul n'approuve pas notre mode de vie.

Elle se surprit à répondre:

— Oui. Probablement.

Ils éclatèrent tous de rire. Saul fit l'effort de se lever, se rendit sous le porche et en rapporta des bûches bien sèches. A partir de ce moment, Saul avait senti qu'il appartenait vraiment à la maisonnée.

Lorsqu'ils ouvrirent la porte de la galerie, le fumet du ragoût de boeuf à la bière qu'avait préparé John leur sauta aux narines.

— Je meurs de faim! s'exclama l'adolescent. Dieu merci, c'est John qui a préparé le dîner!

— Que voulez-vous dire, jeune homme?

— Eh bien Moo-moo, un gars se lasse des légumes vapeur et du tofu. C'est très bon, Moo, très bon. Mais un ragoût de boeuf! Il avait prononcé ce dernier mot comme une prière. Quand est-ce qu'on mange?

— Salut Saul! Que dirais-tu d'un bonjour? lança John en souriant. Ton prof de maths a téléphoné il y a une demi-heure. Falco. Il a parlé d'un projet informatique.

Saul rougit.

— Ouais... Henry a découvert que je m'y connais en ordinateurs... je ne lui ai pas dit que je suis un fugitif... Il m'a demandé de lui donner un coup de main.

Marilyn lui dit:

— Mais c'est fantastique! Pourquoi ne pas nous en avoir parlé?

— Ah! Ce n'est pas important.

— Moi je suis d'avis contraire. Que sais-tu au sujet de son projet?

Il fit une pause puis ajouta poliment:

— Je crains que ça ne soit du chinois pour vous... Il s'agit d'une théorie élaborée en vue d'un jeu... Après tout, je ne suis pas plus intelligent qu'un autre...

Marilyn se leva et s'en alla vers lui. Il avait encore grandi, voilà qu'elle devait lever la tête pour le regarder.

— Il semble que Henry Falco ait besoin d'un new-yorkais et que tu fasses l'affaire, nous sommes au courant...

— Ce que moi je sais, c'est que Falco parle de toi comme d'un génie, ajouta John. C'est ce qu'il m'a dit. Est-ce que je peux parler à Saul le Génie?

L'adolescent rougit de plus belle.

— Il a un surnom pour chacun. Il dirige l'équipe de mathématiques et il m'a demandé d'en faire partie.

— Fabuleux!

— Et c'est une excellente équipe, pas des idiots. L'an dernier, ils ont remporté le championnat inter-collégial... Il ne termina pas sa phrase. Je suis désolé Moo-moo d'avoir traité les habitants de ton village d'idiots. C'était vraiment stupide de ma part. Mais mon comportement est décidément stupide depuis quelque temps.

— On ne peux pas prétendre que tu te sois conduit comme le roi des futés mais je pense que tu t'en sortiras.

Après le dîner, Saul les aida même à desservir. Il porta trois assiettes à l'évier de la cuisine et disparut dans sa chambre, prétextant avoir oublié quelque chose de très important.

— La prochaine étape, commença John, consistera à attirer son attention suffisamment longtemps pour qu'il apprenne à prononcer les mots «sortir» et «poubelles».

— Il s'est beaucoup amélioré. Il semble que sa colère commence à se dissiper.

— Et la tienne aussi.

— De quoi veux-tu parler? Quelle colère?

Aussitôt dit, elle se rendit compte qu'elle avait haussé le ton et éclata de rire.

— Depuis que je t'ai rencontrée, tu as souvent été en colère.

— Contre qui, docteur Freud?

— Tu ne t'en tireras pas en m'insultant. Mais si tu veux mon opinion professionnelle, je dirais que tu en veux à ta famille.

— C'est tout à fait ridicule! Bien que... ce ne soit pas tout à fait faux. A dire vrai, je n'ai jamais ressenti de véritable appartenance à cette famille. Mes soeurs m'ont toujours tenue à l'écart...

— Tes soeurs sont beaucoup plus âgées que toi. Il est normal qu'elles n'aient pas partagé leurs secrets avec toi. A leurs yeux, tu n'étais qu'un bébé.

— Il y a davantage que mes soeurs John. Le jour où j'ai vu papa embrasser Linda...

— Tu les as vus s'embrasser, c'est tout. Evidemment, ce n'est pas le tableau idéal pour une fillette. Mais ça n'est tout de même pas un crime! Tu avais treize ans Marilyn. Beaucoup d'eau a coulé sous les ponts depuis. Ne crois-tu pas qu'il serait temps d'oublier cette histoire?

— J'ai ressenti un choc, que tu y croies ou non. Mais ce que je voulais te dire, c'est que j'ai prévenu Sylvia.

— Je sais, tu me l'as déjà dit.

— Et elle a fait semblant de tout ignorer. Pour l'amour du Ciel John, elle savait très bien de quoi je parlais. Il ne s'agissait pas d'une histoire de gamine mais bien de papa, de Linda et de moi. Jamais elle n'a cherché à me réconforter; elle s'est contentée de boniments. J'ai dû porter seule ce fardeau durant tant d'années... Et voilà qu'à mon âge, je me mets encore en colère à cause de cette histoire!

Ils en étaient là lorsque retentit la sonnerie du téléphone. Elle était heureuse de la distraction que cela apportait car elle aurait probablement regretté ce qu'elle s'apprêtait à dire. C'était Sylvia. Elle semblait sous le choc.

— Que se passe-t-il? demanda Marilyn redevenue médecin.

— Rien, rien de terrible... Mais je suis inquiète Marilyn. Pourrais-tu revenir un jour ou deux? Je sais que je t'en demande beaucoup, que tu as des patients à voir, mais il s'agit de ton père, il est le seul père que tu auras jamais, et ce serait une faveur que tu me ferais. Je t'en prie, fais-le pour moi...

En vérité, Jack se portait bien mais il ne récupérait pas ses forces aussi vite que le docteur Kopmar l'avait d'abord cru. Sylvia ne pouvait pas préciser davantage mais un tas de petits détails l'agaçaient. Rien qui soit d'ordre médical, selon le médecin. Par contre, la thérapeute était d'avis qu'il ne faisait aucun effort.

Marilyn réprima un soupir. Elle doutait d'être de quelque utilité, surtout auprès de son père. Mais elle n'avait pas le coeur de refuser. Elle se sentait même prête à accepter. Il ferait bon d'être enfin celle à qui on a recours, celle dont la compétence est appréciée, les conseils écoutés. On faisait appel à elle, soit! Mais pour une fois dans leur vie, ils devraient porter attention à ce qu'elle dirait!

chapitre trente-sept

Mercredi 12 février 1986.

La cafétéria de l'hôpital était surpeuplée et trop bruyante. Tel était, du moins, l'avis de Sylvia. Depuis maintenant une semaine qu'elle fréquentait cet endroit à l'heure des repas, elle n'avait pu se faire au tumulte, aux éclats de rire, au chahut. Marilyn avait expliqué que cette animation était normale dans un hôpital universitaire fréquenté par des étudiants en médecine et en techniques infirmières. Mais dans l'esprit de Sylvia, un hôpital exigeait le calme. Il s'agissait d'un sanctuaire voué à la guérison des malades. De plus, ces gens tapageurs constitueraient demain le corps médical et cela lui semblait aberrant.

Aucun d'eux ne portait la tenue appropriée à un médecin; blue-jeans et tee-shirts étaient l'uniforme des nouveaux disciples d'Hippocrate. Chacun affichait un slogan en signe d'appui à une cause ou à rien du tout: «SAUVONS LES BELUGAS», «Y A-T-IL UNE VIE AVANT LA MORT?», «I LOVE NEW YORK», «J'AIME MA FEMME» et autres facéties du genre.

Les choses se passeraient différemment si la direction de cet hôpital était confiée à Sylvia. Ses trois filles éclatèrent de rire en entendant ce commentaire; Marilyn ajouta:

— Mais pour l'instant, tu ne diriges rien du tout ici. Alors pourquoi ne pas accepter les décibels, le corps étudiant, le mobilier de fibre de verre et les gobelets de carton? Nous avons autre chose de plus important à discuter.

Sylvia considéra un instant la benjamine de la famille, assise en face d'elle, mains jointes et chevelure bouclée auréolant son visage. Elle ne portait aucune trace de maquillage; elle se maquillait rarement. Sylvia avait le coeur lourd en la regardant. La nature avait avantagé Marilyn qui refusait pourtant de mettre sa beauté en valeur. Quel dommage! Elle aurait dû être mariée et avoir des enfants depuis longtemps. Bientôt cela ne serait plus possible.

— La première chose à l'ordre du jour, dit Elaine en levant son gobelet de café, c'est de porter un toast à Superwoman alias Sylvia Weinreb Strauss!

Chère Elaine! Ces mots faisaient chaud au coeur. Elle était heureuse de les voir réunies auprès d'elle, de les entendre rire en buvant à sa santé, malgré ces satanés gobelets de carton!

— Tu t'es comportée comme une superfemme Sylvia, approuva Deena. Un exemple de force pour tous. Je ne sais vraiment pas où tu puises ce courage.

Sylvia marmonna quelque chose en guise de réponse puis elle prit une gorgée de son café tiède et amer. Toujours faire preuve de force et de courage était le lot d'une mère. Ses filles auraient dû le savoir. Mais l'on éprouve toute sa vie pour sa mère un respect mêlé de crainte, peu importe que l'on soit mère soi-même. Tant que vit la mère, une partie de l'être humain demeure un enfant. Sylvia voulait que ses filles continuent à croire en son invincibilité, de sorte qu'elle exigeait toujours trop d'elle-même. A plusieurs reprises, au cours des dernières semaines, elle aurait aimé pleurer sur l'épaule de quelqu'un, laisser tomber le masque, crier ses peurs et ses angoisses, verser quelques larmes. Mais elle n'avait pas faibli. Personne ne saurait jamais à quel point elle avait peur.

Surtout pas Jack. Plus que jamais son mari avait besoin qu'elle soit forte. Ce matin, avant même qu'il émette un son, elle avait su qu'il était éveillé. Quelque chose dans le rythme de sa respiration, elle n'aurait su dire quoi, mais elle savait qu'il était éveillé. Elle avait posé sa broderie pour venir à son chevet, l'avait aidé à s'asseoir et lui avait offert une verre de jus d'orange avant même qu'il en exprime le désir. Malgré la pésence d'une infirmière privée, un homme a besoin de l'assistance de sa femme car elle seule peut deviner ses moindres désirs.

— Sylvia, avait-il dit en pressant sa main, tu es merveilleuse. Que ferais-je sans toi? Comment parviendrais-je à me débrouiller? Tu es un ange venu du ciel.

Le visage rosé de Sylvia s'était empourpré. Elle avait posé un baiser sur son front. Il y avait si longtemps qu'ils ne s'étaient pas embrassés. Il lui parlait ainsi durant des heures, aux premiers temps de leur union; cette complicité dans le dialogue avait disparu depuis bien des années.

Il affectait cette gentillesse depuis son réveil, dès qu'il l'avait vue à son chevet, au service de réanimation. Il ne pouvait se passer de sa présence; il désirait qu'elle soit là à tout moment car une grande tristesse l'envahissait dès qu'elle partait. Ainsi, elle avait songé à faire installer un lit de camp dans la chambre mais le docteur Kopmar avait refusé en précisant qu'elle aussi avait besoin de repos. Il avait ajouté qu'une telle surveillance revenait à l'infirmière et grâce à quelques calembours et deux ou trois «chère amie», il l'avait convaincue de rentrer à la maison.

Elle était cependant si heureuse de ressentir à nouveau la passion amoureuse de Jack. Il lui était revenu, à elle seule, comme aux jours d'avant cette intrigante. A aucun moment, ni durant son sommeil, ni pendant son délire, il n'avait prononcé le prénom de cette femme. Pas même lorsque, très faible,il lui avait fait signe pour lui dire à l'oreille pour lui dire:

— Si je ne survis pas...

— Chut! l'avait-elle interrompu. Je ne veux pas t'entendre parler de cette façon. Tu vas t'en remettre, il n'y a rien à redire là-dessus.

En vérité, elle craignait d'entendre sa confession.

Il avait poursuivi:

— Je t'aime Sylvia. Je veux que tu saches la vérité. Me pardonneras-tu?

— Oui, oui. Mais repose-toi à présent.

Elle préférait finalement ne rien entendre. Sa tâche consistait à planifier l'avenir et non pas à remuer les débris du passé. Tout d'abord elle jetterait toutes les boîtes de cigares de Jack; ensuite elle l'obligerait à prendre sa retraite, de sorte qu'ils puissent hiverner à Palm Beach. Ils en avaient les moyens et ils le méritaient bien. Elle demanderait à Marilyn d'établir une diète pour son père. Le docteur Kopmar avait précisé que si Jack prenait soin de sa santé, il avait encore de belles années à vivre. Elle devait simplement veiller sur lui, car Jack ne se souciait guère de sa santé. Il se prenait pour une statue de bronze, un élu favori des dieux qui serait toujours fort et vigoureux, un être sur qui le temps et la maladie n'avaient aucune prise. Un immortel.

Elle veillerait sur lui. Il claudiquerait peut-être légèrement mais Sylvia ne se laisserait pas rebuter par ce détail. Son côté gauche aurait quelque difficulté à retrouver la vigueur d'antan; elle marcherait donc à sa gauche pour qu'il prenne appui sur elle.

— Sylvia, m'écoutes-tu? demandait Marilyn.

Elle mentit:

— Evidemment.

Lorsque Marilyn jouait au médecin, le timbre de sa voix devenait soporifique et Sylvia avait du mal à demeurer éveillée.

— J'ai tout entendu, dit la mère.

— Ça ne fait rien, je vais répéter. Parce que tu ne sembles pas avoir bien compris.

— Alors redis-le-moi mais de façon compréhensible cette fois.

— Papa a eu une légère commotion cérébrale. L'examen au scanner montre peu de dommages cervicaux. Il a eu beaucoup de chance, si on considère son régime alimentaire et le nombre de cigares qu'il fume au cours d'une journée. Ses vaisseaux sanguins auraient pu être beaucoup plus encrassés. Pourtant il s'en est sorti à peu près indemne.

— Nous le savons Marilyn. Je pense qu'il s'en est bien tiré parce que c'est un homme en parfaite santé. L'infarctus s'est produit sans crier gare.

— Sans quoi?...

— Sans aucun avertissement. Lui-même le prétend. Il m'a dit que ça s'était produit comme ça, d'un coup (elle claqua les doigts), sans prévenir.

— C'est faux, répondit Marilyn. Il a eu plusieurs avertissements.

— Marilyn, de quoi parles-tu? Il m'a dit lui-même que...

— Sylvia, que fais-tu de ses crises d'ischémie passagères? Hein? De ses étourdissements?

— Il ne m'a jamais parlé d'étourdissements.

— Ils se produisent pourtant. Souvent si rapidement que les gens s'imaginent qu'ils ont rêvé, que la chose n'a pas eu lieu. Voilà probablement ce qui est arrivé à papa... Et tu le connais: jamais il n'en aurait parlé. Il s'est efforcé de tout oublier.

«Sacré Jack! Comment l'aider s'il ne me révèle pas ses secrets? C'est vrai qu'il a fait fi de ses douleurs à l'appendice. Nate Levinson avait dit qu'une heure plus tard il aurait été trop tard. Mords-toi la langue,» songea Sylvia.

— Ecoute-moi Sylvia. Les crises d'ischémie sont choses passées. Je vous ai convoquées ici ce matin pour une autre raison. Selon toute la batterie de tests qu'il a subis et selon ce que m'en dit son médecin, il doit se porter sûrement mieux que ce qu'il nous laisse croire...

— Marilyn où veux-tu en venir?

— J'essaie de vous dire qu'il n'est pas aussi malade qu'il le prétend.

Deena s'exclama:

— Quelle vilaine chose à dire!

— Excusez-moi, enchaîna Marilyn. Laissez-moi reformuler ma pensée: il est en meilleur état que sa comédie le laisse supposer.

— Décide-toi Marilyn! Tantôt tu prétendais qu'il niait sa maladie et voilà maintenant qu'il est censé jouer la comédie. Quelle version devons-nous croire? demanda Sylvia.

— Il a la couenne dure, dit Elaine.

— Jack n'appelerait jamais au secours s'il n'avait pas besoin de notre aide. Il ne me ferait pas cela... Tu devrais le savoir Marilyn.

Cette dernière persista.

— J'ignore dans quel but mais il fait semblant d'être plus beaucoup malade qu'il ne l'est en réalité.

— Comment peux-tu établir un tel diagnostic après si peu de temps? s'enquit Deena.

— Attention! Il ne s'agit pas de mon propre diagnostic. Le docteur Kopmar l'avait remarqué et m'a demandé ce que j'en pensais. Il croit que papa ne fait aucun effort.

— Des idioties que tout cela! objecta Sylvia. Quel culot!

Kopmar n'était pas même leur médecin de famille, alors de quoi se mêlait-il?

— Sylvia, je t'en prie! Ne sois pas agressive envers moi. Nous souhaitons toutes le rétablissement de papa; nous sommes toutes du même côté, d'accord? Beaucoup d'hommes, surtout ceux qui ont mené une vie active, réagissent ainsi devant à la maladie. Ils ont peur; ils craignent de retrouver leur ancien mode de vie. Ils marchent très lentement, ils n'osent pas faire de gestes brusques même s'ils en sont capables. Beaucoup- tu me pardonneras Sylvia- craignent de ne plus retrouver leur puissance sexuelle d'avant. Comprenez-vous ce que je dis? Je crois que c'est ce qui arrive à papa. A mon avis, il réagit de manière excessive au diagnostic d'infarctus. Je pense que le mot lui-même lui fait peur. Quant à toi Sylvia, excuse-moi de te le dire, mais tu en fais trop pour lui. Il faut que tu le laisses réagir sans ton aide. Il n'y a aucune raison pour qu'il ne parle pas correctement. Aucune raison pour expliquer sa claudication. S'il se rend compte que tu ne fais pas tout à sa place, il commencera à agir seul.

— Je ne fais que lui venir en aide. Est-ce si mal? La place d'une femme est aux côtés de son mari lorsqu'il a besoin d'elle.

Marilyn était patiente mais sa lèvre supérieure se raidit.

— Il a besoin de tes encouragements. Mais tu ne dois pas tout faire à sa place.

— Alors c'est moi qui le rends invalide! C'est ce que tu viens de dire? Un homme qui a fait un infarctus il y a moins de deux semaines... Un homme âgé de soixante-dix ans! Et c'est ma faute à moi?...

Marilyn poussa un long soupir dramatique et se pencha par-dessus la table pour se rapprocher de sa mère.

— Sylvia. Maman. Ecoute-moi. Personne ne prétend une chose pareille. Mais il va beaucoup mieux qu'il ne le prétend. Comprends-tu? Il va beaucoup mieux. Le docteur Kopmar est aussi de cet avis.

— Lorsque le docteur Kopmar me dira de cesser de venir en aide à mon mari, lorsque le docteur Kopmar me dira que je lui rends un mauvais service, alors je cesserai. Mais en attendant...

Marilyn repoussa violemment sa chaise. Elle était stupéfaite et découragée mais elle n'ajouta pas un mot, préférant s'éloigner. Sylvia se prit à penser que sa fille avait peut-être raison...

Deena cria à sa soeur:

— Pour qui te prends-tu? Venir énoncer de tels jugements! Tu ne l'as jamais aimé. Elle ajouta à l'intention de sa mère: ne t'en fais pas, Sylvia. Elle ne s'entend pas très bien avec papa... mais ça n'est pas important pour le moment. Pour l'instant nous ne devons songer qu'au rétablissement de papa et nous devons conserver notre calme... Je peux bien parler! Je ferais mieux d'aller faire mes excuses à Moo-moo. C'est moche ce que je lui ai dit.

En route vers la chambre de son père, Deena répétait mentalement les mots d'excuse qu'elle présenterait à sa soeur. Crier après elle avait été un geste irréfléchi, puéril.

Elle tourna au coin du couloir ciré et entra dans la chambre de son père sans frapper. Elle s'immobilisa, stupéfaite, n'en croyant pas ses yeux. Ce n'en était pas moins la réalité: Linda McElroy et son fils Lawrence se tenaient aux côtés de son père et l'épiaient dans son sommeil.

Elle se tenait les poings sur les hanches, pareille à une amphore, idiote, avec l'envie de les envoyer au diable, de les chasser de cette chambre et de leurs vies. Mais elle en était incapable. Si elle tentait quelque chose, elle risquait de le réveiller son père. Le choc provoquerait peut-être un autre infarctus. Nom d'une pipe! Elle aurait mieux fait de laisser Michael prendre sa relève; elle regrettait à présent d'avoir insisté pour venir. Cependant Marilyn avait convoqué cette réunion de famille qui impliquait seulement les filles et la mère, sans les maris.

Elle était seule à présent pour faire face aux ennemis. Comme deux marionnettes reliées aux mêmes fils, ils se tournèrent en même temps pour la dévisager. Elle se rendit compte de la ressemblance entre Lawrence et son père. Comment avait-il osé? La question s'adressait autant au père qu'au fils.

Elle dit en serrant les dents:

— S'il vous reste une trace de décence, vous ficherez le camp avant que ma mère n'arrive.

Si elle avait cru un seul instant qu'ils sortiraient à sa demande, elle était bien naïve. Ils la considérèrent froidement.

— Nous avons le droit d'être ici, dit Linda d'une voix calme.

Ses mots sonnaient à l'oreille de Deena comme une réplique théâtrale savamment apprise et répétée. Elle imagina la secrétaire répétant son rôle devant le miroir comme l'actrice qu'elle était, jusqu'à ce qu'elle ait trouvé la parfaite intonation.

— Nous nous faisons du souci au sujet de Jack.

Lawrence semblait conscient de la délicatesse de sa situation.

— Vous savez Deena, commença-t-il d'un ton doucereux, nous avons téléphoné avant de venir. L'infirmière en chef nous a dit qu'il était en mesure de recevoir des visiteurs. Nous avons attendu que la chambre soit vide.

— Je me fous pas mal de ce que peut avoir dit l'infirmière en chef! Je suis sa fille et je vous demande de partir.

Soudain elle prit conscience de sa bévue; elle lui avait fourni le parfait prétexte pour lui répondre: «Je suis son fils et j'ai décidé de rester.» Mais la voix qui se fit entendre fut celle de sa soeur Elaine.

— Qu'est-ce que vous fabriquez ici? Qui vous a invités?

Elles se trouvaient toutes dans l'embrasure de la porte: Elaine, Sylvia et Marilyn. Sur le lit, Jack marmonna quelque chose en changeant de position. Sylvia était devenue livide en apercevant les McElroy au chevet de Jack; elle fit le geste d'aller auprès de son mari puis se ravisa. Deena qui avait vu la scène devint enragée parce que sa mère hésitait à se rendre auprès de son père. Elle n'avait pas à être intimidée par la présence de ces deux étrangers qui n'avaient rien à faire là. Mais déjà Sylvia redressait les épaules et se frayait un chemin entre les deux ennemis, sans mot dire, sans un regard. Elle se pencha vers son mari et lui murmura quelques mots en yiddish pour mieux les exclure.

Deena vit son père entrouvrir les yeux. Il constata ce qui se passait durant quelques secondes. Elle fut consciente de ses calculs et de la stratégie qu'il élaborait. Dès que Sylvia s'approcha, il se laissa choir sur ses oreillers. Les paupières closes, il eut un subtil mouvement du corps qui fit s'affaisser tous ses muscles. Marilyn avait-elle vu juste? Feignait-il la maladie? Non ce n'était pas le style de Jack Strauss. Il était plutôt lâche qu'imposteur. Pour éviter de faire face à la musique, il profitait de sa position de faiblesse avantageuse pour l'instant.

Sylvia se tenait droite, la main dans celle de son mari, et regardait Elaine, ignorant délibérément la mère et le fils qui, eux aussi, se tenaient la main.

— Que faites-vous encore ici? Sortez, je vous dis!

Lawrence eut un sourire glacé.

— Vous n'avez pas à user de ce ton Elaine. Nous ne sommes pas des étrangers et Jack peut recevoir des visiteurs. Nous avons vérifié.

— Vous a-t-il dit qu'il avait envie de vous voir? Je ne crois pas. Dans ce cas, dehors! Dehors jusqu'à ce que vous soyez invités.

Lawrence n'avait pas l'intention de s'en laisser imposer.

— Elaine, je vous en prie. Ne vous énervez pas. Je comprends votre situation. Nous avions prévu rendre visite à oncle... à Jack lorsqu'aucune de vous ne serait présente. Nous ne sommes pas dépourvus de sensibilité. Mais le contraire s'est produit. J'en suis désolé mais il n'y a pas lieu de se mettre en colère. Ce n'est ni l'heure ni le lieu pour régler le différend qui nous oppose...

— Comment oses-tu parler d'un différend? Espèce de sale bâtard!

Plus moyen de faire entendre raison à Elaine. Elle rabroua d'un geste l'avertissement de Marilyn, elle ignora les secouements nerveux de sa mère et sans même la regarder, elle lança:

— Deena, ne te mêle pas de ça!

Puis elle continua d'invectiver les McElroy:

— Vous nous avez causé suffisamment de soucis, tous les deux. Alors sortez avant que je vous fasse expulser!

Tout au long de cette explosion, Linda n'avait pas contracté un seul muscle facial. Soudain le sang afflua à ses joues, elle s'éloigna de son fils en tremblant.

— C'est donc ainsi que ça prend fin! Elle parlait d'une voix chevrotante qui n'était pas la sienne. Ce sont donc les remerciements pour toutes ces années de loyaux services et de sacrifices personnels! Pour avoir consacré ma vie entière à l'entreprise de la famille Strauss. Pour ne m'être préoccupée que du bonheur de Jack. Ce sont les remerciements que je reçois après avoir enterré tout espoir d'un mari et d'une famille à moi!

A chaque phrase la voix de Linda montait d'un ton, devenait plus aiguë, plus stridente. Deena s'inquiétait. Cette femme allait faire une crise d'hystérie. Encore un peu et elle avouerait tout. Elle crierait la vérité devant Sylvia!

415

— Linda! cria Deena, surprise de la puissance de sa voix. Tous les regards s'étaient tournés vers elle, y compris celui de Jack.

— Sylvia, marmonna-t-il à faible voix.

Deena savait à présent que Marilyn avait vu juste. Le grognement de son père sonnait faux. Personne ne pouvait y croire.

Linda se tourna et courut à son chevet. Elle ne semblait plus remarquer la présence de Sylvia. Elle se jeta sur le lit de Jack en répétant son prénom. Des larmes roulaient sur ses joues.

— Mon chéri! Mon bel amour! gémissait-elle. Ne les laisse pas me chasser! Tu as promis. Tu as promis de toujours veiller sur moi et sur Lawrence.

D'une voix qui aurait porté jusqu'au dernier balcon de Carnegie Hall, Sylvia parla clairement:

— Ça suffit Linda! Vous avez causé suffisamment d'ennuis. Partez à présent. Jack a sa famille pour veiller sur lui.

— Famille? Eh bien si Jack est en compagnie de sa famille, nous avons certainement le droit de nous trouver ici. N'est-ce pas? En fait nous avons davantage le droit de nous trouver ici que vous (elle se tenait droite et fière). Je lui ai donné un fils, moi!

Deena n'eut pas conscience qu'elle courait vers Linda, qu'elle la tirait hors du lit, qu'elle la traînait vers la porte en lui donnant des coups de pieds aux tibias à chaque pas, et criait comme une folle:

— Dehors! Dehors! Que je ne vous voie plus!

Elle rudoya Linda et l'expulsa hors de la chambre en criant:

— Sale putain!. Puis elle fondit en larmes.

Elle se retourna vers Lawrence, qui, plié en deux, poussait un hurlement terrible contenant toute la douleur accumulée au long des années. Puis il se maîtrisa. Son teint était blafard; il tremblait et claquait des dents. Il serra les mâchoires et dans un regard d'agonie contempla l'homme couché sur le lit.

— Dire que pendant tant d'années... gémissait-il.

Il lâcha un autre cri de loup-garou et sortit de la chambre. Il bouscula Deena mais elle vit bien qu'il n'en avait pas conscience.

Un insoutenable silence s'étendait. Le calme après la tempête. Dans ce court instant de quiétude, Deena entendit des mots prononcés par sa mère qui la firent frémir d'horreur:

— Ce n'est rien mon chéri! Ce n'est rien. Je savais. Ce n'est rien, Jack! J'ai toujours su.

chapitre trente-huit

Mercredi 12 février 1986.

Les trois filles Strauss suivaient leur mère qui ouvrait la marche d'un pas résolu; elles se dirigeaient vers le salon réservé aux patients de l'hôpital. Un flot ininterrompu de paroles coulait des lèvres de Sylvia qui semblait inquiète.

— C'est tout à fait ridicule. Je devrais être aux côtés de votre père. Il a besoin de moi. Il est si pâle...

Une femme âgée confinée dans un fauteuil roulant qui regardait attentivement la télévision se tourna vers Sylvia et lui demanda de se taire. Celle-ci demeura interdite durant quelques secondes puis reprit son caquetage:

— Pourquoi nous faut-il parler de cela maintenant? Ce n'est pourtant pas le moment. Nous en parlerons plus tard.

Deena haussa le ton sans toutefois s'énerver.

— Sylvia, cesse veux-tu? Tu sais très bien qu'on doit régler ça maintenant. Cesse de nous mettre des bâtons dans les roues.

Renchérissant, Marilyn ajouta:

— Ecoute un peu Sylvia. Papa va bien. C'est vrai qu'il a eu un choc et qu'il est encore secoué. Mais il n'aura pas un autre infarctus, tu peux me croire. Alors cesse de dramatiser plus qu'il n'est nécessaire. Tu te fais du mal pour rien.

— Je ne dramatise pas. Tu es peut-être médecin mais tu n'es pas une épouse.

— Ça suffit! Tu évites encore une fois le sujet.

— Il n'y a aucun sujet de discussion. Ces événements appartiennent au passé, ils sont terminés, digérés depuis longtemps.

Cramoisie de colère, Elaine interrompit sa mère:

— Il n'y a rien de terminé en ce qui nous concerne! Nous venons à peine de prendre connaissance des faits. Nous venons de découvrir la vérité au sujet d'une chose qui nous tient à coeur. Tu ne t'en es jamais rendu compte, mais il s'agit d'un événement capital dans nos vies.

— Et nous ne l'avons pas appris de la bouche de notre mère!

Deena semblait amère. Elaine l'invita à se taire d'un geste de la main.

— Nous avons eu le sinistre plaisir de tout apprendre de la bouche de cette chipie il y a un plus d'un mois. Inutile de préciser qu'elle était ravie de tout nous révéler car de cette façon elle nous était supérieure. Elle jouissait, Sylvia, de nous traiter avec hauteur, nous les enfants gâtées de Jack. Et sais-tu ce que tes filles ont tenté de faire depuis ce temps, Sylvia chérie? Nous nous sommes ingéniées à essayer de te cacher la vérité. C'est à mourir de rire, non? Nous nous sommes fait du mauvais sang pour te protéger.

— Elaine, je suis désolée si les choses se sont passées de cette manière. Je...

— Tu savais depuis toujours! cria Deena. Depuis le premier jour, durant toutes ces années, tu savais!

Sylvia se tourna afin de regarder Deena dans les yeux.

— Depuis quand est-ce un crime que de vouloir protéger ses enfants? Vous vous croyez malignes parce que vous m'avez caché la vérité durant quelques semaines? J'ai ménagé vos sentiments pendant trente-cinq ans! Pour qui croyez-vous que j'ai agi ainsi? Pour vous trois, pour vous éviter de souffrir. Je ne vois pas pourquoi vous me cherchez querelle à présent.

— Parce que c'était primordial pour nous, ne le comprends-tu pas? demanda Elaine. Notre père nous a méprisées pendant tout ce temps et tu l'as laissé faire.

Les épaules de Sylvia s'affaissèrent.

— Je l'ai laissé faire, admit-elle. Je croyais agir pour le mieux. Je désirais être une bonne mère et une épouse exemplaire, et je crois y avoir réussi. Il est aisé à présent de me reprocher ma conduite. Croyez-moi, j'ai longuement réfléchi à ce que je faisais. J'ai dû me battre contre moi-même et ça n'a pas été de tout repos. J'ai eu beaucoup de difficultés à m'y résoudre. L'important était que vous grandissiez toutes au sein d'une véritable famille, composée d'un père et d'une mère, à l'abri de toute menace de divorce. Voilà ce que je vous ai donné. Alors qu'attendez-vous pour me remercier, hein?

Les applaudissements de Marilyn rompirent le court instant de silence. Lèvres serrées, enflammées, elle rétorqua:

— Les voilà tes bravos Sylvia! Sauf que tu m'as oubliée dans ton éloquent discours. Tu te souviens sûrement de l'anecdote que je t'ai racontée au sujet du père d'une amie. Tu te souviens, n'est-ce pas? Bien. Essaies-tu de me faire croire que tu ignorais qu'il s'agissait en réalité de papa et de Linda? Evidemment que tu savais. Mais tu as refusé d'entendre ma douleur et lorsque je t'ai demandé la vérité, tu m'as menti. Toute ma vie j'ai vécu seule avec la vérité. Qu'est-ce que faisait ma bonne mère pendant ce temps?

Sylvia rougit plus encore mais elle ne se laissa pas abattre pour autant:

— A cette époque, c'était la meilleure façon d'agir. On ne devait pas discuter ces choses-là avec les enfants. Pas plus que je n'y prends plaisir aujourd'hui, permettez-moi de vous dire! Voulez-vous avoir mon avis? Tout cela ne vous regarde pas!

— Il n'en demeure pas moins que tu m'as menti, que tu nous as menti à toutes les trois.

— Marilyn, je veux bien être patiente avec toi. Tu avais douze ans. J'ai essayé de t'apporter du réconfort. Oui, je m'en souviens mieux que tu ne peux toi-même te le rappeler. Nous avons parlé ensemble et tu étais soulagée. Ne t'ai-je pas dit que le père de ton amie l'aimait beaucoup, qu'elle ne devait pas craindre son départ?

Marilyn gardait le silence; Elaine s'approcha d'elle et l'enlaça. Deena, rebelle, piaffa de plus belle.

— Dis ce que tu veux, ça nous regarde! Crois-tu que la vie de tes enfants n'a pas été affectée simplement parce que tu as caché la vérité?

— Deena, de même que vous toutes! Je ne comprends pas. Pourquoi faire autant d'histoires au sujet de quelque chose qui s'est passé il y a plus de trente-cinq ans? D'accord, vous êtes sous le choc de la nouvelle. Mais pourquoi insister à ce point? Vous avez eu une enfance de rêve, toutes les trois! Vous étiez les princesses de New York et n'essayez pas de prétendre le contraire. Vous êtes nées sous une bonne étoile et la chance était avec vous.

— C'est ce que nous croyions mais nous établissions cette certitude sur un mirage. Tu comprends? Voilà ce qui nous chagrine à présent. L'enfance de rêve que nous avons vécue n'était qu'une illusion.

— Qu'est-ce que vous chantez là? Vous avez vécu dans la vérité... Vous ne pouvez prétendre à présent à une enfance misérable, parce que je peux témoigner du contraire. Misérable n'est pas le mot qui décrit votre enfance.

— D'accord pour dire que misérable ne convient pas. Ne jouons pas sur les mots Sylvia. J'ai beaucoup écrit au sujet de mon enfance récemment et je me suis rendu compte à quel point j'ai dû travailler pour m'insinuer dans les bonnes grâces de mon père en employant des ruses de petite fille.

Sylvia se mit à rire.

— Où est le mal? Tu étais une adorable fillette, tu étais folle de ton père, il était fou de toi et vous flirtiez tout le temps. C'était si mignon de vous voir tous les deux.

— Mignon, je veux bien. Mais je crois que c'était ma façon de le retenir à la maison. Je dansais et je chantais pour lui afin de retenir son attention sur nous.

Sylvia grimaça.

— Deena, cesse d'inventer des histoires. Ce que tu dis là n'a aucun sens. Tu n'agissais pas ainsi pour le retenir à la maison. J'étais là, je sais de quoi je parle. Tu dansais et tu chantais devant lui pour qu'il détourne son attention d'Elaine.(Elle semblait irritée.) Du même coup, tu apprenais à donner à un homme le sentiment de son importance. Il se sentait aimé, désiré. Est-ce un péché?

— Oui Sylvia. Parce qu'ainsi on grandit en adoptant ce comportement avec tous les hommes qu'on rencontre, peu importe la manière dont ils nous traitent.

Deena prit une profonde inspiration afin de retrouver son calme, puis elle ajouta d'un ton neutre:

— C'est la même chose avec Michael. Durant de nombreuses années, j'ai vécu avec mon mari en croyant que je méritais l'injustice dont il faisait preuve envers moi. Ça devait être ma faute, je croyais m'être attirée son courroux et j'étais convaincue que si je lui faisais oublier mes torts, Michael retrouverait sa bonne humeur. Exactement comme avec papa.

Sylvia se leva, brandissant les mains comme une reine vengeresse.

— Deena, Elaine, Marilyn, écoutez-moi toutes! Je suis désolée que vous réagissiez ainsi. Vous êtes des adultes, vous avez suffisamment vécu pour savoir que ce sont des choses qui arrivent. Qu'est-ce que je pourrais ajouter? Nous en avons déjà trop dit. Oublions le passé et envisageons l'avenir. Ce disant, elle se dirigea vers la sortie.

Marylin était demeurée silencieuse et détournait la tête, comme pour se dissocier de ses soeurs. Elle prit soudain la parole avec véhémence:

— Que le diable l'emporte! La triste vérité c'est que nous étions les déceptions de sa vie. Nous n'étions que des filles, indignes de lui. Bien sûr il se vantait à notre sujet, il racontait à tous combien ses filles étaient extraordinaires. Mais c'était de la foutaise. Tout ce qu'il désirait, c'était un garçon. Alors comment veux-tu que nous réagissions?

Elle avait les yeux humides mais ce fut Deena qui pleura.

Sylvia se tourna vers elle, outrée.

— Vas-y, pleure! Moi aussi j'ai pleuré. Des rivières. Je pleurais la nuit dans mon oreiller tandis qu'il dormait à mes côtés- une larme perla, roula sur sa joue et glissa jusqu'aux commissures de ses lèvres. Je suis désolée. Tout cela est passé et enterré. Je savais que mes larmes ne changeraient rien, qu'elles ne feraient pas de Jack un autre homme. Alors j'ai séché mes pleurs et j'ai élevé mes filles du mieux que j'ai pu. Et si vous m'en tenez rigueur...

— Ah! Sylvia...

Deena et Elaine parlèrent en même temps. Elles allèrent serrer leur mère dans leurs bras. Marilyn se joignit à elles sur l'invitation d'Elaine. Toutes quatre demeurèrent ainsi en silence durant quelques minutes. Alors la vieille invalide en fauteuil roulant remarqua de nouveau leur présence. Elle leva le nez du téléviseur avec une indifférence totale.

— Je dois retourner auprès de votre père, dit Sylvia.

Elles la laissèrent partir. Sylvia s'éloigna d'un pas léger sans se retourner.

— J'ai besoin de m'asseoir quelques minutes. Je ne peux pas retourner à la chambre, pas tout de suite, avoua Elaine. Elle se laissa choir de tout son poids sur un canapé et fit pivoter son cou pour détendre ses vertèbres en disant:

— Quelle journée de fous! Quelle semaine!

— Et ce n'est pas terminé, ajouta Marilyn. Il nous faut convaincre papa qu'il n'est pas invalide. Je crois qu'on devrait lui suggérer de retourner au bureau et de reprendre le collier, ne serait-ce qu'une ou deux heures par jour, suggéra-t-elle en regardant Elaine.

— Tout d'abord, je dois me débarrasser d'eux!

— Je ne comprends pas pourquoi ce n'est pas déjà fait.

— Simplement parce qu'ils étaient jusqu'à présent indispensables à la bonne marche de l'entreprise. Ne secoue pas la tête, tu ignores de quoi je parle. Je ne pouvais pas tout faire seule; c'est déjà un miracle que j'aie tant appris en si peu de temps. Alors j'ai mis mon orgueil de côté et j'ai supporté leur présence. Je pensais leur accorder un sursis jusqu'à ce que papa soit en mesure de les châtier lui-même.

— Je doute qu'il le fasse, opina Deena. Je suis d'accord avec Marilyn. je l'ai surveillé tantôt et dès que la situation s'est corsée, il a joué les faibles et les malades. Je pense que tu auras le plaisir de les congédier toi-même.

— Si ce bâtard a le culot de se montrer au bureau demain!... Il en est bien capable. Quel toupet ont ces gens!

— Je suis heureuse que la situation de Lawrence soit de ton ressort! Deena avait retrouvé sa bonne humeur.

— N'oublie pas que c'est une épine à nos pieds à toutes.

— Ah non! Pas moi. Je ne me mêle pas de cette histoire.

— Vraiment? C'est ce que tu crois. Laisse-moi te dire que Lawrence est autant ton problème que le mien.

— Que veux-tu dire?

— Laisse tomber. J'ai trop parlé.

— Zut Elaine! Tu me traites de cette façon depuis que nous sommes gamines. Cesse de t'accorder tant d'importance!

— D'accord. Si tu tiens à le savoir, tu le sauras: Lawrence est l'amant de Zoé.

Deena devint livide.

— Quoi? dit-elle d'une voix frêle tandis que tout son sang se retirait de son visage.

Marilyn lança à son aînée un regard profondément méprisant avant de se précipiter pour soutenir Deena. Celle-ci prit la main de sa soeur en secouant la tête, ahurie, le regard vide de toute expression. Elle réussit enfin à rassembler assez de forces pour demander:

— Qui t'a dit cela?

— Noël.

— Mon Dieu! Ma petite fille...

— Je suis navrée Deena. J'ai la langue trop bien pendue.

Les regards d'Elaine et de Deena se croisèrent. Sans que cette dernière s'en rende compte, sa main lâcha celle de Marilyn.

— Oh! mon Dieu... Quel gâchis! Qu'est-ce que je vais faire, mon Dieu?

— Ne t'en fais pas, nous trouverons bien. Ne pleure pas. Il n'oserait pas...

Aucune d'elles ne sembla remarquer que Marilyn s'éloignait. Le visage exsangue, dénué d'expression, elle sortit sur la pointe des pieds.

chapitre trente-neuf

Jeudi 20 février 1986.

Il était enfin revenu à la maison! Cette situation la comblait de joie. Elle était si heureuse de l'avoir à elle toute seule. Elle était prête à faire abstraction de tous ses caprices, à regarder défiler les vicissitudes de la vie, à embrasser ses ennemis- même Janette Berkholtz, la voisine du dessus, qui avait laissé déborder sa baignoire. Il faudrait refaire les plâtres de la salle de bains mais cela n'avait pas d'importance.

Jack était revenu à la maison; il était presque redevenu l'homme des jours anciens, celui qui plaisantait avec le garçon d'ascenseur, celui qui glissait un billet de vingt dollars au portier quand celui-ci portait les paquets, enfin celui qui se plaignait de ses bobos à tout moment.

— Sylvia où sont mes cigares? J'en avais pourtant trois boîtes pleines! Il se tournait vers elle en jouant de la prunelle.

— Ah! non, Jack Strauss. Ne fais pas cette tête. Tu sais ce qu'a dit le docteur Kopmar.

— Le docteur Kopmar n'est pas mon médecin, dit-il en souriant.

— N'essaie pas. Nate Levinson te l'a dit lui aussi: plus un seul cigare pour le reste de ta vie. Si Dieu le veut, ce sera pour très longtemps.

— Dieu ne voudra pas que je vive très longtemps sans cigare... Je plaisante!

Il avait zézayé en prononçant cette dernière phrase car sa langue n'avait pas encore retrouvé la motricité d'antan. Il eut une expression de dégoût devant cette défaillance. Il avait pourtant moins de difficulté à articuler; cela se manifestait surtout lorsqu'il s'emportait ou qu'il était fatigué. Sylvia n'avait cependant aucun mal à le comprendre. Cette impuissance, même momentanée, enrageait Jack. Sa femme devait veiller à ce que rien ne vienne perturber sa quiétude; elle n'y manquerait pas.

Déjà il allait beaucoup mieux. Il énonçait même la possibilité de retourner au travail. Il n'était certes pas en mesure de reprendre toutes ses activités mais le simple fait d'en évoquer l'imminence était bon signe. Le docteur Kopmar l'avait prévenue que souvent les hommes sombraient dans la dépression après une maladie; il lui en avait signalé les symptômes avant-coureurs en l'incitant à lui téléphoner si l'un d'eux se manifestait. Elle n'y manquerait pas. Elle veillerait sur son Jack nuit et jour. Lorsqu'il serait en mesure de reprendre le collier, elle ne le laisserait pas travailler plus de quelques jours par semaine, quelques heures par jour.

— Jack écoute-moi, lui dirait-elle. J'ai davantage besoin de toi que l'entreprise. Tes enfants ont besoin de toi. Nous avons failli te perdre...

Evidemment il s'agissait d'une exagération, mais elle devrait y avoir recours si elle désirait capter son intérêt. Certaines choses ne changeaient jamais.

— Non, non, lui dit-elle alors qu'il se penchait pour soulever son sac de voyage. Il est encore trop tôt. Tu auras tout le temps voulu pour jouer à l'homme fort... J'ai demandé à Earline de te faire sa fameuse tarte aux pacanes pour te souhaiter la bienvenue. Tu pourras l'emporter dans ton salon.

— Tu viendras bien en manger une pointe avec moi?

— Plus tard.

Elle s'affairait à pendre les vêtements sur des cintres, à plier soigneusement les écharpes de soie. Depuis qu'ils étaient montés à bord d'un taxi à la sortie de l'hôpital, il avait essayé de lui dire quelque chose. Il aurait voulu qu'elle demeure calme, silencieuse et qu'elle écoute ce qu'il avait sur le coeur. Mais elle craignait d'entendre ses révélations, sachant trop bien de quoi il retournait. Elle reconnaissait ce regard doux, humide comme celui d'un épagneul. Elle détestait qu'il la regarde avec ces yeux; ils imploraient son pardon avant qu'il ait avoué la faute.

Elle était au courant. Elle ne voulait pas entendre sa confession, ses justifications, ses explications. Elle n'écouterait rien de ses turpitudes. Trente-cinq années de mutisme qu'un seul moment de faiblesse aura emporté... Quelle sotte elle avait été! Son secret était connu. Jack pouvait maintenant avouer sa culpabilité et déverser sur elle le trop-plein de son coeur. Voilà exactement ce qu'elle ne souhaitait pas.

— Je dois te parler Sylvia. Seul à seule.

— Je sais. Bientôt.

Son regard s'était adouci.

— J'ai eu beaucoup de temps pour réfléchir à l'hôpital, étendu sur mon lit entre la vie et la mort...

Nom d'un chien, ça s'annonçait encore plus mal qu'elle le craignait! Elle lui sourit avec douceur.

— Jack, de quoi parles-tu? Entre la vie et la mort... Tu t'es reposé pour la première fois en dix ans, tu as meilleure mine qu'avant. On dirait que tu rentres de vacances.

Cette dernière remarque le fit sourire. Tout en parlant, elle l'avait aidé à traverser le couloir. Ils étaient à présent dans son antre et Sylvia l'aidait à s'asseoir sur le canapé. Elle plaça des oreillers pour soutenir son dos, lui remit le cablosélecteur et le regarda avant de sortir. Elle posa les mains sur les hanches avant d'annoncer:

— A présent, je vais te préparer à déjeuner. Elle s'en alla avant qu'il ait le temps de dire un mot.

A la cuisine, elle se prit à remuer en pensées ce qu'elle souhaitait pourtant oublier plus que tout. Il avait essayé d'aborder le sujet à tant de reprises. Elle n'avait pas envie d'en entendre parler. Elle avait été confrontée à ce cauchemar durant toute son existence, elle souhaitait l'oublier à présent. Remuer le passé ressusciterait son malheur. Elle concentra toute son attention sur la préparation du déjeuner.

Au moment où elle posait le plateau devant lui, la sonnerie de l'interphone se fit entendre.

— J'ai pourtant prévenu le portier. Pas de visiteurs! grommela-t-elle.

Cependant Jack criait:

— Essaie de savoir qui c'est!

Elle ouvrit la porte d'entrée pour regarder dans le corridor qui venait.

— C'est Elaine, annonça-t-elle.

En apercevant le sourire malicieux sur les lèvres de Jack, elle sut. Jack était diabolique. Le docteur Kopmar lui avait conseillé de se reposer quelques jours avant de recevoir des visiteurs. Avait-il suivi ses recommandations? Bien sûr que non.

— C'est toi qui as invité Elaine, n'est-ce pas? Vous allez discuter d'affaires?

— Est-ce un crime que de demander à son aînée de rendre visite à son vieux père pour dépouiller le courrier et savoir si l'entreprise est toujours rentable?

— Jack!

Cette visite lui ferait probablement grand bien; de plus, pendant qu'il discuterait d'affaires avec Elaine il ne tenterait pas de lui faire sa confession. Il valait donc mieux les laisser vaquer à leurs occupations.

Elaine semblait amusée. Sa mère l'introduisit auprès de Jack après l'avoir avertie de tout ce qu'il fallait faire ou ne pas faire en sa présence. Ensuite Sylvia l'embrassa à la hâte, examina son costume et lui fit une dernière recommandation:

— Ne le contrarie pas, ne fais pas monter sa tension, il doit conserver son calme.

— Oui Sylvia, répondit Elaine en souriant. Je serai une bonne fille, Sylvia. Puis elle ajouta d'un ton sérieux: Alors? Comment va-t-il?

La mère répondit en riant:

— Comment, crois-tu? Un véritable emmerdeur, comme tous les hommes qui se croient atteints d'une maladie.

Elles échangèrent un regard complice qui en dit davantage que des paroles. Elaine songeait à l'énergie qu'avait dû déployer sa mère pour supporter l'existence durant toutes ces années. Elle admirait la force d'âme et le courage de cette femme, sa mère.

Ensuite elle se dirigea vers le cabinet de son père, en repassant mentalement la liste des choses à voir avec lui. Il avait une mine excellente pour un homme qui relevait de maladie.

— Ainsi donc c'est ici ta tanière! Ton installation est confortable, observa-t-elle en prenant place dans une bergère posée en face de lui. Ne te gêne pas pour moi, continue de manger. J'ai déjà déjeuné.

— A dire vrai, je n'ai pas tellement faim. Et je ne me sens pas tellement à l'aise dans cette pièce, pas depuis que ta mère l'a fait redécorer (l'accent qu'il mit sur le dernier mot la fit rire). Mais tu sais- il prit ici le ton de la conspiration - je n'ai jamais voulu lui faire de mal. Jamais!

Elaine le foudroya du regard; irrité, il lui demanda:

— Pourquoi me regardes-tu ainsi? J'ai un coeur. Quand on a contemplé la mort en face, Elaine, alors on est en mesure de juger de ce qui est important.

Croyait-il vraiment qu'elle allait avaler cette couleuvre? La douleur se lisait sur le visage paternel; peut-être la peur de la mort l'avait-elle changé? Peut-être considérait-il depuis les choses sous un nouvel angle? Il poursuivit:

— J'ai failli perdre la plus merveilleuse créature au monde... à cause de ma propre sottise. Oui je l'admets, j'ai commis plusieurs gestes stupides dans ma vie.

«Qu'est-ce qu'il ne faut pas entendre!» songea-t-elle.

— J'ai failli perdre ta mère, Elaine. J'étais perclus sur un lit d'hôpital, à me demander comment je sortirais de ce guêpier, à songer à toutes ces années. J'ai été si bête! Si bête!...

Il baissa les yeux en cillant. Alors la panique s'empara d'Elaine. Qu'adviendrait-il s'il se laissait aller à pleurer en sa présence? Que ferait-elle? Jamais elle ne l'avait vu diminué par la maladie. Pas une seule fois. Elle ne savait trop quelle attitude adopter. Son repentir apparemment sincère l'avait émue. Mais pas de larmes, s'il-vous-plaît! Elle ne saurait réagir. Elle craignait de se mettre à pleurer avec lui. Alors elle souleva le grand sac brun en précisant:

— Voilà ton courrier!

Ainsi, elle était assurée de changer le sujet de la conversation.

Il se pencha afin de prendre le sac des mains d'Elaine et elle entrevit une certaine lueur dans son regard. Elle sut à ce moment qu'il usait de pseudo-sincérité pour mieux la duper. Ce diable d'homme n'avait de respect pour rien, pas même pour ses propres sentiments. Il avait donc choisi de l'emmener en bateau en décidant à l'avance du choix de la destination. Il désirait obtenir quelque chose d'elle; elle ne tarderait pas à savoir de quoi il s'agissait.

Voilà donc où il voulait en venir avec ses larmes! Le plus beau, c'est qu'il l'avait attendrie. Ne serait-ce qu'un instant, elle était tombée dans le panneau.Il était décidément resté le même. A quoi s'attendre de la part d'un homme de soixante-dix ans? Du moins savait-elle à qui elle avait à faire.

Elle cessa de lui porter toute son attention dès qu'elle entendit les prénoms de Linda et de Lawrence. Il désirait lui confier le rôle de bourreau. Il ne l'exprimait évidemment pas en ces termes, préférant enrober sa requête de mots flatteurs: «Tu as prouvé à présent que tu as la trempe d'un cadre supérieur...» et autres belles paroles que sa vanité souhaitait entendre. A son avis, qu'avait-elle fait tout au long de sa carrière, sinon démontrer qu'elle avait la trempe d'un chef d'entreprise?

Il y avait belle lurette qu'elle avait prouvé son talent de femme d'affaires. Le monde entier avait reconnu son mérite. Son mari clamait sa compétence, Dieu sait que sa firme comptable la savait compétente, le monde entier la citait en exemple. Sauf son propre père. Il préférait l'ignorer comme il avait toujours refusé de reconnaître chez ses filles quoi que ce fût qui eût modifié l'image qu'il se faisait de la réalité. Même à cet instant il ne vantait ses mérites intellectuels que pour parvenir à ses fins. Elle acquiescerait peut-être à sa requête, peut-être pas. Dommage que le dialogue ne fût pas possible entre eux. Elle aurait voulu lui apprendre ce qui s'était passé entre Lawrence et elle au siège social.

Jeudi dernier elle était arrivée très tôt au bureau de son père, le lendemain du drame de l'hôpital. Devant les proférations d'injures et le déplaisir de Sylvia, il devenait impérieux de prendre action contre les McElroy. Elle avait jusqu'alors consenti à les garder à son emploi en attendant le retour de Jack. La situation au bureau était très tendue. Chacun évitait l'autre. Elaine arrivait chaque jour plus tard l'après-midi alors que Linda prenait congé de plus en plus tôt. Le travail de Lawrence le retenait généralement à l'extérieur. Elle possédait la preuve de sa malhonnêteté mais elle préférait que son père le licencie lui-même. Jack le lui avait promis. Elle veillerait à ce qu'il tienne parole.

Les choses avaient changé à présent et elles impliquaient sa mère. Les secrets de chacun étaient maintenant connus de tous. L'expression haineuse du regard de Lawrence à l'hôpital l'avait fait frémir. Impossible de prévoir quelle serait sa réaction. Il avait en sa possession les clefs de l'immeuble, il connaissait les dossiers confidentiels, il avait accès aux codes secrets, il avait à son crédit de nombreuses années au service de l'entreprise. De plus, il avait la confiance du grand patron. Et voilà qu'il les détestait tous à présent! Elle ne pouvait permettre qu'il soit encore à l'emploi de la compagnie familiale.

Au cours d'une longue nuit d'insomnie elle avait répété mentalement chaque parole qu'elle dirait à Lawrence, elle avait déterminé le ton qu'elle emploierait, choisi les mots, les menaces qu'elle proférerait. Elle devait avant tout laisser sur le bureau de Lawrence un mot qu'il apercevrait dès son arrivée.

En entrant dans son bureau, elle l'aperçut qui lisait le *Wall Street Journal*. Il devait y avoir longtemps qu'il se trouvait là; cinq gobelets de carton vides étaient alignés devant lui et il buvait une sixième tasse d'espresso très serré. Elle en fut étonnée mais la surprise ne l'empêcha pas d'aller droit au but.

— Je suis bien aise de vous trouver ici! dit-elle du ton froid et distant qu'elle désirait employer. J'ai certaines choses à vous dire avant votre départ.

Si elle croyait le troubler, elle avait tort. Il semblait plutôt ennuyé. Aucune expression ne se lisait sur son visage tandis qu'il lui répondait:

— Je vous attendais. Entrez! Mais c'est déjà fait, n'est-ce pas?

— Vous devez à notre entreprise la somme de cent quarante-sept mille trois cent quatre-vingt-six dollars. Un chèque visé de préférence.

— Je ne crois rien devoir à cette entreprise.

— Lawrence, trêve de mensonges! Je suis au courant de tout: la fausse adresse, la compagnie bidon, tout je vous dis. Vous êtes un escroc et je le répète: un chèque visé serait apprécié. Aujourd'hui même.

433

— Moi je vous répète que je ne dois strictement rien à cette entreprise. J'ai consacré toute ma vie à la compagnie. J'ai travaillé d'arrache-pied et j'ai bien peu reçu en échange.

— Vous en êtes devenu le vice-président. On vous a nommé à un poste de confiance dont vous ne vous êtes pas montré digne.

— Au diable votre confiance! Je n'ai pas à écouter ces beaux discours. Vous voulez parler de vol et de trahison? Nous allons en parler. Parlons donc des droits de naissance dont j'ai été privés! Regardez-moi tant que vous voulez avec ces yeux-là mais on m'a volé mon père.

— Lawrence, je suis navrée de ce qui vous est arrivé. Mais cela ne justifie pas ce que vous avez fait. Non seulement vous avez volé mon père...

— C'est aussi le mien!

Elle resta interdite, comme s'il lui avait assené un coup au plexus solaire. Elle ne pouvait parler. Les mots ne venaient plus. Elle était confrontée à cette amère vérité pour la première fois. Elle en était remuée et ce soudain apitoiement ne lui plaisait pas du tout.

— C'est aussi mon père! continuait Lawrence d'une voix aiguë et tremblante. On me l'a caché toute ma vie. Croyez-vous que je lui pardonne de m'avoir ainsi renié, de m'avoir ignoré, de ne jamais avoir admis qui je suis? Quelle que soit la somme que je lui ai prise, ce n'est rien comparé à ce que lui me doit! Mademoiselle Strauss, Miss Upper West Side, la princesse juive américaine par excellence! Croyez-vous que j'ignore ce qui va se passer à présent? Il va vous léguer la compagnie comme on donne un jouet à un enfant.

Elaine se contenta de le regarder, sachant à quel point il se trompait. Mais elle ne pouvait se résoudre à discuter avec lui. Elle conserva le ton glacial.

— Il m'a toujours promis de me donner une chance. Depuis l'enfance. J'ai attendu très longtemps,Lawrence, et il a fait fi de sa promesse pour vous confier les commandes. Croyez-vous que j'ai apprécié de vous voir obtenir ce qu'il m'avait promis? J'ai le droit à cette chance.

— Vous avez le droit?

Lawrence laissait tomber le masque du cadre calme et sûr de lui. Le sang affluait à son visage alors qu'il agrippait le rebord de sa table de travail.

— Vous avez toujours obtenu ce que vous désiriez sur un plateau d'argent. Pendant ce temps, je devais implorer pour obtenir bien peu.

Il se tut un instant, étranglé par ses mots.

— Vous avez grandi auprès de votre père. Il vous a emmenée partout avec lui, vous a offert des cadeaux, vous a présentée à ses amis. Moi je suis demeuré caché comme un secret honteux, comme une tache sur son passé. Alors ne me parlez plus de vol et de trahison! Ne me dites plus que je vous dois quelque chose. Car vous ignorez de quoi vous parlez!

— Vous ne pouvez rien prétendre de tel car, en fin de compte, vous avez été récompensé de votre patience. C'est à vous qu'il a confié ce qu'il chérit plus que tout: son entreprise. Si vous aviez fait preuve de décence et d'honnêteté, vous auriez tout eu. Et savez-vous pourquoi? Parce que vous êtes ce qu'il a désiré plus que tout, son fils.

Elle avait parlé d'une voix étouffée par les sanglots retenus. Elle préféra se taire. Pour rien au monde elle ne voulait pleurer devant lui.

— Il a peut-être eu le fils qu'il désirait, mais il m'a tout de même trompé. Je n'ai jamais eu de père.

Leurs regards se croisèrent. L'instant d'un éclair, Elaine se rendit compte que cet homme était son frère. Puis elle songea à la trahison de leur père. Il les avait tous trompés. Pis encore, il s'était menti à lui-même.

Elle ne pouvait évidemment pas relater cette conversation à son père. Elle ne pouvait raconter comment Lawrence avait bondi vers la porte en la bousculant; il n'était pas revenu au bureau depuis, il avait disparu. Linda jurait au nom de tous les saints catholiques qu'elle ignorait où il se trouvait. A son expression hagarde, Elaine la croyait. Linda semblait à bout de nerfs. On avait prévenu les autorités policières et le détective avec qui elle s'était entretenue lui avait signifié que des centaines d'hommes disparaissaient ainsi chaque jour et qu'il n'était pas du ressort de la police d'enquêter sur chaque fugue. «Il reviendra lorsqu'il en aura envie, croyez-moi, madame», lui avait-on dit.

Voilà que Jack lui demandait de veiller sur Linda et Lawrence.

— Le moment est venu pour eux de s'éclipser; mais je ne veux pas qu'ils partent les mains vides.

Il prononça ces derniers mots en lui faisant un clin d'oeil. Ce signe de connivence la toucha profondément, à tel point qu'elle faillit pleurer. Le clin d'oeil s'échangeait uniquement entre adultes. Elle se souvenait d'une petite fille qui regardait son père en levant la tête, qui apercevait les clins d'oeil qu'il lançait à Sylvia et à ses amis et qui souhaitait ardemment faire partie de cette confrérie d'adultes à qui étaient adressés ces messages secrets. Chaque fois elle essayait de grimper sur les genoux de son père mais il était trop grand. Avec patience, elle finissait par attirer son attention et il la prenait alors dans ses bras. La petite lui demandait ensuite: «Fais-moi un clin d'oeil.»

Elle y avait enfin droit sans avoir à le demander. Il lui manifestait cette forme de complicité. Elle réprima son envie de pleurer. Jack ajoutait que si elle menait à bien ce dossier, il lui donnerait le pouvoir d'engager le nouveau personnel et lui confierait l'entière réorganisation interne de l'entreprise.

— C'est merveilleux papa! Je deviendrai donc ta vice-présidente, dit-elle en clignant de l'oeil à son tour, puisque de toute manière nous devons remplacer Lawrence. Je t'épargnerai ainsi les coûts d'une annonce dans les journaux. C'est une opération rentable, tu ne trouves pas?

— Ça me semble une bonne idée. Nous en reparlerons.

Il s'adressait à elle comme à une partenaire à part égale, comme à une collègue, une associée. Un nouveau lien encore fragile venait de se tisser entre eux. Elle ne dit rien de crainte de rompre la magie du moment. Il poursuivit:

— Mais avant tout Elaine, tu dois congédier Lawrence.

Il n'avait pas à lui dire ce qu'elle devait faire. Il savait pourtant qu'elle connaissait par coeur les principes de gestion d'une entreprise. Peut-être le moment était-il venu pour elle de l'informer des derniers développements?

— Tu as raison papa, dit-elle gentiment. A présent j'ai une bonne et une mauvaise nouvelle à t'apprendre.

— Oh?

— La bonne nouvelle: je n'ai pas à congédier Lawrence puisqu'il nous a quittés de son propre chef. La mauvaise nouvelle: il a pris cent cinquante mille dollars dans la caisse!

— Parti? Avec cent cinquante mille piastres! Où diable se trouve-t-il?

— Personne ne le sait. Il est parti sans laisser d'adresse. Ne t'inquiète pas, la police s'en charge.

— Elaine , je te demande une chose: ne mêlons pas la police à cette histoire.

— Pourquoi? C'est un voleur.

— Mais il est aussi mon... Je ne souhaite pas que les autorités le recherchent et qu'on lui intente un procès. Laisse-le. J'avais l'intention de lui donner une somme d'argent. Il ne peut plus te déranger maintenant.

Elle n'allait pas l'avouer à son père mais Elaine se moquait bien de l'endroit où se cachait Lawrence McElroy. Il pouvait bien courir aux quatre coins du globe, s'il n'en tenait qu'à elle. Ce n'était pas trop cher payer pour ne plus jamais le revoir!

chapitre quarante

Jeudi 20 février 1986.

«Je m'ennuie!» s'exclama Zoé en regardant par la fenêtre les baigneurs qui s'ébrouaient sur la plage. Elle aurait préféré s'y trouver, entourée de gens qui s'amusaient malgré le temps couvert. Quelques-uns défiaient les vagues. Elle répéta qu'elle s'ennuyait mais Lawrence ne s'en souciait point. Il lisait les pages sportives de l'édition du *Miami Herald* de la veille et faisait semblant de ne pas l'avoir entendue. Elle devrait se lever, aller vers lui, passer ses bras autour de son cou, caresser son cou de son nez, mordiller ses lobes d'oreilles en lui disant combien il était séduisant et le frôler de ses seins. Alors seulement il lui prêterait attention.

C'était la méthode infaillible. Il laissa tomber le journal, l'attira sur ses genoux et enfonça sa langue dans sa bouche. Pouah! Il empestait l'alcool. Jamais, avant cette semaine, elle n'avait remarqué à quel point il buvait. Elle avait passé un commentaire alors qu'il se versait un verre de scotch dès le réveil. Gaiement, il avait prétexté:

— Boire est un plaisir de vacances!

En dépit de son haleine fétide, elle l'embrassa avec passion. Elle était folle de lui et le sentiment était réciproque. La preuve: il l'avait emmenée ici avec lui. Il lui avait téléphoné au collège la semaine dernière- y avait-il seulement une semaine de cela? Il lui semblait qu'une éternité avait passé depuis. Elle avait été sidérée d'entendre sa voix car il avait horreur du téléphone. A brûle-pourpoint il avait dit:

— J'ai décidé de m'enfuir, ma chérie, et je te demande de fuir avec moi. Qu'en dis-tu?

Elle avait failli perdre connaissance devant sa compagne de chambre.

— Tu veux rire? avait-elle demandé.

Mais il avait répondu avec sérieux:

— Non Zoé, je ne plaisante pas. Je dois partir quelque temps et j'aimerais que tu m'accompagnes.

Elle tenait le combiné, ayant peine à le croire, bouche bée. Puis:

— Où vas-tu?

— Au soleil. Dans les îles.

— Les Caraïbes?

— Oui.

Elle avait contemplé du regard le désordre régnant dans la chambre. Tous les livres éparpillés témoignaient de la proximité des examens; elle apercevait par la fenêtre la neige qui tombait; le vent soufflait sur la cime des arbres nus. Elle s'imaginait à ses côtés sur le sable chaud, couchée sur un drap de bain en ratine spongieuse, sentant l'huile de coco avec laquelle il venait de masser son dos. La mer jetait son écume à leurs pieds... Elle accepta sans plus réfléchir. Il lui demanda de faire ses bagages sur le champ mais elle lui fit remarquer qu'on était en février et que ses vêtements d'été se trouvaient chez elle. Il lui avait alors demandé de le rejoindre à l'aéroport LaGuardia; il lui offrirait une nouvelle garde-robe estivale.

Il parlait en somme d'une lune de miel. Les choses s'étaient bien passées. Ils s'étaient retrouvés à l'aérogare, il l'avait embrassée et tenue par la main jusqu'à leur arrivée à Freeport.

Il avait réservé une suite dans un hôtel prestigieux et l'avait ensuite emmenée dans une boutique où elle put s'offrir tout ce dont elle avait envie. Leur suite possédait un grand salon et une terrasse. Ils avaient dîné au restaurant français de l'hôtel; elle avait porté la robe-bustier achetée le matin même. Il l'avait complimentée en affirmant qu'elle était la plus belle femme de l'île. Elle était au paradis!

Au cours de la soirée elle s'aperçut qu'il buvait beaucoup. Plus tard, dans l'intimité, il avait été brutal. Mais n'était-ce pas là le comble de l'érotisme? D'ailleurs elle aussi avait bu quelques verres de champagne de trop. Les ennuis avaient fait surface le lendemain matin. Le ciel était blafard, nuageux, porteur d'orages.

Lawrence avait regardé par la fenêtre et s'était ensuite exclamé, de méchante humeur:

— Merde de merde! Si j'avais voulu un ciel gris, je serais resté à New York!

— Mais là-bas tu ne serais pas dans mon lit, avait-elle roucoulé.

Ils auraient pu faire l'amour de nouveau, doucement, lentement, puis commander un gargantuesque petit déjeuner. Mais il s'était dégagé en bondissant hors du lit. Il s'était approché de la fenêtre en jurant. Il n'avait pas regardé Zoé, se précipitant plutôt sur la carafe de scotch pour s'en verser une rasade. Un tel comportement avait blessé la jeune fille; elle s'était mise à pleurer. Il s'approcha d'elle, la caressa en s'excusant. Il était désolé. Il ne voulait à aucun prix gâter un tel moment mais tant de choses le préoccupaient. Il ne pouvait pas lui dire de quoi il s'agissait. Pas encore.

Une semaine avait passé et il n'avait toujours rien dit. En outre, il buvait de plus en plus. Le beau temps était revenu mais ils n'allaient pas à la plage. C'est à peine s'ils mettaient le nez dehors. Lawrence passait les journées au casino. A force de cajoleries, il semblait de meilleure humeur ce matin.

— Lawrence allons prendre l'air!

— Il ne fait pas soleil.

— Pas besoin d'aller à la plage. Nous pourrions faire autre chose.

— Nous pourrions, en effet.

Il se mit à bécoter la gorge de Zoé et passa la main sous son chemisier pour tirer ses mamelons. Elle se tortilla afin d'échapper à son emprise mais il la retint en lui pinçant les seins.

— Lawrence, tu me fais mal! Allons, tu avais promis!

— Promis quoi? demanda-t-il d'une voix rauque comme lorsqu'il était en rut.

Elle n'aurait pas refusé de faire l'amour avec lui mais elle en tirait moins de satisfaction depuis quelque temps. Il la montait, la pénétrait et labourait ses reins comme s'il s'affairait à une besogne quelconque. Certains jours, il avait du mal à atteindre l'orgasme. Il fermait les paupières et semblait se concentrer sur sa propre jouissance pendant qu'elle en était réduite au rôle d'objet. Somme toute, il ne lui faisait plus l'amour avec la passion des premiers temps. Souvent elle lui demandait s'il l'aimait et cette question le rendait furieux.

— Evidemment que je t'aime! Sinon pourquoi t'aurais-je demandé de m'accompagner ici?

Mais elle ne percevait pas cet amour qu'il prétendait ressentir.

— Lawrence je n'ai pas envie de faire l'amour pour l'instant. Allons prendre l'air. Pourquoi ne pas louer des vélos et faire une randonnée dans l'île? Ce serait amusant.

— Ce serait amusant! répéta-t-il en se moquant, ce qui exaspérait Zoé. Louer des vélos... Pour le moment, le seul plaisir que je recherche c'est celui-ci...

Il glissa la main entre ses cuisses et infiltra ses doigts dans sa vulve. Elle n'en avait pas envie mais le laissa faire. Elle l'aimait, non? Mais elle avait hâte qu'il en finisse. Quand ce fut terminé, elle se leva et courut sous la douche. Elle se sentait sale et retrouva un peu de calme sous la chaleur du jet d'eau brûlante. Elle s'épila les jambes, se donna un shampooing puis un traitement revitalisant, se fit un massage de la plante des pieds, bref elle passa un long moment à la salle de bain.

Lorsqu'elle en sortit, une serviette enroulée autour du buste, Lawrence était levé. Il passait une chemise propre. Elle s'attrista de le voir compter ses billets de banque, car elle savait ce que cela signifiait. Elle posa néanmoins la question:

— Où vas-tu?

— Au casino.

— Pourquoi ne va-t-on pas déjeuner ensemble?

— Pas faim. Appelle le garçon d'étage si tu veux manger quelque chose ou va à la salle à manger et fais porter l'addition à mon compte.

Il fit une pause pendant qu'il glissait les billets dans son portefeuille. Il ajouta ensuite d'un ton blasé:

— Tu veux venir avec moi?

— Tu sais bien que je ne sais pas jouer aux cartes.

— Tu pourras jouer avec les machines à sous.

— Ça ne m'amuse pas. Je veux partager une activité avec toi.

— Alors viens au casino. Nous serons ensemble.

— Lawrence!

— Nous sommes à Freeport Zoé! On a le choix entre la plage et le casino. Je suis désolé si la température est moche mais ce n'est pas ma faute.

— La température n'est pas moche du tout. C'est simplement un prétexte, s'emporta-t-elle.

Il dit en se renfrognant:

— Je ne t'empêche pas de faire ce qui te plaît. Va faire de la bicyclette si tu en as envie! Va faire du shopping. Dieu sait que tu en as l'habitude!

Elle avança vers lui, craignant de fondre en larmes.

— Lawrence, je croyais que nous aurions du plaisir à être ensemble. Je pensais...

Elle ne dit plus rien car elle n'osait pas lui avouer combien elle était malheureuse. Il ne fit aucun effort pour cacher son déplaisir.

— Des plaintes continuelles! Tu pleurniches sans cesse comme un marmot. Je commence à me demander ce que je fais ici avec une gamine pareille!

— Moi je commence à me demander ce que je fais ici avec un homme qui n'ose pas me parler et qui n'a pas envie d'être en ma compagnie!

— Zoé je souhaite ta compagnie. Seulement comprends que j'ai beaucoup de soucis et que tu ne me rends pas la tâche facile.

Elle éclata en sanglots comme une gamine. Elle se rappela qu'il venait de la traiter de marmot et ses pleurs redoublèrent. Elle était honteuse mais son chagrin demeurait le plus fort. Elle aurait voulu qu'il passe les bras autour de ses épaules et qu'il la réconforte. Au contraire, il fulminait.

— Cesse de pleurnicher!

Elle était de nouveau tout en pleurs.

— Je suis désolé. Je n'aurais peut-être pas dû t'amener ici. Je pensais que ta présence faciliterait les choses. Je croyais que tu t'amuserais, que tu me tiendrais compagnie. Mais c'était une erreur.

Ces mots, elle ne voulait pas les entendre. Elle avait le coeur chaviré.

— Tu m'as dit que tu m'expliquerais. Si je comprenais ce qui se passe, peut-être que...

Lawrence se tourna et s'éloigna pour réfléchir. Ses mains sur son visage cachaient une expression de douleur. Il se mit à parler sans la regarder:

— Tu veux que je t'explique? Alors voici: ton cher grand-père, le grand et merveilleux Jack Strauss, est nul autre que mon père!

Zoé n'en croyait pas ses oreilles. Quelle idée absurde! Prétendre que grand-papa était son père.

— Non, lança-t-elle dans un cri. Ton père est mort à la guerre. Ton père était soldat.

Il répondit avec un ricanement sardonique:

— Ce n'est qu'une fable inventée par ma mère afin de protéger sa réputation. Mais la vérité est tout autre; je suis le bâtard de Jack Strauss. Si quelqu'un doit pleurer Zoé, c'est bien moi! C'est moi qui n'ai pas eu droit aux écoles renommées, aux vêtements des grands couturiers, aux vacances en Europe et à tout ce que vous, les enfants Strauss, trouvez naturel. C'est moi le laissé pour compte.

Zoé fut prise de vertige. Elle réalisa soudain que son grand-père et Linda... Quelle horreur! Elle venait de se rendre compte que Lawrence et elle étaient apparentés. Avaient-ils commis un inceste?

— Pourquoi ne pas me l'avoir dit? cria-t-elle.

— Holà! Il y a une semaine à peine que je le sais. Et ne va pas t'imaginer qu'on m'a prévenu. Non. Je l'ai appris par hasard. Alors comment crois-tu que je me sens? Je sais que j'ai un père qui ne m'a jamais aimé suffisamment pour reconnaître mon existence. J'ai travaillé comme un esclave durant toutes ces années, pour lui. Et qu'ai-je reçu en retour? Rien. J'ai bien détourné un peu d'argent de la compagnie mais à présent je souhaiterais en avoir pris bien davantage. Je voudrais avoir tout pris! Là encore je ne le punirais pas suffisamment pour tout le mal qu'il m'a fait!

Il sortit en claquant la porte sans se retourner, la laissant à ses pleurs et à son étonnement. Jamais elle ne s'était sentie si seule, si misérable. Pourquoi l'avait-elle suivi jusqu'ici? C'en était trop. Elle aurait voulu que sa mère fût là.

Elle redoubla de pleurs en songeant à Deena. Elle aurait voulu à présent que Lawrence ne lui ait pas téléphoné. Elle aurait dû se trouver ailleurs, probablement à la bibliothèque avec ses compagnes de classe, et rien de tout cela ne serait arrivé. Elle était prise au piège dans cet endroit de malheur, loin des siens et sans argent. Que ferait-elle pour s'en sortir? Elle se leva précipitamment en se tordant les doigts, en geignant à haute voix. Elle faisait les cent pas. Elle aperçut son reflet dans la glace, les cheveux en désordre, les yeux écarquillés, l'air abattu. Une pauvre malheureuse! Ce n'était surtout pas le moment de flancher. Elle se laisserait aller une fois rentrée à la maison où sa mère veillerait sur elle. Peut-être ne verrait-elle plus jamais Lawrence? A cette idée, une étrange douleur envahit sa poitrine. Mais cela ne devait pas l'empêcher d'agir. Elle devait partir et vite! Elle ne pouvait plus faire face à la réalité. Rentrer à la maison, la seule chose à faire.

Après avoir établi son plan d'action, elle songea à le mettre immédiatement à exécution. Rien ne la retenait à cet endroit. Elle savait où Lawrence avait caché son argent. Elle ouvrit la porte du vestiaire en implorant le ciel qu'il n'ait pas tout emporté avec lui. Mais non. L'argent était toujours là, dans la doublure d'une veste qu'il ne portait jamais. Des coupures de cent dollars. L'arrêterait-on en chemin? Quelqu'un se demanderait-il ce que faisait une adolescente avec des billets de cent dollars? Elle inventerait alors un prétexte. Elle chausserait des souliers à talons hauts, se ferait un chignon et passerait un tailleur; personne ne se douterait de son jeune âge.

Elle tremblait en faisant ses préparatifs de départ. Qu'adviendrait-il si Lawrence revenait plus tôt que prévu? Si le remords le rongeait et s'il venait lui faire des excuses? Peut-être en ce moment même avait-il changé d'idée et louait-il des vélos pour faire le tour de l'île? Elle tremblait tant qu'elle avait du mal à appliquer son mascara.

Sa toilette terminée, elle prit l'ascenseur, sortit dans le hall de l'hôtel et demanda au portier d'appeler un taxi. Personne ne sembla remarquer sa présence. Personne ne se souciait de savoir qui elle était, l'endroit où elle allait, ce qu'elle faisait. Assise sur la banquette arrière du taxi, elle demanda d'une voix agonisante:

— A l'aéroport!

Le chauffeur embraya. Elle se sentit fière de son coup. «Les vacanciers sont trop blasés pour remarquer ma présence», songeait-elle en regardant défiler les palmiers tandis que chaque minute l'éloignait de l'hôtel, du casino et de Lawrence. Elle n'osait imaginer sa colère lorsqu'il reviendrait à l'hôtel et qu'il constaterait qu'elle avait disparu en emportant six cents dollars. Elle ne donnait pas cher de sa peau s'il la rencontrait de nouveau. Pourtant il ferait mieux de taire la chose car, enfin, il s'agissait de l'argent volé à grand-papa.

Au comptoir de la compagnie aérienne, on prit son argent en échange d'un billet sans lui poser de question. Elle devait patienter plusieurs heures avant le départ. Elle trouva une cabine téléphonique et appela chez elle. Sa mère répondit. Il y eut un quiproquo pendant les premières minutes car Deena croyait sa fille au collège. Au début, elles eurent du mal à se comprendre. Alors Zoé lui apprit la vérité et Deena s'écria:

— Tu es où? A Freeport? Aux Bahamas? Comment es-tu... Laisse tomber. Je préfère ne pas le savoir. Mais qu'est-ce que tu fais à Freeport?

— Je suis venue avec Lawrence.

Elle attendit les mots de colère mais Deena se contenta de pousser un soupir.

— Je sais à propos de Lawrence, avoua Zoé en pleurant. Tout est fini entre nous. Oh! maman...

Maman consola sa petite fille et lui conseilla de retrouver son calme; elle devrait dormir à bord de l'avion, elle serait à la maison dans quelques heures et alors elles pourraient discuter.

— J'irai t'accueillir à ta descente d'avion, ma chérie.

La conversation se termina ainsi. Zoé réalisa soudain qu'elle mourait de faim.

L'avion se posa à l'aéroport J.F. Kennedy peu après neuf heures. A la sortie de l'aérogare elle se sentait confuse mais heureuse de rentrer à la maison. Elle regardait la foule de badauds attroupés qui attendaient les passagers. Soudain elle aperçut sa mère et- quel ennui!- son père. Pourquoi était-il venu? Il ne passait jamais la chercher lorsqu'elle rentrait de voyage. Il était là parce qu'il voulait la tancer!

Avant même que Deena puisse prononcer un seul mot, il avait saisi Zoé par le bras.

— Jeune fille, qu'est-ce que vous croyez? Se sauver ainsi de l'école pour parcourir le monde et faire de la peine à sa mère?

Elle était imperméable aux récriminations de son père. Elle soutint son regard comme elle le faisait depuis plusieurs années; cela le rendait furieux. Quel casse-pied! Sa mère vint à la rescousse. Deena bouscula son mari pour aller étreindre sa fille.

— Ça suffit Michael! Puis elle adoucit sa voix pour dire à Zoé: Ça va aller maintenant!

Zoé fondit en larmes, incapable de contrôler son chagrin. Elle se laissa conduire à la voiture où, une fois assise sur la banquette arrière, elle se recroquevilla comme un petit chat. Deena enleva son manteau de fourrure pour couvrir la petite qui semblait vouloir dormir. Enveloppée du parfum de sa mère, une douce sensation de chaleur et de bien-être l'envahit.

Michael conduisit en silence pendant quelque temps; Deena s'abstint de mettre la radio comme elle en avait l'habitude. Zoé discernait clairement le crissement des pneus sur l'asphalte, le vrombissement des voitures qu'ils croisaient, les ronflements du moteur. Elle était à demi endormie lorsque la voix furieuse de son père la réveilla de manière abrupte:

— Nom d'un chien! Deena qu'est-ce que ça signifie? Depuis que tu as décidé de devenir auteur- auteur-e de surcroît!- tu ne te conduis plus comme une mère. Ne dis rien, tu n'es pas en mesure d'affirmer le contraire. Tu n'es plus disponible pour ta famille. Résultats: un désastre n'attend pas l'autre. Par exemple ta fille qui pleurniche à l'arrière: elle a été séduite et puis abandonnée par un homme dont la réputation n'est guère enviable, un homme assez vieux pour être son père, un homme dont on sait à présent qu'il est son...

— Ferme-la Michael!

Zoé n'avait jamais entendu sa mère parler sur ce ton.

— Tu ne sais pas de quoi tu parles et tu ne fais qu'aggraver les choses. Zoé a dix-neuf ans. Elle était amoureuse et elle est partie à l'aventure avec l'homme qu'elle aimait. Elle n'est pas responsable de ce qui est arrivé et elle a du chagrin. Michael ceci est le mot-clef de la phrase: ta fille de dix-neuf ans est *blessée*. Pas nécessaire de me fustiger avec ces yeux-là! De toute manière, je sais déjà ce que tu diras.

— Tu te crois beaucoup plus maligne que moi! Eh bien détrompe-toi Deena! Je devrai une fois de plus prendre les choses en mains, comme je l'ai fait avec Saul.

— Mon vieux, tu as un fameux culot! Si quelqu'un s'est occupé de Saul, c'est bien ma soeur Marilyn!

Zoé ne supportait plus ce genre de scène.

— Pourriez-vous cesser de vous quereller? S'il vous plaît? Déjà que je ne me sens pas bien...

— Quand tu seras adulte et que tu subviendras à tes propres besoins, alors tu pourras te permettre d'éprouver des sentiments. Pour l'instant, tu dois te redresser et retourner au collège que tu n'aurais jamais dû quitter.

— Michael, tu deviens fou ma foi! Tu ne peux pas ordonner à quelqu'un les sentiments qu'il doit ou ne doit pas ressentir. Elle a peut-être envie de parler de ce qui lui est arrivé.

— Elle n'a pas à parler de quoi que ce soit. Elle doit oublier. Elle a fait une erreur. Nous avons tous le droit de commettre une erreur. Ce qui est fait reste fait et personne ne peut rectifier le passé. Nous n'avons qu'à laisser le passé derrière. La meilleure chose pour Zoé, c'est de retourner à sa vie normale.

— Tu es plus crétin que je ne le croyais, affirma Deena.

Zoé était à la fois horrifiée et subjuguée par de tels propos. Que se passait-il donc entre eux? Jamais elle n'avait entendu sa mère s'adresser à son père de cette manière, jamais. Elle se redressa pour mieux les voir; son père rageait. Deena continuait à se vider le coeur:

— Eh oui, Michael! devant la petite. Qu'elle entende! Tu parles bien d'elle et de ses sentiments comme s'il s'agissait d'objets dont tu peux disposer à ta guise. Tu es un faux jeton, Michael. En société tu parles de ta famille comme si nous étions des idoles sacrées, alors qu'en réalité tu ne te préoccupes que d'une seule personne: toi-même.

Zoé attendait la suite dans la crainte. Il ne laisserait pas Deena l'emporter. Elle respirait silencieusement et se faisait minuscule sur la banquette arrière; elle n'avait certes pas envie qu'il se retourne pour s'en prendre à elle. Toutefois, il ne dit rien, pas un mot. La voiture s'immobilisa à un feu rouge; Michael frappait à coups répétés sur le volant afin de passer sa colère en silence. Elle n'avait jamais vu son père dans cet état. La crainte l'envahissait. Le feu passa au vert, il reprit le volant et ils rentrèrent à la maison sans prononcer un seul mot.

chapitre quarante et un

Vendredi 7 mars 1986.

— Michael cesse de me suivre comme un petit chien, pour l'amour de Dieu!

La voix de Deena se voulait enjouée mais elle trahissait néanmoins son impatience. Michael ne savait plus que faire pour plaire à sa femme. Après mûre réflexion, il avait réalisé qu'il avait été absent de la maison depuis trop longtemps. Partageant tout son temps entre son cabinet d'avocat et les réunions des survivants de l'holocauste, il avait négligé son épouse et ses enfants. Il ne s'en était pas même rendu compte. Mais il allait pourtant de soi qu'après tant d'années, Deena aurait dû savoir à quel point son mariage lui tenait à coeur sans qu'il ait à le lui confirmer à chaque instant.

L'infarctus de Jack lui avait ouvert les yeux. Un géant comme lui, apparemment en bonne santé, foudroyé par la maladie sans un signe précurseur! Marilyn prétendait le contraire mais devait-on prêter attention au moindre étourdissement? Qui n'avait jamais été pris de vertige? Un tel choc avait porté Michael à réfléchir. Il avait fait le point et avait pris conscience de sa propre vulnérabilité. Il s'était souvenu que ce n'était pas Deena qui avait déserté la chambre conjugale mais lui, que c'était elle qui avait ensuite tenté de le reconquérir. Deena avait fait les premiers pas. Qu'adviendrait-il s'il mourait demain? Cette hypothèse le fit frémir. Les Juifs faisaient allusion à leurs morts en disant: «Que son nom soit d'heureuse mémoire!» Il désirait que son nom soit un souvenir béni, non seulement des gens de sa race, mais aussi de sa femme et de sa descendance. Quel souvenir conserverait-on de lui après sa mort? Un homme qui rentrait tard chez lui et qui travaillait trop. On dirait à titre posthume qu'il se consacrait à trop d'activités pour exercer dignement ses rôles de père et d'époux. Cela signifiait qu'il allait devoir investir beaucoup d'efforts et d'énergie dans sa vie de famille, même après ses nombreuses années de mariage. Voilà à quoi il s'employait depuis deux ou trois semaines, sans toutefois obtenir de résultat auprès de Deena.

Il lui avait d'abord fait une gentille surprise en rentrant du bureau plus tôt que prévu. Revenu à la maison à l'improviste, il l'avait serrée dans ses bras et aussitôt le désir avait déferlé. Il voulait l'assouvir tout de suite. Ils étaient vite montés à la chambre pour se déshabiller et faire l'amour. Leur relation avait été presque aussi satisfaisante que ce jour où elle lui était apparue vêtue d'un négligé provocant, une lueur de lubricité dans l'oeil. Il avait adoré se faire courtiser à son tour. La nature même de l'homme et des millénaires de culture occidentale forçaient celui-ci à adopter systématiquement le rôle actif. Il fallait cependant admettre qu'il était rafraîchissant de voir la femme, de temps en temps, faire les premiers pas. Cette union de leurs corps avait favorisé une véritable communication émotionnelle entre lui et sa femme et le plaisir s'en était trouvé décuplé.

En vérité, il devait admettre qu'il avait négligé sa femme. Les rapports sexuels favorisent la communication au sein d'un couple; il avait oublié le caractère vital d'un tel échange. Aussi, il ne devait pas s'étonner qu'elle veuille se distraire en dînant dehors avec ses amies, qu'elle aille au théâtre ou qu'elle perde son temps à ce stupide cours d'écriture. Une épouse satisfaite demeure à la maison.

Deux jours auparavant, il avait préparé le petit déjeuner qu'il lui avait servi au lit. Elle n'avait pas semblé l'apprécier. Il avait oublié qu'elle ne buvait qu'une tasse de café noir au lever. Ce matin, il l'avait rejointe à la salle de bain lorsqu'elle s'apprêtait à passer sous la douche. Il l'avait enlacée en avouant son intention de lui savonner le dos, et elle avait refusé!

— Pas maintenant Michael. J'ai rendez-vous chez le dentiste dans vingt minutes.

Il avait décidé de passer outre sa mauvaise humeur. Il s'était habillé et l'avait attendue dans le vestibule pour l'embrasser une dernière fois avant de partir pour le bureau, et cette attente l'avait mis en retard. Lorsqu'elle était finalement descendue, il avait voulu l'approcher mais elle l'avait rabroué. Elle n'avait pas le droit de tout compliquer alors qu'il faisait de son mieux pour se rapprocher d'elle. Avec de la patience il en viendrait à bout. Il s'était donc abstenu de tout commentaire et avait décidé qu'il valait mieux attendre le soir, lorsqu'elle serait probablement de meilleure humeur. Il ne fallait surtout pas oublier que Deena était généralement maussade le matin; elle était en meilleure forme le soir.

Il était donc revenu plus tôt du bureau, au grand étonnement de Deena qui parlait encore au téléphone avec Elaine. Ne se lasseraient-elles donc jamais de toujours ressasser les mêmes ragots? Elle lui sourit en lui faisant signe qu'elle n'en avait que pour deux minutes. Il se versa quelque chose à boire; elle avait déjà un verre à la main- il était fier d'avoir remarqué ce détail. Il remua quelques casseroles dans la cuisine en attendant que prenne fin la conversation téléphonique.

Comme d'habitude, elles parlaient de Jack en ressassant les détails sordides de son passé. Des vétilles, en réalité. Sa maîtresse et son fils. Elles ne cessaient de remuer cette histoire. Depuis six semaines qu'elles étaient au courant, l'affaire aurait dû être classée. Mais les femmes ont le besoin insatiable de potiner. Elles parlaient sans cesse, élaboraient de vaines hypothèses, spéculaient, faisaient des suppositions remplies de suspicion. Elles y consacraient des heures! Deena parlait donc encore:

— Lainie,ce que Sylvia refuse de comprendre c'est qu'un mensonge en cache généralement un autre!

Elle fut interrompue, elle acquiesça puis elle reprit:

— Mais c'est ce qui fait toute la différence! Tu le sais autant que moi. S'il nous a menti, si elle nous a menti, ne serait-ce qu'une fois, nous devons tout remettre en question. Peut-être pas toi mais moi si!

Elle rit un peu, d'un rire que Michael savait faux

— C'est une histoire à suivre...Oui, oui je sais... Ce que l'on écrit sur du sable s'effacera avec la pluie... Au moins Zoé n'est pas... Bon, je te quitte, Elaine! Michael rentre à l'instant et je dois lui demander par quel miracle il se trouve si tôt à la maison.

Il n'avait plus envie de lui montrer les billets. Elle parlait de lui quelquefois d'un ton acidulé. Avait-elle besoin d'user d'autant de sarcasmes? Etait-il nécessaire qu'elle fasse référence à lui sur ce ton? Il refusait de mordre à l'hameçon. Il retourna au bar et se versa un autre verre en lui tournant le dos.

— Avoue que c'est plutôt inhabituel Michael. Te voir à la maison à cinq heures trente de l'après-midi. La dernière fois que c'est arrivé, tu avais la grippe. Serais-tu malade?

Il lui répondit sans se retourner:

— Je vais bien, merci!

— Oh! Michael ne fais la tête. Je suis heureuse de te voir rentrer plus tôt à la maison. Mais avec tout ce qui arrive à papa, toute cette histoire, je suis nerveuse et...

Alors il se retourna vers elle:

— Au fait, je voulais t'en glisser un mot. Je ne comprends pas pourquoi tu persistes à te torturer l'esprit de cette façon. Ressasser sans cesse ces événements qui ont eu lieu il y a maintenant très longtemps, ça relève du masochisme.

Il était inutile d'essayer de lui faire entendre raison; il aurait dû le savoir. Deena, à l'instar de sa soeur Elaine, avait la mauvaise habitude de dramatiser le moindre événement. Il soupira en posant la main sur son épaule, puis il suggéra:

— Prends ta soeur Marilyn en exemple. Elle fait face aux choses déplaisantes, les règle une fois pour toutes et passe son chemin.

— Est-ce donc ce que tu as fait avec le troisième Reich, Michael?

— Il n'existe aucune comparaison possible entre le plus grand génocide de l'histoire de l'humanité et l'infidélité conjugale d'un homme!

— Bien sûr que non Michael! Rien n'arrive à la cheville de ton holocauste. Elle se ravisa soudain: Je suis désolée. Je ne disais pas qu'il s'agit d'une cause inutile. Ça me concerne autant que toi. Mais je ne peux pas accepter facilement les gestes posés par mon père. Tu ne sais pas à quel point je me sens trahie par lui.

— Non je ne sais pas. Tu as entièrement raison. Je ne peux pas comprendre. Il me semble que tu t'objectes au fait que ton père n'est pas parfait. Comprends-moi bien: je n'approuve pas son geste. Loin de là. Mais on ne peut rien changer au passé et si ta mère a trouvé la force de lui pardonner, pourquoi ne ferais-tu pas de même?

Il venait pourtant de parler avec bon sens, mais elle frémit de colère comme s'il venait de l'insulter.

— Je tente d'apprivoiser la situation du mieux que je peux. Je ne parle pas seulement de papa, mais aussi de Zoé et de Saul. Mais peux-tu comprendre que nous avons droit à nos sentiments? Que nous sommes ce que nous sommes et non ce que tu voudrais que nous soyons? Les choses ne sont pas noires ou blanches; tu ignores les nuances.

Elle se mit à pleurer et Michael sut ce qu'il devait faire. Il la prit dans ses bras en murmurant des mots consolateurs et il sortit un mouchoir de sa poche pour sécher ses larmes. Le moment était bien choisi.

— Je t'ai apporté un petit cadeau, annonça-t-il en sortant les deux billets de sa poche. Une série de six concerts, dit-il avec fierté.

Il s'était souvenu, non sans en éprouver beaucoup de fierté, combien elle avait apprécié l'abonnement aux concerts de l'orchestre symphonique que leur avaient offert un oncle et une tante en cadeau de noces. Il était impatient de voir un grand sourire illuminer son visage défait. Elle considéra plutôt les billets d'un air dédaigneux. Elle les lui rendit:

— Un abonnement pour les lundis soirs, je vois.

— Et après?

— Félicitations Michael! Tu songes enfin à nous abonner aux concerts après vingt-cinq ans de mariage et il faut que tu choisisses le soir où j'assiste à mes cours.

Il n'en croyait pas ses oreilles. Essayait-elle de lui dire que son stupide cours était plus important qu'une soirée avec lui? Il lui posa la question. En guise de réponse, il obtint un regard froid, un ricanement de hyène et un oui net et clair. Il demeura stupéfait, ne sachant quoi répondre, l'air idiot. Il savait qu'il ne gagnerait rien à la provoquer, qu'il risquait seulement d'envenimer la situation. Soudain elle tourna les talons. Elle sortit sans dire un mot, sans aucune explication. Trop c'était trop! Il courut à sa suite en criant son prénom.

— Deena, je n'ai pas terminé!

Déjà elle montait l'escalier. Elle s'arrêta à mi-chemin, se tourna et lui lança un regard glacial. Il frissonna devant cette femme qu'il ne connaissait pas. Elle parla d'une voix implacable, sans émotion:

— Michael, cesse de me suivre ainsi!

— Pourquoi Deena? Je suis ici chez moi et tu es ma femme!

Elle répondit d'une voix âpre:

— Plus pour très longtemps.

Il fronça les sourcils:

— Excuse-moi, je n'ai pas compris.

— Je souhaite divorcer Michael.

Un sourd bourdonnement monta dans ses oreilles, un timbre grave et ronflant qui l'entraînait hors de la réalité. Elle ne pouvait avoir prononcé de telles paroles, ça ne se pouvait pas! Elle plaisantait sûrement.

— Si tu espérais me blesser Deena, tu as réussi.

Il abhorrait ce sourire narquois sur ses lèvres.

— Je ne souhaite aucunement te blesser, je désire simplement te dire ce que je pense.

— Tu n'es pas sérieuse.

— Si Michael, je le suis. J'ai vu mon avocate; elle s'appelle Mélanie Cohen.

Il était abasourdi; ainsi elle avait déjà consulté une avocate. Elle ne plaisantait donc pas! Se moquant éperdument de ce qu'elle pourrait lui dire, il la suivit à l'étage jusque dans la chambre. Dans leur chambre plutôt, là où se trouvait le grand lit qu'ils avaient partagé pendant près de vingt-cinq ans.

Il demeurait dans l'embrasure de la porte, plongé dans un mutisme qui l'engourdissait, ne sachant que dire ou que faire. Il la regardait baisser les stores et donner de la lumière en faisant semblant d'ignorer sa présence. Que pouvait-il bien faire? L'instant d'avant ils étaient indiscutablement mariés et voilà que le mot divorce avait été prononcé. Etait-ce la véritable intention de sa femme? Ce n'était pas possible. Un long cri s'échappa de sa gorge: «Deena!» et, à son grand désarroi, il se mit à pleurer. Elle se tourna vers lui en disant:

— Michael, je suis désolée. Mais, je crois que cette décision ne doit pas te surprendre. Il nous a fallu de nombreuses années pour en arriver là; des années de critique et d'insatisfaction de ta part, des années de peines pour moi. Le temps nous a séparés. Et te voilà surpris à présent? Combien de fois t'ai-je avoué que j'étais malheureuse? M'écoutais-tu seulement?

— Je croyais... je pensais... qu'il ne s'agissait que d'un mauvais moment. Chaque mariage connaît des hauts et des bas. Et puis, tu es très émotive.

— Tu ne m'as jamais écoutée.

Elle enleva son sweater et sa jupe sans prêter attention à Michael, comme si toute sexualité était absente de leur relation.

— As-tu rencontré un autre homme? demanda-t-il d'une voix plus sévère qu'il n'aurait voulu.

Du placard elle sortit un peignoir qu'elle enfila avant de se retourner vers lui.

— Michael, je vais te raconter une histoire. Te souviens-tu lorsque nous étions en route pour la soirée chez les Whitaker? Nous marchions dans la neige et tu t'excusais d'avoir été- quel mot as-tu employé alors?- préoccupé. Tu m'as alors promis de faire de ton mieux pour que nous soyons de nouveau heureux. Mais il était déjà trop tard. Beaucoup trop tard Michael. Et je me suis sentie prise de panique parce que ma conscience me dictait de t'accorder une dernière chance, même si je savais que cela serait vain. Un peu plus tard, j'ai vécu le plus beau moment de ma vie quand je me suis enfin rendu compte que je n'avais pas à faire d'inutiles efforts. Je n'étais plus obligée de faire la bonne fille ni pour papa, ni pour toi, ni pour aucun autre homme. J'ai entrevu la possibilité du bonheur. Je pouvais y parvenir toute seule. Je me permettais enfin de décider de ce que je voulais; je prenais conscience du droit de tout individu à faire ce dont il a envie. Elle reprit son souffle avant de poursuivre: en réponse à ta question, c'est non. Il n'y a pas d'autre homme. Cela n'a rien à voir avec ma décision.

— Mais... nous nous aimons!

Elle s'avança vers lui et posa avec tendresse la main sur sa joue. Elle le regardait tristement.

— Michael, je suis navrée mais nous ne sommes plus amoureux et tu le sais. Nous ne nous aimons plus. Mais je ne devrais pas parler à ta place; moi en tout cas je ne t'aime plus.

Il la dévisagea longuement, en n'éprouvant que de l'aigreur pour sa caresse, pour sa main sur sa joue. Voilà le geste qu'elle posait lorsqu'elle voulait consoler les enfants. Loin d'être réconforté, il devint furieux de tant de condescendance.

Elle n'avait aucun droit de se sentir supérieure à lui. Il était Michael Berman, avocat, le premier de sa classe, rédacteur en chef du magazine *Law Review*, important associé de l'étude où il travaillait, propriétaire terrien, père de quatre enfants et, par-dessus tout, son mari! Elle n'avait pas le droit de se conduire ainsi avec lui!

Il s'écarta comme si la main de Deena était maléfique et se réjouit de la tristesse qui envahit le regard de sa femme. Bien. Elle devait savoir à qui elle avait affaire. Il ne se laisserait pas marcher sur les pieds, pas par elle. Elle lui sourit avec beaucoup d'ironie, haussa les épaules et se dirigea vers la sortie.

— Un instant Deena! Nous n'avons pas terminé!

Elle ne fit pas un geste pour se retourner.

— Oh! si Michael. Bien sûr que si!

chapitre quarante-deux

Mercredi 19 mars 1986.

En ouvrant la porte d'entrée, Deena n'aperçut que le béret en angora fuschia que portait sa mère, penchée pour ramasser des prospectus. Et tant qu'à y être, Sylvia en profita pour arracher un géranium mort dans la jardinière du perron.

Sylvia se releva en entendant rire sa fille.

— Tu peux bien rire, je n'y peux rien, je suis méticuleuse de nature. Ce n'est pas gentil de se moquer d'une vieille dame.

Sylvia se releva afin de passer en revue la toilette de Deena, et cela fit sourire cette dernière.

— Allons entre! Il fait froid aujourd'hui pour celles qui ne portent pas de vison, comme toi. Elle ajouta: alors? Comment me trouves-tu?

Sylvia semblait déconcertée:

— Comment je te trouve? Mais tu es radieuse. Tu as bonne mine Deena. Tu sembles en meilleure forme que ces derniers mois et j'en suis soulagée. Si je t'avais encore trouvé le teint terreux, j'aurais été obligée d'agir.

— Je suis heureuse d'avoir réussi l'examen. Merci pour le géranium.

Elle prit le paquet de prospectus, ferma la porte et invita Sylvia à la suivre à la cuisine. Sylvia jeta son manteau de fourrure sur un fauteuil.

— Comment vont les enfants? Qu'est-ce qui sent bon ici? Pourquoi as-tu pareille mine?

— Ils vont bien. Un soufflé aux épinards. Comment va papa?

— Fidèle à lui-même. Il se plaint sans cesse sous prétexte que le docteur Kopmar ne lui permet pas de se rendre au bureau plus de deux heures par jour. Sa maladie remonte à un mois et demi à peine et il doit se montrer prudent; mais essaie de faire comprendre quelque chose à un entêté. Il ne tient plus en place. Il prétend que les hommes n'ont pas été créés pour demeurer à la maison; je lui demande alors pourquoi moi j'aurais été créée à cette fin. Alors il me répond: « Ne reste pas ici! Va chez Deena. Elle a besoin de toi. Va, va! Tu me rends dingue!» Je m'inquiétais un peu de le laisser seul. Tu connais ton père. Aussitôt que je suis partie, il peut se sauver à son club, fumer un cigare ou se rendre au bureau. Il faut le surveiller comme un enfant. Earline est à la maison aujourd'hui; elle m'a dit de ne pas m'inquiéter, elle l'aura à l'oeil.

Elles éclatèrent de rire car la fermeté de la vieille domestique était légendaire. Jack Strauss ne parviendrait jamais à sortir de chez lui si Earline montait la garde. Elles prirent place à la table de la cuisine, l'une en face de l'autre. Sylvia plissa les yeux pour examiner minutieusement sa fille.

— Alors? dit-elle enfin. Raconte!

— Raconter quoi, Sylvia?

— Ah! Ah! Tu ne peux soutenir mon regard. Dis-moi la raison pour laquelle tu m'as fait venir ici.

— Je t'ai déjà dit: ce serait bon pour toi de sortir un peu, de t'éloigner de papa. Tu en fais beaucoup trop pour lui Sylvia, les médecins t'ont prévenue. Ce n'est pas bon pour papa et ce n'est pas meilleur pour toi.

— Nous aurions pu aller au cinéma Deena. Nous aurions pu nous rencontrer chez Bloomingdale's. Nous aurions pu réserver une table au Café des Artistes, si tu tenais tant à me faire sortir de la maison. Alors? Quelle est la véritable raison? Tu vas me le dire ou faut-il que je devine?

Deena sourit en poussant un long soupir.

— Je vais te le dire. Tu as raison: il y a autre chose. Es-tu sorcière ou clairvoyante pour lire dans mes pensées? Elle fit une brève pause avant de poursuivre: Michael et moi sommes séparés légalement.

— Mais vous n'êtes pas divorcés!

— Pas encore, mais nous avons entamé les procédures. Elle se tut le temps de prendre les mains de sa mère: Oui, nous le serons. Divorcés. C'est la raison pour laquelle nous avons d'abord obtenu une séparation légale.

Sylvia semblait quelque peu ébahie.

— Mais... que feras-tu? Où habite-t-il? Qu'adviendra-t-il de ces pauvres enfants?

— Sylvia, nous ne sommes plus au Moyen Age! Les enfants s'en remettront. Beaucoup de couples divorcent. Par exemple ton amie Lil Nathan.

— Mon amie Lil Nathan n'est pas ma fille!

— Je n'ai pas envie d'en faire une affaire d'état, Sylvia, mais je redeviendrai bientôt Deena Strauss. Aussitôt que les avocats auront terminé les procédures.

Sylvia grimaça de mécontentement. Elle posa le menton sur le dos de sa main en soupirant:

— J'ai besoin d'une bonne tasse de café. Lorsque Deena se leva pour lui servir son café, elle ajouta: tous les articles du *Times* que j'ai lus prétendent que le divorce perturbe les enfants, peu importe leur âge.

— Est-ce que les articles du *Times* disent aussi qu'un mariage en déchéance perturbe tous les membres d'une famille?

— Quel mariage en déchéance? Tu as été une mère et une épouse exemplaires. Quel est le problème? Est-ce une autre femme? Une séparation, qu'elle soit légale ou pas, n'est pas la fin du monde. Ne t'en fais pas, il te reviendra.

Deena présenta à sa mère une tasse fumante, mit le pot de crème et le sucrier sur la table avant de répondre:

— Sylvia, écoute ce que j'ai à te dire. C'est moi seule qui l'ai voulu. Il n'y a ni d'autre femme, ni d'autre homme.

— Comment as-tu pu faire une chose pareille, Deena? Comment as-tu pu faire ça à Michael? Le jeter à la porte après tant d'années. Je ne comprends pas. Elle serra les poings avant de lancer: ça me fâche!

— Je suis désolée Sylvia. Que puis-je ajouter? Il y a très longtemps que je suis malheureuse avec lui, je le lui ai dit, je lui ai suggéré de chercher de l'aide auprès de professionnels et chaque fois il a refusé. Le climat devenait insupportable et je me suis enfin rendu compte que rien ne m'obligeait à rester près de lui. Je ne suis pas obligée de rester mariée à un homme odieux et abusif.

— Est-ce qu'il t'a frappée?

— Non, il ne m'a pas frappée. Tu crois que c'est la seule manière d'abuser de quelqu'un? Il trouvait sans cesse à redire et me critiquait continuellement. A la fin, je faisais tout de travers. C'est alors que j'ai pris la décision de le quitter.

— Une femme sans mari, décréta Sylvia sur un ton sentencieux, n'est que la moitié d'une femme.

— Tu devrais avoir honte Sylvia! Est-ce ainsi que tu juges Marilyn?

— La dernière fois que je l'ai vue, j'ai eu le coeur chaviré. Elle a trente-six ans Deena; à trente-six ans une femme devrait être mariée. Bientôt elle sera trop vieille pour avoir des enfants, et qu'est-ce que la vie d'une femme si elle n'a pas d'enfants? Je ne me suis pas gênée pour lui faire connaître mon opinion, crois-moi!

— Tu ne lui as pas dit ça?

— Bien sûr que si! Quelle mère serais-je si je ne m'inquiétais pas de mes enfants? La médecine ne suffit pas si l'on est une femme. Une carrière ne remplace jamais la famille.

— Attention Sylvia! Marilyn a une famille, nous. Et Saul remplit sa vie actuellement. Même si tu avais raison, je préférerais vivre une demi-vie heureuse qu'une pleine vie malheureuse.

— Fais-tu allusion à moi, par hasard?

Deena sortit le soufflé du four et le posa sur la table.

— Evidemment non. Je parlais de mon propre mariage.

Elles goûtèrent au soufflé puis Deena continua:

— En toute honnêteté je dois te demander pourquoi tu es demeurée auprès de papa. Je ne dis pas que tu as commis une erreur, je pose la question, voilà tout. Dans la même situation, je n'aurais pas pu vivre auprès d'un tel époux, lui préparer ses repas, faire sa lessive, le faire rire durant tant et tant d'années. Moi, ça me rend folle, Sylvia. Michael et moi sommes légalement séparés et pourtant il habite encore cette maison. Il ne déménagera pas avant que ne soit terminé l'aménagement de son appartement. Les travaux prennent un temps fou. Pendant qu'il est ici, il s'imagine que je suis à son service pour sa lessive, pour faire son lit et pour préparer ses repas. C'est l'enfer Sylvia. Nous sommes séparés, nom d'un chien! Vivons donc séparés! Il devrait s'installer à l'hôtel. Pourquoi suis-je obligée de le voir tous les jours, de lui faire la conversation et de me montrer polie envers lui?

— Pourquoi ne serais-tu pas capable de faire la conversation avec l'homme qui t'a donné quatre enfants? Pourquoi est-ce si difficile d'être polie?

Deena posa sa fourchette; elle n'avait pour ainsi dire pas touché à son assiette.

— Tu sais pourtant de quoi je parle Sylvia. Tu as dû mener une vie infernale. J'ai beaucoup souffert au cours des dernières semaines; j'imagine un peu ce que la vie a dû être pour toi.

Sylvia eut un sourire forcé.

— Premièrement, je ne faisais pas sa lessive; c'est Earline qui s'en chargeait. Deuxièmement, je n'avais guère le choix. Je ne pouvais pas aller vivre dans la rue avec trois enfants. A cette époque, il n'était pas facile d'obtenir un divorce; c'était un fameux scandale. Tous croyaient qu'une divorcée était nymphomane; aucun homme n'avait de respect pour elle et les amies s'éloignaient vite, de crainte que leurs maris ne tentent leur chance avec la femme libre. Et puis...

— Et puis?

— J'étais amoureuse de lui.

— Comment était-ce possible? Après ce qu'il t'avait fait subir. Voilà ce que je ne parviens pas à comprendre.

— Je ne le comprends pas davantage. Mais j'étais amoureuse de lui, et je l'aime encore. Jamais je n'ai cessé de l'aimer. As-tu cessé de l'aimer? Je parle de ton père. Depuis que tu as découvert la vérité?

— Non, mais c'est différent.

— Moi je me dis que l'amour demeure toujours l'amour. Il n'existe aucune différence entre l'amour qui unit un mari et une femme, une mère et son enfant ou deux amis.

Deena fronçait les sourcils et cherchait à interrompre sa mère qui poursuivait:

— Je l'admets, j'ai beaucoup souffert. J'ai même songé à mourir.

Les deux femmes demeurèrent silencieuses un moment. Deena caressa maladroitement le bras de sa mère. Sylvia esquissa un faible sourire et dit:

— Je me suis senti trahie. Mais il y a longtemps de cela. Comme tu peux le constater, j'ai survécu. J'avais trois bonnes raisons de vivre. Elle récita leurs prénoms en comptant sur le bout des doigts: Elaine... Deena... Marilyn.

— Tu as toujours parlé de nous comme de tes trois grâces et c'est très gentil. Mais ça ne me paraît pas suffisant. Tu étais mariée à un homme riche. Tu aurais pu faire tout ce qui te plaisait, comme voyager à l'étranger ou retourner étudier, etc. Tu aurais pu vivre un peu pour toi.

Voilà que Sylvia se rebiffait.

— Que veux-tu insinuer? J'ai eu une vie très heureuse. J'ai une maison, des enfants, des petits-enfants, une famille, des amies... Et ne déprécie pas ma participation à la synagogue, ni mon travail bénévole auprès de la Fédération! Soit! je ne suis pas payée et je n'ai pas obtenu de diplôme universitaire. Mais j'ai beaucoup appris, j'ai beaucoup donné, j'étais toujours disponible pour chacune de vous, je considérais que c'était mon devoir et, à dire la vérité Deena, je pense toujours ainsi et je n'éprouve aucun regret.

Elle se rassit sur sa chaise, hors d'haleine, les joues rosies par l'émotion. Deena sourit à sa mère, se leva et vint pour poser un baiser sur son front.

— *A laban auf deine keppele*, entonna-t-elle en souriant. Comme le disait grand-maman Weinreb: «Longue vie à toi Sylvia!» Je t'aime.

Si Deena croyait qu'il s'agissait de la fin de cette discussion, elle se trompait. Sylvia s'apprêtait à partir. Elle passa son vison en désignant du geste les photos de famille sur la console du vestibule: les portraits annuels de la famille Berman, les clichés pris aux pique-niques et lors des soirées, les nombreux sourires témoins d'autant d'anniversaires, de mariages, de *bar mitzvah* et de remises des diplômes. Michael, Deena et leurs enfants chéris qui semblaient grandir de photo en photo.

464

— Regarde Deena, disait la mère d'une voix empreinte de nostalgie, quelle belle mariée tu faisais! Tout le monde était d'avis que vous étiez le couple parfait. Je sais... Mais vois le bonheur dans tes yeux ce matin-là, il y avait tant d'amour entre vous deux.

— Ce n'était pas de l'amour. Michael venait à peine de me dire: «Pourrais-tu rester sérieuse quelques minnutes au lieu de te ridiculiser avec tes stupides pitreries?»

— Michael t'a dit cela? Le matin de vos noces?

— Eh oui! Sylvia. Michael m'a dit cela. Le matin de notre mariage. J'aurais dû y voir un présage, s'exclama-t-elle en riant. Ne fais pas cette tête-là Sylvia! Ça s'appelle de l'humour noir. Je ne suis pas folle de joie à l'idée d'un divorce mais j'ai l'impression que mes épaules sont libérées d'un énorme fardeau. Le jour de notre mariage j'étais perplexe. S'il m'aimait, comment pouvait-il me parler sur ce ton? Sur la photo, mes yeux ne brillent pas d'un amour éternel. Ils brillent à cause des larmes retenues. A ce moment, j'ai pris la décision de tout mettre en oeuvre pour devenir plus raisonnable.

— Regarde celle-là! dit Sylvia en sautant les années.

Elle désignait un polaroïd couleur pris lors de la *bar mitzvah* de Nat qui avait alors treize ans. Chaque invité portait un vêtement de circonstance et Deena tenait le jeune Saul dans ses bras.

— Tu sembles si heureuse sur cette photo. Ne me dis pas que tu étais malheureuse.

Deena passa le bras sur l'épaule de sa mère et la serra tendrement.

— Lorsque le photographe a pris cette photo, nous étions tous d'humeur joyeuse. Il s'agissait plutôt d'un grand soulagement. Les six mois précédents avaient été un véritable cauchemar. Je n'ai jamais rien dit mais puisque nous en sommes au moment de vérité... Nat détestait l'école juive; il ne voulait pas de cérémonie à l'occasion de sa *bar mitzvah*. Il souhaitait seulement qu'on lui fiche la paix. Tu imagines bien que Michael ne l'entendait pas ainsi. Je ne l'oublierai jamais: nous étions à table en train de dîner, je servais la tarte au citron et à la meringue. Nat nous confiait une fois de plus combien il détestait son professeur d'hébreux, les élèves de son cours, l'école qu'il fréquentait, le chantre, le rabbin et tout ce qui entourait les préparatifs de la *bar mitzvah*. Michael se râcla la gorge et fit un sermon à ce pauvre Nat d'un ton pompeux: «Tu as terriblement tort, jeune homme. Il importe que tu assistes à ta *bar mitzvah*, non pas pour toi personnellement, mais pour le peuple juif.» Alors il l'entretint longuement, comme seul Michael sait le faire, sur ses obligations en tant que Juif. Nat lui dit enfin: «S'il est si difficile d'être juif, moi ça ne m'intéresse pas de le devenir!» Le visage de Michael devint cramoisi. Il se leva en criant et emmena son fils avec lui dans la salle de séjour. J'ignore ce qu'ils se sont dit ce soir-là mais Michael a dû se montrer convaincant. Tu as sur cette photo la preuve que Michael peut intimider qui il veut; mais ce sont six mois que je préfère oublier... Nat fut d'avis que tout était ma faute, que j'aurais dû prendre position en sa faveur. Il ne m'adressait plus la parole que pour me narguer.

— Pourquoi ne m'en as-tu rien dit?

— A l'époque on ne confiait pas ces choses-là. Les femmes devaient veiller à la bonne marche de la maisonnée. Si quelque chose n'allait pas, on le gardait pour soi. Jamais on ne devait révéler quoi que ce soit qui trahisse l'intimité du couple.

— Il est un peu tard pour les regrets à présent, mais je suis désolée que tu aies affronté seule ce genre de problèmes.

— Ça va maintenant. Mais comprends-tu pourquoi mon mariage est à l'eau?

— Je préfère ne pas en discuter. Je suis de la vieille école et je crois à l'éternité du mariage. Je suis naïve, je sais.

Sylvia se dirigeait vers la sortie; elle hésita en apercevant un portrait de Zoé en robe de bal.

— Pauvre enfant! Etre désillusionnée si jeune! Elle se tut et lança un regard malheureux à Deena.

— J'aurais préféré que tu me caches ce qui s'est passé entre Zoé et ce salaud. Pauvre enfant! J'aimerais tant pouvoir lui venir en aide. J'aimerais tant ne pas savoir...

— Ne crois-tu pas que nous avons suffisamment de secrets?

— Ton père l'ignore encore et , s'il n'en tient qu'à moi, jamais il ne l'apprendra. Il serait incapable de supporter pareil outrage.

— En ce moment, Zoé est triste mais au moins elle connaît la vérité. Sais-tu qu'il désirait l'épouser? Ç'aurait été un désastre!

Elles étaient à présent sous le porche. Sylvia baissa la tête en enfilant ses gants de pécari. Elle la releva et regarda Deena dans les yeux. Sans préambule, elle déclara:

— Je suis allée la voir à une occasion. Linda. A ce moment, je savais tout. Il fallait que je lui parle. Elle devait se montrer raisonnable. Elle ne pouvait fréquenter un homme marié père de trois enfants. Je voulais lui parler, lui dire que je savais, elle en aurait eu honte et ç'aurait été la fin de leur aventure. Jack n'aurait pas été mis au courant de ma visite... Elle posa sa main gantée sur la poignée de la porte: mais les choses ne se sont pas passées comme je l'avais prévu. Cette femme n'éprouvait aucune honte de son geste. Elle me déclara avec un sans-gêne insolent: «Moi aussi j'ai droit au bonheur!» Elle parlait de ce bonheur-là comme si elle y avait droit. Elle puisait son bonheur auprès du mari d'une autre femme. Je le lui ai fait remarquer mais elle m'a répondu: «Je passe plus de temps avec Jack en une seule journée que vous en une semaine. Je le connais comme si je l'avais fait. Je connais sa façon de penser, ses faiblesses, je sais sur lui des choses que vous ignorez. Je le connais mieux que jamais vous ne le connaîtrez.» Voilà ce que m'a dit cette putain sans conscience!

— Oh! quelle méchanceté à ton égard, Sylvia.

Deena tendit une main que Sylvia ne saisit pas. Elle poursuivit d'une voix monotone:

— Je suis partie de chez elle, j'ai pris l'autobus, je me suis assise sur la banquette et j'ai regardé par la fenêtre sans rien voir. J'avais peine à croire qu'une femme puisse être aussi impitoyable. J'ai souhaité qu'un jour elle souffre autant que moi ce matin-là.

— Ton voeu est réalisé, insinua Deena.

Sans s'attarder à cette remarque, Sylvia continua:

— Elle était folle de lui, ça ne faisait aucun doute. C'était son patron; un homme tout-puissant, savant, presque un dieu. Elle ne l'entendait jamais ronfler la nuit, ne supportait pas ses sautes d'humeur ou ses cris si par hasard on manquait d'aspirine, elle ne prenait pas soin des enfants, la nuit, écoutant les récriminations de son mari parce que son sommeil était dérangé. Devant elle, il se présentait sous son meilleur jour. Linda était prête à tout pour qu'il demeure près d'elle, elle souriait, minaudait... enfin tu sais à quoi elle était prête! Comment aurais-je pu me mesurer à une femme comme elle? J'étais enceinte, maladroite, épuisée et j'élevais deux fillettes. Elle avait tout son temps à lui consacrer. Elle était toujours belle, savait se montrer patiente, elle souriait, flirtait avec lui et se plaisait à lui répéter combien il était extraordinaire. C'était une situation injuste. Moi, je n'ai pas su quoi faire sauf m'adapter pour survivre. En attendant la fin de leur relation.

— Cela ne ressemble pas du tout à la femme qui m'a élevée. Tu n'es pas le genre de femme qui attend passivement qu'un événement survienne en sa faveur. Pourquoi n'as-tu rien dit à papa? Tu aurais pu lui demander de choisir entre vous deux; c'est toi qu'il aurait choisie, j'en suis persuadée!

Sylvia redressa la tête. Elle regarda sa fille avec des yeux empreints de tristesse.

— Facile à dire, à présent; mais je n'en étais pas certaine. A dire vrai, le jour où nous nous sommes rencontrés sur le ferry-boat de Staten Island, c'est moi qui ai voulu cet homme. Pas l'inverse. Il téléphonait autant à mes soeurs qu'à moi et jamais je n'ai voulu savoir laquelle de nous il préférait. Je lui ai fait la cour. Je ne peux pas jurer qu'il m'aurait choisie entre toutes si je ne m'étais pas jetée à sa tête. Alors s'il avait dû choisir entre cette femme et moi...

Deena regardait sa mère.

— J'ai vécu la même chose. Je n'ai pas attendu que Michael me téléphone; c'est moi qui l'ai appelé la première. J'en ai éprouvé beaucoup de honte. Je m'étais juré de ne jamais le dire à qui que ce soit, de n'en parler à personne! Une fille que l'on considérait belle, charmante et intelligente a fait ce qu'il ne fallait pas. Elle a couru après un garçon. Quelle humiliation pour une jeune fille! Tu veux connaître la vérité? Je ne m'en suis jamais remise. J'ai toujours eu besoin d'être sécurisée sur le plan affectif. Pendant vingt-cinq ans j'ai vécu aux côtés d'un homme en me sentant à mon désavantage, j'étais toujours celle qui courtisait, qui devait séduire.

— A qui le dis-tu! répliqua Sylvia.

Elles échangèrent un sourire de connivence.

chapitre quarante-trois

Mardi 15 avril 1986.

La limousine argentée roulait silencieusement sur les courbes sinueuses de Taconic Parkway et filait sur la route en direction nord devant les rangées d'arbustes verdâtres qui commençaient à bourgeonner. Sur la banquette arrière, Elaine s'entretenait avec son père.

— N'est-ce pas une merveilleuse façon de travailler? Quelqu'un nous conduit pendant que nous discutons de choses importantes.

— Dommage que quelqu'un d'autre ne paye pas la note! grommela Jack. Tu sais ce que j'en pense Elaine. Ce n'est pas ce que je considère comme une dépense indispensable à la marche de l'entreprise. C'est ce que j'appelle du luxe et, à mon avis, tu dépasses les bornes!

— Quel grognon! lança-t-elle d'un ton taquin en lui souriant. L'entreprise peut amplement se permettre une telle dépense et, si nous devons investir au nord de l'état, une limousine cesse d'être du luxe pour devenir une nécessité.

— Avec le téléphone, en plus! Tu es complètement folle, ma foi!

— C'est une folie que d'avoir déjà parlé avec Taylor à la banque? Et Brenda qui nous a prévenus que l'entrepreneur aurait quelques minutes de retard? Allons donc!

— Je ne suis pas convaincu du bien-fondé de ce projet. Des appartements à vendre dans le comté de Columbia? Il secouait la tête avec obstination: les banlieusards n'avaleront jamais ça. Personne ne voudra faire la navette s'il faut mettre deux heures et demie pour l'aller seulement. Jamais de la vie! Tu vas investir une fortune dans la construction et tu ne trouveras pas un seul acheteur. Tes appartements vont demeurer vides et ta banlieue sera un village fantôme. Crois-moi Elaine, tu fais une grave erreur.

Elaine fronça les sourcils et dévisagea son père.

— Deux heures de trajet? Tu veux dire pour se rendre à New-York?

— Evidemment que je parle de New-York! Où donc les gens vont-ils travailler?

— De nos jours ils vont partout, papa. Les temps ont changé. N'as-tu rien remarqué en venant jusqu'ici? L'implantation d'I.B.M., de Holt Industries, de Lion Press, de Pepsico. Tous les sièges sociaux ont déménagé à Westchester. Ou même plus au nord, à Albany ou à Troy par exemple. Troy est la ville la plus branchée de l'état de New-York en ce moment! Nos banlieusards iront partout, sauf à New-York.

— J'ai du mal à le croire Elaine. Tu devras fournir des chiffres à l'appui.

D'un geste triomphant, elle sortit de sa serviette une liasse de documents.

— C'est drôle que tu en parles... Il se trouve que j'ai sous la main en ce moment les données démographiques de la région.

Il refusa les documents d'un geste.

— Plus tard.

Il tourna la tête vers l'extérieur.

Elaine se montra empressée:

— Est-ce que ça va papa? Veux-tu un verre d'eau?

— Pourquoi aurais-je besoin d'un verre d'eau? Simplement parce que je n'ai pas envie de consulter tes satanées statistiques? J'ai autre chose en tête. Je vais très bien. C'est toi qui me traites comme si j'étais un vieillard invalide. Laisse-moi te dire que je ne suis pas encore mort!

Elaine en resta coite. Elle ne savait que répondre à son père. Elle aurait dû lui rappeler qu'il était encore vert et vigoureux. Ensuite elle aurait dû opiner à ses propos et faire comme il l'entendait. Jack ignorait tout d'une association; il ne savait pas concerter une décision tandis qu'elle avait toujours agi avec l'accord d'un partenaire. Elle se rappela sa promesse de se montrer patiente. Evidemment qu'il n'était pas mort! Qui avait jamais prétendu une chose pareille? Mais il ne rajeunissait pas non plus.

— Ça par exemple! s'exclama Jack. Ils doivent toujours se mêler de tout!

— De quoi?

— Tu ne te souviens pas de cet endroit? C'est le parc Mohansic. Nous faisions le pique-nique de la compagnie ici. Tu y venais comme une belle princesse avec ta mère et tes soeurs. Souviens-toi des bocages et du barbecue en pierres des champs. Tous les invités s'exclamaient devant toi et t'offraient des cadeaux.

— Bien sûr, je m'en souviens.

— Regarde l'affiche: «Franklin D. Roosevelt Park». Qui leur a donné la permission de changer le nom de ce parc? N'y a-t-il pas déjà suffisamment d'endroits au nom de Roosevelt? C'était un merveilleux président- j'ai même voté pour lui- mais trop, c'est trop! Pourquoi avoir supprimé le nom de Mohansic?

Il continua de s'indigner ainsi pendant très longtemps. Elaine s'abstint de l'écouter et se concentra sur ce qu'elle dirait à l'entrepreneur Bruce Bylan. Son père rejouait la même scène chaque fois que la discussion n'allait pas dans le sens qu'il désirait: il faisait dévier la conversation. Tant pis s'il ne voulait pas discuter du projet d'appartements en copropriété! Elle s'entretiendrait seule avec Bruce Bylan. Pour l'instant, elle avait autre chose en tête. Elle le laissa parler encore une minute puis elle glissa:

— Au fait, j'ai eu une autre idée dont je voudrais m'entretenir avec toi.

— Une autre idée? La source ne se tarit donc jamais? Ne t'offusque pas! C'était une plaisanterie. Alors, dis-moi!

— Voici en trois mots: les Galeries Garden Village.

— Il n'y a pas de centre commercial à Garden Village.

— C'est bien vrai papa. Il n'y a pas de centre commercial à Garden Village. Mais il devrait y en avoir un. Nous sommes toujours propriétaires de ce vaste terrain près de l'échangeur de l'autoroute. Ce serait l'emplacement idéal. Elle lui sourit en attendant sa réponse.

— Nous construisons des résidences Elaine, pas des centres commerciaux. Un monde sépare les deux genres d'entreprises. Il faut qu'un important investisseur soit le pilier de l'entreprise, ma chérie.

Elle prit une longue inspiration afin de conserver son calme. Elle ne devait pas s'énerver. Plus tard, elle pourrait lui dire que ça ne faisait pas sérieux d'appeler son associée «ma chérie». Il avait usé de cette familiarité à quelques reprises au cours d'importants meetings et elle n'avait jamais réagi, se disant que son père avait besoin de temps pour se faire à l'idée qu'elle était devenue sa collègue. A présent, elle croyait qu'il utilisait ce stratagème pour la maintenir en état d'infériorité.

— Ai-je dit que ce serait facile papa? La facilité m'ennuie. Si tu as envie de voir les faits tels qu'ils sont- elle le regarda afin d'obtenir son assentiment puis elle poursuivit: nous avons déjà tâté le terrain et Caldor est intéressé. Janeway aussi mais je crois que Caldor conviendrait mieux...

— Elaine, tu vas trop vite. Tu t'en rends compte? Tu n'es qu'une néophyte, voilà seulement quelques mois que tu m'aides à gérer l'entreprise, et je te le répète: tu parles trop et trop vite.

— Ce n'est pas mon avis. Ce projet fonctionnera à merveille, je le sens. Ton comptable a déjà fait quelques pronostics. Je suis allée me balader de ce côté et il ne s'y trouve aucun centre commercial. Qui plus est, c'est toi qui as eu la brillante idée de fonder Garden Village à cet endroit. Tu as eu le culot de construire là où personne n'avait songé à investir avant toi. Tu pourrais terminer ton projet, le compléter. C'est une mine d'or, je te dis!

— Non! lança-t-il avec entêtement.

— Non? Je pense avoir mal entendu. Comment ça, non?

— Ça ne me paraît pas un bon investissement. Alors... je dis non. Pas de centre commercial pour Strauss Construction. Point à la ligne.

Elaine se cala dans la banquette recouverte de cuir souple et se mit à inspirer puis à expirer bruyamment en regardant le défilé de rochers et d'arbres qui flanquaient l'autoroute. Elle ne devait pas perdre patience. L'entreprise ne lui appartenait pas encore. Son père était toujours le patron, du moins sur papier. Il ne se comportait plus comme le patron, trop occupé à toujours se plaindre et s'objecter au moindre changement proposé. Il n'était peut-être plus de taille à courir des risques.Il fallait décidément être un joueur invétéré pour réussir dans ce milieu. Dès que l'on commençait à tergiverser, il valait mieux se retirer et céder la place aux audacieux.

La veille il s'était mis en colère au bureau. Elle était venue lui soumettre un plan en vue d'acquérir un terrain qu'il convoitait depuis trois ans. Le prix d'achat requérait une somme considérable, plus forte que celle dont l'entreprise disposait pour le moment. Elle contourna cette difficulté en laissant au comptable le soin de proposer la formation d'une nouvelle corporation qui pourrait trouver des investisseurs. Beaucoup de gens cherchaient à placer leurs capitaux auprès de corporations rentables. L'immobilier attirait les dollars et la confiance des investisseurs. Pourquoi ne leur rapporterait-il pas?

Elle avait expliqué le projet en détail à son père avec beaucoup d'empressement, car elle pensait lui faire un cadeau. Depuis le temps qu'il désirait acheter ce terrain, voilà que la chose était possible. Elle dévoila donc le projet puis se tut, guettant la réaction de son père. Il se contenta de dire:

— Je ne permettrai pas que des étrangers deviennent mes associés.

— Mais papa, cette façon de procéder remonte à l'homme de Cro-Magnon! Tout le monde investit de cette manière. C'est légal et ça nous permet de juguler les pertes. Lorsque l'entreprise devient profitable, on la reconvertit... Mais je devrais laisser Stanley t'expliquer; c'est lui l'expert.

— Et on se réveille un bon matin, Strauss Construction avalée par la nouvelle corporation!

— Jamais, tant que je serai là!

— Si tu crois que je vais marcher dans tes combines sous prétexte que tout le monde le fait, tu te trompes! J'ai atteint la prospérité en faisant les choses à ma façon. Je ne me laisserai pas influencer par tes nouvelles idées.   Il fit un geste impérieux signifiant son refus de l'entendre et reprit:

— Tu as encore beaucoup de choses à apprendre Elaine. Qu'est-ce que tu comprends au monde de la construction? Nous ferons les choses à ma façon et tu verras que j'ai raison.

Elle se sentit comme une gamine à qui on venait de refuser une faveur. Quel idiot! Elle lui apportait la chance de réaliser un vieux souhait et il songeait seulement à protéger son sceptre. Elle s'en rendait vraiment compte pour la première fois. Elle maîtrisa sa colère et se tourna vers lui. Les épaules affaissées, les paupières mi-closes, il semblait vieux et fatigué. Elle vit à quel point il avait vieilli depuis quelque temps. Elle chassa aussitôt cette pensée. Vieux, son père? C'était impossible. Lui qui était enthousiaste, énergique, dynamique et tout-puissant. Pourtant c'était vrai. Il se faisait vieux. Il devenait las. Bientôt, il serait trop vieux et trop las pour affronter sa fille.

Il ouvrit grand les yeux et regarda Elaine:

— J'ai repensé à tout ça. Ce projet de centre commercial... Tu sais, les Galeries de Garden Village? Je t'en nomme responsable. Prépare le dossier et prouve-moi que nous pouvons en tirer des profits substantiels. Nous commencerons à creuser aussitôt.

Etait-il vraiment trop vieux et trop las pour l'affronter? Ou employait-il la tactique du vieux lion qui flatte sa proie pour l'amener à faire ce dont il a envie? Elaine s'en contrefichait. Elle se pencha vers lui et posa un doux baiser sur son front dégarni. Il pouvait s'amuser autant qu'il le désirait. A la fin, elle gagnerait la partie.

chapitre quarante-quatre

Dimanche 20 avril 1986.

Deena entra au Café des Artistes, un sourire de ravissement aux lèvres. Elle y était venue des milliers de fois faire d'excellents déjeuners sous les regards lascifs des nymphes de la peinture murale. Ce restaurant était le préféré de son père; il y avait amené sa famille tous les dimanches pendant de nombreuses années.

— La table de monsieur Strauss, dit-elle au maître d'hôtel qui la conduisit aussitôt à l'endroit où son père s'asseyait depuis toujours.

Deena était heureuse de déjeuner en tête à tête avec lui. Trop d'années avaient passé depuis leur dernière rencontre seule à seul. Elle l'aperçut enfin, un peu amaigri mais souriant, qui l'interpellait.

— Par ici! Bonjour ma chérie, tu es ravissante.

Elle s'arrêta net. Michael était assis à la table de son père. S'il était une personne au monde qu'elle n'avait pas du tout envie de rencontrer, c'était Michael Berman. Pourquoi son père lui avait-il tendu ce piège? C'était un geste impoli, grossier, indécent, offensant, inconvenant et les épithètes auraient été plus nombreuses encore si elle avait disposé de plus de temps. «Nom d'un chien, songea-t-elle, le fait d'avoir frôlé la mort n'a rien changé chez Jack Strauss!» Il se prenait toujours pour le patriarche, le chef de famille, celui qui a toujours raison et qui peut s'ingérer dans la vie d'autrui, surtout s'ils s'agit de ses enfants.

475

Mais que croyait-il? Avait-on idée de provoquer une rencontre avec Michael en ce moment? Ce dernier avait finalement consenti à signer les documents pour le divorce la semaine précédente, après avoir essayé de gagner du temps. Sans parler du mal qu'elle avait eu à lui faire quitter la maison. Chaque jour elle avait téléphoné à Sylvia pour la mettre au courant des événements, de sorte que Jack connaissait très bien la situation. Un jour viendrait sûrement où elle pourrait de nouveau affronter Michael Berman avec sérénité, mais ce n'était pas le cas aujourd'hui.

Il était pourtant là, en chair et en os. Il semblait mal à l'aise mais calme. Elle embrassa son père puis elle s'assit en face de Michael pour n'avoir pas à s'asseoir à côté de lui.

— Quelle bonne surprise! s'exclama Jack en se rasseyant. Nous voilà de nouveau réunis. Nous buvons un Bloody Mary, Deena chérie. Ça te convient?

Elle acquiesça en serrant les dents et s'assit le dos très droit en posant les mains sur la table. Elle s'évertuait à ne pas croiser le regard de Michael et décida de ne pas prononcer un seul mot. Elle ignorait où ils voulaient en venir. Ils devraient dévoiler leur jeu. Elle prit une gorgée de son cocktail. Son père se râcla la gorge: le discours allait suivre.

— Deena je sais que tu es fâchée et que tu es certaine d'avoir raison. Je te demande simplement de m'écouter en gardant l'esprit ouvert. Ne prends pas cet air buté, seul ton bien-être m'importe. Détends-toi. Allons, fais-le pour ton vieux père. Voilà, c'est mieux!

Deena regarda son père sans révéler ses émotions. Il était sûr de la tenir dans le creux de sa main; mais cette fois, il se trompait. Elle le laisserait parler. Ou elle l'écoutait, ou elle s'en allait. S'il croyait qu'elle reviendrait sur sa décision de divorcer, il se trompait lourdement. Il valait mieux qu'il vienne droit au but, car elle avait rendez-vous avec Luke à trois heures et elle n'avait pas l'intention de le faire attendre.

— Depuis quelques semaines, j'ai discuté avec Michael et il accepte de rencontrer un conseiller conjugal. Ça prouve sa bonne volonté. Ne crois-tu pas qu'il vaudrait mieux suspendre la procédure de divorce et voir si les choses ne pourraient pas s'arranger? Après vingt-cinq ans de mariage, Michael pense que ce n'est pas trop te demander. Et je suis d'accord avec lui.

Il fallut beaucoup de volonté à Deena pour ne pas renverser la table et tout ce qui s'y trouvait sur Michael. Il était têtu comme un mulet. Quand il avait une idée en tête, une secousse sismique ne suffirait pas à l'ébranler. Elle avait eu beau lui répéter à maintes reprises qu'elle ne l'aimait plus, que leur union ne lui importait plus et qu'il n'y avait pas de réconciliation possible, il ne la croyait toujours pas. Il s'obstinait à penser qu'elle le désirait encore. Il refusait de voir qu'elle l'avait rejeté une fois pour toutes. Il était insupportable.

Elle l'avait pourtant rencontré une semaine plus tôt. Les Goldsmith célébraient leurs noces d'argent et donnaient à cette occasion une soirée au River Café. Michael et elle avaient été invités quelque temps auparavant et Deena avait envie d'y aller. Elle avait d'abord téléphoné à Sue Goldsmith pour la prévenir: «Sue, je souhaite aller à ta fête. Mel et toi comptez parmi mes plus vieux amis. Mais Michael et moi sommes séparés... La chose est presque officielle. Ça t'ennuierait que je vienne, même si Michael est présent? Sinon je m'abstiendrai. Pour rien au monde, je ne voudrais gâcher ta soirée.» La gentille Sue avait répondu: « Ça me ferait beaucoup de peine que tu ne viennes pas.»

Deena était donc allée au River Café. Elle avait toujours aimé l'ambiance de cet établissement. Ils avaient joué de chance car la chaude soirée avait permis de servir des rafraîchissements sur la terrasse. Deena avait revu tous ses vieux amis, le vin coulait à flots et un ciel étoilé dominait Manhattan. En somme, une soirée mémorable.

Tout allait pour le mieux jusqu'au moment où Michael arriva. Elle conversait avec Joe et Laurel Whitaker. Il était venu près d'elle, avait passé son bras autour de sa taille et posé un baiser sur son cou. Il s'était comporté comme s'ils étaient toujours mariés et cela l'avait rendue furieuse. Jamais au cours de leur mariage il ne lui avait témoigné son affection en public.

De plus, à maintes reprises il avait interrompu la conversation pour glisser des fadaises sur son élégance ou sa prétendue beauté. Il s'était fait son chevalier servant, lui apportant sans cesse des canapés ou des hors d'oeuvre, la croquant des yeux et la caressant comme un chat en chaleur. Elle avait regretté de n'avoir pas eu le mauvais goût de se faire accompagner par Luke. Elle aurait voulu jeter Michael dans l'East River. « Va-t'en Michael! lui avait-elle intimé alors qu'il la suivait comme un chiot. Tu perds ton temps Michael. Laisse-moi seule!» Il s'était contenté de la regarder droit dans les yeux et de lui dire: «Deena, à l'idée que nous ne célébrerons pas nos noces d'argent...» Elle avait eu les larmes aux yeux et s'en était voulu.

Elle s'était éloignée de lui. Sa présence était insoutenable; il valait mieux qu'elle parte. Elle irait trouver Mel et Sue, les féliciterait encore une fois et s'excuserait de devoir s'en aller si tôt. A ce moment, le regard de Sue s'était embué de larmes: «Deena quand je vous ai vus ensemble, je me suis dit que peut-être Michael et toi...»

Deena s'était mordu la langue, se contentant de sourire en prenant congé.

Voici que Michael était de nouveau en face d'elle, souriant comme un jeune marié. Sa présence ne lui inspirait que du dégoût.

— Va-t-il falloir que je quitte le Café des Artistes comme j'ai dû quitter le River Café? N'y a-t-il pas un seul restaurant où je puisse être tranquille dans tout New York?

Michael sembla abattu puis son accablement céda place à la colère. C'était enfin l'homme qu'elle connaissait! «Pique une colère, implorait-elle silencieusement, et puis que le diable t'emporte!»

— La carapace que tu portes avec tant d'insolence ne te convient pas du tout, Deena.

— Trouve autre chose Michael!

Jack intervint d'un ton brusque:

— Deena! Tu n'as pas l'habitude de parler ainsi. Je ne te reconnais plus.

— Vous pouvez laisser tomber, tous les deux! Non, mais pour qui me prenez-vous?

Elle était consciente de parler à voix haute et cela lui était égal. Elle était d'avis qu'elle se comportait très bien pour une femme de quarante-trois ans qui en avait marre de rechercher l'approbation masculine quand venait le temps d'agir ou de réagir.

— Vous me rendez malade! J'en ai assez de vous voir me dicter ma conduite! Je suis un être humain, comprenez-vous ça? Un être humain à part entière.

Elle fit une pause pour reprendre son souffle et Michael en profita pour glisser:

— Vous voyez Jack? Je vous l'avais dit. Elle ne trouve rien de mieux que de scander des slogans féministes.

Deena de leva tout de go. Elle en avait déjà trop entendu.

— Papa, tu aurais mieux fait de me prévenir avant de me préparer une telle surprise! Je m'en vais.

— Deena! Jack parlait maintenant d'une voix doucereuse. Assieds-toi, détends-toi. Je suis persuadé que Michael regrette ses paroles. Nous n'y ferons plus allusion. Nous allons déjeuner et passer un moment agréable.

— Navrée, fit-elle en secouant la tête.

— Deena, je ne comprends pas. Jamais je ne t'ai vue si agressive, si hostile. Michael a usé du mot juste: si dure. Tu as toujours été la plus raisonnable de toutes, celle qui savait se montrer gentille, flexible, accommodante. Il secouait la tête avec un regard plein de tristesse.

Elle aurait été censée pousser un soupir, abandonner ses griefs, embrasser son père et faire ce qu'il voulait. Elle savait ce qu'on attendait d'elle; trop longtemps elle avait joué le jeu.

— Autrement dit, lança-t-elle d'une voix acerbe, j'ai été une girouette toute ma vie. Désolée, mais le temps des girouettes est révolu!

Tant pis pour les larmes qui roulaient sur ses joues pendant qu'elle faisait sa sortie!

chapitre quarante-cinq

Dimanche 20 avril 1986.

— Lawrence, mon chéri! Mais où es-tu, enfin? Il y a deux mois que je ne t'ai vu, tu te rends compte?... Lawrence, je suis si heureuse d'entendre le son de ta voix! Je me suis fait du souci, tu sais.

— Garde tes apitoiements pour toi! Et ne me demande pas où je me trouve. Je vais bien. Sauf que je suis fauché.

— Lawrence, comment peux-tu être sans le sou? Tu es parti avec...

— Je sais très bien avec quelle somme je suis parti! Fous-moi la paix, veux-tu? J'ai été malchanceux.

— Encore des dettes de jeu. Lawrence, je t'avais pourtant prévenu. Je t'avais conseillé de t'inscrire aux Joueurs Anonymes avant qu'il ne soit trop tard.

— Vas-tu la fermer à la fin? Je suis coincé, sinon pourquoi te téléphonerais-je? J'ai besoin d'argent et en vitesse!

— Je ne te reconnais plus Lawrence. Qu'est-ce qu'ils t'ont fait?

— Qui ça «ils»? Demande-toi plutôt ce que tu as fait! Inventer un conte de bonne femme au lieu de me parler de mon vrai père!

— Lawrence, cesse de t'énerver et écoute ta mère un instant. Je t'en prie. Je ne te reproche rien; je sais que cette histoire fut

481

un dur coup pour toi. Je n'ai jamais voulu te cacher quoi que ce soit. J'ai toujours pensé te raconter l'histoire de ta naissance, mais les années ont passé... Je croyais qu'il n'était plus nécessaire de remuer cette histoire ancienne. Je l'ai fait pour ton bien. Ce n'est pas le moment de te fâcher contre moi, mon trésor. Surtout pas lors d'un appel interurbain. Nous devons nous serrer les coudes et ensemble nous passerons ce mauvais moment... Tu dis?

— Je n'ai rien dit. Tu m'as entendu bâiller. Alors, tu m'envoies l'argent ou pas?

— Je t'enverrai tout ce que tu voudras. Mais avant, écoute-moi. Beaucoup de choses se sont produites depuis ton départ, et il vaudrait mieux que tu sois au courant. Par exemple... M'écoutes-tu Lawrence?

— Ouais, ouais.

— Je ne travaille plus chez Weinreb & Strauss. J'ai pris ma retraite... pas besoin d'être impoli. C'est vrai, je suis pensionnée. J'ai atteint l'âge de la retraite: soixante ans. Je le mérite bien. Et je ne suis pas partie les mains vides, figure-toi. Nous avons suffisamment de capital pour prendre un nouveau départ.

— Je ne veux pas de nouveau départ, je veux deux mille dollars.

— Ecoute-moi Lawrence! Je viens de faire l'acquisition d'un appartement en copropriété à Tucson; deux chambres, deux salles de bain, une piscine et un sauna, un club athlétique, une piste de course, quatre courts de tennis...

— Ça ne m'intéresse pas!

— Lawrence! J'ai acheté à Tucson parce que la construction y est en plein essor. Tu pourras y trouver un emploi à ta mesure, mieux encore que ce tu faisais chez...

— Je ne veux pas trouver un emploi. Je ne veux pas vivre à Tucson. Je ne veux pas habiter chez toi.

— Mais je suis ta mère et je t'aime!

— Oh oui? Tu prétends m'aimer? C'est pour ça que tu m'as menti toute ma vie? C'est pour ça que ma vie est un gâchis? C'est pour ça que tu m'as privé de mon père? Je te jure, chaque fois que je songe au sergent McElroy tué au combat j'ai envie de vomir!

— Tout ce que j'ai fait, c'était pour toi mon chéri!

— Tais-toi! Pendant que tu inventais des histoires au sujet du sergent McElroy, mon père se trouvait à mes côtés. Enfin, tu aurais pu le contraindre à t'épouser! Et tu viens me dire que tu m'aimes? Si tu m'avais aimé, tu m'aurais donné la vie que méritait le fils de Jack Strauss. Son fils unique!

— J'ai tenté de le faire Lawrence. Tu ne sais pas ce que c'était... Elle cherchait à se débarrasser de moi et j'ai dû l'affronter à plusieurs reprises. Pourtant, il m'avait promis, il me l'avait promis! Ce n'est pas ma faute...

— Ah! Tu me donnes la nausée. N'as-tu rien de mieux à raconter?

— Lawrence, je t'en prie!

— M'envoies-tu l'argent? Oui ou non.

— Reviens à la maison et je te donne tout ce qui m'appartient.

— Je t'ai prévenue. Là où tu habites, ce n'est plus chez moi.

— Mais je suis ta mère!

— Je ferai tout pour l'oublier!

— Lawrence! Je t'en prie, ne raccroche pas! Ecoute-moi. Dis-moi au moins où tu te trouves. Tu n'es pas obligé de revenir à la maison. Dis-moi seulement où tu es.

— Tu rigoles? Je n'ai rien à te dire. Si je comprends bien, pas de pognon. Dans ce cas, bye-bye!

— Lawrence, non! Tu es tout ce qui me reste à présent!

— Alors j'ai quelque chose à t'apprendre mémé: il ne te reste plus rien! Parce que j'en ai fini avec toi. *Finito!*

— Lawrence, ne raccroche pas... Mon Dieu, mon Dieu, ce n'est pas possible... Ce n'était pas ma faute!

chapitre quarante-six

Mercredi 23 avril 1986.

Quittant sa cuisine, Earline entra dans la salle à manger en s'adressant à chacun:

— Noël, j'ai disposé des soucoupes pour y mettre les coquilles de noix. Alors pourquoi les mets-tu dans la tasse de ta grand-mère? Fais passer les plats, veux-tu, Saul? Tu n'es pas trop vieux pour m'écouter, même si tu as une moustache. Judy, tu peux bien rire! J'ai remarqué que tu renversais ton vin sur la nappe comme lorsque tu avais quatre ans. Je vais encore devoir la laver à l'eau de Javel; je croyais pourtant que cette période était révolue!

Deena était d'humeur joyeuse.

— Earline, je me demande si nous serons jamais à la hauteur de vos exigences! J'en doute fort.

Jack ajouta son grain de sel:

— Nous ne sommes que des rustres à qui il faut pardonner.

La vieille domestique marmonna quelque chose en souriant et continua de balayer les miettes sur la nappe; elle empila les assiettes sales et vérifia la quantité de café au fond des tasses.

— Monsieur Strauss, demanda-t-elle, une autre tasse de café?

— Plus de café pour monsieur Strauss, répondit Sylvia avec fermeté. Jack, tu sais ce qu'a dit le médecin!

— Mais il n'a rien dit au sujet des macarons. Earline, apportez-moi trois ou quatre de vos merveilleux macarons.

Earline eut un petit sourire de fierté.

— Je présume que je dois enlever les Haggadah à présent? N'est-ce pas le moment de chanter la chanson qui termine ce repas?

— Très bien. Emportez les Haggadah et les verres à vin aussi, mais laissez le reste sur la table. Nous allons bavarder un moment.

— Je sais, je me souviens. Quand vous célébrez la pâque, vous avez la permission de poser les coudes sur la table!

Ce commentaire provoqua de petits rires chez les plus jeunes membres de la famille.

— La permission! protesta Noël. Ce n'est pas une permission Earline, mais une obligation!

— C'est le onzième commandement de Dieu: «Sur la table, coudes tu poseras», récita Howard.

— Non monsieur Barranger! Pas dans la Bible que j'ai chez moi!

La domestique gloussa. Les enfants applaudirent à tout rompre. Earline sourit en passant la salle à manger en revue; ce qu'elle voyait recevait son approbation.

— C'est un plaisir que de vous voir tous rassemblés ici, surtout toi Nat. Bientôt tu seras médecin. Bien. Il est grand temps que je reprenne ma besogne. Je suis heureuse de vous voir tous ici!

Earline sortit de la salle à manger en emportant un plateau où s'empilait la vaisselle sale. Les derniers mots qu'elle murmura n'échappèrent cependant pas à Deena:

— Sauf évidemment monsieur Berman!... Quel dommage!... Jamais je ne comprendrai.

A l'instar de tous ceux qui constituaient son univers, Earline ne comprenait pas que le mariage des époux Berman se soldât par un échec. Elle voulait que tous les mariages soient heureux et qu'ils portent fruits, selon la volonté exprimée dans la Bible. Un mariage devait durer envers et contre tout. Durer longtemps. C'était le voeu qu'avait aussi formulé Deena. Celle-ci ne se réjouissait pas particulièrement de son divorce, mais pour elle ce n'était pas non plus la grande tragédie du siècle.

Combien de ses amies s'étaient exclamées: «Comme c'est malheureux!» Pourquoi donc? Pourquoi la croyait-on malheureuse? Pourquoi ne pas accepter qu'elle soit heureuse, au contraire? Qu'elle se porte mieux? A l'annonce d'un divorce, on affichait une mine consternée, le ton devenait douloureux et les commentaires se résumaient en trois mots: «Comme c'est malheureux!» Tant pis! Elle s'était promis d'oublier, ne fût-ce que pour la soirée, l'existence de Michael Berman, de même que son mariage, son divorce, ses désillusions et même- comment qualifier Luke?- son amant. Elle ne considérait cependant pas ce dernier comme un amant; leur liaison n'avait rien de romantique. Ils faisaient l'amour et il lui parlait de son travail. Ils faisaient à nouveau l'amour et il tentait de lui enseigner ce qu'il savait, avec l'espoir qu'elle devienne un jour l'auteure dramatique qui sommeillait en elle.

Quelqu'un lui prit le bras et posa la main sur son épaule, la ramenant d'un coup à la réalité. Son fils Saul s'appuyait sur elle. Saul avait toujours été un enfant câlin. A l'âge où les autres enfants ne daignaient plus s'approcher de leurs mères, Saul s'asseyait encore sur ses genoux pour trouver du réconfort. Lorsqu'il était devenu trop grand et trop lourd pour agir ainsi, il s'était mis à s'appuyer contre elle. C'était une façon plus «cool» de montrer son affection qu'elle avait appris à apprécier. Toutefois, cette proximité physique était devenue rare pendant sa crise d'adolescence. Ils s'étaient à peine adressé la parole.
Elle reprenait donc plaisir à sentir son poids et sa chaleur. Une telle familiarité lui faisait grand bien. Elle n'avait pas caché son étonnement lorsqu'il était arrivé en compagnie de Marilyn. En quelques mois, il avait grandi, perdu du poids et ses épaules étaient devenues robustes. De plus, il portait la moustache. Elle en était demeurée bouche bée. Le changement qui s'était opéré en lui ne tenait pas seulement à son apparence physique. L'enfant maussade avait disparu; Saul, arborant un sourire sincère, lui avait donné une accolade qui avait failli la renverser.
Il avait desserré son étreinte et elle avait dû lever la tête pour le regarder dans les yeux. Elle n'avait pu retenir une larme, insistant pour dire que seule la joie motivait ses pleurs. Elle l'avait

appelé son «bébé» et, au lieu d'en être exaspéré, il s'était jeté dans ses bras en s'écriant: «maman!»

Il commençait cependant à se faire lourd, d'autant plus qu'il était appuyé sur son épaule droite, de sorte qu'elle ne pouvait boire son café. Elle avait envie de boire le breuvage chaud mais elle ne pouvait faire un geste qui repousserait son fils, ni lui demander de changer de position. Pas maintenant. Son regard croisa le sien une fois de plus et quelque chose intrigua Deena. Tout au long du rituel et du repas qui avait suivi, elle avait vu dans les yeux de Saul une lumière inhabituelle qui cachait quelque secret ou quelque espièglerie. Elle avait envie de lui demander de quoi il s'agissait mais la pudeur l'en empêchait; c'était un adulte à présent. Elle avait conscience d'avoir perdu à jamais son poupon joufflu, son enfant cajoleur, l'adolescent taciturne qu'il avait été. Elle était de ce fait confrontée à son propre vieillissement. Cette réflexion la prit de panique et elle s'empressa de porter un toast.

— Je lève mon verre à Saul, car s'il n'avait pas bravé la neige du Vermont il ne serait pas parmi nous pour poser les Quatre Questions!

— Noël aurait dû le faire, enchaîna Zoé. Mais il les a probablement oubliées.

Noël lui pinça le bras et leva son verre en disant:

— Je bois à la santé de Saul qui posera les Quatre Questions. Que serait la pâque sans elles?

Judy y alla de son commentaire:

— Vous souvenez-vous lorsqu'il était enfant et qu'il ne savait dire que «Ma»? Nous devions faire le reste!

Les enfants éclatèrent de rire et commencèrent à citer les paroles en hébreu.

— Une autre année, il a piqué une colère parce qu'on ne l'avait pas laissé réciter la prière.

— Il était beau garçon, en ce temps-là! avoua Zoé en jouant des prunelles.

— Ouais! Et il est encore plus beau maintenant, répondit Saul du tac au tac en lissant sa moustache.

Zoé prit l'air écoeuré que Deena détestait tant et relança son frère:

— Tu parles de la fourrure mitée qui pousse au-dessus de ta lèvre supérieure? Tu crois que ça te donne du charme? T'as seulement l'air d'un type mal rasé. J'ai hâte que tu te fasses la barbe! Je ne t'aime pas avec cette moustache.

— Moi, c'est ta tête de linotte qui ne me revient pas. Pourquoi ne pas la raser à la base du cou?

— Les enfants, ça suffit!

Jack affichait un sourire de contentement.

— Voilà que je reconnais mes petits-enfants! Pendant un moment, je les ai trouvé trop polis à mon goût.

Elaine posa un regard interrogateur sur son père.

— Est-ce le Jack Strauss qui m'a élevée qui vient de parler? L'homme qui nous interdisait formellement de répliquer?

— Non, c'est le Jack Strauss qui te disait: «Fiche la paix à ta soeur et cesse de rouspéter!» corrigea Deena qui s'adressa ensuite aux enfants: Vous voyez ce personnage calme, assis au bout de la table et qui s'émerveille de vos écarts de conduite? Il n'était pas du tout ainsi autrefois.

Tous éclatèrent de rire, sauf Zoé qui marmonna:

— J'ai horreur des moustaches!

— Dans ce cas, pourquoi laisses-tu pousser la tienne? rétorqua Saul.

Pendant ce temps, Noël se penchait à l'oreille de sa cousine pour lui murmurer quelque taquinerie et la faire sourire. Deena n'entendait pas ce qu'il disait mais cela lui rappelait leur enfance, quand Zoé était d'humeur massacrante. Noël parvenait toujours à lui faire oublier ses colères. Il n'y réussit pourtant pas cette fois. Zoé demeura impassible et se leva soudain en criant à son cousin:

— Tais-toi Noël!

— Rien ne m'y oblige!

— Dans ce cas, va voir ailleurs si j'y suis!

— Zoé!

Le cri jaillit de toutes les bouches. Zoé n'y prêta cependant aucune attention. Elle fixait son cousin avec de grands yeux tristes. Ils se dévisagèrent ainsi pendant un moment, puis elle sortit de la pièce en pleurant. Deena l'interpella, sans résultat. C'était sans déplaisir qu'elle voyait sa fille quitter la table. Elle avait boudé durant tout le repas et cela avait agacé Deena. Elle savait ce qui n'allait pas chez sa fille. La cause de ses soucis avait pour nom Lawrence. Ce n'était quand même pas une raison pour faire un éclat! Zoé n'était pas la seule autour de cette table à avoir des ennuis, pourtant les autres se comportaient en personnes civilisées.

Deena n'avait plus le coeur à parler de Lawrence avec sa fille; elle en avait déjà trop entendu à son sujet. Ainsi, il avait disparu. Qui se souciait de son absence? Grâce au ciel, il était enfin sorti de leurs vies! Plusieurs mois avaient passé et Zoé ne semblait pas accepter les faits. Lawrence n'avait même pas envoyé une carte postale pour lui indiquer l'endroit où il se trouvait. Pourquoi ne parvenait-elle pas à l'oublier? Pourquoi ne s'estimait-elle pas heureuse de s'être sortie indemne de cet imbroglio?

Deena n'avait pas la moindre intention d'écouter encore les jérémiades de sa fille au sujet de ce salaud. Toutefois, ne devrait-elle pas jouer son rôle de mère modèle et courir vers sa fille pour la consoler? Mais accordait-elle encore de l'importance à ce que son entourage attendait d'elle?

Elle décida de demeurer à table. Elle le regretta car son père se tourna aussitôt vers elle pour lui demander:

— Qu'est-ce qui ne va pas chez Zoé?

— Me croirais-tu si je te disais que je l'ignore?

— Pourtant, tu le sais bien. C'est à cause de ton... hum...

«Ah non, par exemple!, songea-t-elle, il ne va pas me remettre le divorce sous le nez.» Chaque fois que son père ou Sylvia parlaient de divorce, ils mettaient des gants blancs et évitaient de prononcer le mot comme s'il s'agissait d'une maladie honteuse.

— Non papa, il ne s'agit pas de mon Hum!, comme tu dis. Mon Hum! n'est pas la cause de tous les maux de ce monde.

Deena sentit un regard accusateur se poser sur elle et se tourna vers son fils Nat. La condescendance qu'il affichait envers elle lui donnait envie de le gifler. Depuis son retour à la maison, Nat lui faisait la leçon sur la vie après un divorce. Il avait suivi un cours sur le développement psychologique de l'adolescent et se targuait de pouvoir enseigner à sa mère comment faire face à sa nouvelle existence. Exactement comme le type avec qui elle avait vécu pendant près de vingt-cinq ans! Elle en vint à souhaiter qu'il aille retrouver sa soeur. L'attitude de son fils lui répugnait.

La condescendance était peut-être un atavisme, à moins que Nat n'ait trop bien appris de son père le traitement à réserver aux femmes.

Cet enfant était la réplique exacte de Michael, bien-pensant et imbu de son importance. Petit garçon déjà il était toujours absolument convaincu d'avoir raison en tout. Elle était heureuse qu'il ait réussi ses études; ce serait un bon médecin. Elle craignait cependant que les études supérieures n'aient servi qu'à renforcer chez lui le sentiment latent de sa propre supériorité. Il était l'aîné de ses enfants, elle devait donc l'aimer mais elle ne le trouvait pas sympathique.

Jack insistait:

— Tu dois admettre que Zoé n'est plus elle-même depuis quelque temps. Et je ne vois rien d'autre qui puisse expliquer ce changement.

Deena ouvrit la bouche avec la ferme intention de lui révéler la raison de ce changement, mais Sylvia ne lui en laissa pas l'occasion:

— Chut! Jack. Zoé a une raison bien personnelle d'agir ainsi et Deena n'a pas à la confier à toute la famille.

— Sylvia, tu m'enlèves les mots de la bouche, lança Deena en regardant sa mère non sans admiration.

Saul hulula comme une effraie, selon l'image que les citadins se font des habitants du Vermont.

— Juste ciel! J'ai créé un monstre, dit Marilyn.

' L'un des enfants avoua à sa tante:

— Ce que tu viens de dire est drôle Marilyn, pour une fois!

Cette dernière ajouta avec un sourire de modestie:

— Mon penchant pour la comédie est lié à quelques gènes récessifs dont je ne peux me débarrasser.

— C'est un défaut hériditaire chez les Strauss!, ajouta Deena.

Ils éclatèrent de rire tous ensemble.

Elaine haussa le ton pour faire une suggestion:

— N'auriez-vous pas tous envie d'aller regarder la télé ou de raconter des histoires drôles dans l'antre de monsieur Strauss?

A partir de ce moment, la fête des azymes était officiellement terminée.

Ils se levèrent tous de table, étirant les jambes et frottant leurs panses repues. Les compliments fusèrent en direction de Sylvia. Nat dit à son frère:

— N'oublie pas ta promesse.

Saul se raidit:

— Je peux très bien parler à papa sans ton intervention. Mêle-toi de ce qui te regarde, Nat. Quel appareil puis-je utiliser?

— Va dans ma chambre, mon trésor, suggéra Sylvia.

Deena eut un petit sourire, car sa mère entendait et voyait tout, même si d'autres problèmes semblaient retenir son attention.

— Tu ferais mieux de ne pas le dire devant maman, lança joyeusement Judy. Elle serait capable de couper les fils du téléphone.

Deena ferma les paupières pour conserver son calme. Ils fêtaient tous la pâque en famille. Ce n'était pas le moment de faire un esclandre. Elle ne laisserait pas les enfants gâcher son plaisir. Le divorce leur faisait mal et elle ne s'en réjouissait pas. Mais ils étaient maintenant en âge de comprendre la situation. Elle ouvrit les yeux. A ce moment, Elaine vint à sa rescousse.

— Deena et moi allons donner un coup de main à Earline, annonça-t-elle.

Deena en fut grandement soulagée. Dès qu'elles furent seules dans la dépense, Elaine s'apitoya sur sa soeur:

— Pauvre petite! Ils n'ont pas cessé un seul instant de t'agacer. Est-ce ainsi depuis le début des procédures? Ça dure depuis combien de temps?

— Depuis combien de temps Michael a-t-il quitté la maison?

— Vous devez avoir du sang juif, madame, pour répondre à une question par une autre question!

— C'est la pâque juive, j'en ai donc le droit!

— Laisse tomber les plaisanteries, tu veux? Je me fais du souci à ton sujet. Tout cela est suffisamment moche, sans que les enfants s'amusent à te torturer. Laisse-moi leur parler.

— Est-ce que papa est inclus dans le groupe des enfants?

— S'il le faut, répondit Elaine.

— Bien, mais laisse-moi d'abord te dire pourquoi il est inutile de parler avec mes enfants. Je fais une bien mauvaise mère. Je ne suis jamais à la maison, et lorsque j'y suis je ne me préoccupe que des choses qui m'intéressent. Sans oublier que, sans moi, ces enfants auraient encore un père auprès d'eux.

— Laisse-moi deviner... On croirait entendre Judy.

— Tu as deviné juste. Nat me fait la leçon. Et Zoé se laisse sombrer dans la dépression, essayant de m'entraîner vers le fond avec elle. Saul n'habite pas chez moi; il n'a pas encore eu l'occasion de faire mon procès. C'est surtout Judy qui m'accable de reproches. J'essaye de me montrer patiente. Elle a toujours été le chouchou de papa. Quand est venu le moment de partir aujourd'hui, elle m'a annoncé qu'elle irait fêter la pâque en compagnie de son père. Si tous les autres étaient assez égoïstes pour le laisser seul en une pareille journée, elle du moins... Tu vois le genre de discours?

— Alors?

— Je lui ai dit la vérité. C'est Michael qui a insisté pour qu'ils célèbrent la pâque chez leurs grands-parents. Il n'a pas fini de s'installer et il n'avait pas envie de les recevoir chez lui. Il est bien évident qu'il n'avait pas envie de cuisiner pour ses quatre enfants; il préférait boire et chanter toute la nuit avec ses amis du comité.

— Comment as-tu réussi à la faire venir jusqu'ici?

— Comment crois-tu? J'ai joué la corde sensible, je lui ai fait le numéro du grand-père malade.

— Alors?

— Alors quoi? Je viens de te raconter.

— Qu'est-ce que tout ça a à voir avec ton Hum? Elle pouffèrent de rire. Comment te sens-tu Dee-dee?

— Ça va. Je vis une période d'adaptation. J'ai vécu ma jeunesse dans la maison de mon père pour ensuite emménager dans celle de mon mari. J'étais très jeune et j'ignorais tout de la vie. Je ne me connaissais pas moi-même et je devais apprendre à connaître un homme. Avant que j'aie pu m'en rendre compte, je me suis retrouvée entourée de petits bonshommes qui portaient tous des couches. Et voilà que maintenant je suis seule. Personne ne partage ma maison. C'est étrange Elaine: j'avais hâte que Michael fiche le camp mais certaines nuits j'entends des bruits insolites et je me prends à souhaiter la présence d'un homme à la maison.

— Excuse-moi de poser la question... Aimerais-tu qu'il revienne?

— Mon Dieu! Non. Ce n'est pas ce que je voulais dire...
Non, non. Je dois m'adapter, voilà tout. Je me réveille toutes
les nuits avec l'impression que quelque chose ne va pas; puis ça
me revient. Michael ne dort plus à mes côtés. Alors je souris,
je retourne mes oreillers et je m'endors à nouveau. Sauf les nuits
où je ne parviens pas à trouver le sommeil.

— Qu'est-ce que tu fais alors?

— Aimerais-tu connaître la liste des navets produits à Holly-
wood?

— Pauvre petite, s'apitoya à nouveau Elaine. Ça ne doit
pas être drôle. Elle fit une brève pause. A moins que je ne sois
stupide! Est-ce que tu fréquentes quelqu'un?

— Non. Oui. Un peu.

Elle ne savait trop ce qu'elle pouvait confier à sa soeur. Elle
décida de ne rien dire; il était trop tôt. Elaine ne comprendrait
jamais ce qu'elle pouvait trouver à la compagnie d'un homme
plus jeune qu'elle. Elle n'imaginerait pas tout le plaisir que l'on
peut retirer de rapports sexuels avec un homme dont on n'est pas
amoureuse. Elle la condamnerait de perdre ainsi son temps pour
une relation sans avenir.

— C'est un collègue... Un auteur- Elle parlait très rapi-
dement- Il croit que j'ai beaucoup de talent et il essaie de me
convaincre de m'engager dans un atelier d'écriture.

— Je te pose des questions au sujet de l'homme de ta vie
et tu me parles d'une machine à écrire! Ça va, j'ai compris! Ça
ne me regarde pas.

— Un jour... dit vaguement Deena. Je te raconterai tout.

Deena souleva sa pile d'assiettes et poussa la porte battante
d'un coup de hanche. Elaine leva les sourcils dans un geste incrédule et suivit sa soeur dans la cuisine avec la vaisselle sale.
Earline se trouvait devant l'évier; en les voyant entrer elle fit une
petite moue.

— Sois gentille Elaine, transporte donc la vaisselle sur un
plateau. Ah! Tant pis. Pose-les dans l'évier, je vais les rincer.

— Je n'ai jamais compris pourquoi tu rinces la vaisselle
avant de la mettre dans le lave-vaisselle?

— Parce que ta mère le veut ainsi, répondit Earline en
souriant. Je dois me faire vieille. Ce soir, je me souviens du

temps où vous étiez hautes comme trois pommes et où vous m'apportiez une tasse à la fois.

— Au fait Earline, pourquoi ne pouvions-nous apporter qu'une tasse?

— Quand je vous ai permis d'apporter les assiettes, vous en avez laissé tomber deux.

— La belle porcelaine de grand-maman Weinreb?

— Tout juste. Les temps n'ont pas changé. Il faut encore que je vous chasse pour pouvoir faire mon travail. Allez ouste!

Elles retournèrent à la salle à manger. Il ne restait rien à rapporter à la cuisine. Earline ramasserait les miettes de pain azyme sur la nappe et les deux carafes de vin furent vite rangées dans le buffet. Elles ne trouvaient plus rien à se dire. Deena se rendit au bar, sortit deux verres de cristal fin et laissa le soin à Elaine de verser le digestif. En levant son verre, cette dernière demanda:

— Des regrets?

— Aucun.

— Dans ce cas, buvons à l'absence de regrets.

Elles trinquèrent et burent une gorgée. Deena dit ensuite:

— En fait, c'est fantastique d'être à nouveau célibataire. Je chante à tue-tête et je fausse tant que je veux! Surtout ne le dis pas à sylvia, mais je ne fais plus mon lit le matin!

Elaine leva son verre une seconde fois.

— Voilà qui mérite un toast!

Elle pensait que cette habitude de tout tourner en dérision était un véritable défaut héréditaire. Les affres existentielles, les douleurs de l'âme, tout était objet de plaisanterie. Elle se dit ensuite que la génétique aurait pu leur infliger pire.

— Alors? demanda Deena.

— Alors quoi?

— Te crois-tu la seule à pouvoir demander aux autres «Alors»? Elle donna un coup de coude à sa soeur: tu vois ce que je veux dire? Alors Lainie, comment se sent-on lorsqu'on devient une reine de l'immobilier?

Elaine grimaça sa réponse:

— J'adorerais mes nouvelles fonctions si tu-sais-qui cessait de se montrer sexiste.

— Tu le savais avant de travailler à ses côtés.

495

— Mais j'ignorais ce que travailler avec lui exigerait de moi. Voici enfin exaucé le rêve de ma vie: je suis la vice-présidente de Strauss Construction! Je joue à la patronne, je ponds une idée par minute et ce sont de bonnes idées, tous mes collègues sont d'avis que j'ai le cran nécessaire et je n'objecterai rien à cela. Et pourtant... elle se tut avant d'éclater d'un rire amer: si papa ne me cherchait pas querelle sans cesse. Il semble incapable d'accepter un seul mot de moi. Peu importe ce que je dis, il n'est jamais d'accord. S'il acceptait seulement de me confier de véritables responsabilités...

Deena se mit à rire.

— Désolée mais sais-tu combien de «si» tu as prononcés? Souviens-toi du temps où nous ne formulions pas une seule phrase sans qu'elle débute par «si».

— Je n'ai pas oublié. «Si Peter Schulhof m'invitait au bal... Si j'obtenais le premier rôle dans la pièce de fin d'année.. Si j'avais les yeux violets comme Elizabeth Taylor... Si seulement j'avais un seul des charmes d'Elizabeth Taylor!»

Elles trinquèrent à nouveau. Elaine but une gorgée et plissa le nez en signe de dégoût.

— Trop fruité! Pourquoi doit-on boire du Manischewitz trop sucré à la pâque?

— Ne le demande pas. C'est sûrement écrit dans la bible de Sylvia. Je lui ai dit qu'on importait de France un excellent vin blanc sec, kascher de surcroît, spécialement pour les fêtes juives. Elle m'a fait de gros yeux. Deena leva les sourcils et ajouta: j'ai remarqué que le dégoût manifesté pour le vin de maman ne t'empêchait pas de remplir ton verre à intervalles réguliers.

— Plus c'est sucré, plus vite ça se boit! lança Elaine avec un sourire. Elle poursuivit: je sais qu'il ne me confiera pas de véritables responsabilités. Il va falloir que je lui ravisse le sceptre, je le sens. C'est peut-être ce qui me déprime le plus. As-tu remarqué Deena que papa a vieilli d'un seul coup? Il devient plus lent, il se répète... Pas trop souvent, on ne s'en rend pas compte tout de suite. Mais moi je l'ai remarqué. Bientôt, ça n'échappera plus à personne. Alors ce sera affreux pour lui. Si seulement il consentait à prendre sa retraite... Elle poussa un long soupir et reprit: en réalité, je gère seule presque toutes les opérations. Il refuse cependant de l'admettre. Alors il joue au chat et à la souris. Je dois faire semblant de jouer le jeu et ça m'épuise.

Deena grimaça avant de parler. Elle dit gentiment:

— As-tu pensé que ce n'est peut-être pas la meilleure solution pour toi que de travailler avec lui? Il vaudrait peut-être mieux que tu concentres ton attention sur Sexy Follies.

— Ma foi, tu deviens folle! Je suis assise sur une mine d'or. Ne te méprends pas sur le sens de mes paroles Deena. J'adore travailler chez Strauss Construction. C'est le bonheur total, mais je suis fourbue. Deena, écoute-moi bien... Travailler, c'est toute ma vie. Bien sûr, j'aime mon mari, mon fils et ma famille mais mon travail...

Elle se tut car elle ne pouvait pas dire ce qu'elle ressentait à quelqu'un qui n'avait jamais éprouvé de passion pour son travail.

— Qu'est-ce que vous faites ici toutes les deux?

Sylvia était apparue à l'improviste.

— Je te cherchais, Deena.

— Eh bien tu m'as trouvée! Ça va, tu peux parler devant Elaine. C'est ma soeur.

— Très drôle. Mais la situation l'est moins. Zoé ne semble pas en grande forme.

— Alors, toi aussi, Sylvia? Ai-je besoin qu'on me le rappelle? Avez-vous oublié que je suis sa mère? Je connais l'état de Zoé... Laissez-moi respirer, pour l'amour du ciel!

Le visage de Sylvia s'empourpra et elle resta muette. A sa stupéfaction, Deena s'aperçut qu'elle l'avait blessée. Elle se désolait d'avoir causé cette peine à Sylvia. Parler sur ce ton à sa mère était indigne d'une femme responsable; c'était au plus la réaction d'une adolescente rebelle. Un geste stupide, de surcroît. Elle ne s'était pas révoltée contre l'autorité maternelle à l'adolescence, il était trop tard à présent. Inutile aussi d'en vouloir à sa mère qui cherchait seulement à l'aider.

Ne venait-elle pas elle-même de se lamenter quelques minutes auparavant au sujet de ses enfants? Elle considéra sa mère un instant et du coup remarqua les rides qui creusaient son visage, l'affaissement de la bouche, les nombreux plis qui marquaient ses lèvres jadis charnues. Sylvia vieillissait et Deena le constatait avec effroi. Elle avait soixante-dix ans! Un jour viendrait où sa mère ne serait plus de ce monde. Son sang se glaça d'horreur à cette idée. Elle ne retint pas les larmes qui perlaient à ses yeux. Elle alla vers sa mère en épongeant ses joues humides et posa un baiser sur la joue fanée en s'excusant.

— Désolée Sylvia! Je deviens maussade ces jours-ci. Parle-moi de Zoé.

— Je l'ai trouvée dans ta chambre; elle pleurait, allongée sur ton lit, comme tu avais l'habitude de faire. Je lui ai demandé ce qui n'allait pas et elle m'a répondu- que Dieu nous vienne en aide!- qu'elle voudrait mourir.

— Ne te fais pas de souci Sylvia! Elle dramatise tout. J'ai fait ma petite enquête; elle réussit bien en classe, elle se comporte comme une étudiante modèle et elle assiste aux surprises-parties. Il n'y a pas à s'inquiéter. Je trouve ça merveilleux qu'elle ait pu se confier à toi. Quant à moi...

Emue, elle embrassa de nouveau sa mère.

— Nous voilà bien sentimentales! s'exclama Sylvia. Tu te souviens? Elaine et toi disiez cela à la famille lorsqu'on vous embrassait.

Pas de sentimentalité, pas de démonstration d'affection, songea Deena. Jamais elle n'avait pu confier ouvertement son amour pour sa mère. Pour la première fois de sa vie, elle n'en ressentait aucun chagrin.

Elles réagirent en même temps à une exclamation trop familière:

— Où donc se trouvent mes filles? J'attends et j'attends encore!

Cela venait de la salle de séjour. Décidément, cet homme était impossible. Toutes trois se levèrent d'un bond et obéirent à la voix de leur maître. La salle de séjour était occupée. Des plateaux de friandises étaient disposés çà et là dans l'éventualité d'une fringale. Les jeunes avaient gardé leur vieille habitude de s'étendre par terre. Petits, ils prenaient peu de place mais ils avaient grandi. Tous les cinq étaient étendus sur le tapis et l'on devait se frayer un chemin parmi eux en prenant garde de ne pas trébucher.

Le patriarche occupait la place d'honneur, un trône en cuir bordeaux; déchaussé, il parlait à voix haute en gesticulant d'abondance. Si on ne le connaissait pas, on pouvait difficilement l'imaginer vaincu par la maladie. Mais Deena percevait les infimes changements de sa physionomie: des sillons se creusaient aux commissures des lèvres, le double menton s'amollissait, le regard était moins vif. Ces transformations se faisaient de façon imperceptible.Pour l'instant, Jack continuait de contrôler les faits et gestes de tous ses sujets rassemblés auprès de lui. En apercevant Elaine et Deena, il réclama le silence:

— Vous voilà enfin! Marilyn a quelque chose à nous apprendre, expliqua-t-il. Marilyn tu as la parole!

— Voici, hésita Marilyn. Je voulais vous dire...

— Debout! ordonna Jack. Et parle plus fort. Je deviens dur d'oreille.

— Je n'ai pas besoin de me lever, papa.

— Evidemment, rien ne t'y oblige. Mais ç'aurait été bien si tu...

Marilyn se leva.

— Content à présent? Comment vous dire?... La semaine dernière...

— Laisse tomber la semaine dernière et va droit au but!

— Grand-papa! objecta Saul en tirant sur le pied de Jack. Veux-tu bien te taire et la laisser parler?

— Oui Jack, laisse-la s'exprimer, surenchérit Sylvia d'un ton sans réplique.

— Papa a raison. Il n'y a qu'une seule façon de dire quelque chose, c'est de manière directe. Alors voilà: je suis mariée!

Marilyn leva la main gauche pour que chacun voie l'anneau d'or à son doigt. Deena se demanda aussitôt pourquoi elle ne s'en était pas rendu compte.Mieux encore: comment Sylvia ne l'avait-elle pas vu? Elle courut vers sa soeur pour lui donner l'accolade.

— C'est merveilleux! dit-elle.

Deena était cependant gênée de lui demander le nom de son mari. Elle n' avait pas la moindre idée de l'identité de l'heureux élu. Cette question n'embarrassa toutefois pas le père de la mariée qui fit du coup ses commentaires:

— Pardonne la brutalité de ma franchise mais, entre nous, il était grand temps! A présent, nous dirais-tu enfin qui est le nouveau venu au sein de la famille Strauss?

Rosissant de plaisir, Marilyn répondit:

— John, évidemment!

— Le type qui est venu ici à l'Action de grâces?

— Oui, lui. Avec combien d'hommes croyais-tu que je cohabitais?

A la surprise de Deena, Jack demeura bouche bée. Encore maintenant, Jack Strauss refusait de croire qu'une femme pouvait épouser un homme sans être vierge. Deena avait peine à y croire, et pourtant...

— Je comprends à présent pourquoi tu as gardé tes gants si longtemps, dit Sylvia en embrassant sa benjamine. Tu savais que ça ne m'échapperait pas!

— Sylvia, j'ai retiré mes gants bien avant le début de la fête des azymes, j'ai fait de grands gestes et, malgré tout, personne n'a remarqué mon alliance!

— Pas étonnant! C'est un anneau tout à fait ordinaire!

— Papa! lancèrent-elles à l'unisson.

Il se contenta de hausser les épaules en souriant. «A-t-il, une fois dans sa vie présenté ses excuses à quelqu'un? se demanda Deena. Il aurait pu au moins exprimer ses regrets après avoir dit pareille grossièreté.» Jamais elle n'avait entendu son père dire qu'il était désolé. Ces mots lui étaient étrangers.

Libérée du poids de son secret, Marilyn bavardait.

— Je voulais vous en faire la surprise. John aurait dû venir avec moi mais vous savez ce qu'est la vie au Vermont? Il est tombé beaucoup de neige la semaine dernière et on s'ingénie à conserver les pistes en bon état pour prolonger la saison de ski le plus longtemps possible.

Sylvia tenait encore la main de Marilyn.

— Tu aurais pu inviter ta mère et ton père à ton mariage, dit-elle en souriant pour montrer qu'elle ne lui en tenait pas rigueur.

— Sylvia, je suis désolée. John m'a demandée en mariage au moins vingt fois; alors quand j'ai enfin répondu «oui», il s'est empressé de faire toutes les démarches avant que j'aie le temps de changer d'idée.

Cette remarque fit rire les convives mais Sylvia persistait:

— Quel genre de cérémonie était-ce?

— Un juge de nos amis nous a unis. Marilyn se tut et sourit à sa mère. Oh! Je comprends. Non, il n'est pas juif. Nous ne nous sommes pas mariés à l'église, ne crains rien...

— Mais je ne crains rien. Ne sois pas bête. Ces choses-là n'ont pas d'importance. Je suis seulement ravie que tu sois mariée. A trente-six ans, il ne te restait plus beaucoup de chances de rencontrer quelqu'un et il n'est pas trop tard pour avoir plusieurs enfants.

— Hé! Pas si vite.

Faisant fi de ce commentaire, Sylvia poursuivait:

— Ne fais pas ces yeux-là Jack! Si la mère est juive, automatiquement les enfants le sont.

Deena et ses soeurs riaient de bon coeur. Marilyn aussi. Leur mère était un pitre. En présence de ses parents, Marilyn avait l'impression d'être devant un train de marchandises; elle n'avait d'autre choix que de monter à bord ou de se faire écraser.

La douceur des sentiments qu'elle avait pour eux l'étonnait. En regardant ses parents, elle voyait deux vieillards remplis de bonnes intentions et qui transmettaient les préjugés propres à leur génération. Elle avait cessé d'espérer d'eux ce qu'ils ne pouvaient donner. Durant toute sa vie adulte, elle était revenue à la maison familiale dans l'espoir d'être enfin aimée comme elle le souhaitait. Chaque fois son attente avait été déçue. Aujourd'hui marquait le début de sa liberté. L'appartement de ses parents n'était plus son foyer. Sa vie était au Mont Hebron; son foyer et sa maison étaient auprès de John.

De quelle façon ce changement était-il survenu? Elle n'aurait su le dire mais il lui semblait que l'arrivée de Saul y était pour quelque chose. Elle l'avait invité à vivre auprès d'elle avec la conviction que l'air de la campagne lui ferait grand bien. Eloigner l'adolescent de son père intransigeant ne pouvait que lui être bénéfique. Le soustraire à l'influence d'une mère trop émotive n'avait sûrement pas nui à son état psychique. Marilyn avait vu sa soeur élever ses enfants; elle leur avait transmis ses propres névroses, s'était trop attachée à eux, leur avait offert un modèle de perfection impossible à atteindre. Marilyn voyait maintenant les choses d'un oeil différent. Elle avait offert de veiller sur Saul, espérant modifier son comportement; jamais elle n'avait songé un seul instant que la venue de ce neveu pourrait changer sa vie à elle.

Elle considérait son attitude passée non sans un brin d'humour. Au début de leur existence commune, elle avait voulu se montrer désinvolte. Elle s'était vite ravisée. On ne peut partager sa vie avec quelqu'un sans que des liens se tissent. Jour après jour, elle s'était intéressée aux occupations, aux idéaux, aux sentiments de Saul.

Dorénavant ils étaient liés. Elle avait eu peine à le croire mais le premier soir où il était rentré tard, elle n'avait pu fermer l'oeil avant d'avoir entendu ses pas dans la maison. Jamais elle ne s'était fait du souci pour quelqu'un de cette façon. Ce sentiment lui était inconnu et elle n'entendait pas l'accepter. Pourtant elle n'avait pas le choix. Ses inquiétudes professionnelles ne se comparaient pas du tout avec l'angoisse ressentie à deux heures du matin lorsque Saul n'était pas encore rentré.

Elle s'était rendu compte de cet attachement au fil du temps. L'incident qui avait eu lieu à l'école la semaine dernière lui en avait cependant fait prendre pleinement conscience. Saul estimait beaucoup son professeur de mathématiques. Marilyn savait combien le garçon avait besoin d'une présence masculine autre que celle de Michael, et il l'avait trouvée chez Henry Falco. Henry était un hippie vieillissant marié à une beatnik pas toute jeune; ils avaient six enfants, sept chiens et semblaient très accommodants. Saul voyait en Henry l'hybride de John Lennon et Einstein.

Marilyn était d'avis qu'il surestimait son professeur mais elle s'abstint de le lui dire. Un soir, Saul était revenu du club de mathématiques avec la mine basse, lui qui d'ordinaire racontait des tas d'anecdotes. Elle lui demanda ce qui s'était passé et il se contenta de répondre: «Rien.» Marilyn n'en crut évidemment pas un mot.

Au dessert Saul refusa une pointe de tarte aux pommes. Marilyn se leva pour aller l'embrasser en lui demandant:

— Allons Saul, raconte-moi. Inutile de me dire qu'il ne s'est rien passé. Jamais je ne t'ai vu refuser de la tarte aux pommes. Qu'est-ce qui ne va pas?

Il avait eu du mal à contenir ses émotions. Il raconta qu'il avait présenté son travail à Henry Falco qui lui avait ensuite demandé devant tous les membres du club:

— Alors Saul, qu'est-ce que t'en penses?

Inquiété par cette question à laquelle il ne s'attendait pas, Saul avait répondu:

— Je crois que j'ai fait de l'excellent travail!

— Alors l'un d'entre nous au moins est de cet avis!

Les larmes embuaient son regard lorsqu'il avait relaté cette mésaventure. Marilyn aussi aussi avait eu du mal à réprimer quelques pleurs. Le professeur avait insulté Saul publiquement! Cela lui semblait cruel et injuste, de surcroît. Marilyn avait vu rouge.

Ce soir-là, elle avait eu du mal à se concentrer sur ses dossiers. La colère canalisait toute son énergie. Elle s'était décidée à téléphoner à Henry Falco pour lui dire sa façon de penser. Elle tenta de se maîtriser mais elle ne put lui cacher son véritable sentiment:

— Cet enfant avait confiance en vous Henry. Il vous a donné sa confiance et vous l'avez humilié!

Le professeur avait adressé des excuses publiques à Saul le lendemain. Cependant Marilyn était encore perturbée et elle ne comprenait pas pourquoi. Elle avait ainsi défendu des dizaines de personnes à plusieurs reprises; elle avait toujours assuré sa propre défense, celle de ses patients, de ses amis. Pourtant cette fois, elle pleurait. Elle s'était jetée dans les bras de John, pleurant à chaudes larmes et avouant son intention de l'épouser. Si l'offre tenait encore.

Que s'était-il passé ce soir-là qui lui permît d'exprimer si librement ses sentiments? Elle ne le saurait peut-être jamais et, à vrai dire, cela n'avait plus d'importance. Elle avait tout à coup pleinement conscience d'être amoureuse de John, d'aimer Saul, d'aimer sans conditions les membres de sa famille. Ce à quoi elle avait jusque là aspiré était impossible. On ne pouvait modifier ce qui était; on n'avait qu'à l'accepter. Il faisait bon être entourée de sa famille et se sentir unie à elle en l'acceptant totalement.

Voilà pourquoi elle pouvait rire des désirs exprimés par sa mère au sujet d'enfants éventuels.

— Sylvia, laisse-moi une chance! Je suis mariée depuis une semaine seulement.

— Et j'étais sa demoiselle d'honneur! s'exclama Saul qui fit rire toute la famille.

— Ça ne ressemblait pas vraiment au spectacle qu'offrent les Strauss en ce genre d'occasion, continua Marilyn. Je me souviens du mariage d'Elaine: les chandelles, les gerbes de roses, l'escalier en colimaçon installé pour la circonstance! Elaine, je me souviens de toi dans ta longue robe de dentelle blanche. Mais tu aurais pu porter un sac de jute, tu aurais été la plus belle mariée de la terre. On aurait dit une actrice de cinéma! J'ai toujours voulu te ressembler.

— Moi? demanda Elaine. La grosse de la famille?

Sylvia précisa:

— Elaine, tu avais perdu beaucoup de poids pour tes noces.

— Ça ne voulait rien dire. Ce n'était que du camouflage.

Deena était stupéfaite.

— Elaine, je n'en crois pas mes oreilles! Tu crois encore que tu es grosse?

— Grosse et laide!

Chacun s'objectait et l'intéressée leva la main pour les rappeler à l'ordre.

— Vous vouliez le savoir? Je vous le dis tel quel.

— Mais tu as toujours été si sûre de toi, dit Deena.

— Ecoute et fais-en ton profit: une femme corpulente n'est jamais sûre d'elle dans le monde occidental. Tout ce qui l'entoure lui rappelle son état: la littérature, les magazines, la publicité, la télévision, le cinéma. Quel rôle confie-t-on toujours à celle qui est grosse, même si elle est belle? Un rôle comique, ou un rôle de faire-valoir. Et on peut être assuré qu'elle ne n'épousera pas le héros à la fin. Heureusement, je sais que mon mari m'aime telle que je suis! Parce que je ne suis plus souvent chez Sexy Follies tandis que lui passe ses journées en compagnie de cover-girls à moitié déshabillées.

Elle rit en disant ces mots et Howard s'empressa d'ajouter:

— Elles ne sont pas aussi belles que toi, ma chérie!

— Il a raison, approuva Sylvia. Tu étais un beau bébé, une belle fillette et maintenant tu es une belle femme.

Mais Elaine ne l'entendait pas ainsi:

— Ça va! J'ai toujours été forte de taille mais j'ai appris à l'accepter, bien qu'on oblige les femmes rondes à se sentir différentes, laides et inférieures. C'est ce qui m'a incitée à travailler au succès de Sexy Follies... J'y ai vu l'occasion de donner aux femmes fortes la chance de se sentir belles et sexy.

Elle se rassit en reprenant son souffle. Noël s'écria:

— Vas-y maman! Hier tu régentais la vente des soutien-gorges, aujourd'hui les centres commerciaux, demain le monde entier!

Tous applaudirent. Quand le téléphone sonna, Jack décrocha le combiné en invitant chacun à se taire. Deena discerna le ton faussement cordial de son père. Elle devinait qui se trouvait à l'autre bout du fil. Elle s'aperçut très vite qu'elle avait vu juste.

— Oui Michael, elle est ici, disait Jack malgré les dénégations muettes de Deena.

Son père la regarda droit dans les yeux et poursuivit:

— Elle se dirige à l'instant vers la chambre, où elle pourra te parler en toute confidentialité.

Evitant de regarder ses enfants, Deena se leva. Au passage, elle ne manqua cependant pas de foudroyer son père du regard. Il se contenta de baisser les paupières. Et puis tant pis! Il serait plus facile d'envoyer promener Michael si elle ne se trouvait pas devant un auditoire.

Elle prit l'appel dans la dépense. Les coups de téléphone répétés de Michael commençaient à l'irriter singulièrement. N'avait-il pas encore compris ce qu'était un divorce? Marquant son exaspération d'un soupir, elle prononça d'un ton plutôt neutre:

— Oui?

— Nom d'un chien! Deena tu pourrais au moins avoir la décence de lui rappeler ce qu'il doit faire s'il est trop imbu de sa personne...

Bravo! Encore des remontrances et elle n'avait aucune idée de ce dont il parlait.

— Michael! Pourrais-tu commencer au début? De qui parles-tu? A propos de quoi fais-tu un drame, cette fois?

— Ton attitude négative n'aide certainement pas, Deena. Tu sais de quoi il s'agit. Saul devait me téléphoner en arrivant. Il ne l'a pas fait. Tu aurais pu le lui rappeler.

Elle lui dit avec douceur:

— Je n'ai pas à le lui rappeler Michael. Il a essayé de te joindre, à plusieurs reprises.

— Bon... C'est différent dans ce cas.

— Michael, pourquoi ne lui as-tu pas parlé? A lui? Il se trouvait à mes côtés.

Michael répondit sèchement:

— Je suis son père, c'est mon fils et c'est à lui de me téléphoner. Il me doit au moins ce respect.

Comment expliquer qu'une seule conversation avec Michael lui demandait autant d'efforts? Elaine apparut dans l'embrasure de la porte et Deena l'invita à entrer en souriant.

— Michael, tu veux mon avis? Si tu souhaites parler à Saul, téléphone-lui!

Elle posa bruyamment le combiné en avouant:

— Dieu! que ça fait du bien. Il faut que j'agisse ainsi plus souvent. C'est une résolution.

— Bien parlé, dit Elaine.

— J'aurais peut-être dû lui dire ma façon de penser il y a très longtemps... Dis-moi: pourquoi la vie nous réserve-t-elle ce genre de traitements?

— Parce que Mère Nature veut que nous demeurions alertes et vigilantes. Parlant de problèmes avec nos maris...

— Oh! non. Pas Howard et toi.

— Deena! C'est toi qui te plaignais de la réaction négative de ton entourage à ton divorce? Ne crains rien. Ça va entre Howard et moi. C'est moi qui ne vais pas. Moi seule.

— Que se passe-t-il?

— Je suis jalouse. Tu te souviens quand je disais en rigolant qu'il passait toutes ses journées au bureau en compagnie de belles jeunes femmes? Eh bien c'est vrai, sauf pour la rigolade. Je ne ris pas. Je suis inquiète.

— Elaine ton mari est fou de toi.

— Je sais, je sais... Mais les derniers mois ont été très difficiles pour moi. La maladie de papa. Ce qui s'est passé avec Linda. Et Lawrence. Puis le nouveau projet de développement. L'apprentissage des affaires. Je suis exténuée. Et j'ai bien peu de temps à offrir à Howard.

— Il comprend tes préoccupations. C'est passager. Lainie tu as travaillé à ses côtés pendant de nombreuses années et la situation n'est plus la même. Tu crois vraiment qu'il te trompe?

506

— Non, bien sûr. Pas encore. Mais ça ne change rien aux faits; il passe tout son temps en compagnie de pin-ups qui le mangent des yeux pendant que moi je cours les chantiers de construction avec mes talons hauts. Quand vient le soir, je suis trop fatiguée pour faire l'amour. Crois-tu qu'il va l'accepter sans chercher de compensations?

— Franchement: oui.

Marilyn passa la tête par la porte de la dépense:

— Une réunion privée?

— Oui, seulement entre soeurs. Etes-vous la soeur de quelqu'un?

— La soeur de tout le monde.

Deena ouvrit de grands yeux.

— Moo-moo, c'était presque drôle.

— Comment ça, presque drôle?

Toutes trois éclatèrent de rire quand soudain elles entendirent des voix en provenance de la cuisine. Il s'agissait de Jack et de Sylvia. Elles continrent leurs rires et s'approchèrent de la porte battante pour regarder par le hublot.

— Pourquoi me suis-tu Jack? Tu voulais dire au revoir à Earline? Ça va, fais-lui tes adieux. Je ne fais que vérifier si le lave-vaisselle fonctionne. Va t'asseoir avec les autres.

— Sylvia, j'ai quelque chose à te dire.

— Je sais ce que tu as à me dire et je t'ai déjà dit que ça ne m'intéresse pas.

— C'était il y a plusieurs mois, alors que je revenais de l'hôpital. Tu voulais probablement m'épargner. Mais il est temps à présent...

— Non. Absolument pas.

— Il y a trop longtemps que je garde ce secret. Laisse-moi me libérer.

— Te libérer toi pour m'accabler à mon tour! Non merci.

— Comment peux-tu me dire ça après toutes les années que nous avons vécues ensemble. Je ne veux pas te faire de mal, je n'ai jamais voulu te faire de mal, mon trésor. Il faut que nous parlions. Je me sens hypocrite devant les filles et les enfants...

— Tu te sens hypocrite? Tant pis pour toi! Dieu a peut-être voulu te donner une leçon, je ne peux pas en juger. Mais je ne veux rien entendre, pas un mot, pas même une syllabe.

Elle avait fait semblant de s'occuper et avait remis à leur place des objets qui s'y trouvaient déjà. Elle s'arrêta net, se tourna, leva le menton et lui dit en le regardant droit dans les yeux:

— Ne dis pas un mot, Jack. Je te l'interdis.

— Sylvia, tu as été un ange. Il tendit les bras dans un geste familier à Elaine et Deena puis il dit: tu mérites...

— *Genug!* Tu m'entends? Assez!

Sylvia rougissait comme une jeune fille en cherchant son souffle. Lorsqu'il posa la main sur son épaule, elle se dégagea prestement et s'en fut hors de sa portée. Elle le dévisageait et son teint devenait cramoisi tandis que Jack blêmissait.

— D'accord. Tu veux que nous discutions? Nous allons discuter. Ecoute ce que j'ai à dire pour une fois. J'ai vécu en sachant la vérité depuis le début et jamais je n'ai dit un mot. Quand tu t'es mis à rentrer plus tôt du bureau, j'ai cru être enfin délivrée d'elle. Je croyais que tout était fini entre vous. Et puis tu as commencé à me mentir, à ton âge, en faisant semblant d'aller à ton club tous les samedis. Tous tes amis se sont demandé comment il se pouvait qu'un homme fort comme Jack Strauss ait un infarctus. Etait-ce à moi de leur apprendre qu'il se trouvait en compagnie de sa putain?

Jack émit un son étrange puis il retrouva l'usage de la parole:

— Ce n'est pas ainsi que les choses se sont passées. si tu consentais à m'écouter un instant...

— Tu veux en parler? Alors va consulter Nate Levinson, le rabbin ou un psychiatre! Mais pas moi. Je me fous de la manière dont ça s'est passé. Tout ce qui m'importe c'est la manière dont les choses se passeront à l'avenir. Si tu désires que nous demeurions mariés, alors il faudra te résoudre à ne plus jamais parler d'elle ou de lui! Plus jamais, tu m'entends? Si jamais ça se produisait, je te préviens amicalement, je partirais pour toujours. Et je n'irai pas au cinéma du coin!

Jack Strauss était ahuri.

— Sylvia chérie... je ne comprends pas. Que se passe-t-il donc? Je ne reconnais plus aucune de mes filles. Vous vous adressez toutes à moi comme si j'étais un criminel. Elaine prend le contrôle de mon entreprise et se conduit comme si elle était la propriétaire des lieux. Deena laisse tomber un mari modèle après un quart de siècle d'un heureux mariage. Marilyn épouse un goy aux cheveux longs qui gagne sa vie en faisant du ski. Un type qui gagne sa vie sur les pistes de ski, tu y penses? Mais qu'est-ce qui vous arrive donc?

Sylvia mit les poings sur les hanches, considéra un instant son époux et lui dit en secouant la tête:

— Ce qui nous arrive? La vie nous offre à toutes une seconde chance et nous avons décidé de ne pas la laisser passer. Et c'est la même chose pour toi, mon chéri! Tu peux prendre ta retraite et nous pourrons enfin faire tous ces voyages dont tu as tant parlé. Et qu'as-tu à redire contre tes filles? Elles sont formidables. Marilyn est finalement mariée et, qui sait?, elle nous donnera peut-être des petits-enfants. Quoi qu'il en soit, jamais elle ne m'a semblé aussi heureuse. Deena s'est montrée très brave; elle a décidé de conquérir son autonomie et je crois qu'elle y parviendra. Quant à Elaine, elle a finalement obtenu ce qu'elle a toujours désiré: ton respect et ton approbation. Arrête de t'accrocher aux choses qui ne sont plus! Plus rien ne sera jamais comme avant, parce qu'avant les choses ne nous satisfaisaient pas.

Tapies derrière la porte battante, les trois sœurs se donnèrent l'accolade en riant doucement. « Quelle femme!» songeait Deena. Dans sa cuisine, Sylvia consolait son mari:

— Ne sois pas malheureux Jack! Tes petites filles ont grandi, voilà tout. Et leur mère a suivi leur exemple!

Au sujet de l'auteure

Marcia Rose est un nom fictif désignant deux jeunes femmes qui se sont mises à l'écriture voilà bientôt dix ans.

Marcia est divorcée. Elle partage avec ses deux filles un appartement en copropriété dans un immeuble du quartier de Brooklyn Heights à New-York. Elle aime écouter de la musique, aller au théâtre et recherche la compagnie des gens dont les initiales sont H.C.

Rose est mariée et mère de deux adorables fillettes. Elle habite une maison centenaire du quartier de Brooklyn Heights où vit un chat affectueux. Elle consacre son temps libre aux voyages, pratique le ski alpin et va au théâtre.

Toutes deux aiment rire ou pleurer et se passionnent pour la lecture.

Marcia et Rose ont écrit ce roman ensemble. A travailler de concert, elles en sont venues à partager une même philosophie et à la traduire en usant des mêmes mots. Elles sont ravies de ce que leur violon d'Ingres soit devenu le tremplin d'une carrière littéraire.

Achevé Imprimerie
d'imprimer Gagné Ltée
au Canada Louiseville